Adriana Trigiani

VALENTINA'S
SCHOENEN

ISBN 978-90-225-5285-8
NUR 302

Oorspronkelijke titel: *Very Valentine* (Simon & Schuster)
Vertaling: Ineke de Groot
Omslagontwerp en -beeld: marliesvisser.nl
Zetwerk: Mat-Zet BV, Soest

Ter nagedachtenis aan mijn opa
Carlo Bonicelli, schoenmaker

1

Leonard in Great Neck

Ik ben niet de knappe zus. En ook niet de slimme zus. Ik ben de leukste thuis. Zo word ik al zo lang genoemd, mijn hele leven eigenlijk, dat ik altijd dacht dat het één woord was: leukstethuis.

Als ik ergens moest sterven, niet dat ik dat wil, maar stel dat ik moest zeggen waar dat dan moest gebeuren, dan zou ik dat hier, midden in het damestoilet van Leonard in Great Neck willen doen. Het komt door de spiegels. Ik zie er, zelfs in 3D, schitterend slank in uit. Ik ben geen wetenschapper, maar het komt vast door de schuine stand van de hoge spiegels, de glimmende blauwe marmeren wastafels en het goudgele licht van de kroonluchters die een optische illusie veroorzaken waardoor ik er in de spiegel uitzie als een lang, dun, lichtroze roerstokje.

Dit is de achtste receptie (de derde als gast) op Long Island in Leonard's La Dolce Vita, de formele naam voor de favoriete trouwfabriek van onze familie. Iedereen die ik ken is hier getrouwd. Nou ja, iedereen die familie van me is, dan.

In 1984 maakten mijn zusjes en ik ons debuut als bloemenmeisjes voor onze nicht Mary Theresa, die meer bruidsmeisjes en -jonkers bij zich had dan er gasten aan de tafels zaten. Het huwelijk van onze nicht mag dan een heilige uitwisseling van beloften zijn geweest tussen een vrouw en een man, maar het was tevens een show, met kostuums, danspasjes en speciale belichting waardoor de bruid de grote ster was en de bruidegom een onbeduidende figurant.

Mary T. beschouwt zichzelf van Italiaans-Amerikaans koninklijken bloede en daarom had ze de ridders van Columbus geregeld om voor ons een erewacht in de Starlight Venetian Room te vormen.

De ridders zagen er in hun smoking, rode cummerband, zwarte cape en steek met maraboeveer erg indrukwekkend uit. Ik liep achter de andere meisjes aan terwijl de band 'Nobody Does It Better' speelde, maar draaide me opeens om en ging er als een haas vandoor toen de ridders hun zwaard in de lucht staken om de ereboog te vormen. Tante Feen kreeg me te pakken en gaf me een zet. Ik deed mijn ogen dicht, greep mijn boeket stevig beet en dook onder de zwaarden door alsof de duivel me op de hielen zat.

Hoewel ik doodsbang ben van scherpe en rinkelende dingen, verloor ik die dag toch mijn hart aan Leonard's. Dit was mijn eerste officiële Italiaanse feest. Ik keek er erg naar uit om groot te zijn en net als mijn moeder en haar vriendinnen in een japon vol zilveren lovertjes Harvey Wallbangers in geslepen kristallen glazen te drinken. Op mijn negende vond ik Leonard's pure klasse. Het maakte niet uit dat het er vanaf Northern Boulevard uitzag als een witgestuukt casino aan de Franse Rivièra. Leonard's was voor mij een sprookjeskasteel.

De Italiaanse belevenis begint al als je aan komt rijden. De grote ronde oprijlaan lijkt niet alleen sprekend op Jane Austens Pemberley, maar ook op de plek waar de parkeerhulpen staan van de chique modezaak Neimann Marcus even buiten het winkelcentrum van Short Hills. Dat is het leuke van Leonard's: het doet je steeds denken aan bepaalde mooie plekjes die je ooit hebt bezocht. De twee verdiepingen hoge glas-in-loodramen zouden zo uit het Metropolitan Opera House kunnen komen, en de fontein is ontegenzeglijk Trevi. Je zou je midden in Rome kunnen wanen totdat je beseft dat het klaterende water het verkeerslawaai van de i-495 overstemt.

De tuin is waanzinnig goed bijgehouden: tot rechthoeken gesnoeid bukshout, lage taxushagen, ovaalvormig gesnoeide ligusters en gebeeldhouwde ijsjes van de laurierbes. De bijgewerkte struiken staan in bedjes van glimmende riviersteentjes, wat een zeer toepasselijke aanloop is tot de ijssculpturen die binnen boven de saladebar uittorenen.

De buitenlampen doen niet onder voor Las Vegas, maar zijn wel een stuk smaakvoller, want de lichten zijn gedimd zodat ze een zachte, glinsterende gloed afgeven. Boompjes gesnoeid in de vorm van een halvemaan staan aan weerskanten van de ingang. De lage struiken eronder dienen als onderkomen voor de paradijsvogels die als parasolletjes op een cocktail het struikgewas in en uit duiken.

De band speelt 'Burning Down the House' terwijl ik even bijkom in het toilet. Voor het eerst op de trouwdag van mijn zusje Jaclyn ben ik alleen, en daar ben ik blij om. Het is een lange dag geweest. Ik voel de druk van de hele familie op mijn schouder. Als ik trouw doe ik dat alleen voor de wet, want ik wil niet nog zo'n Roncalli-trouwpartij meemaken. Ik zou de gefrituurde gamba's in een bierdeegje en de paté wel missen, maar daar kom ik ook wel weer overheen. De maanden die ik bezig ben geweest om de trouwerij te regelen hebben me bijna een maagzweer bezorgd, en de dag zelf een tic onder mijn rechteroog, die ik alleen maar stil kan krijgen met de bevroren bijtring die ik na de trouwdienst van het kindje van mijn nicht Kitty Calzetti heb gepikt. Ondanks alle zenuwen is het een heerlijke dag, want ik ben blij voor mijn jongste zusje, dat ik, zo kan ik me nog herinneren, in mijn armen heb gehad op de dag dat ze werd geboren.

Ik houd mijn avondtasje, bezet met lovertjes (gekregen van de bruid) omhoog in de spiegel en zeg: 'Ik wil graag Kleinfeld uit Brooklyn bedanken, die de Vera Wang perfect strapless heeft nagemaakt. En ook Spanx, het korsettengenie, die van mijn peervorm een surfplank maakte.' Ik loop naar de spiegel toe en kijk naar mijn tanden. Het is pas een echte Italiaanse trouwerij als er mossels worden geserveerd met stukjes basilicum, die dus altijd tussen je tanden blijven zitten.

De professionele make-up die (met vijftig procent korting) door Nancy DeNoia, de schoonzus van de hartsvriendin van de bruid is aangebracht, zit nog steeds perfect. Ze heeft me rond acht uur vanochtend opgemaakt en het is nu tegen zessen en het ziet eruit alsof ze het pas heeft gedaan. 'Dat komt door de poeder: Banane van LeClerc,' zegt mijn oudere zus Tess. En zij kan het weten, haar huid bleef mat tijdens twee bevallingen. De foto's zijn het bewijs.

Vanochtend zaten mijn zussen, mijn moeder en ik op opklapstoelen voor de spiegel in mijn moeders slaapkamer in hun tudorhuis in Forest Hills: een rij knappe maagden (nou ja) naast elkaar.

'Moet je ons eens zien,' zei mijn moeder die als een schildpad haar hoofd uit haar nek tilde. 'We lijken wel zussen.'

'We zíjn ook zussen,' zei ik terwijl ik naar mijn zusjes in de spiegel keek. Mijn moeder was gekwetst. 'En jij… jij bent onze tienermoeder.'

'Nu overdrijf je.' Mijn eenenzestigjarige moeder die Michelina heet, naar haar vader Michael (mama's roepnaam is Mike) met haar hartvormige gezicht, wijd uit elkaar staande bruine ogen en volle terracottakleurige lippen, keek zelfvoldaan in de spiegel. Mijn moeder is voor zover ik weet de enige die volledig opgemaakt naar een visagist gaat.

De Roncalli-zusjes, uitgezonderd onze broer, die de oudste is en Alfred heet (en ook wel de Pil wordt genoemd) en onze vader (genaamd Dutch), zijn een hechte club. We zijn elkaars hartsvriendinnen en vertellen elkaar alles, op twee dingen na: we hebben het nooit over ons seksleven en ook niet over onze bankrekeningen. We horen bij elkaar door onze afkomst, onze geheimen en de stijltang van onze moeder.

Deze band werd gesmeed toen we nog erg jong waren. Mama verzon tochtjes voor de meiden. Ze sleepte ons naar een overzichtstentoonstelling van Nettie Rosenstein, of naar onze eerste Broadwayshow: *'night, Mother*. Terwijl ze ons het theater uit dirigeerde zei ze: 'Niet te geloven dat ze zelfmoord ging plegen, hè?' omdat ze zich zorgen maakte dat ze ons tere zieltje had beschadigd. We zagen de wereld door mijn moeders elegante toneelkijker. Elk jaar, in de week voor kerst, ging ze met ons naar het Palm Court in het Plaza Hotel voor een high tea. Als we ons vol hadden gepropt met luchtige scones, dik besmeerd met slagroom en aardbeienjam, werd er een foto gemaakt van ons in dezelfde kleding, mijn moeder natuurlijk ook, onder een portret van Eloise.

Toen Rosalie Signorelli Ciardullo make-up gebaseerd op minerale poeder langs de deur ging verkopen, wie denk je dat mijn moeder toen aanbeval als reizende modellen? Tess (droog), mij (vet) en Jaclyn (gevoelig). Mijn moeder was het model voor de groep van dertig tot veertig, hoewel ze toen al drieënvijftig was.

'Elke grote artiest begint met een leeg doek,' kondigde Nancy DeNoia aan toen ze vloeibare make-up op mijn voorhoofd in de kleur van Cheerios smeerde. Ik had bijna gezegd: 'Iemand die de term "artiest" bezigt is er vast niet een,' maar wie gaat er nu in discussie met een vrouw die in staat is om je in Cher te veranderen?

Ik hield dus mijn mond terwijl ze met het sponsje mijn wangen bewerkte. 'Weg met de gok...' zei Nancy, een wolk pepermunt uitademend, en ze smeerde met precieze, zekere bewegingen de brug van mijn neus in. Zo had het ook aangevoeld toen zuster Mary Joseph een zak met ijs stevig tegen mijn neus aan hield nadat ik bij gym in de brugklas een bal in mijn gezicht had gekregen. Zuster Mary J. zei dat ze nog nooit zo veel bloed uit iemands hoofd had zien stromen, en zij had nog wel als verpleegkundige in Vietnam gewerkt.

Nancy DeNoia deed een stap naar achteren en bekeek mijn gezicht met de blik van een architect. 'De neus is weg. Nu kan ik er wat van gaan maken.'

Ik deed mijn ogen dicht en deed net of ik mediteerde in de hoop dat Nancy dan haar mond zou houden over de rest van mijn lelijke gezicht. Ze doopte een penseeltje in ijswater en roerde er vervolgens mee over een donkerbruin blokje. Mijn wenkbrauwen tintelden terwijl ze kleine haartjes erop schilderde. Ik ben opgegroeid met Madonna, en toen zij haar wenkbrauwen epileerde, deed ik dat ook. Helaas.

Mijn gezicht was koud en voelde beschilderd aan totdat Nancy een Kabuki-kwast in het poeder stak en het al draaiend op mijn gezicht aanbracht, net als de machine waarmee je je auto in de was kunt zetten in Andretti's autostraat. Toen ze klaar was leek ik wel een pasgeboren puppy: een en al ogen en zonder neus.

In het damestoilet neem ik even de tijd om mijn lipstick bij te werken, omdat ik dus op trouwerijen wel eet. Na weken lijnen om in de jurk te passen, vind ik dat ik wel wat lekkere drankjes verdiend heb en kan ik wat hors d'oeuvres inhalen die ik daarvoor afgeslagen heb. Bovendien heb ik genoeg cannoli's gegeten om midden op de Venetiaanse tafel een donkere krater te creëren. Daar maak ik me geen zorgen over. Dat raak ik allemaal wel kwijt als ik op de verlengde versie van 'Electric Slide' dans. Ik vis de lippenstift uit mijn tasje. Er is niets ergers dan ongestifte lippen met een lijntje lippenpotlood eromheen. Ik werk de stukjes bij waar de kleur is verdwenen.

Mijn zusjes en ik spelen al sinds onze jonge jaren dezelfde spelletjes: bruiloftje of begrafenisje. Niet dat onze ouders morbide zijn, of dat er iets ergs met ons is gebeurd, het komt gewoon doordat we Italiaans zijn en boontje om zijn loontje komt. Het is de wet van Roncalli: als er iets leuks gebeurt moet er ook iets akeligs gebeuren. Bruiloften zijn voor jonge mensen en begrafenissen zijn de bruiloften voor oude mensen. Ik ben erachter gekomen dat er bij beide een hoop regelwerk aan te pas komt.

Er zijn twee vaste regels bij ons in de familie. De eerste is dat je naar de begrafenis gaat van iedereen die je ooit eens ontmoet hebt. Hier hoort iedereen van onze hele familie bij (bloedverwanten, aangetrouwde familieleden, en neven en nichten van die aangetrouwde familieleden), maar ook goede vrienden natuurlijk, en leraren, kapsters en dokters. Iedereen die ooit een mening heeft gegeven of een diagnose heeft gesteld, valt daar ook onder. Er is een speciale categorie voor bezorgers, en daar hoort oom Larry, de pakketbezorger van UPS ook bij. Hij overleed in 1983 geheel onverwacht op een zaterdagochtend. Mijn moeder kwam ons de volgende maandag uit school halen om naar zijn begrafenis in Manhasset te gaan. 'Uit respect,' zei ze toen tegen ons, maar we wisten wel wat de werkelijke reden was. Ze vindt het gewoon leuk om zich mooi aan te kleden.

De tweede regel van de Roncalli-familie is dat je naar elke bruiloft en elk feest toe gaat waar je voor wordt uitgenodigd, ook die van dat enge neefje Paulie die van het Arthur Murray is geschopt omdat hij de dansinstructeur betastte (het werd buiten de rechtbank om geregeld).

Er is nog een derde regel: je mag het nooit ofte nimmer hebben over de neuscorrectie die mijn moeder in 1966 heeft ondergaan. Het maakt niet uit dat haar nieuwe neus sprekend op die van Annette Funicello lijkt, en wij, haar eigen kinderen, het profiel hebben van Marty Feldman. 'Geen hond die het opvalt, tenzij jullie het vertellen,' had mijn moeder ons gezegd. 'En als iemand ernaar vraagt, zeg je gewoon dat het van je vaders kant is.'

'Daar ben je!' Mijn moeder komt als een aangekleed mandarijntje de toiletruimte binnenstormen, een en al chiffon en veren, alsof iemand haar outfit in een blender heeft gestopt en de knop een aantal malen heeft ingedrukt. 'Wat zijn die spiegels toch waanzinnig, hè?' Mijn moeder draait zich om voor de spiegel en werpt dan een blik achterom om de rug van haar jurk te bekijken. Tevreden zegt ze: 'Ik ben superslank. Wat iedereen ook mag beweren, het dieet werkt. Hoe gaat het aan jouw tafel?'

'Het is een ramp.'

'Ach, hou toch op. Je zit aan de Vriendentafel. Je moet de boel een beetje' – en ik heb er zo'n hekel aan als ze dit doet, maar ze doet het toch: ze balt haar vuisten en beweegt ze snel op en neer – 'opvrolijken.'

'Mam, toe.'

'Die negatieve houding werkt tegen je. Het stroomt uit je als olie uit een lekgeslagen tanker.' Mijn moeder kijkt me aan terwijl ze zonder een blik in de spiegel te werpen haar lippen bijwerkt. Ze klapt de zilveren houder dicht. 'Je had een afspraakje mee moeten nemen als je het niet leuk vindt dat elk stel dat we kennen hun vrijgezelle zoon als een vleesspies aan je aanbiedt.'

'De Delboccio's willen Frank aan me koppelen.' Ik sta tegen de muur aan en sla mijn armen over elkaar omdat ik dus echt niet kan zitten in deze jurk. De Spanx zou mijn milt vermorzelen.

'Maar dat is fantastisch! Het was gewoon het lot dat je aan de Vriendentafel zit.'

'Mam, Frank is homo.'

'Jullie meiden zijn ook allemaal hetzelfde. Jullie zeggen tegenwoordig altijd dat iemand homo is. Wat maakt het nou uit dat die man drieënveertig is en nooit getrouwd is en elk voorjaar met zijn moeder en haar mahjongclub op vakantie gaat? Dat wil toch nog niet zeggen dat hij homo is? Misschien is hij gewoon een heteroman die toevallig lekker ruikt, smaakvol gekleed gaat en met oudere mensen omgaat alsof ze er nog toe doen. Doe me een lol, ga eens met Frank uit. Ga dansen! Ga naar een museum! Naar restaurants! Dan ben je ook eens leuk aangekleed en ga je een keertje uit en heb je het naar je zin met een knappe vent die weet hoe hij zich tegenover een vrouw moet gedragen.'

Mijn moeder kijkt me aan, en iets in mijn blik raakt haar, zo gaat het al sinds mijn geboorte. Ze staat aan mijn kant, en dat weet ik maar al te goed. 'Je hebt zo veel te geven, Valentina. Ik wil niet dat je achter het net vist. Je bent een topper! Je bent grappig!' Mijn moeder omhelst me stevig. 'Laat me eens naar je kijken.' Mijn moeder legt haar handen om mijn gezicht. 'Je bent volkomen origineel. Je grote, prachtige bruine ogen staan precies wijd genoeg uit elkaar. Je lippen heb je gelukkig van mijn kant van de familie. De Roncalli-lippen zijn zo dun dat ze klittenband nodig hebben om te kauwen. En je neus, ondanks wat Nancy er daarstraks over zei…'

'Mam, het maakt niet uit.'

'Dat was erg onbeleefd. Maar ik hield mijn mond omdat je met schoonheidsspecialisten en loodgieters nooit ruzie moet maken. Ze kunnen je allebei te gronde richten. En je neus is prachtig. De rug is slank, wat en profil heel mooi uitkomt, en hij is recht, terwijl die van mij krom was.'

Het verbaast me ten zeerste dat mijn moeder het over de Operatie heeft. 'O ja?' Ik heb haar oude neus nooit gezien. Er bestaat maar één foto van mijn moeder met haar oude neus, maar dat is een klassenfoto van de middelbare school en ze staat er zo klein op dat je het amper kunt zien.

'O ja, hij was vreselijk krom. Maar weet je, ik wist wat ik er aan had. Het was een foutje dat hersteld kon worden. Er zijn dingen in het leven die je kunt herstellen. Dus dat doe je en dan ga je weer verder.'

'Wil je daarmee zeggen dat ik een neusoperatie moet ondergaan?'

'Nee, absoluut niet. Bovendien komt een lang iemand wel weg met zo'n neus. Wees blij dat je zo lang bent.'

'Bedankt, mama.' Over het algemeen genomen is een meter drieënzeventig niet buitensporig lang, maar bij ons in de familie ben ik een reuzin.

Mijn moeder knipt haar met lovertjes bezette avondtasje open en haalt er de eau de toilette van Dolce & Gabbana met de rode dop uit en sprayt er wat van in haar nek. 'Wil je ook?' biedt ze aan.

'Nee. Ik ga maar met mijn natuurlijke luchtje terug naar de Vriendentafel.'

Mijn moeder spuit wat over haar opgestoken haar dat net een croissant lijkt en versierd is met rode lovertjes waardoor je, afhankelijk van waar je je die avond op de dansvloer onder de lampen bevindt, voor de rest van je leven blind kunt worden.

Als kind keek ik toe hoe ze zich voor de spiegel mooi maakte als ze met mijn vader uitging. Ze stond dan bij haar toilettafel en bekeek de spullen die ze al klaar had gelegd. Ze maakte poederdozen open, schroefde het dopje van tubes af en schudde flesjes. Daarna dacht ze na terwijl ze het oogpotlood sleep. Na een tijdje viel er een wasachtige bruine s in de prullenbak. Ze pakte het potlood en zette stipjes onder haar oog ter voorbereiding op de dikke strepen. Ze pakte een kwast, doopte het in de poeder en vervolgens, alsof ze Michelangelo was en de haartjes schilderde van een heilige op het plafond van de Sixtijnse Kapel, tekende ze de kleine wenkbrauwhaartjes.

'Is er iets, Valentina?'

'Nee. Ik hou alleen van je.'

'Was je maar…' zegt mijn moeder, maar ze onderbreekt zichzelf. 'Weet je, al blijf je als enige van mijn kinderen vrijgezel, dan nog zal ik achter je staan en trots op je zijn. Als je dat natuurlijk zelf wilt.'

Daarom hou ik misschien wel het meest van haar. Mijn moeder gelooft dat je gehandicapt bent als je vrijgezel bent, net zoiets als dat je maar één hand hebt, maar ze geeft me nooit het gevoel dat ik het met haar eens moet zijn. 'Mam, ik ben gelukkig.'

'Je zou nog gelukkiger kunnen zijn.'

'Daar zou je wel eens gelijk in kunnen hebben.'

'Aha!' Ze wijst naar me. 'Je kunt je leven inrichten zoals je dat zelf wilt. Je hoeft niet bij mijn moeder te wonen en schoenen te maken.'

'Ik ben gek op mijn werk en ik vind het heerlijk om daar te wonen.'

'Daar snap ik niets van. Ik wilde zo snel mogelijk weg uit huis. En ik wilde nooit ofte nimmer schoenmaker worden.'

Mijn moeder en ik lopen gearmd terug naar de receptie. We lijken wel twee satellieten, een roze en een feloranje die aan de Tiepoloblauwe hemel staan. Dan besef ik dat de gasten niet om die reden naar ons kijken. Zij denken vast dat ik mijn moeder overeind moet houden, dat ze te veel heeft gedronken, of God verhoede, dat ze zo oud is dat ze hulp nodig heeft. Ik hoor de radertjes in het hoofd van mijn moeder gewoon kraken omdat zij ook tot die conclusie komt. Mama laat sierlijk mijn arm los en maakt een complete pirouette midden op de verlaten dansvloer. Ik buig alsof we dat van tevoren hadden beraamd. Mijn moeder zwaait jeugdig naar me terwijl ze naar de Ouderstafel paradeert, zodat ik wel naar de tirannie van de Vrienden terug moet.

Mevrouw McAdoo, de gloednieuwe schoonmoeder van mijn zusje, heeft een drukke corsage van paarse rozen op, die als een paarse tooi op haar lila crêpe jurk hangt. De huid van mevrouw McAdoo gaat naadloos over in haar grijze haar, dat in een kort pagekapsel is geknipt. Bij mijn moeder krijgt geen enkele grijze haar op haar hoofd de kans. Het enige grijs dat je in de buurt van mijn moeder aan zult treffen, is de terrazzovloer in de hal van mijn ouderlijk huis. 'Matrones moeten opgesloten worden! Ik heb trouwens niets met grijs worden,' zegt mijn moeder altijd. 'Het is een aankondiging van de dood. Als je jezelf grijs laat worden, kun je net zo goed meteen' – en ze wenkt met haar hand – 'tegen Magere Hein zeggen dat hij je kan komen halen!' Nee, mijn moeder heeft kastanjebruin haar en dat zal altijd zo blijven (als L'Oréal die kleur tenminste blijft maken).

Ik kijk rond in de kamer met de driehonderdtwaalf gasten. De vorige avond waren ze nog een verzameling geeltjes op een bord in de keuken van mijn moeder, en nu zitten ze aan de tafel waaraan ze volgens de Italiaans-Amerikaanse hiërarchie moeten zitten. Op de eerste rij: Ouders, Goede Vrienden, Deskundigen, Collega's, Neven en Nichten, Kinderen. Op de tweede rij de Schoonfamilie. En op de derde: het Eiland (familieleden met wie we niet meer omgaan omdat er ooit iets is gebeurd, hoewel niemand meer weet wat), Onbeleefde Mensen (die te laat reageerden) en Dementerenden (dat wil je niet weten).

Ik zie er vast eenzaam uit op de dansvloer. Waarom heb ik ook niemand meegenomen? Gabriel bood het aan, maar ik wilde niet dat hij zich in deze hitte verplicht voelde de Vogeltjesdans te fladderen met nicht Violet Ruggiero. Hoe bestaat het toch dat ik in deze kamer de enige single onder de veertig ben? Alfred, die mijn gêne aanvoelt, pakt me bij de hand wanneer het orkest inzet. Het is een beetje vreemd om met je enige broer, met wie je op gespannen voet staat, op 'Can You Feel the Love Tonight' te walsen, maar ik maak er maar het beste van. Ik heb in elk geval iemand om mee te dansen, ook al is hij dan familie. We moeten dankbaar zijn voor wat we krijgen. 'Dank je, Alfred.'

'Ik dans met al mijn zusjes,' zegt hij, alsof hij een lijst afvinkt voor de monteur bij de garage.

We deinen even heen en weer. Het valt niet mee voor me om met mijn broer te praten. 'Weet je waarom God broers in een Italiaanse familie heeft geschapen?'

Hij hapt. 'Nee, waarom dan?'

'Omdat Hij wist dat de vrijgezelle zusjes iemand moesten hebben om op bruiloften en partijen mee te dansen.'

'Hopelijk heb je betere grappen in je toespraakje.'

Hij heeft gelijk, en daar ben ik niet blij mee. Mijn broer is negenendertig jaar, maar ik zie hem niet als een middelbare vader van twee kinderen, ik zie alleen maar het arrogante knulletje dat altijd tienen haalde en geen vriendjes had op school. Alleen op donderdag was hij niet chagrijnig, want dan kwam de schoonmaakster en kon hij haar helpen de tegels te schrobben. Op dat soort momenten was Alfred gelukkig, en ook als hij een borstel en een emmer met ammoniak tot zijn beschikking had.

Alfred heeft nog steeds dezelfde kuif en ziet er nog net zo ernstig uit als toen hij klein was. Hij heeft ook mijn moeders oude neus en de dunne bovenlip van mijn vaders kant. Hij vertrouwt niemand, ook zijn eigen familie niet, en kan uren doorgaan over de vreselijke dingen die de media en de regering doen. Alfred heeft altijd een doemscenario bij de hand. Hij is de eerste die belt als er een huis live in brand staat op de televisiezender New York 1 en de eerste die aan iedereen een e-mail stuurt als er een bedwantsinfasie aan de oostkust wordt verwacht. Hij weet ook alles over de ziekten die in families met een mediterrane afkomst woeden (auto-immuunziekten zijn zijn specialiteit). Tijdens het vorige kerstdiner hebben we uren moeten luisteren naar zijn verhandeling over prediabetes, waardoor de rumcola's een stuk vlotter naar binnen gingen.

'Hoe gaat het met oma?' vraagt hij.

Ik werp een blik op onze grootmoeder, de moeder van onze moeder, Teodora Angelini, die de pech heeft aan de Dementerendentafel te zitten zodat ze met haar nichten en neven en haar enige nog levende zus, mijn oudtante Feen, kan praten. Terwijl oma's leeftijdgenoten over hun bord gebogen zitten en de walnoten uit de salade verwijderen, zit zij kaarsrecht als een militair. Mijn grootmoeder is de enige rode roos in een tuin vol grijze doornstruiken.

Haar lipstick is helderrood, ze draagt een rood linnen zomerpakje, haar grijze haar is keurig gekapt, en door haar grote achthoekige brillenglazen in een inktzwart schildpadmontuur lijkt ze op een elegante dame van de Upper East Side die nog nooit een dag in haar leven heeft gewerkt. Maar eerlijk gezegd is de enige overeenkomst tussen haar en die chique matrones het feit dat ze ook op maat gemaakte kleding draagt. Mijn grootmoeder heeft haar eigen bedrijf. We maken al sinds 1903 in Greenwich Village met de hand gemaakte trouwschoenen. 'Het gaat heel goed met oma,' zeg ik tegen hem.

'Ze kan amper lopen,' zegt Alfred.

'Ze heeft nieuwe knieën nodig,' leg ik hem uit.

'Ze heeft wel een hoop meer nodig.'

'Alfred, op haar knieën na gaat het uitstekend met haar.'

'Jij bent ook altijd zo optimistisch,' zegt Alfred met een zucht. 'Je zit in de ontkenningsfase. Oma is bijna tachtig en het gaat allemaal niet zo goed meer.'

'Belachelijk gewoon. Ik woon bij haar. Ze is een stuk sneller dan ik.'

'Iedereen is een stuk sneller dan jij.'

En ja hoor, dat was de steek onder water. Ik heb geen zin in ruzie op de trouwdag van mijn zusje, dus ik laat het gaan, maar hij gaat door.

'Oma heeft niet het eeuwige leven. Ze zou met pensioen moeten gaan en van de kinderen genieten. Ze kan zo in een leuke aanleunwoning vlak bij ons intrekken.'

'Ze is dol op de stad. Ze wordt gillend gek in een buitenwijk.'

'Ik ben de enige in deze familie die de waarheid onder ogen ziet. Ze moet met pensioen. Ik koop die woning wel voor haar.'

'Goh, wat gul.'

'Dat doe ik niet voor mezelf, hoor.'

'Dat zou dan de eerste keer zijn, Alfred.'

En we zijn weer terug bij af. Alfreds toontje, mijn gezichtsuitdrukking en het feit dat we niet meer dansen, is een veeg teken voor mijn zusjes. Tess, die een ruzie aan voelt komen, is bij de dansvloer gaan staan en kijkt me rechtstreeks aan. Heb je me nodig? wil die blik zeggen.

'Bedankt voor de dans.' Ik draai mijn rug naar Alfred toe en ga naar de Vriendentafel, die inmiddels verlaten is omdat iedereen van over de zestig op de dansvloer op een snelle versie van 'After the Lovin'' staat te stampen.

Ik wring me in de menigte langs mijn moeder en vader. 'Dit is onze song!' roept mijn moeder blij terwijl ze de handen van mijn vader omhooghoudt alsof hij de Tour de France heeft gewonnen. Ze houden elkaar stevig vast en mijn moeder legt haar wang tegen die van mijn vader. Ze lijken wel een Siamese tweeling die met de konen aan elkaar vastzit. Vroeger was Engelbert Humperdinck mijn moeders lievelingszanger, totdat Andrea Bocelli bij haar haar eerste emotionele loutering teweegbracht. Ze heeft Bocelli in haar auto opstaan als ze door Queens rijdt, en dan huilt ze. Door haar tranen heen zegt ze: 'Ik hoef niet naar therapie, want Andrea boort mijn verdriet aan.'

Ik ga aan de Vriendentafel zitten, pak mijn vork en prik in de salade. Ik heb geen trek meer. Ik leg de vork weer neer en bekijk de overvolle dansvloer die, als ik mijn ogen samenknijp, net een pointillistisch schilderij is met lovertjes, kralen en Swarovski-kristallen op een doek van lamé.

'Wat heeft Alfred gezegd?' Tess gaat op de stoel naast me zitten. Ze is anderhalf jaar ouder dan ik, is een brunette en heeft grote borsten maar geen heupen. Door de bruidsmeisjesjapon heeft ze het figuur van een champagneglas. Ondanks haar sexy voorkomen is ze de slimste van de drie zusjes, misschien wel omdat Alfred haar sinds haar vierde als zijn overhoorder gebruikte. Tess heeft het hartvormige gezicht van onze moeder, en de op een na mooiste neus in ons gezin. Haar golvende zwarte haar past bij haar wimpers, die zo vol zijn dat ze nooit mascara hoeft te gebruiken.

'Hij zei dat ik een zielenpoot was.' Ik trek de voorkant van mijn jurk zo fel omhoog alsof ik een vuilniszak uit de container ruk.

'Hij zei tegen mij dat ik een slechte moeder ben. Hij vindt dat ik Charisma en Chiara veel te vrij opvoed.'

Ik werp een blik op de Venetiaanse tafel, waar de zevenjarige Charisma een gat maakt in een cannoli en hem aan de vijf jaar oude Chiara geeft die de vulling eruit blaast. Tess slaat haar ogen ten hemel. 'Het is feest. Ze mogen toch wel wat lol maken?'

'Alfred wil dat oma met pensioen gaat.'

'Hij voert campagne.' Tess gebruikt het botermesje als spiegel om te zien of haar lipstick nog goed zit. 'Weet je, die aanleunwoningen zijn zo slecht nog niet.'

'Je gaat me toch niet vertellen dat je het met hem eens bent?'

'Hé, ik sta aan jouw kant, hoor,' zegt Tess vriendelijk.

'Elke keer dat Alfred erover begint is het alsof hij me met een mes in de rug steekt.'

'Dat komt doordat je zo veel om oma geeft.' Tess steekt het mesje in de roos van boter en besmeert een stukje brood ermee. 'En de schoenenzaak is jouw inkomstenbron.' Mijn zus ziet er moe uit, en daardoor weet ik dat ze hetzelfde gesprek al met Alfred heeft gevoerd en niets heeft bereikt.

Ik wil de receptie niet vergallen en verander van onderwerp. 'Hoe is jouw tafel?'

'Waarom heeft mam ons net als medewerkers van het vn-vredeskorps overal neergezet? Snapt ze nou nog niet dat we elkaar echt graag mogen en bij elkaar willen zitten? Nou goed, Alfred en Klikklak aan de Snobbentafel…'

'Ze heet Pamela, hoor. Je wilt toch geen ruzie met de schoonfamilie?' Ik kijk om me heen of er niet toevallig een in de buurt is. Alfred is al dertien jaar met Pamela getrouwd. Ze is een meter vijftig lang en draagt pumps met hakken van dertien centimeter, zelfs op het strand, en naar verluidt ook toen ze beviel. We noemen haar Klikklak omdat haar hakken dat geluid maken als ze met haar korte beentjes driftig aan komt lopen. 'De kleintjes zullen de eersten zijn. Kleine vrouwen zijn waanzinnig aantrekkelijk voor een man.'

'Ik zou graag net zo lang als jij willen zijn,' zegt Tess bemoedigend. 'Jij hebt tenminste pit. Pam heeft totaal geen pit. Maar goed, ze passen perfect bij elkaar. Alfred is zo gesloten als een oester en Klikklak is compleet bloedeloos. Deze lepel' – Tess houdt hem omhoog – 'heeft meer persoonlijkheid dat die twee tezamen.'

Tess kijkt even naar Charisma en Chiara, die zwarte olijven uit de rauwkostschaaltjes hebben gepikt en ze op hun ogen hebben gelegd. De meisjes lachen terwijl de olijven over hun wangen op de grond vallen. Tess zwaait naar hen dat ze ermee op moeten houden. De meisjes draven weg. Tess wuift naar haar man Charlie dat hij hen in de gaten moet houden. Hij zit aan de Onbeleefde Mensentafel naar het gezeur van de gasten te luisteren over hun waardeloze plek naast de keuken.

'Moet je Alfreds zoontjes eens zien,' zeg ik tegen Tess.

Onze neefjes, kleine Alfred en Rocco, lijken net minibankiers met hun vlinderdasje en het schone servet op hun schoot.

'Ik heb gehoord dat Pamela ze naar een etiquetteklas heeft gestuurd op Our Lady of Mercy. Wat gedragen ze zich toch goed.' Tess zucht.

'Ze kunnen toch niet anders?' Ik trek de voorkant van mijn jurk weer omhoog. Ik kijk hoe laat het is. Het lijkt wel of er tussen de soep en de salade vijftien jaar zijn verstreken. 'Meneer Delboccio legde net zijn hand op mijn achterste.'

'Getver,' zegt Tess.

'Nou, eerlijk gezegd voelde ik het niet eens door die Spanx. Ik zou op een hete grill kunnen zitten zonder er iets van te merken.'

'Hoe weet je dan dat hij dat deed?'

'Door de blik op mevrouw Delboccio's gezicht. Ze stond op het punt hem met de kandelaar op zijn kop te slaan.'

'Hij had waarschijnlijk te veel op. En het is zo warm buiten. De alcohol gaat rechtstreeks naar de hersenen. Beloof me dat jij trouwt tijdens een sneeuwstorm.'

'Dat beloof ik. En ik beloof ook om op een dinsdag alleen in het stadhuis te trouwen.'

'Nee toch? Dan mis je dit allemaal.' Tess draait zich om in haar stoel en overziet de zee van familieleden. Ze draait zich weer naar me toe. 'Goed dan, alleen het stadhuis. Dan doen we allemaal een mantelpakje aan. Een mantelpakje en een corsage om de pols.'

De in smoking gestoken obers komen door de openslaande deuren de keuken uit zetten als chocoladestukjes in cakebeslag. Ze hebben een gigantisch zilveren dienblad vol met borden en cloches in de ene hand. In de andere hebben ze een rechaud. Binnen de kortste keren staan de borden met malse biefstuk, romige aardappelpuree en verse asperges op tafel. Zodra men ziet dat het eten wordt geserveerd, loopt de dansvloer leeg. De gasten keren terug naar hun tafel als een voetbalteam tijdens de rust naar hun kleedkamer. Tess staat op. 'Ik ga weer. Dit is het voorgerecht.'

De Vrienden nemen plaats en knikken goedkeurend naar de borden. Het vlees is duur en toont daarmee een mate van rijkdom aan die Italiaans-Amerikanen meer waarderen dan het einde van de Koude Oorlog en tubes met ansjovis.

'Zeg, hoe gaat het in de schoenwinkel?' vraagt Ed Delboccio. Zijn kale hoofd lijkt sprekend op de cloches van sterlingzilver die de obers in een hoek op elkaar gestapeld hebben. 'Vertel eens, willen mensen tegenwoordig nog wel op maat gemaakte schoenen?'

'Zeer zeker.' Ik doe mijn best niet bits over te komen, maar dat is vast niet gelukt want iedereen aan tafel kijkt mijn kant op.

'Je moet je niet aangevallen voelen,' zegt meneer Delboccio met een glimlach. 'Maar waarom zou je een op maat vervaardigde schoen bestellen als je ze in die goedkope winkels voor praktisch niets kunt kopen? Mijn Shirley gaat heel vaak naar dat soort winkels. KGB…'

'DSL,' verbetert zijn vrouw hem.

'Maakt het uit. Het gaat erom dat ik op die manier een hoop geld bespaar.'

Mevrouw Delboccio stoot hem aan. 'Lieve hemel, Ed, dat is toch heel iets anders. Je koopt geen paar schoenen van Valentina zoals bij de Payless. Het is pure luxe. En Valentina werkt samen met Teodora, die is…' Ze wuift met haar vork naar me, zoekend naar het juiste woord.

'Die is de leermeester en ik ben haar leerling.'

'Je zorgt wel goed voor je grootmoeder, toch?' vraagt mevrouw Delboccio.

'Die zorgt wel voor zichzelf.'

'Maar je woont toch bij haar? Dat is nu toch zo lief. Je offert je eigen leven op om voor je grootmoeder te zorgen. Dat is heel erg onbaatzuchtig.' Mevrouw Delboccio glimlacht, haar lippen net zo strak samengeperst als de rits van een portemonneetje. Haar rode haren heeft ze hoog opgestoken en ze glanzen van de haarlak. Ze trekt haar grote *stampato* gouden ketting recht. Haar paarse nagels passen perfect bij haar jurk die weer past bij haar schoenen.

'Tegenwoordig zorgen nog maar weinig kinderen voor oudere mensen,' zegt meneer Delboccio, die zich naar me toe buigt en uitademt. Zijn adem ruikt naar kaneel en hoofdkaas. Niet vies, maar gekoeld. 'Daarom ben ik aan het sparen. Ik wil zo'n aanleunwoning kopen. Ik moet betalen voor wat mijn ouders en die van mijn Shirley gratis hebben gekregen. Als het zover komt, God verhoede, denk ik niet dat mijn kinderen ons in huis zullen nemen.'

Mevrouw Delboccio werpt hem een blik toe.

'Nou, dat zullen ze echt niet doen, Shirley. Geloof mij nou maar.' Meneer Delboccio schuift met zijn mes wat aardappelpuree op het vlees aan zijn vork en steekt dat in zijn mond. 'Ze hebben hun eigen leven. Ze zijn niet zoals wij. Wij hebben altijd familieleden in huis genomen, hoe ze er geestelijk ook aan toe waren. Dat zie ik onze kinderen nog niet doen.'

'Waarom ben je schoenmaker geworden?' vraagt mevrouw La Vaglio. Ze is een klein blondje met hetzelfde kapsel als Linda Evans in *Dynasty*. In deze tijd. De La Vaglio's wonen in Ohio, dus ik neem aan dat mijn geschiedenis niet helemaal tot het middenwesten is doorgedrongen.

'Ik doceerde Engels aan een middelbare school in Queens…' begin ik.

'En toen ging het zo akelig uit met je vriendje. Hoeveel jaar hadden jullie verkering?' valt ze me in de rede. Mijn geschiedenis heeft dus toch zijn weg naar Ohio gevonden.

'Sinds de universiteit en een tijdje daarna.' Ik ga die mensen niet vertellen hoe lang het precies heeft geduurd. Voor je het weet lachen ze me vierkant uit.

'Je eerste liefde,' zegt mevrouw Delboccio en ze kijkt haar man aan. 'Dat gold voor Ed en mij ook, alleen verliep dat anders. Ik leerde hem kennen toen ik achttien was. Op mijn vierentwintigste trouwden we. En we zijn nog steeds samen.'

'Je bent een voorbeeld voor ons allen,' zeg ik terwijl ik te veel zout over de salade strooi.

'Dank je,' zegt Shirley zelfvoldaan.

'Je moeder maakte zich toen erg veel zorgen over je.' Sue Silverstein geeft me een klopje op mijn hand.

'Dat was nergens voor nodig. Ik hou van alle toppen en dalen in mijn leven.' Prachtig, toch? Als de vrienden van mijn ouders te veel op hebben, vertellen ze me wat mijn moeder nooit zou toegeven.

'Heel goed dat je positief blijft,' zegt Max Silverstein en hij zwaait met zijn vork naar me.

'Weet je, onze zoon Frank is nog vrijgezel.' Mevrouw Delboccio neemt een slokje wijn. 'Hij is niet homo, hoor,' voegt ze er snel aan toe. 'Hij is alleen maar erg kieskeurig.'

'Nou, ik hou wel van kieskeurig.' Ik tover met moeite een lachje tevoorschijn.

Mevrouw Delboccio geeft onder de tafel haar man een kneepje in zijn bovenbeen zodat hij zich zal herinneren dat ik iets goeds zei over Frank.

'Hoe lang is het nu geleden dat hij je heeft gedumpt?' vraagt meneer Delboccio.

'Ed!' roept zijn vrouw uit.

'Drie jaar,' mompel ik.

Meneer Delboccio fluit zacht. 'Drie jaar van je beste jaren.'

'Heb je momenteel iemand?' vraagt mevrouw La Vaglio.

'Dan had ze hem toch wel mee naar de bruiloft genomen?' Mevrouw Delboccio heeft het over me alsof de wijn die ik naar binnen sla een toverdrankje is waardoor ik onzichtbaar ben geworden.

'Ze kan toch zo iemand krijgen. Moet je eens naar haar kijken.' Meneer Delboccio bekijkt mijn borsten alsof ze twee exotische vissen zijn die in tegenovergestelde richting in een aquarium rondzwemmen. 'Ze wil vast graag alleen zijn.'

'Maken jullie je maar geen zorgen over mij,' zeg ik knarsetandend. 'Het gaat prima met me.'

'Dat ontkent niemand, hoor.' Meneer Delboccio drinkt zijn glas whisky met ijsthee op en zet het met een klap op tafel. Ik kijk rond of ik een ober zie. Kan iemand iets aan deze man doen? De ober ziet me kijken en komt met de jus aanzetten. Meneer Delboccio pakt de juskom aan en giet hem leeg over zijn eten. 'Weet je, Valentina, als vrouw ben je maar een beperkte tijd houdbaar. Dan kun je nog een man aantrekken met je figuur en je levendigheid. Je moet dus een vent zien te krijgen nu het nog kan, want voor je het weet ben je te oud en val je buiten de boot. Ben je een oude vrijster. Snap je? Dan wil geen man je meer, ja? De tijd vliegt. Mannen kunnen altijd wel iemand krijgen, maar dat gaat niet op voor vrouwen.'

'Ed, jij krijgt geen whisky meer.' Mevrouw Delboccio zet zijn glas opzij. Ze kijkt me verontschuldigend aan. 'Valentina heeft bijna haar hele leven nog voor zich.'

'Ik heb ook niet gezegd van niet. Maar kun je je mijn zus Madeline nog herinneren, die bij mijn moeder ging wonen toen die een hersentumor had? Mijn arme moeder leed aan migraine en van de ene op de andere dag was dat een kwaadaardige tumor geworden. Maar goed, hoe oud was Mad toen? Hooguit dertig. Ze trok bij haar in, zorgde voor mijn moeder tot ze kwam te overlijden, God hebbe haar ziel, en toen bleef Madeline daar maar wonen, want waar moest ze anders heen? Zij was de ongetrouwde tante.' Ed zoekt zijn broodje om met boter te besmeren. Hij heeft hem al op, dus pakt hij dat van zijn vrouw. 'In elke Italiaanse familie is wel iemand zoals jij.'

Ik wil ertegenin gaan, maar er komt geen woord over mijn lippen. Misschien heeft hij wel gelijk. Ik zie mezelf al in een bejaardenhuis voor ongetrouwde vrouwen zitten. In de tv-kamer van het Roncallitehuis voor Alleenstaanden staan er beelden van Phyllis Diller, Joan Rivers en Susie Essman op de schoorsteenmantel. De grote voorbeelden voor meisjes die de leukste thuis zijn. Zoals het er nu aan toegaat kan ik maar beter meteen een kamer boeken.

'Madeline was een echte lieverd. Dankzij haar hoefden we bijna niets te doen. Natuurlijk hadden wij wel een leven en kinderen,' zegt mevrouw Delboccio, die het servet op haar schoot recht legt.

'Je hebt ook een leven als je vrijgezel bent,' merkt mevrouw La Vaglio op.

Het is plotseling doodstil aan tafel terwijl iedereen het vlees snijdt. Ik kijk op mijn horloge. Als je gelooft dat de tijd vliegt, moet je eens aan deze Vriendentafel komen zitten, hier duurt de hoofdmaaltijd nog langer dan de hele Peloponnesische Oorlog. Ik zou er heel wat voor overhebben om nu aan de Onbeleefde Mensentafel te mogen zitten.

Meneer Delboccio buigt zich vooorover en zit bijna met zijn neus in mijn decolleté. 'God wil dat mannen en vrouwen samen zijn.' Ik ga achterover zitten en trek het servet over mijn bovenstukje heen en bind het als een slab om.

'Hoeveel paar schoenen maak je per jaar?' wil meneer Silverstein gelukkig weten.

'Verleden jaar hebben we er bijna drieduizend gemaakt.'

'En hoeveel personeel hebben jullie?'

'Drie fulltime en vier parttime.'

'Nou, dat is een behoorlijk gezond bedrijf.' Meneer Silverstein glimlacht waarderend.

De band speelt de intro van 'Good Vibrations' en de Vrienden leggen meteen hun mes en vork neer. 'Ha, een Beach Boys-medley!' kondigt meneer Silverstein aan. Ze staan op, de vrouwen trekken hun jurk recht bij de taille, de heupen en de rug, en gaan dan naar de dansvloer met hun echtgenoot op hun hielen.

Ik zak onderuit en leg mijn benen op een stoel. Tess gaat snel in de stoel naast me zitten terwijl mijn vader tante Feen aflevert bij de Dementerendentafel. Mijn vader kijkt de zaal rond en komt in ijltempo op ons af. Hij is maar een meter zevenenzeventig lang, maar alles is in proportie, dus oogt hij langer. Hij heeft een volle bos peper-en-zoutkleurig haar, de grote Roncalli-neus en de dunne lippen van zijn kant.

'Jezusmina, ik stik zowat.' Mijn vader zit aan zijn vlinderdasje te frunniken alsof het de airconditioner regelt. 'Ik ben net met tante Feen naar buiten geweest voor een sigaretje en ik dacht dat ze een beroerte zou krijgen.' Pap gaat naast Tess zitten. 'Weet je dat ze nog steeds een pakje per dag rookt? Haar longen moeten eruitzien als een teerfabriek. Hoe gaat het met jullie?'

'Prima,' liegen we.

'Jullie moeder wil dat ik "Butterfly Kisses" voor je zus ga zingen, maar ik ken dat liedje helemaal niet.'

'Geef haar geen drank meer. Anders zingt ze straks "Bump it with a Trumpet" uit *Gypsy*, net als bij jullie vijfentwintigjarig huwelijksfeest,' zegt Tess.

'Ze had nog maanden lang last van haar heup,' zegt mijn vader knikkend terwijl hij het weer voor zich ziet.

'Ga maar niet zingen, pap. Zeg maar dat ze een cd moeten opzetten, dan kun je in plaats daarvan met Jaclyn dansen,' stel ik voor.

'Dat zei ik ook al, maar je weet hoe je moeder is, zij vindt bruiloften dé gelegenheid om auditie te doen voor *American Idol*. Ik werk voor de plantsoenendienst, niet voor Simon Cowell. Iedereen wordt tegenwoordig maar geacht iets te zingen. Nog even en mijn broer voert de eerste scène op van *Don Quichotte*. Geloof mij maar. Nog een gin-tonic en hij barst uit in "The Impossible Dream".'

Ons zusje Jaclyn ziet er schitterend uit in een eenvoudige strapless trouwjapon met een uitstaande tule rok. Haar slanke taille draait heen en weer terwijl ze tussen de tafels doorloopt als een mixer waar de slagroom vanaf druipt.

Mijn moeder stelde voor dat het witzijden lijfje van Jaclyns bruids-japon afgezet moest worden met een iriserend groen lint zodat haar groene ogen beter zouden uitkomen. Een briljante inval. Mijn groot-moeder heeft de prachtige zachtgroene leren pumps voor Jaclyn ge-maakt. Ik heb het leer net zolang gewreven totdat het groen bijna he-lemaal vervaagd was en er alleen nog een vleugje te zien was. Mijn jongste zusje lijkt net een stralende citrien.

Jaclyn ploft neer in de stoel van mevrouw La Vaglio. Ze is echt prachtig, haar mooie gelaatstrekken perfect in proportie, omlijst door glanzende zwarte krullen. 'Was het vlees taai?'

'Nee, nee, nee,' zeggen mijn vader, Tess en ik in koor.

'Ik kon wel een kettingzaag voor mijn stuk gebruiken.' Jaclyn wuift zichzelf met de menukaart koelte toe. 'Valentina, ik wil je niet onder druk zetten, maar je toespraakje kan maar beter erg leuk zijn.'

'Nee hoor, helemaal geen druk,' zegt Tess wrang met een blik op de gasten.

'Doe me een lol. Zorg ervoor dat iedereen aan oma's tafel hun hoorapparaat heeft aangezet.' Het zweet staat me op het voorhoofd.

'Je moet je dit niet persoonlijk aantrekken, maar mijn schoonmoe-der heeft overal een hekel aan.' Jaclyn neemt een slokje van mijn ijs-water en houdt het glas dan tegen haar wang. 'En overal commentaar op. Alsof de Ieren zo goed in grappige toespraakjes zijn. Ik bedoel maar.'

Tess en ik kijken elkaar aan. De Ieren hebben geroosterd brood uit-gevonden, en ook het verhalen vertellen, en daar zijn ze toevallig erg goed in.

'Pas op, Jac, mevrouw McAdoo is nu wel familie van je,' zegt mijn vader. 'Je moet aardig zijn. Het belangrijkste in het leven is dat je met iedereen op moet kunnen schieten. Want zonder andere mensen ben je alleen. En als je alleen bent, ben je alleen.' Pap wringt zijn wijsvin-ger tussen zijn kraag alsof hij het laatste beetje zalf uit een potje wil halen.

'Het komt allemaal wel goed. Zo gaat dat toch meestal?' zeg ik, de eeuwige optimist. In de tussentijd zit ik zo hard op mijn lip te bijten dat ik er hoofdpijn van krijg.

'Valerie! Jij bent!' De orkestleider wijst naar me.

'Valentina!' verbeteren Tess en Jaclyn hem gelijktijdig.

'Maakt het uit!' Hij zwaait met de microfoon naar me alsof het een trommelstok is.

Ik kijk de dansvloer rond. De ceremoniemeester staat met een groepje corpsballen perzikcocktails te drinken. Ze hebben vast een wedje gelegd dat mijn toespraak één doffe ellende zal zijn.

'Zet hem op!' zegt mijn vader vrolijk. Jaclyn en Tess steken hun duim omhoog en ze glimlachen zo breeduit dat je zou denken dat ze bij de tandarts zitten. Ik werp een blik op Alfred die aan de Neven en Nichtentafel uitweidt over een glutenallergie.

'Goedenavond, familieleden en vrienden.' Ik plaats de microfoon in de standaard en pas de hoogte aan. Met mijn zevenenhalve centimeter hoge hakken ben ik een meter eenentachtig. Ik weet het niet zeker, maar volgens mij ben ik langer dan de bruidegom. Ik weet wel dat ik in elk geval langer ben dan iedereen aan de Vriendentafel omdat zij allemaal last hebben van versleten heupen en kraakbeenverlies tussen de rugwervels, want daar hadden ze het tijdens de soep uitgebreid over.

Het geroezemoes in de kamer neemt af tot er nog een paar mensen wat zeggen en opeens is het helemaal stil. Ik hoor alleen nog tante Feen fluitend ademhalen door de ruimte tussen haar gebit en haar tandvlees. 'Ik ben Valentina Roncalli, de zus van de bruid.'

'We weten allemaal wel wie je bent!' roept Lorraine Pinuccia vanaf de afgelegen Eilandtafel. Vanwege de afstand lijkt haar gezwaai wel een roep om hulp.

Tess komt een tikje overeind en kijkt Pin vuil aan. Ik kijk naar mijn moeder, die een bemoedigende glimlach op haar gezicht heeft geplakt, dezelfde die ze in 1980 ophad toen ik het verknalde in mijn rol als engel in het kerstspel op de kleuterschool. 'Je kunt me nu niet helpen, mama', wil ik haar toeroepen, maar zo te zien is ze dronken.

'Hartelijk bedankt, nicht Pin. Zoals je weet is dit nu de Roncalli-McAdoo-familie en de McAdoos kennen ons misschien nog niet allemaal,' leg ik uit. Het kan door het zweet in mijn ogen komen, maar volgens mij zit Boyd McAdoo, de broer van mijn kersverse zwager, die elektricien is en drie keer gescheiden, me wellustige blikken toe te werpen, dus dat is de zoveelste reden om het kort te houden. 'God was in de hemel,' begin ik, 'en vond dat het tijd was om een land te scheppen. Hij wilde een prachtig land maken met mooie wijngaarden en weelderige grasvelden en schitterende zonsondergangen…'

'Het eerste land!' brult mijn vader terwijl hij met zijn wijsvinger een één aangeeft.

'Pap, toe. Bewaar jij je stem nu maar voor "Butterfly Kisses".' Ik ga weer terug naar het verhaal. 'God wist dat hij het Italië ging noemen.' De broer van mijn vader, de gigantisch misplaatst geheten oom Sal, plukt een roos uit de bloemschikking op de Ouderstafel, komt overeind en roept terwijl hij ermee rondzwaait als een vlag: '*Viva Italia sempre!*'

Meneer McAdoo gaat ook staan en rukt eveneens een roos uit de bloemschikking. 'Op het smaragdgroene eiland!' roept hij.

'*E pluribus pizzazz!*' voegt mijn moeder eraan toe.

'Op de hele wereld!' Ik steek mijn armen in de lucht om de hele mensheid te omvatten.

Tess klapt. Als enige. 'Maar goed…' ga ik door. 'God moest Italië zien te bevolken en hij vroeg zich af of hij als eerste de vrouw zou scheppen. Of wellicht de man. Hij dacht daar een paar maanden over na en toen wist hij het: hij zou eerst vrouwen scheppen zodat zij het eten klaar zouden hebben voor de mannen.'

Mijn grootmoeder, Tess, Jaclyn, mijn moeder en vader wachten even en kijken dan om zich heen. Uit solidariteit naar mij weten ze uiteindelijk een lachje te produceren. De andere gasten zitten in de blauwe gloed van de kaarsjes strak voor zich uit te kijken, net een groepje werkloze circusartiesten uit een film van Fellini.

'Nou goed dan,' waag ik nog een poging. 'Weten jullie waarom God broers heeft geschapen in een Italiaans gezin? Zodat hun ongetrouwde zusjes iemand hadden om op een bruiloft mee te dansen.' Deze grap ten koste van mezelf wordt zelfs nog minder gewaardeerd dan de echte mop. Ik ga af als een gieter. Het is zo stil in de kamer dat ik het ijs in Len Scatizzi's rum met cola hoor smelten.

Meneer Delboccio, de kontenknijper, schreeuwt: 'Ik wilde wel met je dansen, Valentina!'

'Ze zei dat ze pijn had in haar voeten,' draagt zijn vrouw haar steentje bij. 'Hoewel het mij een raadsel is dat een schoenmaakster pijn heeft in haar voeten.'

'Maar ik ga me natuurlijk niet opdringen,' snauwt meneer Delboccio tegen haar.

'Nee, je moet je nooit opdringen,' zegt mevrouw Delboccio pinnig terug.

'Rustig aan, jullie. Ik rond dit even snel af, dan kunnen jullie de dansvloer op om ons jonkies te laten zien hoe je echt moet dansen. Volgens mij komt er een Neil Diamond-medley aan.' En vervolgens doe ik precies datgene waar ik zo'n hekel aan heb: ik bal mijn vuisten en beweeg ze op en neer. Net als mijn moeder.

'Jonkies? Waar dan? Met je drieëndertig ben je nu niet bepaald piepjong meer,' roept tante Feen vanaf de Dementerendentafel. Als afsluiting sist ze eens luid met haar bovengebit. Ze slaat haar ogen ten hemel en kijkt om zich heen. En dan brult ze: 'Drieëndertig! Madonna! Zo oud was Jezus toen hij aan het kruis stierf.'

'Mensen werden toen niet ouder dan veertig,' roept Tess terug.

'Waar slaat dat nou op?' Tante Feens zware grijze wenkbrauwen vormen een lange harige sok op haar voorhoofd. 'Dat maakt het alleen nog erger. Dat betekent dat ze op haar drieëndertigste al met één voet in het graf staat en met de andere aan de rand van de afgrond.'

'Oké, zo kan hij wel weer. Als je niet ophoudt krijg je geen drank meer. Nou, hier komt hij dan. Een paar weken geleden ging mijn vader naar de dokter. Mijn moeder ging mee om het woord te voeren…'

Er wordt hier en daar gegiecheld.

'… en de dokter zegt: "Dutch, je hebt een slijmbeursontsteking. Ik kan twee dingen doen. Ik kan je een injectie met cortisol geven, maar eigenlijk is dat niet nodig, je lichaam maakt dat zelf al aan." "O ja?" vraagt mijn vader stomverbaasd. De dokter zegt: "Het enige wat je daarvoor moet doen is seks hebben." Mijn vader en de dokter kijken naar mijn moeder en zij zegt: "Dokter, ik ben niet degene die last heeft van een slijmbeursontsteking."'

Iedereen applaudisseert. 'Hef het glas.' Ik besef opeens dat ik niets te drinken heb. De ceremoniemeester drukt me snel zijn halflege perzikcocktail in de hand.

Ik steek het glas in de lucht. 'Tom, welkom in onze familie. Jaclyn, je ziet er schitterend uit en we houden van je en we zijn hier voor jou.

Salute! Cent'anni!' Ik neem, tegen beter weten in en ondanks de warenwet, een slok. 'Mensen, vergeet vooral de cadeautjes niet. De heren krijgen een luchtje van Aramis en de dames chocola van Li-Lac!'

'Chocola? In deze hitte?' blaft Monica Spadoni vanaf de Onbeleefde Mensentafel. 'Ze hadden ons een kleine fan moeten geven. Wij zitten hier wel vlak bij de keuken waar ze vlees aan het braden zijn!'

Ik doe net of ik haar niet hoor, pak de microfoon en geef hem aan de ceremoniemeester, die recht door me heen kijkt als jongens bij de oude vrijster doen die toezicht houdt op een schoolfeestje. Na nog een paar toosten en nadat de bruidstaart is aangesneden, loop ik naar de Dementerendentafel waar mijn grootmoeder een biscotti in haar espresso zit te dopen. Ik buig me over de rug van haar stoel heen en fluister in haar oor.

'Heb je het naar je zin?'

'Als jij gaat, ga ik met je mee. Ik moet alleen nog even de kinderen gedag zeggen.' Mijn oma legt haar tasje op de tafel en schuift haar stoel naar achteren.

Ik loop naar de taart en ga naast mijn moeder staan. Ik leg mijn hand op haar schouder. 'Mam.'

Mijn moeder de gedachtelezer fronst haar wenkbrauwen. 'Ga je nu al weg?'

'Oma wil naar huis.'

'Dank je.' Mijn moeder neemt me in haar armen. 'Ik hou van je, Valentina. Dank je dat je zo goed voor mijn moeder zorgt.'

'Wil je mij een plezier doen?' vraag ik aan haar.

'Maar natuurlijk,' zegt ze.

'Laat papa dan niet "Butterfly Kisses" zingen.'

Mijn moeder recht haar rug. 'Wat zijn jullie toch saai.'

Mijn oma komt eraan en geeft mama snel een kus. Mijn moeder stopt een stuk bruidstaart verpakt in een servet in mijn tas. Alfred, Jaclyn en Tess komen bij ons staan en nemen om de beurt afscheid van grootmoeder. Nadat we iedereen, inclusief alle achternichten en -neven gedag hebben gezoend, kunnen we eindelijk gaan.

Oma en ik lopen de door sterren verlichte Venetiaanse kamer uit de hal in, met zijn gewelfde plafond en de muren behangen met donkerrood met goud behang, langs de ingelegde marmeren schoorsteenmantel en eindelijk onder de schitterende kroonluchters bij de ingang.

Mijn grootmoeder pakt een cadeautje van de tafel af voor mij en vervolgens een voor zichzelf. We horen de sexy openingsklanken van 'Oh Marie' die ons begeleiden als we de zwoele avondlucht in stappen. We stappen in onze auto en gaan lekker zitten. De chauffeur draait zich om en kijkt ons eens aan. 'Vroeg naar bed, meisjes?'

Mijn grootmoeder zegt: 'Manhattan, graag.'

We kijken elkaar aan en glimlachen. We gaan eindelijk naar huis.

2

Perry Street 166

Bij de ingang van de Queens Midtown Tunnel zwenkt de limousine om gaten in de weg heen. Mijn grootmoeder en ik delen de Li-Lac-chocolaatjes terwijl in de verte de wolkenkrabbers van Manhattan opdoemen als gigantische zwart-witte pianotoetsen tegen een zilverkleurige lucht.

Eenmaal de tunnel uit draaien we Second Avenue op. East Village lijkt op het oude Greenwich Village dat ik me nog uit mijn jeugd kan herinneren. Deze avond zijn er vanwege de festivals drommen mensen op straat die worden verlicht door de zachtroze en blauwe neonlampen. We komen in de buurt van het hart van Greenwich Village, het stille heiligdom vol kronkelstraatjes waar mooie herenhuizen staan en bloembakken met geraniums die beschenen worden door ouderwetse straatlantaarns, en laten de wolkenkrabbers en het nachtleven achter ons.

Vanuit mijn slaapkamerraam in Queens en terwijl Madonna's 'La Isla Bonita' op *repeat* staat, zie ik de schitteringen en de perfectie van Manhattan, slechts een paar haltes rijden met de E-trein. Ik keek altijd uit naar de zondagsmaaltijden bij mijn grootouders in de Village. Mijn vader reed dan Perry Street in, de kinderkopjes op, zodat wij kinderen achterin als tennisballen rond stuiterden. Door de kinderkopjes wisten we dat we er bijna waren, bij een betoverende plek: de Angelini Shoe Company.

'Waar moeten jullie zijn?' vraagt de chauffeur.

'Dat gebouw op de hoek. Zie je de blauw met wit gestreepte zonnewering? Daar is het,' vertel ik hem.

De chauffeur zet de auto langs de stoep. 'Wonen jullie helemaal hier?'

'Al sinds mijn trouwen,' zegt mijn grootmoeder tegen hem.

'Goeie buurt,' zegt hij.

'Nu wel.' Mijn oma glimlacht.

Ik help oma uit de auto. Ze zoekt onder een lantaarnpaal naar haar sleutels. Ik kijk naar het bordje dat altijd al boven de deur heeft gehangen. Er stond oorspronkelijk op:

Angelini Shoes
GREENWICH VILLAGE
Sinds 1903

Maar de regen heeft in de loop der tijd drie letters weggevaagd. Nu staat er:

Angel   Shoes
GREENWICH VILLAGE
Sinds 1903

De L in Angel lijkt op een ouderwets roomkleurig enkellaarsje met knoopjes. Toen ik nog klein was, wilde ik dat soort laarsjes hebben. Mijn grootmoeder vond dat grappig en zei dan: 'Zulk soort schoeisel wordt al sinds 1800 niet meer gemaakt.'

De kruidige geur van nieuw leer, citroenwas en de olie van de snijmachine slaat ons bij de ingang tegemoet. Ik kom langs de deur met ondoorzichtig glas waar een cursieve A in staat gegraveerd, die leidt naar de werkplaats, trek mijn rok op en loop de smalle trap op. Op de eerste etage ga ik de grote kamer in die dienstdoet als keuken en zitkamer.

'Doe de lichten maar aan,' zegt mijn grootmoeder onder aan de trap. 'Met mijn knieën zie je me dinsdag wel verschijnen.'

'Doe rustig aan,' zeg ik tegen haar.

Ik knip de spotjes aan die het aanrecht in de keuken verlichten. De open lange keuken beslaat de hele achtermuur. Een lange zwart-witte granieten ontbijtbar scheidt de keuken van het zitgedeelte. Er staan vier barkrukken onder met een rode leren zitting en koperen nagels. Ik weet nog dat mijn grootmoeder me toen ik nog klein was op zo'n kruk hees. Vreemd toch, dat ik nu op mijn drieëndertigste de lichten aandoe en controleer of ze hier veilig rond kan lopen, zoals zij vroeger voor mij deed.

Midden in de kamer staat een lange boerentafel met plaats voor twaalf mensen. De stoelen met rechte rug hebben een door mijn moeder geborduurde zitting. We eten, praten met cliënten en stellen onze zakenplannen op aan deze tafel, die het middelpunt van ons leven is.

Een weelderige kroonluchter van Murano-glas met kristallen druiventrossen en nachtblauwe kralen hangt erboven. Op de tafel staat altijd een vaas bloemen. Mijn grootmoeder gaat regelmatig naar de Koreaanse markt in Charles Street. Elke dinsdag worden er verse bloemen bezorgd en oma gaat er zelf naartoe om de beste uit te kiezen. Deze week zijn het oranje tijgerlelies in een antieke pul.

Achter de ontbijtbar, in het zitgedeelte, staat onder het voorraam een grote comfortabele bank, bekleed met beige fluweel en met appelgroene en felrode kussentjes erop. Mijn oma zit altijd in de hoek op een zwarte leren fauteuil met een bijpassend voetenbankje. De schemerlamp die ernaast staat, heeft een voet van helder geperst glas en een zwart-wit gestreepte zijden kapje. De televisie staat op een tafeltje voor de bank. Er hangen zachtgele gordijnen voor het raam, die het licht binnenlaten maar ons toch vrijwaren van de drukte op straat.

Oma staat bij de deur van de zitkamer en zet haar handen in haar zij. 'Ik heb wel trek in een slaapmutsje. Jij ook?'

'Nou en of.' Ik trek mijn schoenen uit. 'Heb je de tomaten nog water gegeven voordat we weggingen?'

'Helemaal vergeten! En het was nog wel zo warm vandaag.'

'Maakt niet uit. Dat doe ik wel even.' Ik trek de rok van mijn jurk omhoog en loop de trap op naar de tweede etage.

Ik ga naar de kamer van mijn oma boven aan de trap en doe het lampje op haar nachtkastje aan. Mijn oog valt op de stapel boeken naast haar bed. Mijn oma leest graag. Ze gaat een keer per maand naar de openbare bibliotheek aan Sixth Avenue en komt terug met een boodschappentas vol boeken. De stapel bevat onder andere *The Ten-Year Nap* door Meg Wolitzer, *What Happened on the Boat* door Angela Thirkell, *Hold Tight* door Harlan Coben, *Women & Money* door Suze Orman en David Bachs *Smart Women Finish Rich*.

De vroegere slaapkamer van mijn moeder, die tegenover die van mijn oma ligt, is ingericht voor een enig kind uit de jaren vijftig. Het is een drukke kamer, met een keurig behangetje van viooltjes die met een goudkleurig lint zijn samengebonden, een bureautje en een stoel in dezelfde kleur geverfd als het bed, waar een lichtpaars organza sprei met ruches op ligt en bijpassende ronde kussens die tegen het bewerkte houten hoofdeinde zijn gerangschikt.

Mijn kamer, de oude logeerkamer, ligt naast die van mijn moeder. Toen mijn oma zich eenzaam voelde na de dood van mijn opa, heeft tante Feen een tijdje bij haar gewoond. We zijn inmiddels tien jaar verder, maar haar bijna lege flesje Bonne Nuit staat nog steeds op de kaptafel, met onder in het flesje een klein plasje donkergeel parfum. Een eenvoudig tweepersoonsbed met een hoofdeinde en een wit sprei staat tussen de twee ramen waar witte katoenen gordijnen voor hangen.

Er staat een oud bureau aan een kant van de kamer en aan de andere kant staat een leunstoel met een hoes van wit corduroy erover. In deze kamer zit de beste kast in het huis, een inloopkast, met aan drie kanten planken. We speelden er Zakenmensen in toen we nog klein waren. Tess en ik waren de secretaresses en Alfred was de directeur.

Ik doe de airconditioner aan. Mijn oma kan niet slapen als het koud is en ik kan niet slapen als het niet koud is. Ik doe de deur achter me dicht zodat de kou binnenblijft. Ik kom langs de groen met wit betegelde badkamer waar nog het originele gietijzeren bad in staat dat mijn grootvader toen hij het huis kocht erin liet plaatsen.

Achter in de gang is een primitief eiken trapje dat naar het dak leidt. Mijn opa heeft dat gemaakt nadat hij jarenlang een oude ladder gebruikte om bij het luik te komen. Er zijn oeverloze gesprekken over dit trapje geweest en mijn moeder stuurde nog werklui eropaf om het te maken of er een degelijke, veilige trap te plaatsen, maar mijn oma wilde er niets van weten. Ze wilde het trapje niet vervangen. Grootmoeder wil per se alles in dit huis finaal opgebruiken, of het nu om dat trapje gaat, of om de wekker die op haar nachtkastje staat en uit de jaren veertig stamt, of om haar eigen lijf.

Ik haal de hordeur van het slot en stap het dakterras op. Vroeger zat er geen slot op de deur, maar tegenwoordig sluiten we elk raam en elke deur af.

Ik doe de deur achter me dicht en bekijk de prachtigste tuin op aarde. Er is nog net genoeg licht van de lantaarnpalen op straat om het dak in een blauw licht te baden. Dit is ons enige buiten, zo noem je alles in Manhattan waar je de frisse lucht kunt ruiken. In de zomer eten we zondags met z'n allen op het dak, dan schuiven we de meubels aan de kant zodat de kleinkinderen de ruimte hebben.

In de herfst en in de winter drinken mijn oma en ik hier vaak koffie, dik ingepakt in een jas en handschoenen. We hebben hier goede gesprekken gevoerd, wij tweeën. Hoewel we toen ik klein was vaak bij elkaar waren, waren we nooit met z'n tweetjes. Maar als we nu op het dak zitten, zijn de werkplaats, de werkdruk en de familieproblemen ver van ons verwijderd.

De tuin is nog hetzelfde als toen ik klein was. In de zonnigste hoek staat een wit geverfde, grote, ronde, gietijzeren tafel met bijpassende stoelen. Naast de tafel hebben drie miniatuur altijd-groene bomen in een bloempot hun plek. In het fonteintje staat een bronzen Sint-Franciscus met een waterkan en een vogeltje op zijn schouder.

Onze tuin gaat tot aan het hek en bestaat uit allemaal eenvoudige houten dozen van een meter twintig hoog met tomatenplanten. We hebben afwisselend vlees- en de wat smakelijkere pruimtomaten, maar die zijn niet zo gemakkelijk te telen. Het zijn nog dezelfde houten dozen die mijn grootvader maakte en de takken van de planten worden vastgebonden met oude linten uit de winkel, aan stokken die hij ook gebruikte.

We telen zo'n vijftig planten per jaar en krijgen zo genoeg tomaten om saus voor de hele familie te maken en om ze de hele zomer als een tussendoortje, zoals een appel, te eten.

Op het hek is zestig centimeter hoog gaas bevestigd. Zo worden de planten beschermd, en kunnen de tomaten recht omhoog naar de zon groeien. De dichte geurige bladeren vormen tot aan het einde van de zomer een kruidig groen behang.

Tomaten telen is een kwestie van geduld en een hoop werk. Aan het eind van de lente stoppen we de planten voorzichtig in rijke mulch. De tere ranken krijgen al snel witte bloesems. Een paar weken later vormen die bloemen wasachtige klontjes, die vervolgens kleine groene bolletjes worden en nog een tijdje doorgroeien totdat ze oranje kleuren en uiteindelijk mooi rood voordat we ze plukken. In de oogsttijd lijken de volle rode tomaten aan de groene ranken wel robijnen aan een bedelarmband.

Ik ga tegen de voormuur aan staan en kijk over de West Side Highway heen naar de rivier de Hudson. De straatlantaarns werpen heldergele lichtcirkels in de kleur van vlindervleugels op het troittoir langs de oever.

In al de jaren dat ik de Hudson vanaf dit dak heb bekeken heeft hij, net als de lucht erboven, elke keer weer een andere kleur gehad. De ene keer is de lucht grijs gevlekt, dan weer een stralend lijnenspel van wit op feloranje, en vervolgens een lichtblauw uitspansel met hier en daar een klein wit wolkje. Net als bij de lucht kan ook de rivier in een handomdraai van bui veranderen, als een temperamentvolle minnaar met een kort geheugen. Soms zijn er wilde golven en andere keren is hij rustig en kabbelen de golfjes gestaag voort. Dit keer stroomt de rivier als een rol zilverkleurige organza langs het Vrijheidsbeeld en onder de Verrazano Narrows Bridge de nachtblauwe oceaan in. Hij lijkt eindeloos door te gaan, wat ik erg geruststellend vind.

Het is een stille zomeravond en er rijden maar een paar auto's op de West Side Highway. De gebruikelijke herrie van remmende vrachtwagens, getoeter en sirenes ontbreekt. Het is rustig, alsof heel Manhattan ondergedompeld is in honing. De lucht is leiblauw, met een randje bleek wit dat over de gebouwen aan de andere kant van de Hudson, aan de New Jersey-zijde, net een randje kant lijkt. De maan is nergens te bekennen, maar de veerboot van Staten Island komt naar de oever van Manhattan toe varen, glinsterend in de donkere avond als een rokerige topaas.

'Sorry, jongens,' zeg ik tegen de helderrode tomaten terwijl ik in hun taaie, glimmende velletje druk. Ze hebben het ochtendzonnetje hard nodig om rijp te worden. De aarde onder de planten is zo droog als zaagsel. Ik haal de oude groene tuinslang van de haspel en draai de kraan open. Warme golven water stromen er goudkleurig uit. Ik keer me om om de planten water te geven. De bruidsmeisjesjurk is zo stijf dat hij niet meedraait, dus leg ik de slang neer, doe de rits naar beneden en stap uit de japon. Ik wil in eerste instantie de jurk mooi houden, maar waarvoor? Ik zie er belabberd uit in pasteltinten en ik kan me niet voorstellen dat ik dat ding ooit weer zal dragen.

De jurk staat daar als een stijve roze geest. Ik zwaai de slang ernaartoe. Het satijn wordt kleddernat en krijgt de kleur van een schuimige bosbessencocktail, precies dezelfde kleur waarin Julian Schabels Palazzo Chupi aan West Eleventh Street geverfd is en dat achter ons pand opdoemt als een Toscaanse villa. Kijk, díe kleur had me weer wel gestaan.

Ik heb nu alleen nog de Spanx aan en die lijkt net een zalmkleurig badpak in de Miss Amerikaverkiezing van 1927. Mijn bovenbenen worden er stevig door omklemd. Mijn middel wordt zo strak omsnoerd dat er een gebroken rib mee op zijn plaats kan worden gehouden. Mijn borsten lijken net twee voorverpakte roze cakejes. Geheel glad geef ik de planten voor op het gebouw water en ik voel me bevrijd van de jurk, de schoenen en mijn rol als bruidsmeisje.

Terwijl ik daar de tomaten van een regenbui voorzie, komt de geur vrij van zwarte aarde en een vleugje koffie. We stoppen koffieprut tussen de wortels, dat is een oud tuinslimmigheidje van mijn opa. Ik denk aan hem en aan hoe mijn oma een heel ander beeld heeft van de man die ik me liefdevol herinner. Er was nogal eens strijd over het helderwitte tafelkleed waar hij op stond dat het bij elke maaltijd op tafel werd gelegd. Misschien dat mijn grootmoeder me op een dag alles over hun huwelijk vertelt, wat dan gelijk de geschiedenis van de Angelini Shoe Company zal zijn.

De schoenenzaak en dit gebouw van mijn grootouders zijn als enige in deze buurt overgebleven. In de afgelopen tien jaar is de walkant veranderd van een rij fabrieken en garages in chique restaurants en ruime zolderappartementen. De overkant van de Hudson was vroeger een vlakke saaie stenen muur maar nu een glimmende verzameling moderne gebouwen, opgetrokken uit glas en staal. De gevaarlijke dokken zijn verdwenen, evenals de zwarte palen waar de boten aangemeerd lagen en de pieren met smerige vrachtwagens. Nu zijn er groene parken, speeltuintjes met felgekleurde toestellen en keurig bijgehouden paden met hier en daar een blauw lampje dat aangaat zodra het gaat schemeren.

Mijn oma ging prima met de veranderingen om totdat de hoge pieten het nodig vonden om ons uitzicht te belemmeren. Toen de drie wolkenkrabbers van glas, ontworpen door de befaamde architect Richard Meier, naast ons werden opgetrokken, dreigde mijn grootmoeder dat ze onze daktuin zou omheinen met een hoog houten hek, bedekt met klimop, zodat niemand ons kon zien. Maar dat is voorlopig niet nodig, want er is nog niemand in die kristallen torens getrokken. Maandenlang ging ik met lood in mijn schoenen naar het dak omdat ik bang was buren te zien. Maar tot nu toe staat het appartement dat rechtstreeks uitzicht heeft op onze daktuin leeg.

Ik houd de tuinslang dicht tegen mijn gezicht, zodat ik ondergesproeid word door koud water, het LeClerc-poeder kriebelt terwijl ik het weg spoel. Binnen de kortste keren is al het werk van Nancy De-Noia verdwenen en is mijn huid weer schoon. Door het water raakt mijn knotje los. Ik leg de slang op de grond. Dan doe ik de bandjes van de Spanx naar beneden, ik ruk aan het lijfje en stroop het ding over mijn middel en mijn heupen, en over mijn bovenbenen en mijn kuiten naar beneden. Ik stap eruit. Daar, op het zwarte asfalt van het dak, lijkt het korset wel de met krijt getrokken omtrek van een lijk op een plaats delict.

Ik doe mijn ogen dicht en houd de slang boven me zodat ik net als de planten het water over me heen krijg. Het koude water voelt heerlijk aan op mijn blote huid. Ik moet denken aan een warme zomeravond heel lang geleden, toen mijn zusjes en ik in een blauw plastic zwembadje stonden en mijn oma ons met de slang nat sproeide.

Opeens wordt het dak helemaal verlicht. Ik weet zo gauw niet wat er aan de hand is. Vliegt er soms een politiehelikopter over die met zijn enorme lampen een drugshandelaar wil snappen? Ik zie de koppen al in de krant: BLOTE VROUW SPEELT MET TUINSLANG TIJDENS DRUGSVANGST. Maar er vliegt niets boven me! Ik kijk naar rechts. Er gebeurt niets op Perry Street. Ik kijk naar links. Nee hè! Alle lichten in het tot nu toe lege appartement op de derde verdieping van Richard Meiers kristallen toren zijn aan.

Ik kijk recht in het gezicht van een vrouw in een zomers mantelpakje die mij ook aankijkt. Ze is verrast me daar te zien, maar ze is niet de enige. Er is een man bij haar, een lange, eigenlijk behoorlijk aantrekkelijke man met felle zwarte ogen, die een korte broek draagt en een T-shirt waarop CAMPARI staat. We kijken elkaar aan, maar dan gaat zijn blik naar beneden, en heen en weer, alsof hij op het vliegveld het aankomstbord staat te lezen. Pas dan besef ik dat ik bloot ben. Ik duik achter een rij hoge tomatenplanten.

Ik kruip naar de deur, maar op dat moment wordt de tuinslang helemaal gek en spuit als een dolle overal water naartoe. Ik tijger er al vloekend heen. Ik grijp hem beet en gebukt loop ik naar de kraan, die ik onder een erg onhandige hoek eindelijk dicht kan draaien. Terwijl ik weer naar de deur kruip gaat het licht in het appartement uit, zodat ons dak en bijna onze hele buurt, lijkt het wel, weer in het donker worden gedompeld. Ik til langzaam mijn hoofd op. Er is niemand meer in het appartement, een kristallen doos in het donker.

Beneden zit mijn oma in de fauteuil met haar benen omhoog. Haar rode leren pumps staan met de neus tegen elkaar onder de tafel en haar jasje hangt netjes over de rug van een stoel. Er staat een koud glas limoncello voor me op het aanrecht. 'Je hebt gedoucht.'

'Hmm.' Ik knoop de ceintuur van mijn badjas dicht. Ik zal mijn oma maar de details van mijn showtje op het dak besparen.

'Daar staat je cocktail. Ik heb er een dubbele van gemaakt. Voor mezelf ook.' Ze houdt het glas naar me op. 'De pretzels staan op tafel.' Ze wijst naar haar lievelingssnack, de Italiaanse versie van een luchtig cakeje. Ik pak er een en breek hem doormidden.

'Ik heb met je broer gepraat tijdens de bruiloft. Hij wil dat ik met pensioen ga.'

De hele dag heb ik mijn woede bedwongen. Maar nu heb ik er genoeg van. Ik zeg kwaad: 'Hopelijk heb je Alfred gezegd dat hij zich met zijn eigen zaken moet bemoeien.'

'Valentina, ik word tachtig. Hoeveel langer denk je…' Ze onderbreekt zichzelf en denkt na over wat ze wil zeggen. 'Jij doet bijna alles hier in de winkel, in het huis, en zelfs in de tuin.'

'En ik vind het zo leuk dat ik hier altijd zal blijven en je in de weg zal zitten,' zeg ik gekscherend. 'De enig overbleven single in onze familie die bij jou in de logeerkamer slaapt.'

'Dat zal niet zo lang meer duren. Je wordt wel weer verliefd.' Ze heft opnieuw het glas.

Mijn grootmoeder kan me zo subtiel bemoedigend toespreken, dat ik pas als ik alleen ben en erover nadenk de dingen oppak die me opbeuren en waardoor ik weer verder kan. Als zij zegt dat ik wel weer verliefd zal worden, dan meent ze dat ook, en ze wil er ook mee zeggen dat ik ooit van Bret Fitzpatrick, die een goede vent is, hield, en dat het wat betekende. Ik had mijn leven met hem willen delen, en toen het niets werd, was zij de enige die zei dat het niet zo had mogen zijn. De rest (mijn zusjes, mijn moeder en mijn vriendinnen) namen allemaal aan dat hij niet goed genoeg was, of misschien juist te goed, of dat de liefde niet diep genoeg zat, maar niemand wist het op waarde te schatten waardoor ik er een hoofdstuk in het verhaal van mijn leven van kon maken en niet de definitieve afzwering van mijn liefdesleven. Ik reken op mijn oma dat ze me de waarheid vertelt en mij ongezouten haar mening geeft. Ik heb ook haar wijsheid nodig. En haar toestemming? Nou ja, die ook.

'Ik vind het erg dat je door mij geen leven hebt. Je bent nog zo jong, je hoort te genieten.'

'Volgens tante Feen ben ik een oude muts.'

'Luister goed, en alleen een oude vrouw mag dit zeggen. Niemand heeft verder het lef om je de waarheid te zeggen. De tijd staat niet aan jouw kant en is net, enfin…' Oma slaat haar ogen neer.

'Nou?'

'De tijd is net ijs in je hand.'

Ik zet mijn glas neer. 'Oké, nu ben ik dus helemaal in paniek.'

'Te laat. Ik ben degene die voor ons allebei in paniek raakt.'

'Wat is er?'

'O, Val…'

Door de toon in haar stem slaat de angst me om het hart.

Ze kijkt me aan. 'Ik heb er een zootje van gemaakt.'

'Hoezo?'

'Toen je grootvader stierf had hij een paar leningen op het pand uitstaan. Dat wist ik, maar toen ik naar de bank ging om die af te lossen, waren het veel hogere bedragen dan ik had verwacht. Dus in plaats van ze af te lossen, leende ik nog meer geld om de zaak draai-ende te houden. Tien jaar geleden dacht ik dat ik van de zaak een suc-ces kon maken, maar eerlijk gezegd konden we maar net het hoofd boven water houden.'

'En nu?'

'En nu zitten we in de problemen.'

Het duizelt me. Ik denk aan ons, elke dag, dag in dag uit aan het werk en ook vaak in het weekend. Ik kan me niet voorstellen dat we geen winst maken. Ik neem een slokje limoncello in de hoop dat die me kracht geeft. Mijn oma en ik praten nooit over de zakenkant van de schoenmakerij, de winst of het verlies, de uitgaven om schoenen te maken. Zij is het hoofd van alles wat met de zaak van doen heeft. Zij maakt uit hoe duur iets is, hoeveel orders we aan kunnen nemen, en de boekhouding. Ze heeft een bedrijf in de arm genomen voor de sa-larisadministratie van onze medewerkers. Op een gegeven moment wilde ik wel de boekhouding van haar overnemen, maar ik had het al druk genoeg in de zaak. Het heeft me vier jaar gekost om te leren hoe ik schoenen moest maken, maar niet hoe ik ze moest verkopen. Ik heb een bescheiden inkomen van de zaak, maar verder hebben mijn oma en ik het nooit over geld. 'Hoe… hoe kan dat nou?'

'Ik ben een slechte zakenvrouw. Ik geloof in hoop.'

'Wat wil je daarmee zeggen?'

'Dat ik een hypotheek op het pand heb genomen om de zaak open te houden. De bank belde me toen ze de hypotheek aanpasten en ik had graag opnieuw een hypotheek afgesloten, maar dat ging niet. Dit jaar is de aflossing vertweevoudigd en ik weet gewoon niet hoe ik het moet betalen. Je grootvader was daar handig in, maar ik niet. Ik heb alles in de schoenen gestoken en dacht dat de zaak vanzelf wel zou draaien. Toen jij bij me kwam werken, geloofde ik dat jij degene was die ons uit de ellende zou halen. Maar het is maar een kleine zaak.'

'Misschien moeten we gaan uitbreiden, of franchises openen, of mensen inhuren zodat we groter kunnen worden.'

'Waar moeten we dat van betalen?' Ze kijkt me aan.

'Ik weet het al!' Ik klap in mijn handen. 'Ik maak een pornofilmpje! Dat verkopen we dan op internet! Voor de sterretjes werkt dat prima. Misschien krijgen we maar een klein beetje poen en een abonnement op de metro, maar het is de moeite waard.'

'Zo wanhopig zijn we nu ook weer niet,' zegt oma lachend.

Ik sta op en geef mijn grootmoeder een knuffel. 'We vinden wel een oplossing.'

'Geloof je dat echt?'

'Mijn lieve moeder gelooft daar heilig in.'

'Dat zegt natuurlijk alles.'

'Ja, nou, ik vind dat ze deze ene keer wel gelijk heeft.'

'Goed dan,' zegt mijn oma en ze laat me los.

'Oma?'

'Ja.'

'Het is maar geld, hoor.'

'Maar wel een hele hoop geld.'

'Het komt vast goed,' beloof ik haar.

De tranen schieten mijn oma in de ogen. Ze tilt haar bril op en veegt haar ogen af. Mijn grootmoeder huilt niet gauw, ik heb haar niet vaak zien huilen.

'Je bent niet alleen, oma. Ik ben bij je.'

Mijn oma gaat naar boven terwijl ik het huis afsluit, de glazen afspoel, de gordijnen dichttrek en de lampen uitdoe. Ondertussen stel ik vragen op voor mijn oma. Ik loop de trap op om meer te weten te komen over wat er precies aan de hand is.

Grootmoeder zit rechtop in bed de krant te lezen. Ze heeft *The New York Times* zo opgevouwen dat het de omvang heeft van een boek. Ze zit met een schouder tegen haar kussen en houdt de krant bij het nachtlampje.

Het gezicht van mijn oma is ovaal, haar voorhoofd is glad en ze heeft een arendsneus. Op haar lippen zit nog een vleugje rood van haar lippenstift. Haar donkerbruine ogen turen aandachtig naar de krant. Ze schuift haar bril omhoog en haalt haar neus op. Ze trekt een zakdoekje uit de mouw van haar nachtpon, veegt haar neus af, stopt het zakdoekje weer terug en gaat door met lezen. Dit soort dingen, denk ik zo, zal ik me nog herinneren wanneer ze er niet meer is. Ik zal me haar gewoonten herinneren en haar eigenaardigheden, de manier waarop ze de krant leest, de manier waarop ze zich over de ontwerptekeningen buigt in de zaak, de manier waarop ze met haar hele lichaam het deksel op een weckfles draait als we tomaten hebben ingemaakt. Nu heb ik nog een beeld dat ik aan het rijtje kan toevoegen: de blik op haar gezicht toen ze me vertelde dat de Angelini Shoe Company tot aan de daktuin in de schulden zit. Ik doe net of er niets aan de hand is, maar eerlijk gezegd heb ik het gevoel dat ik aan de beademing lig en dat ik de dokter niet durf te vragen hoe lang ik nog te leven heb.

'Je staat te staren,' zegt mijn oma, die me over haar bril heen aankijkt. 'Wat is er?'

'Waarom heb je me niets over die leningen verteld?' vraag ik.

'Ik wilde je er niet mee lastigvallen.'

'Maar ik ben bij je in de leer. Dat moet ik dan toch ook leren?'

'Is dat zo?'

'Ja natuurlijk, ik wil je helpen. Toen ik hier kwam werken, werden jouw problemen die van mij. Onze problemen.'

Mijn oma wil ertegenin gaan, maar ik onderbreek haar.

'Nee, houd je mond. Ik wilde schoenen leren maken omdat ik ze ooit wil ontwerpen en dat kan ik niet zonder jou.'

'Je hebt er aanleg voor.' Grootmoeder kijkt me aan. 'Je hebt er ontegenzeggelijk aanleg voor.'

Ik ga op de rand van het bed zitten en zeg: 'Vertrouw me dan met jouw erfenis.'

'Dat doe ik ook. Maar, Valentina, meer nog dan een goedlopende zaak wil ik vrede in de familie. Ik wil dat je goed met je broer kunt opschieten. Ik wil dat je je best doet om hem te begrijpen.'

'Misschien moet hij maar eens zijn best doen ons te begrijpen. Het is geen 1652 meer en we wonen hier niet op een Toscaanse boerderij waar de oudste zoon het voor het zeggen heeft en de meisjes de afwas doen. Hij is de baas niet, ook al doet hij van wel.'

'Hij is slim. Misschien kan hij ons wel helpen.'

'Nou goed dan, morgen rook ik de vredespijp met Alfred,' lieg ik haar voor. Ik ga echt niets meer doen waardoor ik tot aan mijn nek in de dankbaarheid, emotioneel of financieel gezien, tegenover mijn broer kom te staan. 'Wil je nog iets voordat ik naar bed ga?'

'Nee.'

De telefoon op het nachtkastje van mijn oma rinkelt. Ze neemt op.

'Hallo,' zegt ze. '*Ciao, ciao!*' Ze gaat rechtop zitten en zwaait naar me ten afscheid. '*Il matrimonio è stato bellissimo. Jaclyn era una sposa strraordinaria. Troppa gente, troppo cibo, la musica era troppo forte, ed erano tutti anziani.*' Ze lacht.

Ik sta op en loop naar de deur. Hier en daar vang ik iets op. Een mooie trouwpartij. Knappe bruid. Harde muziek. De stem van mijn oma is veranderd, de harde Italiaanse woorden tuimelen over elkaar heen en ze kan amper ademhalen, als een meisje uit groep zeven die voor het eerst heeft gedanst. Als ze Italiaans spreekt is ze levendiger, ronduit meisjesachtig. Wie heeft ze aan de telefoon? Ik kijk haar kant uit, maar mijn oma legt haar hand op de hoorn.

Ze zwaait me de deur uit. 'Het is het buitenland. Mijn leerlooier uit Italië.' Ze glimlacht en gaat verder met het gesprek.

In de hal doe ik de lamp uit. De laatste tijd krijgt ze steeds vaker telefoon uit Italië. Leer zal wel een leuk onderwerp zijn tussen schoenmakers en looiers als ik mijn oma grapjes hoor maken over de telefoon. Degene die ze aan de lijn heeft is bijzonder levendig voor vijf uur in de ochtend Italiaanse tijd. Maar hoe kan ze nu lachen als we zowat failliet zijn? Ik loop mijn kamer in waar het zo'n twintig graden kouder is dan op de gang. Ik doe de deur achter me dicht zodat de koude lucht niet de gang op waait en mijn oma de rillingen bezorgt.

Ik ben zo overstuur dat ik niet naar bed kan, dus ijsbeer ik. Wat een dag. Het was op de bruiloft zo warm dat toen ik met Jaclyns schoonvader danste, hij een natte handafdruk op mijn jurk achterliet. De vernedering aan de Vriendentafel, dat ik mezelf, mijn leven aan een groep mensen uit moest leggen die ik alleen op trouwpartijen en bij begrafenissen zie, wat me toch wel iets moest duidelijk maken over hun plek in mijn wereld. Dan, wanneer ik weer thuis ben het slechte nieuws dat me, eerlijk gezegd, niet zo erg verbaasde als wel zou moeten, want eigenlijk had ik mijn oma's houding in de zaak wel zien veranderen. Ik deed net of ik het niet merkte, en dat was erg dom van me. Voortaan zal ik nooit meer net doen of alles goed gaat. Ik ben boos op oma dat ze de zaak zo slecht heeft geleid. Ik ben boos dat ze de schulden van mijn opa zomaar overnam zonder de voorwaarden te wijzigen of zonder deskundig advies in te winnen. Ze heeft de aanzet gegeven om de zaak te laten sluiten, of misschien is dit wel haar manier om met pensioen te moeten gaan. Ik zie het al voor me: Alfred zal de winkel sluiten, het pand verkopen, ik sta op straat en mijn oma trekt in een van die koude, onpersoonlijke appartementen en ooit zullen haar achterkleinkinderen foto's bekijken van de schoenen die ze maakte, alsof het kunstvoorwerpen in een vitrinekast van een museum zijn.

Ik had toen ik bij haar kwam werken een gesprek met haar moeten hebben waarin ze alles uitlegde, niet alleen de geschiedenis van de zaak, of hoe je schoenen maakt, maar ook de harde feiten, de cijfers, de waarheid over wat er nodig is om een klein, onafhankelijk bedrijf draaiende te houden in deze tijd van massaproductie en goedkope buitenlandse arbeidskrachten. Ik ontweek het allemaal omdat ik bij haar in de leer ging om schoenen te maken. Ik was haar veel verschuldigd en nu moest ik haar terugbetalen.

Ik zou het anders hebben aangepakt als mijn leermeester niet mijn grootmoeder was geweest. Ik had altijd het gevoel dat ik geen vragen mocht stellen, want wie was ik? Maar nu weet ik beter. Ik had wél vragen moeten stellen. Mezelf moeten doen gelden! Ik heb zo veel tijd verspild. En dat is het dan, de reden voor mijn boosheid en frustratie, zo duidelijk zichtbaar dat ik het veel eerder had moeten zien. Ik was al in de dertig toen ik er eindelijk achter kwam wat ik wilde doen en ik kwam hier werken met het gevoel dat alles wel vanzelf op zijn plaats zou vallen. Ik had hier fulltime moeten gaan werken toen ik jong was en mijn grootvader nog leefde. Ik had meteen na school hier in de leer moeten gaan in plaats van met Bret iets te beginnen en te gaan lesgeven, waar ik nooit echt achter heb gestaan. Dan hadden we misschien niet in de problemen gezeten.

Ik ben een laatbloeier, en omdat ik iets afweet van planten, weet ik dat laatbloeiers soms helemaal niet bloeien. Misschien word ik wel nooit de vakman die ik hoop te kunnen worden omdat er niemand zal zijn om het me te leren, of omdat er geen plek meer zal zijn om mij te bekwamen. De Angelini Shoe Company zal zijn deuren sluiten en een toekomst kan ik dan wel vergeten.

Ik werd schoorvoetend schoenmaker terwijl ik er enthousiast in had moeten springen. Ik kwam in het weekend en tekende patronen, wreef het leer op en verfde het of maakte gaatjes voor veters, maar aanvankelijk was het geen roeping voor me, ik had niet de drang om schoenmaker te worden. Ik gebruikte het alleen als excuus om bij mijn oma te kunnen zijn.

En toen, zoals dat wel eens gebeurt, kreeg ik opeens een openbaring.

Ik gaf nog steeds Engelse les, en op een zaterdagochtend kwam ik langs om een handje te helpen en ik spreidde een prachtig stuk geborduurd fluweel uit over de snijtafel. Met een potlood gaf ik aan waar de naden van de schoen zouden komen. Ik had het patroon er automatisch op gezet, zonder de potloodlijn ook maar een keer te onderbreken, alsof iets of iemand me leidde. Ik had mijn roeping gevonden, mijn bestemming, mijn eigen ding. Het ging me moeiteloos af, even natuurlijk als ademhalen. Ik wist dat dit het was en dat ik geen les meer wilde geven. Ik zou die carrière en mijn leven in Queens opgeven en helaas ook Bret, die zijn hele leven al uitgestippeld had en daar hoorde een arme kunstenaar met studieleningen niet bij. Hij wilde een traditioneel leventje, waarbij ik thuis zou blijven om voor de kinderen te zorgen, terwijl hij Wall Street op de horens nam. Ik paste niet in dat beeld, en hij niet in dat van mij. Liefde, vond ik toen, moest maar even wachten terwijl ik opnieuw mijn leven indeelde.

Ik stap in bed, pak mijn schetsboek van het nachtkastje en wurm het potlood uit de spiraal. Ik blader door mijn tekeningen van bovenleer, binnenzolen, hakken en neuzen, aanvankelijk aarzelend maar gaandeweg zelfverzekerder. Ik kom er wel, denk ik, terwijl ik de tekeningen bekijk. Ik word steeds beter, ik heb alleen nog wat tijd nodig.

Al bladerend lees ik de aantekeningen na die ik hier en daar neergekrabbeld heb. MISSCHIEN VAN GEITENLEER? HIER SOMS ELASTIEK? FLUWEEL? Overal staan instructies en weetjes die mijn oma me doorgegeven heeft en die ik dagelijks nodig heb, suggesties waar ik regelmatig op terugval omdat ik ze nodig heb in de zaak. Uiteindelijk kom ik bij een leeg vel.

Daar schrijf ik op:

HOE WE DE ANGELINI SHOE COMPANY MOETEN REDDEN

Helemaal onder de indruk, voeg ik eraan toe:

SINDS 1903

Er zijn honderdvier jaar verstreken. Dankzij de inkomsten uit de schoenmakerij konden de Angelini's naar school, kleren kopen en wonen, een leven gefinancierd door hun eigen handwerk. De zaak mag niet teloorgaan, maar wat betekent de zaak tegenwoordig nog, op maat gemaakte schoenen zijn pure luxe. We vervaardigen met de hand gemaakte trouwschoenen, een unicum in een wereld waar schoenen door goedkope arbeidskrachten in derdewereldlanden in enkele minuten in elkaar worden gezet. Het met de hand maken van schoenen is al even verouderd als glas blazen en quilten en tomaten inmaken. Hoe overleven we het in de huidige tijd zonder alles wat mijn overgrootvader heeft opgebouwd kwijt te raken? Ik schrijf op:

BRONNEN VAN INKOMSTEN

Ik kijk zo lang naar de woorden tot mijn blik wazig wordt. De enige mensen die ik ken die verstand hebben van geld en weten hoe ze eraan moeten komen zijn Bret en Alfred, net de twee mannen aan wie ik liever geen hulp wil vragen. Ik sla het schetsboek dicht, steek het potlood weer in de spiraal en laat het op de grond vallen. Dan doe ik het licht uit. Ik draai me om en trek het laken over me heen. We slaan ons erdoorheen, beloof ik mezelf. Dat moet gewoon.

3

Greenwich Village

BuonItalia is een Italiaanse kruidenierswinkel in Chelsea Market, een oud, gerenoveerd pakhuis aan Fifteenth Street waar detailzaken in zitten die alles verkopen, van taarten in de vorm van Scarlett O'Hara (met een hoepelrok van suikerglazuur) tot levende kreeften.

Het rustieke, felverlichte pand is het walhalla voor fantastische eetzaakjes, maar BuonItalia is een klasse op zich, want zij verkopen al mijn lievelingsspullen, rechtstreeks uit Italië. Ze hebben van alles, van reuzenpotten Nutella (er bestaat niets lekkerders dan een daarmee besmeerd vers croissantje), Bonomelli's kamillethee, Molino Spadoni aardappelzetmeel (iets anders gaat er bij mijn oma niet door de soep, en dat eet ik al sinds zo'n beetje mijn geboorte), tot grote blikken *acciughe salate*, ansjovis rechtstreeks uit Sicilië, waarmee we Spaanse pepers vullen en warm brood beleggen.

Achter in de winkel staat een rij koelvakken met verse zelfgemaakte pasta. Mijn oma's favoriete soort, *spaghetti al nero seppia*, dunne slierten deeg waarin de zwarte inkt van een inktvis is verwerkt, is in de aanbieding. In de verpakking lijken het net dropveters voorzien van een laagje maïsmeel. Ik bereid het met verse citroen, boter en knoflook.

Ik pak een zakje rucola, wat stevige witte champignons en geroosterde paprika's voor de sla. Mijn oma is dol op Zia Tonia's pure chocoladekrullen op vanille-ijs, haar eigen versie van *straciatella gelato*, dus dat gaat ook mee. Onderweg naar buiten ga ik nog langs bij de Wine Vault voor een fles lekkere Siciliaanse chianti.

Ik loop via Greenwich Street terug naar onze zaak en opeens moet ik er weer aan denken dat toen ik nog klein was wij van onze moeder niet Jane Street uit mochten, want daar ging de oude vleesverwerkende wijk over in de woonhuizen van West Village. Mijn moeder was bang dat als de langsrazende vrachtwagens met vlees je niet doodden, dan de blootstelling aan drugshandelaars dat wel zou doen.

Begin jaren tachtig was er sprake van dat mijn grootouders de zaak zouden verkopen. De buurt ging achteruit, er waren een paar onopgeloste moorden rond de Hudson en er zaten allerlei nachtclubs aan de West Side Highway die namen hadden die je alleen kende als je een colonoscopie had gehad. De meeste leeftijdgenoten en buren hielden hun hart vast, verkochten hun huis voor een appel en een ei en trokken naar Long Island, Connecticut of de kust van New Jersey. Mijn oma heeft nog steeds contact met de Kirshenbaums, die ooit een drukkerij aan Jane Street hadden en nu in Connecticut wonen. Vrienden die het volhielden totdat in de jaren negentig de ommekeer kwam, is het veel beter vergaan. Ook mijn grootouders lieten zich niet kennen en mijn oma heeft daar nu profijt van. Aan dit gedeelte aan de Hudson staan momenteel de meest gewilde en duurste panden op het eiland Manhattan.

Ik kan me nog herinneren dat het hier pretentieloos was, een arbeidersbuurt, bijna een dorp. Tuinen werden nauwelijks bijgehouden. Je had mazzel als er wat groens op je stoep groeide. Panden werden onderhouden, maar niet gerenoveerd. De muren van rood baksteen hadden scheuren en waren matroze van kleur door de wind en de regen, de betonnen treden waren stuk, net als bij antieke Griekse beelden de oren altijd ontbreken.

Ooit stonden er grote grijze vuilnisbakken afgesloten met kettingen in de voortuinen, en fietsen vastgeketend aan het hek. Nu staan er in diezelfde tuinen marmeren potten met exotische planten en de fietsen zijn vervangen door decoratieve bessenstruiken die in de lente bloesem dragen en in de herfst bessen. Mooie plaatjes uit tijdschriften zijn in de plaats van het echte leven gekomen.

De dichters en de muzikanten die hier rond hebben gelopen, zijn verjaagd door de rijke dames van de Upper East Side die in een zwarte auto Europese haute couture kwamen kopen. Ze hebben nog net niet de kinderkopjes geasfalteerd, maar wat niet is kan nog komen. Hoeveel limousines moeten daar nog overheen bonken met de rijke mensen stuiterend op de achterbank, voordat er iemand gaat klagen? Zolang er nog kinderkopjes zijn, heb ik nog een stukje van mijn jeugd. Als ze weg zijn, weet ik niet meer zo goed waar ik vandaan kom.

Ik ga de deur door en kijk even in de zaak. Het leer dat mijn oma die ochtend heeft gesneden, ligt op de werktafel. De achterramen staan open en een briesje waait over het patroonpapier dat zachtjes ruist. 'Oma?' roep ik.

De deur van het toilet staat open, maar ze is nergens te bekennen. Er ligt een briefje op de snijtafel van June Lawton, onze patroonsnijder: 'Ben klaar. Tot vanmiddag.'

Ik loop met de boodschappentassen de trap op. Ik hoor een man praten in het appartement. Hij heeft het over pepers gevuld met ansjovis uit blik.

'*Quando preparo i peperoni da mettere in conserva, uso i vecchi barattoli di Foggia.*'

Dit gaat over het inblikken van pepers.

'*Prendo i peperoni verdi, gli taglio via le cime, li pulisco, dopodichè li riempio con le acciughe.*'

Nu heeft hij het over het vullen van de pepers met ansjovis.

'*Faccio bollire i barattoli e poi li riempio con i pepperoni ed acciughe,*' zegt hij.

De stem komt me nog steeds niet bekend voor.

Hij gaat door: '*Aggiungo aceto e spicchi di aglio fresco. All'incirca sei spicchi per barattolo.*'

'*Cosi tanti?*' vraagt mijn oma.

Ik loop met de boodschappen naar binnen.

Mijn grootmoeder zit aan de keukentafel. De man zit aan het hoofd van de tafel met zijn rug naar me toe. Oma kijkt me aan en glimlacht. 'Valentina, ik wil je aan iemand voorstellen.'

Ik zet de boodschappentassen op het aanrecht. Ik draai me om en steek mijn hand uit. 'Dag...' De man staat op. Hij komt me bekend voor. Ik ken hem ergens van. Ik blader door mijn geheugen, en blijf de hele tijd glimlachen, maar mijn harde schijf komt nergens mee aanzetten. Hij is knap, zelfs sexy. Is hij een leverancier? Een verkoper? Zijn kleren zijn niet bruin, dus hij is in elk geval niet van UPS. Hij heeft ook geen trouwring om, dus de kans is groot dat hij niet getrouwd is.

'Ik ben Roman Falconi,' zegt hij. Op de manier waarop hij dat zegt, weet ik dat ik die naam zou moeten kennen, maar het zegt me niets.

'Valentina Roncalli.' Hij geeft me een hand. Ik laat los. Hij niet. Hij staat me daar met een blik van herkenning toe te lachen. Ging hij misschien naar dezelfde school als ik? Dat zou ik me toch wel herinneren. Ja, toch? 'Leuk je weer te ontmoeten,' zegt Roman.

Weer? Leuk je wéér te ontmoeten? Ik denk over die woorden na en opeens schiet het me te binnen. Nee, hè?

Het is de man uit het appartement. Van het Meier-gebouw. De avond ervoor. Die vent in het Campari T-shirt. Dit is de man die me bloot zag. Ik strijk over mijn kleren en ben blij dat ik ze aanheb.

Roman Falconi torent boven me uit. Hij is een stuk langer dan hij in het appartement leek. Maar in een glazen gebouw, als het buiten donker is, en op een afstandje leek hij klein, als een insect dat je tijdens natuurkundeles onder de microscoop moet bekijken.

Zijn neus is zo groot dat de gokken in mijn familie daarmee vergeleken bescheiden lijken, maar ja, alles in zijn gezicht lijkt groter van dichtbij. Hij heeft een volle bos zwart haar, dat in lange laagjes geknipt is, maar het ziet er niet erg gekapt uit. Wat zou het fijn zijn als hij homo was. Een homo zou mijn naaktheid beschouwd hebben als een studie in licht, contrast en vorm. Deze vent bekijkt me alsof ik een broodje ham ben en een koud blikje limonade die hij toevallig in zijn dashboardkastje aantreft tijdens een lange autorit met onderweg geen wegrestaurant te bekennen. Hij is geen homo.

Zijn ogen zijn donkerbruin, het wit eromheen is lichtblauw. Dit is authentiek Italiaans. Hij heeft een brede glimlach waardoor zijn prachtige tanden te zien zijn. Ik wring mijn hand uit die van hem. Hij kijkt verbaasd alsof hij denkt: waar haalt die vrouw het lef vandaan om mijn hand los te laten? Grote ego's gaan samen met grote handen.

'Valentina is mijn kleindochter en leerling-schoenmaker.'

'Zorg je ook voor de daktuin?' Zijn glimlach is ronduit wellustig.

'Af en toe.'

Mijn oma komt tussenbeide. 'Valentina is daar de hele zomer. Elke dag. Zij is degene met groene vingers in de familie. Ik zou me geen raad weten zonder haar. De trap is me te zwaar geworden.'

'Dat valt wel mee, oma.'

'Zeg dat maar tegen mijn knieën. Valentina is mijn redding.'

Ik vind het niet leuk dat mijn grootmoeder zo over me opschept. Met elk woord dat zij uit, heeft hij de kans om de vrouw op het dak te vergelijken met de vrouw die voor hem staat. Deze man heeft me in mijn nakie gezien, en geloof me, er zijn landen waar ik niet naartoe zou gaan als ik wist dat er inwoners waren die me bloot hadden gezien. Ik heb graag iets te zeggen op dat gebied, ik maak zelf wel uit wie me naakt ziet, en met welke belichting.

'Gisteren was ik hiernaast het pand op de begane grond aan het bezichtigen als mogelijkheid voor een restaurant. De makelaar vroeg of ik misschien ook het appartement erboven wilde zien. Ze was me het uitzicht op de rivier aan het verkopen. En hoewel de rivier inderdaad schitterend was, zag ik een vrouw op dit dak die nog veel sensationeler was.'

'Wie dan?' Mijn oma kijkt me aan. 'Jij soms?'

Ik kijk haar vuil aan.

'Wie anders?' vraagt ze en ze haalt haar schouders op.

Ik sla mijn armen over elkaar en zet vervolgens mijn handen in mijn zij. De man heeft inmiddels alles wel gezien, dus hij heeft echt geen speciale bril nodig om door mijn armen heen mijn borsten te kunnen zien. 'Als je het niet erg vindt, Roland...'

'Roman.'

'O ja, sorry. Maar ik moet... nog wat doen.'

'Wat dan? We zijn klaar voor vandaag,' zegt mijn grootmoeder.

'Oma.' Ik erger me kapot. Ik trek een gezicht naar haar dat we ook gebruiken als we in gesprek zijn met een lastige klant. 'Ik moet nog wat doen.'

'Wat dan?' vraagt ze door.

Roman vermaakt zich prima. 'Een heleboel dingen, oma,' zeg ik haar.

'Ik zou het dak wel eens willen zien,' zegt Roman bepaald niet onschuldig.

'Dat doet Valentina wel. Ga met hem naar boven,' blaft ze. Mijn oma staat op en loopt naar de trap naar boven. 'Ik moet Feen bellen. Ik heb beloofd dat ik dat voor het eten nog zou doen. Roman, ik vond het leuk even met je te praten.'

'Ik ook, Teodora.'

Hoe zit dat? Mijn oma houdt er toch niet van als mensen naar boven willen? Wat is er gebeurd met de vrouw die haar privacy bewaakt als een stapel spaarbewijzen in een roestige metalen doos onder de vloer in de keuken? Zij laat voor deze *paisano* wel heel snel de huisregels vallen. Ze mag hem blijkbaar graag.

'Wacht even,' zeg ik tegen Roman. Ik loop met grootmoeder mee naar de trap en fluister: 'Oma, waar ben je mee bezig? Kén je die man? We zijn wel twee alleenstaande vrouwen, hoor.'

'Ach, houd toch op. Dat is een prima vent. Doe normaal.' Ze pakt de leuning beet en zet een stap omhoog. Dan draait ze zich naar me om. 'Het is te lang geleden voor je, jonge dame. Je intuïtie werkt niet meer.'

'We hebben het hier nog wel over,' fluister ik. Ik ga weer terug naar de zitkamer.

Roman heeft zijn stoel bij de tafel weggetrokken en zit met zijn benen over elkaar en zijn handen gevouwen in zijn schoot op de stoel. Hij wacht op mij. 'Ik ben klaar voor de rondleiding.'

'Vind je niet dat je al meer dan genoeg hebt gezien?' vraag ik.

'Zou je denken?' zegt hij met een grijns.

'Hoor eens, ik ken jou niet. Voor hetzelfde geld ben je een of andere engerd die lieve oude dames met slecht Italiaans naar de mond praat...'

'Hé, dat is een rotopmerking.' Hij drukt zijn hand tegen zijn hart.

Dat vind ik grappig. 'Nou goed, geen slecht Italiaans dan. Ik vind eigenlijk wel dat je heel goed Italiaans spreekt. En dat weet ik omdat ik het niet kan.'

'Dat zou ik je kunnen leren.'

'Mooi. Prima. Als ik er ooit behoefte toe voel...' Waar ben ik mee bezig? Hij is me in aan het pakken en ik wil ertegenin gaan. '... om beter Italiaans te leren spreken.' Zo. Ik heb het gezegd. Waarom kijkt hij me zo schuin aan? Wat moet hij van me?

'Hé,' zegt hij. 'Ik wil graag voor je koken.'

'Heel aardig, maar ik heb geen trek.'

'Misschien niet nu, dan. Maar een andere keer, als je wel trek hebt.' Roman komt overeind. 'En als het zover is, moet je bij mij zijn.'

Roman vist zijn portemonnee uit zijn achterzak. Hij haalt er een visitekaartje uit en legt dat op tafel. 'Als je je mocht bedenken over dat etentje, bel me dan.' Roman draait zich om. 'Je hoeft je echt niet te schamen voor je lijf, want dat is prachtig.' Ik hoor hem fluitend de trap af lopen. De voordeur valt achter hem in het slot. Omdat ik nieuwsgierig ben naar die lange vreemdeling, ga ik naar de tafel en pak zijn visitekaartje op.

ROMAN FALCONI
Chef-kok/eigenaar
Ca' d'Oro
MOTT STREET 18

Het punt is dat als je de gegevens van een man op zijn visitekaartje hebt staan, je dat je hele leven bij je kunt houden. Ik legde Romans kaartje op de koelkast, alsof we iets bij hem zouden bestellen. Toen stopte ik het in mijn portemonnee, en daar bleef het een paar dagen bij de kortingsbonnen van Bloomer zitten die ik nog had. En nu zit het in mijn zak terwijl ik naar mijn kamer loop en het in de spiegel boven mijn kaptafel steek, bij de schoolfoto's van mijn nichtjes en neefjes en een kortingsbon voor een haarmasker bij de Eva Scrivo Hair Salon.

Mijn oma vond dat we Alfred op de hoogte moesten stellen van de benarde positie waarin we ons financieel bevinden. Ze heeft hem vanmiddag uitgenodigd om hem onze papieren en de boekhouding te geven. En omdat we op de allereerste plaats Italiaanse vrouwen zijn, koken we zijn lievelingsgerecht, tomaten-basilicumfoccacia, om hem in een goed humeur te krijgen en een beroep te doen op zijn plichtsgevoel jegens de familie terwijl we een poging wagen er een goede draai aan te geven.

Alfred zit op opa's stoel aan het hoofd van de tafel en pelt een si- naasappel. Hij legt de schillen netjes op het linnen servet. Mijn oma's met de hand bijgehouden grootboek, haar chequeboek voor de zaak, zijn laptop en een zakrekenmachine liggen voor hem op tafel. Hij heeft een pak aan en een stropdas om; zijn donkerrode Berlutti's zijn glimmend gepoetst tot ze wijnrood lijken. Hij bekijkt de getallen op het scherm terwijl hij afwezig met zijn vingers op het tafelblad trommelt.

Mijn oma en ik hebben het granieten aanrecht afgeruimd en gebruiken het nu als snijoppervlak. Ik heb een kuiltje in wat bloem gemaakt en breek daar een ei boven. Mijn oma doet er nog een bij. Ik voeg er gist aan toe en kneed de bloem en de eieren tot deeg. Mijn oma strooit bloem op het aanrecht en ik vouw het deeg dubbel en nog eens dubbel totdat het een soepele bal is. Mijn oma neemt de bal over, legt het op een ingevette bakplaat en maakt met haar duim kleine kuiltjes in het deeg. Ze trekt de kanten van het deeg in een rechthoek, totdat de hele bakplaat is bedekt. Ik schep verse plakken tomaat uit een schaal en leg ze dakpansgewijs in de holletjes in het deeg. Mijn oma strooit stukjes vers basilicum over de tomaten en daarover druppelt ze goudgele olijfolie. Ik schuif de foccacia in de hete oven.

'Goed, oma, Valentina, ga zitten.'

Mijn oma en ik gaan op onze stoel aan weerskanten van de tafel zitten, tegenover elkaar. We draaien onze stoel naar hem toe. Mijn oma wikkelt de gestreepte vaatdoek om haar hand en legt hem in haar schoot.

'Oma,' zegt Alfred, 'je hebt de zaak fantastisch gerund. Alleen heb je geen winst gemaakt.'

'Hoe kunnen we…' begin ik, maar Alfred steekt zijn hand op om me te onderbreken.

'We gaan eerst eens naar de schulden kijken.' Hij gaat door: 'Toen opa stierf had je beter een partner in de arm kunnen nemen voor de financiële kant van de zaak, dat was het verstandigst geweest, maar in plaats daarvan heb je een hypotheek op het pand genomen zodat de zaak draaiende bleef. Opa had voor zo'n driehonderdduizend dollar uitstaan aan leningen. Die nam jij over, maar helaas heb je alleen maar rente betaald, dus tien jaar later ben je de bank nog steeds driehonderdduizend dollar schuldig.'

'Ook na al die jaren?'

'Ook na al die jaren. Banken weten precies hoe ze geld moeten verdienen, en zo doen ze dat dus. Kijk, oma, hier ging het dus mis,' zei hij. 'Je hebt het enige onderpand dat je had, gebruikt om nog meer geld te lenen. Je hebt een hypotheek op dit gebouw genomen. Het grote probleem is dat ze jou een ballonhypotheek hebben verstrekt. Dat is in eerste instantie goedkoop, maar net als de naam al aangeeft, wordt het steeds groter. En nu is het dan bijna zover. Volgend jaar is de afbetaling twee keer zoveel. Nogmaals, banken zijn slim. Zij weten dat het gebouw hier in de buurt alleen maar meer waard werd, en dus verdienden ze geld aan het feit dat jij er veel geld voor krijgt als je het verkoopt.'

'Ze wil het niet verkopen,' val ik hem in de rede.

'Weet ik. Maar oma heeft het gebouw als onderpand gebruikt. Toen opa was gestorven, kon oma zich geen nieuwe lening veroorloven. Ze had al die oude schulden nog. De zaak kan alleen maar voortbrengen wat het in een jaar voortbrengt.'

'Ik wou meer producten maken,' zegt grootmoeder zuchtend.

'Maar dat werkt niet. Zo gaat het niet bij met de hand gemaakte producten. Ze horen uniek te zijn, ja toch?' Alfred kijkt me aan.

'Daar staan we om bekend. Exclusieve schoenen. Op maat gemaakt. Enig in hun soort.' Mijn stem begeeft het.

Alfred kijkt me met zo veel medelijden aan als hij toe in staat is. 'Goed, hier is mijn voorstel. Het is hoogst onwaarschijnlijk, gezien de materialen in de winkel en de hoeveelheid orders die jullie kunnen aannemen, dat je winst zult maken. De schoenenwinkel is dus eigenlijk een verloren zaak.'

'Maar kunnen we niet iets verzinnen om meer schoenen te maken?' vraag ik hem.

'Dat gaat niet, Valentina. Dan zul je tien keer meer moeten maken dan nu.'

'Dat kunnen we niet,' zegt mijn oma zachtjes.

'Je kunt je problemen in één keer oplossen: verkoop het pand en trek in een goedkoper gebouw. Of misschien is het wel zo langzamerhand tijd om het bedrijf op te doeken.'

Ik word er eng van. Dit is in simpele bewoordingen het scenario waardoor mijn samenwerking met mijn grootmoeder en de hoop dat ik in de toekomst het bedrijf over zal nemen door de plee wordt gespoeld. Mijn oma weet dat en dus zegt ze: 'Alfred, ik wil het pand nog niet kwijt.'

'Goed, maar je moet wel begrijpen dat dit gebouw je voornaamste activa is. Hierdoor kun je je schulden aflossen en dan houd je nog genoeg over om rustig van te kunnen leven. Als je me toestemming geeft om er een paar taxateurs bij te halen zodat die kunnen bekijken hoeveel het waard...'

'Ik wil het pand nog niet kwijt, Alfred,' zegt ze weer.

'Dat snap ik. Maar we moeten wel weten hoeveel het gebouw waard is zodat ik in elk geval naar de bank kan gaan om je hypotheek opnieuw af te sluiten en je schulden in een andere vorm te laten gieten.'

Ik kijk naar mijn grootmoeder, die moe is door het gesprek. Ze ziet er altijd jeugdig uit, vind ik, maar dit keer, omdat ze haar fouten uit het verleden felverlicht op Alfreds computer ziet, komt ze afgepeigerd over. Ik ruik opeens basilicum. Ik spring op van mijn stoel. 'De foccacia!' Ik ren naar de oven, kijk door het ruitje, pak de ovenwanten en red het goudgele deeg, waarvan de rand al donkerbruin is door de hitte. Ik til de bakplaat uit de oven en leg hem op het aanrecht. 'Nog net op tijd,' zeg ik, mezelf koelte toewuivend met de ovenwant.

'Maak je maar geen zorgen, oma,' hoor ik Alfred zeggen. 'Ik zorg er wel voor.'

Door Alfreds stille belofte aan mijn grootmoeder lopen de rillingen over mijn rug. Ooit zal ik hieraan terugdenken als het moment waarop Alfred de stap zette om de Angelini Shoe Company over te nemen. Wat hij nooit zal weten is dat hoe graag hij ook wil verkopen, ik net zo graag wil blijven en daarvoor zal vechten. Mijn broer kent mij nog niet, maar daar komt hij wel achter.

Door de koude regen, de voorbode van de herfst in New York, werd ik vanochtend wakker. De boiler sloeg aan toen de temperatuur onder de dertien graden zakte. Door de verflucht op de pasgeschilderde radiatoren en de stoom is te merken dat de winter in aantocht is. Ik loop langs mijn oma's slaapkamer en zie dat ze nog slaapt. Dat was vroeger wel anders. Mijn grootmoeder was altijd al voor zonsopgang in de zaak aanwezig. Ik ben geen vroege vogel, maar nu, omdat ik een missie heb, sta ik tegelijk met de zon op.

Ik duw de glazen deur naar de winkel open, zet er een oude plank tegenaan, plaats vervolgens mijn beker met warme melk en espresso op een oude rubberenhakkenmachine en doe de ronde, waarbij ik de lichten in de werkplaats aan doe. Na het gesprek met Alfred geniet ik van elk moment in dit pand. Met elk paar schoenen dat we afmaken, inpakken en verzenden, doe ik nog meer mijn best om deze zaak te behouden. Ik kan me niet voorstellen dat het gebouw aan Perry Street 166 niet meer de Angelini Shoe Company zal huisvesten en mijn thuis niet meer zal zijn. Maar af en toe ben ik bang voor de toekomst, dan heb ik het gevoel dat mijn dromen als een papieren vliegtuigje het raam uit vliegen, over de Hudson en naar de oceaan.

De werkplaats is een enorme ruimte, met voor elke bewerking een hoekje. Er staat een half bad achterin waar ooit een kast was. De ruimte is zo groot omdat het eigenlijk twee verdiepingen beslaat. In alle vier de muren zitten ramen, wat zeer uitzonderlijk is voor een gebouw in de stad, zodat we de hele dag door licht hebben. Als er een onweersbui dreigt, zoals nu, dan is het net of we ons onder een grijs chiffon kleed bevinden. Het licht is gefilterd, maar het komt er nog wel doorheen.

Door de erkerramen met uitzicht op de West Side Highway ziet de voorkant eruit als een ouderwetse winkel en kunnen de voorbijgangers ons aan het werk zien. Sommige mensen kijken gefascineerd toe terwijl wij aan het persen, timmeren en zagen zijn. We zijn zo interessant dat de basisschool in de buurt ons onderdeel van het schoolreisje wil maken. De kinderen krijgen dan te zien hoe het er eeuwen geleden in werkplaatsen aan toeging. Ze vinden ons net zo fascinerend als de apen in de Central Park Zoo.

Ik haal de sleutelring van het haakje in de nis naast de voordeur. Ik begin vooraan, en open het ijzeren traliewerk dat voor de ramen zit. Ik schuif het naar de kant en doe er een grote beugel om zodat het op zijn plaats blijft. Mijn opa heeft het traliewerk zo'n twintig jaar geleden laten plaatsen omdat de verzekering de premie omhoog zou gooien als hij dat niet zou doen. Mijn grootvader bracht naar voren dat er met het pand al sinds zijn vader het in 1903 had gekocht niets was gebeurd, dus waarom moest hij dat nu opeens doen? En de verzekeringsagent zei: 'Meneer Angelini, het pand mag dan sinds 1903 niet veranderd zijn, maar de mensen wel. U hebt echt een traliehek nodig.'

Toen mijn overgrootvader hier aankwam, voorzag hij de hele kamer van houten kasten. Hij gebruikte daar al het hout voor dat hij maar kon krijgen: eiken planken, stukken mahonie, en latjes van de streepjesbastesdoorn. Al die verschillende kleuren en soorten hout zijn te wijten aan het feit dat mijn overgrootvader de winkel heeft gebouwd van sloophout van de Passavoy Lumber Yard, die vroeger op de hoek van Christopher Street stond. De kasten reiken helemaal tot aan het plafond. Toen we nog klein waren speelden we er altijd verstoppertje in.

Het gereedschap, de stoffen, het leer en de voorraad zitten in de kasten. De manier waarop is sinds de zaak opening niet veranderd. Overgrootvader maakte in de kasten schuine planken waar de uitgesneden houten mallen van alle schoenmaten staan, de zogenaamde *la forma*. We vervaardigen de schoen om deze vormen, die mijn overgrootvader vanuit Italië met zich meenam.

Er is ook een kast waarin een aantal houten planken zijn bevestigd. We hebben een ladder nodig om bij de bovenste plank te komen waar een dikke rol blauw-grijs patroonpapier op ligt. Eronder ligt een rol eenvoudige mousseline, en daaronder volgt een selectie van weelderige stoffen die met het seizoen veranderen. Er ligt wit satijnen dubbelzijdig jacquardweefsel met een wybertjesruit, roomwitte zijde geborduurd met losse bloemblaadjes, zachtgeel fluweel dat als het licht er op een bepaalde manier op valt lichtgoud lijkt, dunne beige organza dat zo stijf is als een suikerlaagje, en melkwit linnen met bobbeltjes draad waardoor het net kaasdoek is. En helemaal onder in de kast liggen strengen satijnen linten op haspels in allerlei kleuren, van heel lichtroze tot donkerpaars.

Ik weet nog dat mijn zusjes en ik oma om staaltjes vroegen om kleren voor onze poppen te maken. Onze barbies hadden de prachtigste met de hand gemaakte Italiaanse stoffen. En hun accessoires? Met behulp van oma's voorraad gitten kralen, franje en maraboeveren, hadden onze barbies haute-coutureoutfits.

Het leer, dat in vellen opgestapeld ligt, bevindt zich in de grootste kast. We leggen stukken schoon flanel tussen de vellen lakleer en patroonpapier tussen het kalfsleer. De planken in deze kast worden met citroenwas behandeld zodat het leer in een vochtige omgeving ligt. De heerlijke lucht van leer en citroen zweeft door de winkel elke keer dat we een kastdeur opentrekken.

Bij de ingang staan een stoel met rechte rug en een tafeltje dat dienstdoet als bureau. De telefoon, zo'n ouderwets zwart model met een draaischijf, staat naast een in rood leer gebonden afsprakenboek. Boven het tafeltje bevindt zich een mededelingenbord waar allemaal foto's van de kleinkinderen op hangen, en een collage van onze cliënten die onze schoenen dragen terwijl ze in vol bruidsornaat zijn. Er zijn twee verschillende klassieke bruidsfoto's. De ene is een foto van de bruid van top tot teen terwijl zij de zoom van haar jurk optilt om de schoenen te laten zien, en de andere is een foto van haar terwijl ze aan het einde van de dag op haar blote voeten de schoenen in haar hand meedraagt.

Als presse-papier wordt een houten beeldje van Sint-Crispijn gebruikt, de beschermheilige van schoenlappers, dat op een stapeltje rekeningen staat. Het beeldje is in 1952 door de pastoor van oma gezegend. Niet lang daarna werd Crispijn door de kerk niet langer als heilige erkend en werd zijn beeldje van de buffetkast boven gehaald en gedegenereerd tot een presse-papier in de winkel.

Achter in de winkel staan een wasmachine en een droger op elkaar gestapeld, en verder nog drie grote toestellen. De leerwals is een lang apparaat met grote, smalle metalen rollen die het leer uitrekken en gladmaken. Dan is er nog een toestel zo groot als een wasmachine waar grote borstels van hennep op zitten zodat de korrel wordt afgebroken en het leer gaat glimmen. La Cucitrice is een frieksnaaimachine waarmee de zolen en de naden worden gestikt.

Er staat ook een oude strijkplank met een blauwe bekleding die vol bruine koffiekleurige brandplekken zit, de meeste mijn schuld. Het strijkijzer zelf is klein, driehoekig en zwaar, en het handvat is omwikkeld met raffia. Ook dat is afkomstig uit Italië en meegebracht door mijn overgrootvader. Het duurt ruim tien minuten voordat het strijkijzer warm is, maar we piekeren er niet over om een nieuwe te kopen. Mijn overgrootvader heeft er een elektrische van gemaakt toen hij nog jong was. Daarvóór zette hij het strijkijzer gewoon even op een rooster in de kachel om het op te warmen.

Een leerling moet allereerst leren strijken. Het zou je verbazen hoe lang het heeft geduurd voordat het me lukte een stuk stof te strijken zonder dat de randjes opkrulden. Ik dacht dat ik wel kon strijken, maar net zoals alles wat er bij het schoenen maken komt kijken, moet elke vaardigheid opnieuw worden aangeleerd en bijgeschaafd. Wat wij doen is het samenstellen van de verschillende onderdelen zodat elke schoen precies aan de voet van de cliënt past. Er mogen geen ruwe kantjes, rimpels, bulten of te strakke naden zijn. Dat heb je met de luxe van op maat gemaakte schoenen: niemand kan die van jou dragen.

Ik kijk naar het lijstje met de dingen die ik vandaag moet doen. Ik moet kralen op een paar satijnen pumps voor een herfsthuwelijk naaien. Mijn oma heeft de schoen al gemaakt, nu moet ik hem nog versieren. Ik ga naar het toilet om mijn handen te wassen.

Mijn grootvader is er ooit mee begonnen zijn kamer te behangen met koppen uit de kranten van New York waar hij om moest lachen. Weet je welke zijn favoriet was? Een uit 1958: BABY GEBOREN MET VOLLEDIG GEBIT. Ik heb zelf twee jaar geleden DRIE KEER AVERIJ? opgehangen toen een wispelturige filmster voor de derde keer trouwde. Mijn oma voegde er ASTOR HELPT LIEVER ZICHZELF aan toe toen de zoon van filantroop Brooke Astor veroordeeld werd omdat hij vóór ze was overleden geld van de erfenis had gepikt.

Ik loop naar de werktafel om alles klaar te leggen. Ik ben dol op regenachtige dagen en vind het heerlijk om te werken als er een storm woedt. Het ritme van de vlagen regen die tegen de winkelramen slaan is een natuurlijke begeleiding voor nauwgezet handwerk.

'Jezus, het lijkt wel een orkaan buiten,' buldert June Lawton vanaf de voordeur. Ze schudt haar zwarte paraplu uit en zet hem opengeklapt bij de deur. Vervolgens knoopt ze haar kaki regenjas open en hangt hem in de hal aan een haak boven de cv. 'Wat jammer dat het geen mannen regent, anders hadden we er een hoop kunnen hebben.'

June is de oudste en beste vriendin van mijn oma en is inmiddels al begin zeventig. Ze is een Ierse schoonheid met hemelsblauwe ogen en een zwanennek, die ze benadrukt met diepe v-halzen, uitbundige kralenkettingen en lange, gedraaide schakelkettingen. June is een echte bohemienne uit de West Village en is daar trots op. Ze komt wel eens op een zomerse namiddag naar me toe als ik op het dak de tomaten water geef. Dat is dan niet alleen voor het zonnetje, ze vindt het ook wel eens prettig om tijdens de koffiepauze een jointje te roken. June houdt dan het sjekkie omhoog en zegt: 'Beroepsrisico,' waarmee ze doelt op de tijd dat ze nog bij een kleine jazzcombo genaamd Whiskey Jam zong. In de jaren vijftig en zestig ging mijn oma vaak naar haar optredens in de Villageclubs toe.

June heeft nog hetzelfde vuurrode haar uit haar jeugd en de gladde huid van iemand die half zo oud is. Ik heb haar ooit eens gevraagd hoe ze zo mooi bleef (niet door de hasj dus) en zij zei dat ze sinds haar achttiende haar gezicht en hals met water en zeep insmeert en vervolgens haar huid zachtjes met een natte puimsteen beklopt. Daarna wast ze haar gezicht en brengt een dun laagje bakvet aan. Aan al die dure crèmepjes heb je dus niets!

In Greenwich Village wonen heel veel vrouwen als June, die op jonge leeftijd naar de stad zijn getrokken om als artiest aan de bak te komen, een beetje succes hadden en er met moeite van konden leven. Eenmaal met pensioen zijn ze op zoek naar een leuk tijdverdrijf. June werkt graag met haar handen en ze heeft een fantastische smaak, dus mijn oma heeft haar overgehaald om bij ons te komen werken. Mijn grootvader heeft June vijftien jaar geleden ingewerkt en in de loop der tijd is ze een zeer bekwaam patroonknipper geworden.

'Waar is Teodora?' vraagt June.

'Ze ligt nog in bed,' zeg ik tegen haar.

'Hmm.' June trekt een kast open, haalt er een rode corduroy werkjas uit en trekt die aan. 'Ze is toch niet ziek?'

'Nee, hoor.' Ik kijk June aan. 'Hoezo?'

'Ja, ik weet niet. Ze ziet er de laatste tijd zo moe uit.'

'We hebben steeds tot laat in de nacht naar de Clark Gable-verzameling op dvd gekeken.'

'Dan snap ik het.'

'Gisteravond was het *The Call of the Wild*.'

June fluit zacht. 'Gable was een érg lekker ventje in die film.'

'Loretta Young mocht er anders ook wel zijn.'

'O, die was heel erg knap. En allemaal echt. Haar eigen lippen en haar eigen jukbeenderen. Wist je dat ze tijdens die film op Gable verliefd werd? Ze raakte in verwachting, hield het geheim, kreeg het kindje en stond het af voor adoptie. En weet wat ze toen deed? Ze adopteerde haar eigen kindje, gaf haar de naam Judy, en hield jarenlang vol dat het meisje niet haar eigen kind was.'

'Echt waar?'

'In die tijd kon je geen buitenechtelijk kind krijgen. Dat zou haar ten gronde gericht hebben. Tegenwoordig komen de sterretjes zelfs weg met slechte acteerprestaties.' June schenkt een kop koffie voor zichzelf in. 'Op dit soort momenten mis ik nou mijn sigaretje. Als ik mezelf op loop te winden.' June doet een theelepel suiker in haar kopje. 'Hoe gaat het met jou?'

'Ik heb zes miljoen dollar nodig.'

'O, dat heb ik nog wel ergens voor je liggen.'

We moeten allebei lachen, maar dan wordt June weer serieus. 'Wat moet je met zo veel geld?'

Ik heb nog niemand verteld dat ik internet op ben gegaan om naar huizenprijzen hier in de buurt te kijken. Nadat mijn oma Alfred toestemming heeft gegeven om een taxateur in te schakelen, wilde ik zelf onderzoek doen, zodat ik buiten mijn broer om een strategie kon bedenken. De bedragen waren verbijsterend. June is te vertrouwen, dus biecht ik haar op: 'Om het gebouw te kopen. Het pand met de zaak.'

June gaat op een van de krukken met wieltjes zitten. 'Hoe wil je dat doen?'

'Ik heb geen flauw idee.'

June glimlacht. 'O, wat leuk.'

'Meen je dat nou?'

'Valentina, dat is nu zo heerlijk aan jong zijn. Je kunt alles doen. Doe je best. Doe heel erg je best. Zes miljoen of zes dollar, wat maakt het uit als je nog jong bent en het je misschien wel zal lukken? Ik vond de jaren dat ik op een houtje moest bijten helemaal te gek! Je bent nog te jong om dat te beseffen, maar de touwtjes aan elkaar knopen is verrukkelijk!'

'Ik doe geen oog meer dicht.'

'Mooi. Dan kun je meteen een strategie uitdenken.'

'Dat kan wel waar zijn, maar ik heb nog niets kunnen verzinnen.'

'Dat komt wel.' June zet haar kop koffie neer en staat op. Ze trekt een stuk patroonpapier van de rol en legt het op de satin duchesse op de tafel. Ze speldt het papier vast op de stof. 'Wat vindt je oma ervan?'

'Dat zegt ze niet.'

'Heb je het haar wel gevraagd?'

'June, dit ligt nogal gevoelig. Jij kent haar al zo lang, wat denk jij dat ze ervan vindt?'

'Je grootmoeder is mijn hartsvriendin, maar ze is me vaak een raadsel. Ik maak geen moordkuil van mijn gevoelens, maar zij is heel anders. Ze is een briljante vrouw, weet je. Maar ze is een echte binnenvetter.'

'Ze is de enige in de familie die zo is.'

June strijkt het patroonpapier glad met haar hand. 'Het gaat al een stuk beter nadat jij hier bent komen werken.'

'Echt waar?'

'Jullie zijn een goed team. Zij heeft ook veel aan jou. Dat is heel gunstig.'

'Heeft ze het met jou wel eens over met pensioen gaan gehad?'

'Nee, nooit,' antwoordt June, en dat vind ik een erg goed teken.

Mijn oma komt de zaak binnen. 'Goedemorgen, dames.'

'Ik heb net koffiegezet,' zeg ik tegen haar.

'Je had me wakker moeten maken, Valentina.' Grootmoeder loopt naar het bureau, pakt de briefjes op, leest ze en zucht. Oma lijkt de laatste tijd wel wat op die schoenmaker in het sprookje. Volgens mij verwacht ze half dat ze ooit een keer wakker zal worden, de trap af zal lopen en zal zien dat in de nacht elfjes het werk voor ons hebben gedaan en dat er prachtige op maat gemaakte schoenen voor ons klaarstaan. 'Ik kan de tijd goed gebruiken.'

'Alles loopt op rolletjes,' vertel ik haar.

'Bovendien was het bepaald geen verspilde tijd. Was je niet over Gable aan het dromen?' vraagt June met een glimlach.

'Hoe weet jij dat nou?' vraagt oma haar.

'Wie droomt er nu niet over Gable?' June haalt haar schouders op.

Ik haal de schoenen die klaar zijn van de plank. Mijn oma heeft ze in schoon wit katoen verpakt. Ik wikkel de stof er net zo voorzichtig af alsof ik een dekentje van een pasgeboren baby trek.

Ik zet de linkerschoen op mijn sokkel, en strijk het satijn glad. Ik verbaas me over het naaiwerk van oma langs de rand van de voorschoen. De steekjes zijn zo klein dat je ze amper kunt zien.

Er wordt hard op de deur geklopt. Ik kijk naar June, die bezig is met knippen en dat niet zomaar kan onderbreken. Mijn grootmoeder is aantekeningen aan het maken. 'Ik ga wel,' zeg ik.

Ik maak de voordeur open. Er staat een vrouw van een jaar of twintig onder een krakkemikkige zwarte paraplu. Ze is kleddernat en heeft een klembord bij zich. Ze heeft een rugzak om en een headset om haar nek, die naar een walkietalkie aan haar riem leidt.

'Repareren jullie schoenen?' Ze schuift de natte capuchon van haar vest naar beneden. Haar lange rode haar is met een blauw-wit elastiekje in een paardenstaart gebonden. Ze heeft een roomblanke huid met alleen wat sproetjes op de rug van haar neus.

'Sorry, nee.'

'Het is een noodgeval.' Zo te zien kan het meisje elk moment in snikken uitbarsten.

Ze zet haar paraplu in de hoek van de hal en loopt achter me aan de winkel in.

'Wie ben jij?' vraagt mijn oma beleefd.

'Megan Donovan.'

'Iers dus,' zegt June zonder op te kijken. 'Ik ook. Wij zijn hier zwaar in de minderheid, dus jij mag blijven.'

'Wat wil je?' vraagt mijn grootmoeder haar.

'Ik ben de personal assistant voor een film die in de Our Lady of Pompeii-kerk wordt gedraaid…' Haar stem gaat aan het einde van de zin omhoog, alsof ze een vraag stelt, maar dat is niet zo.

'Dat is mijn kerk.' Oma lijkt verrast dat ze op de plek waar ze de mis bijwoont, getrouwd is en mijn moeder heeft laten dopen, een film aan het maken zijn.

'Hebben ze dat niet eens aan jou gevraagd?' June speldt de stof af, maar kijkt dit keer wel op. 'Bel meteen het Vaticaan,' zegt ze grijnzend.

'Wat voor film?' vraag ik aan Megan.

'Nou, hij heet *Lucia, Lucia*. En het gaat over een vrouw die in de jaren vijftig hier in Greenwich Village woont. Maar goed, we zijn haar huwelijk aan het filmen en toen brak haar hak. En toen heb ik naar trouwschoenen hier in de buurt gegoogeld en kwam ik bij jullie uit. Ik hoopte dat jullie hem konden maken.'

'Heb je de schoen bij je?'

Megan laat de rugtas op de grond zakken, ritst hem open, en tilt er een schoen uit die ze aan mijn oma overhandigt.

Ik ga naast mijn grootmoeder staan om te kijken wat de schade is. De hak hangt er los bij.

'Dat kan niet gemaakt worden,' zeg ik tegen haar. 'Maar dit is een maat 37. Onze modellen zijn allemaal een maat 37.'

'Oké, dat geef ik even door.' Megan tovert een BlackBerry tevoorschijn en tikt met haar duimen razendsnel een tekst in. Ze wacht even op antwoord. Ze leest het bericht. 'Ze komen eraan.'

'Wie komen eraan?' vraagt mijn oma.

'De bazen. De kostuumontwerper en de producent.'

'We kunnen deze schoen niet maken,' zegt mijn grootmoeder resoluut.

Megan raakt geagiteerd. 'Dit is mijn eerste film en deze mensen zijn vreselijk perfectionistisch. Toen de hak brak, gingen ze allemaal tekeer. Ze gaven hem aan mij en zeiden: "Zorg dat die gemaakt wordt." Ze vermoorden me als het me niet lukt. Ze doen overal zo moeilijk over. Alles is een probleem. De bruid mag bijvoorbeeld niet gewoon een boeket met witte rozen hebben, nee, het moeten speciale witte rozen zijn. Ik was vanochtend om drie uur op de bloemenmarkt om een Ecuadoriaanse roos te kopen die maar een keer in het jaar bloeit.' Megan veegt met haar mouw haar ogen af, ik weet niet of het tranen van frustratie zijn of regendruppels.

Oma schenkt een kop koffie voor Megan in. Megan doet zo veel koffiemelk en suiker in de beker dat de koffie de kleur van zand heeft. Ze pakt de beker met beide handen beet en neemt een slok.

'Nu weten we tenminste waar er nog vakmanschap bestaat in Amerika. Bij de film,' zegt mijn oma met een glimlach.

'Geef me je sweatshirt maar, dan gooi ik hem in de droger,' zeg ik tegen Megan. Ze trekt hem uit en geeft hem aan mij. Haar zwarte

T-shirt waarop in grote witte letters VERSLAAFD staat, is eigenaardig genoeg droog.

'Dit is echt een heel oud gebouw.' Megan kijkt om zich heen en neemt tegelijk een slok.

'Dat klopt helemaal.' Mijn oma glimlacht. 'Vind je het leuk bij de film?'

'Ik sta nog zo onder aan de ladder, dat je geen tree op hoeft om bij me te komen,' zegt Megan zuchtend.

Er wordt opnieuw hard op de deur geklopt. 'Dat zijn ze!' Megan schrikt op, zet de beker neer en loopt naar de deur.

Megan komt terug met twee vrouwen die snel met elkaar praten maar tegelijkertijd de indruk wekken dat ze aan iets anders denken. 'Dit is Debra McGuire, onze kostuumontwerpster.' Megan maakt bijna een buiging.

Debra's lange, donkerbruine haar hangt in een vlecht tot op haar middel. Ze heeft helderrode lippenstift op en haar bruine ogen zijn net maansikkels waarmee ze de ruimte om zich heen nauwlettend opneemt. Ze trekt haar zwarte leren jas uit. Eronder draagt ze een kort roze zijden rokje op een turquoise broek die in gele leren regenlaarzen is gestopt. Verder heeft ze een geel-wit gestreept jasje aan dat zo van Sergeant Pepper afkomstig had kunnen zijn. Ik kan niet inschatten hoe oud ze is. Misschien in de dertig, maar ze heeft de houding en de zelfverzekerdheid van een vrouw van vijftig. 'Is de schoen gemaakt?' snauwt ze tegen Megan.

'Nee,' komt mijn grootmoeder tussenbeide. 'En wie ben jij?' Oma wendt zich tot de vrouw die naast Debra staat.

'Ik ben Julie Durk, de producent.'

Julie is in de dertig, ze heeft een bleke huid en blauwe ogen. In tegenstelling tot de veeleisende Debra kleedt ze zich net als ik: een verschoten spijkerbroek, een zwarte coltrui en zwarte suède laarzen. Julie heeft ook nog een blauw basketbaljack aan met erop LUCIA, LUCIA in rode letters op de plaats waar normaal gesproken het logo van de club staat.

'Wat is dit voor plek?' Debra kijkt, eerder geïrriteerd dan nieuwsgierig, rond in de zaak en vervolgens naar Megan. Voordat Megan iets kan zeggen, geeft mijn grootmoeder haar antwoord.

'Dit is de Angelini Shoe Company,' vertelt mijn oma haar. 'We maken trouwschoenen op maat.'

'Nooit van gehoord.' Debra loopt om de snijtafel heen om te zien waar June mee bezig is. 'Kennen jullie Barbara Schaum?'

'De sandalenmaakster uit East Village? Die is fantastisch,' zegt grootmoeder. 'Ze is al sinds de jaren zestig bezig.'

'Deze zaak is in 1903 opgericht,' zeg ik, in de hoop dat de vrouw de hint meekrijgt dat ze mijn grootmoeder met respect moet behandelen.

'Er zijn niet veel meer van jullie over.' Debra komt naar mij toe om de schoen te bekijken waar ik aan werk. 'Wat doen jullie ook alweer?'

'We maken trouwschoenen,' zeg ik gepikeerd.

'Mevrouw McGuire heeft het erg druk,' verontschuldigt Megan zich voor haar bazin.

'Toe, zeg.' Debra wuift Megan weg. 'Kunnen jullie die schoen maken?'

'Dat gaat niet lukken,' zeg ik tegen haar.

'Dan moeten we alles opnieuw filmen,' zegt Julie en ze bijt op haar lip.

'Het is een modefilm,' valt Debra uit. 'Het moet helemaal kloppen.'

'Wie heeft deze schoen gemaakt?' Mijn oma houdt het kapotte exemplaar in de lucht.

'Fougeray, die is Frans.'

'Kun je tegen hem zeggen dat hij titanium in de hakken moet gebruiken?'

'Hij is dood, maar ik zal het aan zijn vertegenwoordiger doorgeven,' zegt Debra sarcastisch.

'Zeg, jongedame, ik heb het druk, dus ik heb hier geen zin in,' zegt mijn grootmoeder die zich niet gauw laat afschrikken. 'De schoenmaker heeft de hak gelijmd.' Ze laat de achterkant van de schoen zien. 'Dat is beneden de maat.'

'Ze waren ontzettend duur.' Julie zegt het alsof ze zich ervoor moet verontschuldigen, maar ik weet niet of dat naar mijn oma of naar Debra toe bedoeld is.

'Dat zal vast wel. Maar ze zijn slecht gemaakt, duur of niet duur.' Mijn oma kijkt haar onderzoekend aan. 'Hoeveel is er in die scène van de schoen te zien?'

'De scène draait helemaal om de schoen. Eerst een close-up, dan een tracking shot...' Debra legt haar handen op de snijtafel en buigt haar hoofd om na te denken.

'Misschien...' begint Julie.

Debra onderbreekt haar. 'Als zij hem niet kunnen maken, moeten we het met een ander paar schoenen opnieuw filmen.'

'Wil je onze collectie zien?' vraagt mijn oma. Debra zegt niets. 'We zijn dan wel niet Frans, maar we zijn wel experts.'

'Nou goed, laat maar eens zien, dan.' Debra gaat op een krukje zitten en rijdt ermee naar de tafel. 'Jij hebt me hiernaartoe gehaald.' Ze kijkt Megan aan. Ze vouwt haar handen en legt ze op het patroonpapier. 'Verras me maar.' Ze kijkt naar ons.

'Deze zaak heeft oneindig veel mogelijkheden,' zegt Megan terwijl ze hoopvol een blik op mijn grootmoeder en mij werpt.

'We maken hier schoenen op maat,' verbetert mijn oma haar. 'Valentina, kun jij een paar modellen halen?'

'Wat willen jullie precies?' vraagt June aan Debra.

'Het is een Assepoester-moment.' Debra komt overeind en speelt de scène voor. 'De bruid komt de kerk uit rennen en verliest haar schoen.'

'Dat betekent ongeluk,' zegt mijn oma.

'Hoezo?' wil Debra weten.

'Dat zeggen ze in Italië. Is het een film over een Italiaanse?'

'Ja. Een kruideniersdochter uit de Village.'

'Megan zei dat het in 1950 speelde.' Mijn grootmoeder kijkt naar Megan die dankbaar glimlacht omdat zij bij het professionele gesprek wordt betrokken. 'Een van onze stijlen is in 1950 door mijn echtgenoot ontworpen.'

'Die wil ik graag zien,' zegt Debra, met een gemaakt enthousiast glimlachje.

Ik zet allemaal dozen met onze modellen erin op de werktafel. Mijn oma veegt met een zacht flanellen doekje de dozen af voordat ze ze openmaakt. Dat doen we altijd omdat we met zachte kleuren werken die vies kunnen worden als je ze aanraakt.

'Er zijn zes verschillende soorten trouwschoenen. Mijn schoonvader gaf zijn ontwerpen de naam van zijn lievelingsfiguren uit de opera. De Lola, die door de *Cavalleria Rusticana* is geïnspireerd, is het populairst,' begint oma. 'Het is een open schoentje met een houten hak. De bandjes worden vaak met bedeltjes en bandjes versierd. Over het algemeen gebruiken we er kalfsleer voor, maar ik heb er ook wel eens een van tweezijdig satijn gemaakt.'

Debra bekijkt de schoen. 'Erg mooi.' Ze zet hem op de tafel. 'Maar veel te licht en luchtig. Ik wil iets stevigers.'

Oma maakt de volgende doos open. 'Dit is de Ines uit *Il Trovatore*.'

Debra werpt een blik op de klassieke kalfsleren pump met naaldhak. 'We komen in de buurt, maar het is hem nog net niet.'

'De Mimi uit *La Bohème* is een enkellaarsje dat vaak van zijdefluweel of van bewerkt fluweel wordt gemaakt. Ik voeg er nog kleine vetergaatjes en zijden veters aan toe.' Mijn oma zet het laarsje op de tafel.

'Prachtig,' zegt Julie. 'Maar een laarsje verlies je niet zo snel.'

'De Gilda uit *Rigoletto* is een geborduurd muiltje met een naaldhak, hoewel we hem ook vaak zonder hoge hak hebben gemaakt.'

'Die vind ik het mooist,' zegt June opeens.

'De Osmina uit *Suor Angelica* is een eenvoudig model met knoopjes. De bruid mag zelf zeggen of ze een dubbel of een enkel of een t-bandje wil.'

Debra knijpt haar ogen samen en bekijkt de schoen. 'Nee.'

'De Flora uit *La Traviata* is vrij nieuw. Ik heb dit model in 1989 ontworpen.' Mijn oma toont ze het flatje van kalfsleer waarvan de bandjes kruiselings over de enkel en halverwege de kuit worden gestrikt. 'Ik werd er doodziek van dat ik bruidjes steeds weer naar Capezio moest sturen, dus ontwierp ik deze om van die rage mee te profiteren. Het was de enige stijl die we nog niet in de oorspronkelijke collectie hadden.'

'Als ik weer zou trouwen, zou ik die onmiddellijk kopen.' Debra wijst de Flora aan. 'Maar wat ik mooi vind doet er niet toe, hij moet bij de actrice passen.' Debra pakt de Gilda. 'Deze wordt het. Hij is beeldschoon. En een muiltje kun je makkelijk verliezen.'

'Die heeft mijn man in 1950 ontworpen. Dus hij past precies in het tijdsbeeld.'

'En u, mevrouw Angelini, bent het best bewaarde geheim van de schoenenwereld.' Debra glimlacht voor het eerst. Of het door de opluchting komt of door de schoenen weet ik niet, maar ze is in elk geval tevreden.

Mijn oma heeft een zeer voldane uitdrukking op haar gezicht. Zij is de grote expert wat schoenen betreft.

'Dit is een maat 37,' zegt Debra die dat aan de binnenkant van de schoen ziet staan. 'Hoeveel zijn we u schuldig?'

'Modellen verkopen we helaas niet.'

'Nou, dat zal nu wel moeten.' Debra's glimlach vervliegt. 'Dit is een noodgeval.'

'Misschien kunt u ze ons uitlenen? Dan vermelden we uw naam op de titelrol,' stelt Julie voor.

'Dat lijkt me prima.' Oma geeft Julie een hand.

'Megan, pak ze in en we zien je wel bij de kostuumcaravan,' beveelt Debra. 'Mevrouw Angelini, u moet wel mee naar de filmset, natuurlijk.'

'Ik? Hoezo?' vraagt mijn grootmoeder verbaasd.

'We gaan de scène nu filmen. Mochten er problemen zijn, dan kunt u dat meteen oplossen. Ik wil het risico niet lopen dat dat' – ze wijst naar de Fougeray – 'ons weer gebeurt.'

Mijn grootmoeder kijkt naar mij. 'Mag mijn…'

'Ja, dat mag,' zegt Debra ongeduldig. 'Loop maar met Megan mee.' Debra trekt haar jas aan terwijl ze naar de deur toe lopen. Ze zijn net zo snel de deur uit als ze aankwamen, als een bliksemschicht die de kamer een tel verlicht. Ik haal Megans sweatshirt uit de droger. Ze trekt hem aan.

'Ik kan Our Lady of Pompeii nog met mijn ogen dicht vinden.' Mijn oma wappert met haar handen. 'Pak mijn tas, Valentina. We gaan.'

Er wordt voortdurend in Greenwich Village gefilmd. De televisieserie *Law and Order* speelt zich af in Manhattan, dus er is altijd wel ergens een filmploeg bezig. We zijn eraan gewend geraakt om op een hoek te wachten totdat ze klaar zijn met draaien, en over kabels en draden heen te stappen, en langs caravans terwijl de filmmensen in hun headset praten en op hun klembord kijken.

Toen mijn oma nog jong was, bestond er een bijzondere plek genaamd Hollywood waar ze films maakten. Maar nu lopen filmsterren gewoon als ieder ander op straat. De betovering was voor mij verbroken toen ik Kate Winslet voor me in de rij bij Starbucks aan Fourteenth Street zag staan. Ze was zo dichtbij dat ik kon zien dat ze Essie's Ballet Slippers-nagellak droeg. Als je ze tegenkomt terwijl je boodschappen doet, zijn het niet langer idolen. Mijn oma heeft nooit Bette Davis bij de slijter gezien of Hedy Lamarr bij de kapper.

'Kom maar mee,' zegt Megan, die mijn oma en ik de kerk van Our Lady at Pompeii in begeleidt. Ze draait zich om en glimlacht verlegen. 'Dat is ook zo. Jullie kennen de weg vast beter dan ik.'

De kruidige geur van wierook van de zondagse mis hangt nog in de lucht. Op de marmeren vloer staan overal dozen met spotjes en haspels. De tafel waarop het zondagskrantje altijd ligt, is nu bedekt met bagels, plastic koffiebekers en stapels snacks. Het is heel raar om deze oude gotische kerk zo uit zijn verband te zien gerukt. De rijk bewerkte banken, glas-in-loodramen en het barokke altaar zijn niet langer het huis van God maar het decor voor een film.

'Niet te geloven dat de priester hier toestemming voor heeft gegeven,' fluistert oma.

'De katholieke kerk is dol op wat publiciteit,' fluister ik terug. 'En op een hoge huur.'

Ik zie gelijk wie de hoofdrolspeelster is omdat zij een bruidsjapon draagt.

'Dat is Anna Christina,' vertelt Megan ons. 'Zij is nu nog niet erg bekend, maar als de film eenmaal uitkomt zal ze net zo beroemd zijn als Reese Witherspoon na *Legally Blonde.*'

Anna Christina is zo te zien amper twintig jaar. Ze is klein en heeft een zandloperfiguur. Haar ovale gezicht wordt omlijst door glimmende zwarte krullen waardoor haar prachtige huid goed uitkomt. Haar lippen zijn kersjes in de sneeuw, het echte rood dat typisch jaren vijftig is. Debra zit op haar hurken naast haar en is bezig met de schoenen.

'Ze zijn te groot.' Debra komt met een kwaad gezicht overeind. Megan staat naast me en ik voel gewoon haar bloeddruk omhoog schieten.

'Eens kijken.' Oma zeilt door de chaos heen naar de actrice toe, maar moet Debra bij de arm grijpen om op haar knieën te kunnen gaan zitten. 'Rotknieën,' hoor ik haar zeggen terwijl ik me door de menigte een weg naar haar toe baan en naast haar op de grond ga zitten. Mijn grootmoeder drukt in de teen van het satijnen muiltje en laat hem voorzichtig van Anna Christina's voet afglijden. Mijn oma kijkt Debra aan. 'Welke schoen verliest ze?'

'De rechter.'

'Geef me eens wat watten,' zegt oma tegen me. 'Die naai ik erin.'

Mijn grootmoeder wikkelt de watten af en knipt er met een gouden werkschaar een stuk vanaf. Ik rijg een draad door het oog van een naald en leg er een knoopje in. Oma schuift de watten in de neus van de schoen en trekt hem Anna weer aan. Hij is nog steeds te groot. Mijn oma neemt nog een stuk watten en maakt er een boogje van in de vorm van de schoen. Na een paar keer passen geeft oma me de schoen en de watten aan. 'Naai het er maar in.'

Ik steek de dunne naald in de stof en de watten. Met kleine steekjes zet ik de watten vast. Eerst aan de ene kant van de schoen, dan aan de andere, zodat ik in wezen een schoen in een schoen maak. Mijn grootmoeder pakt de muil aan en schuift hem weer aan de voet van de actrice.

'Nu is hij te nauw!' roept Debra uit. 'Zo kan ze hem nooit verliezen.'

'We zijn nog niet klaar,' zegt mijn oma op een toon die ik niet meer heb gehoord sinds ze Tess en mij op mijn vijfde betrapten toen we op het behang in de slaapkamer aan het tekenen waren. De ploeg valt stil. Ik kijk op en zie de regisseur, een jonge man met een basketbalpetje op en een bodywarmer aan, ijsberen alsof hij wacht op de geboorte van een vierling. Mijn oma geeft de schoen weer aan mij. 'Maak een spie aan de linkerkant.'

Ik naai de stof over de instap stevig vast. Ik geef de schoen weer aan mijn oma.

'En nu het boenmiddel, Val.'

Ik overhandig oma het boenmiddel uit het koffertje. Ze wrijft de was over de binnenkant van de instap waardoor het leer zachter en soepeler wordt. Mijn grootmoeder schuift het muiltje weer aan Anna's voet. 'Oké, Anna, als je de schoen moet verliezen, trek je je tenen op en haal je voet eruit. Hij zou er dan zo vanaf moeten vallen. Doe eens.'

Anna volgt haar aanwijzingen op, tilt haar voet van de grond en drukt haar tenen tegen de bovenkant van de neus aan. De schoen glijdt van haar voet. 'Het werkt!' zegt Anna met een glimlach, duidelijk net zo opgelucht als ik.

Opeens komt de hele ploeg, die om ons heen giftige pijlen van de zenuwen naar ons toe zond, in actie. Ze gaan naar hun plaatsen, roepen wat er gedaan moet worden en de regisseur gaat op zijn stoel zitten en kijkt op de monitor.

Megan trekt mijn oma terug in de schaduw. We kijken toe terwijl Anna Christine met beide handen de mahoniehouten kerkdeur openduwt, in haar satijnen bruidsjapon het kerkportaal door rent tot ze boven aan het bordes van Our Lady of Pompeii staat. Ze verliest het Gilda-muiltje op het moment dat ze haar voet op de bovenste tree zet.

'Dit is een tracking shot,' legt Megan uit. 'Dat is een lange opname.'

Ze filmen de scène steeds weer over en elke keer valt het muiltje keurig van haar voet. Mijn oma en ik kunnen weer rustig ademhalen. Naast de regisseur brult een man: 'Klaar. We gaan door.' De ploeg verspreidt zich en sjouwt, tilt en duwt de apparatuur met zich mee. Debra gaat naar de regisseur toe, die wat tegen haar zegt. 'Je hebt ons gered,' zegt Megan glimlachend. 'Hij vertelt haar net dat de opname geslaagd is.'

Debra geeft de regisseur een klopje op zijn rug en loopt naar ons toe. 'Fougeray ligt eruit, Angelini doet mee.'

4

Gramercy Park

Ik spuit wat klassieke Burberry-cologne (gekregen van mijn moeder toen ze op de Britse toer ging) in mijn hals en vervolgens boven mijn hoofd zodat het als een geurige perzik-cedermist op me neerdaalt. Ik buig me naar de spiegel boven de kaptafel toe en kijk of mijn make-up goed zit. De spiegel in de goudkleurige lijst met bladeren is zo oud dat de verf achter op het glas sepiakleurige krullen heeft gevormd zodat mijn teint een albasten zweem heeft. Deze magische spiegel is mijn antirimpelbehandeling aan de muur. Het visitekaartje van Roman Falconi zit in de rand van de spiegel gestoken en om de een of andere reden stop ik hem in de zak van mijn jas. Misschien dat ik ooit zo'n honger krijg dat ik eens ga kijken wat voor restaurant hij heeft.

Ik pak mijn avondtasje van het bed, maak hem open en kijk of mijn portemonnee, MetroCard, make-upspulletjes (mauve lippenstift, bleekroze lippenpotlood en concealer) erin zitten. Ik loop langs oma, die in haar kamer haar werkkleding voor een wijde jurk verwisselt.

'Gabriel staat op je te wachten,' roept ze me na, terwijl ik naar beneden loop.

'Oma zegt dat jij Roman Falconi kent,' zegt Gabriel zodra ik de zitkamer in kom. Gabriel is een kleinere uitvoering van Marcello Mastroianni met de blanke huid van Sneeuwwitje. We hebben elkaar op de eerste dag van de universiteit leren kennen, terwijl we in de rij stonden om ons op te geven voor de theatercursus. Nadat hij zich had voorgesteld, zei hij meteen: 'Ik ben homo.' En ik zei: 'Dat maakt niet uit.' Sindsdien zijn we dik bevriend. 'Wil je een glas wijn voor we weg-gaan?'

'Ik dacht dat je het nooit zou vragen,' zegt hij.

Ik ga naar de keuken en trek een fles Poggio al Lupo uit het wijn-rek. 'Dus jij kunt voor ons misschien wel een tafeltje in Ca' d'Oro krijgen?' Gabriel gaat aan de ontbijtbar zitten.

'Ken je het dan?'

'Je komt echt nooit de deur uit, hè?'

'Alleen als jij me uitnodigt.' Ik schenk Gabriel een glas wijn in en daarna een voor mezelf.

'*New York Magazine* schreef dat het het beste nieuwe Italiaanse restaurant is dit seizoen. Ik probeer al sinds de opening te reserveren. Bel jij hem, dan?'

'Ik ga hem echt niet bellen.' Ik hef het glas naar Gabriel. '*Salute.*'

Gabriel houdt zijn glas omhoog. 'Waarom niet?'

'Ik kwam een keer terug van boodschappen doen en toen zat hij hier aan tafel in het Italiaans met oma te praten, die helemaal weg van hem was. Vraag maar of zij hem belt.'

'Een man die rijpere vrouwen in ere laat, is te vertrouwen.'

'Nou, dat weet ik nog zo net niet. Hij kwam hier niet langs om naar oma's herinneringen van het Manhattan van voor de oorlog te luiste-ren. Hij wilde de vrouw ontmoeten die hij naakt op het dak had gezien.'

Gabriel zet grote ogen op. 'Was hij de vent die je heeft gezien?'

'Ja, ja, ja. Hij denkt vast dat ik een exhibitioniste ben.'

'Nou, hij vond wat hij zag vast leuk.'

'Jij zegt alles zolang je maar in zijn restaurant kunt eten.'

Gabriel steekt zijn armen in de lucht. 'Ik ben nu eenmaal gek op eten. Het is mijn grootste hobby. Maar vertel op, wat is hij voor man?'

'Aantrekkelijk.'

'Meer niet?'

'Oké, dan. Hij is lang en donker en als je zo naar hem kijkt zou je denken dat hij knap was. Maar uit een bepaalde hoek lijkt zijn neus op die aan een Groucho Marx-brilletje.'

'Het Italiaanse profiel. De vloek van onze mensen.'

'Zie ik er goed uit?' vraag ik aan Gabriel terwijl ik mijn jas opensla en mijn jurk laat zien.

'Het kan ermee door.'

'Hoe bedoel je, "het kan ermee door"?

'Als je dit aanhebt om een ex-vriendje te ontmoeten met wie je bijna getrouwd was en die nu met iemand anders is getrouwd, dan zie je er prima uit. Leuk, die ruches.'

'Dit is een jurk van oma.' Ik trek de zijden roosjes langs de zoom recht.

'Hij staat haar beter dan dat hij mij ooit heeft gestaan,' zegt mijn grootmoeder, die net de keuken in komt lopen. 'Gaan jullie naar een chic feestje?'

'Het bedrijfsfeestje van Bret Fitzpatrick op het dak van het Gramercy Park Hotel.'

Gabriel strijkt over zijn dikke bos haar. 'Het is tegenwoordig een besloten club. Ik ben blij dat Bret zo goed is in wat hij ook maar doet. Wat doet hij ook alweer?'

'Iets met fondsen of zo.' Ik stop een doosje pepermunt in mijn avondtasje. Ik ga om twee redenen naar het feestje toe. Ten eerste ben ik nog steeds slank na Jaclyns trouwen. Ten tweede heb ik Brets hulp nodig om mijn toekomst financieel uit te stippelen. Ik ben er niet van overtuigd dat mijn broer mijn belang voor ogen heeft terwijl hij onze schulden regelt. Bret zou me heel goed kunnen helpen. 'Bret is de onderdirecteur of zoiets. Eerlijk gezegd heb ik geen flauw benul wat voor werk hij doet.'

'Waarom zou je ook? Jij bent schoenlapper en ik ben maar de hoofdkelner van het Café Carlyle. Laten we wel zijn, wij zijn personeel, terwijl onze oude vriend Bret en jouw ex-geliefde... Sorry, Teodora.'

'Gabriel,' waarschuw ik hem voordat hij zich nog meer verspreekt. Ik schenk een glas wijn voor mijn grootmoeder in en geef het aan haar.

'Wat fijn dat mijn kleindochter een vrouw is met een eigen leven.'

'Kan ik nog iets voor je doen voordat we weggaan?' vraag ik.

'Nee, dank je, ik warm wat penne op, drink dit glas leeg en ga naar Mario Batali op tv kijken.'

'Wist je dat jouw vriendje Roman Falconi een zeer populair restaurant heeft?'

'Hij heeft veel verstand van tomaten,' zegt oma trots. 'En zijn Italiaans was prachtig.' Mijn grootmoeder vouwt dankbaar haar handen, alsof ze in gebed is. 'Echt een heerlijke man.'

'Jij valt gewoon op een accent,' wijs ik haar terecht.

'Ik ook,' zegt Gabriel wegdromend.

'Ik had liever dat je niet zomaar iedereen in huis laat.'

'Valentina, rustig maar. Roman komt uit Bari. Ik kende zijn oudoom Carm honderd jaar geleden al. Hij was vaste klant bij Ida De Carlo, aan Hudson Street. En jij was vast niet aardig tegen hem. Heb ik gelijk?'

'Hij heeft me anders wel voor een etentje uitgenodigd.' Ik geef mijn oma een kusje en loop met Gabriel de kamer uit en de trap af.

Het dak van het Gramercy Park Hotel is een chique zitkamer met gesausde muren die vol hangen met enorme, kleurrijke schilderijen. Er ligt een dik Perzisch tapijt op de grond, er staan lage, gelakte meubels en op deze kille herfstavond brandt de open haard. Aan het plafond hangt als een gewelf in een sprookjesbos een kroonluchter met bladeren van groen glas en fonkelende witte lampjes. Het uitzicht valt weg in de verte en de wolkenkrabbers zijn net zwartfluwelen sieradenkistjes waar parelcolliers overheen gedrapeerd zijn.

Dit is niet het oude New York, waar je in de Latin Quarter en El Morocco op kroegentocht ging. Dit is het gloednieuwe New York, waar de hoteliers impresario's zijn en hun elegante suites met elkaar wedijveren om de rijke clientèle die hun grillige doch onbetaalbare omgeving luister bij moeten zetten. Wij bevinden ons tussen de nieuwe jetset. Mijn ex-vriend Bret Fitzpatrick houdt hof met het Chrysler Building als een platina zwaard op de achtergrond. Zeer toepasselijk, want ooit was deze man mijn ridder op het witte paard.

'Valentina!' Bret verexcuseert zich en komt naar ons toe. Hij kust me op beide wangen. Dan omhelst hij Gabriel. 'Een echte reünie!'

'Dat woord mag je niet gebruiken.' Gabriel geeft Bret een ferme tik op zijn rug voordat hij hem loslaat. 'Ik voel me zo oud als je dat zegt.'

'Nou, ik ben ouder dan jij, dus ik kan het lekker gewoon zeggen als ik dat wil,' zegt Bret met een glimlach. 'Leuk dat jullie er zijn, jongens. Stel ik zeer op prijs.'

'Wie zijn dit allemaal?' Gabriel kijkt in het rond.

Bret zegt zachtjes: 'Cliënten en hun vrienden. Een van onze partners in de hedgefonds is hier lid.' Hij kijkt naar me. 'Ik dacht dat je het wel leuk zou vinden.'

'Het is heel apart,' zeg ik.

'Je ziet er fantastisch uit, Valentina,' zegt Bret terwijl Gabriel naar de bar loopt om een drankje voor ons te halen.

'Jij ook.' En dat is ook zo. Bret lijkt op een geslaagde Wall Street-financier die zich naar de top heeft gewerkt. Zijn op maat gesneden kostuum doet zijn lengte goed uitkomen, en zijn Ferragamo-schoenen getuigen van smaak. Zijn donkerblonde haar wordt al wat dun, maar dat maakt niet uit. Zijn ogen zijn grijs en vriendelijk. Hij heeft een betrouwbaar gezicht. Hij is zelfverzekerd, maar beslist niet arrogant. Bret heeft het helemaal zelf gemaakt, en hij heeft de houding van iemand die het heeft verdiend. De gebogen schouders uit zijn jeugd zijn verleden tijd, hij heeft nu een kaarsrechte houding. Hij komt beschaafd over, iets wat kinderen die in een rijke familie worden geboren automatisch meekrijgen, maar wat wij ons aan moeten leren.

Toen ik Bret leerde kennen, was hij een briljant kind uit de arbeidersklasse uit Floral Park, met de brandende ambitie om iets van zichzelf te maken. Hij maaide het gras voor een grote pief in Wall Street en die zegde Bret een baantje toe als hij ging studeren en een graad in economie behaalde. Bret ging zelfs nog verder. Hij was de beste van zijn klas op Saint John en daarna ging hij naar de Harvard Business School. In tien jaar tijd had Bret zijn oude leven vaarwel gezegd en een nieuw leven opgebouwd waarin hij zich als een vis in het water voelde. We hebben samen een hoop meegemaakt, maar we voelen ons nog steeds op ons gemak bij elkaar. Bret verontschuldigt zich als hij door een gedistingeerde oudere man in kostuum apart wordt genomen.

Gabriel komt terug met de drankjes. 'Hier heb je je hito,' zegt hij.

'Mijn wat?'

'Ja, weet ik veel. Het eindigde op hito. Tegenwoordig is alles wat je drinkt een hito.' Gabriel neemt een slok.

'Of een tini. Een Gabetini, Valentini, Brettini.' Ik neem ook een slok. 'Dit hotel is wel veranderd.' Ik werp een blik over de rand van het dak naar de boomtoppen van het Gramercy Park, een donkergroen eiland, goudgeel beschenen door de ouderwetse straatlantaarns. Het park wordt omringd door een gietijzeren hek en ligt midden op een plein waaraan traditionele bakstenen herenhuizen en vooroorlogse appartementsgebouwen staan. 'Ik weet nog dat mijn vriendin Beata Jachulski hier is getrouwd. Dat was nog voor de Europeanen het hebben overgenomen. Het was altijd zo gezellig en het eten was verrukkelijk. Dat was natuurlijk voor de verlichting. Heb je de schilderijen in de lobby gezien?'

'Als je al vindt dat het hotel is veranderd, wat denk je dan van onze Bret?' fluistert Gabriel.

'Hij moest wel.' Ik sta tegen de muur aan en kijk naar de gasten. 'Bret moet deze mensen imponeren. Dat valt vast niet mee.'

'Wat ben je toch vergevingsgezind.' Gabriel neemt een slok. 'Walgelijk gewoon.'

'Ik ben gewoon hartstikke trots op hem,' zeg ik. Gabriel kijkt me vol begrip maar ook een tikkeltje wantrouwig aan. Het is vijf jaar geleden dat Bret en ik uit elkaar gingen. Deze avond is het bewijs dat hij nooit in mijn nieuwe leven met schoenen had gepast. Zijn lotsbestemming lag hier.

'Nou ja, het doet me gewoon pijn dat we altijd "ons" waren en nu is Bret "hun" geworden. Hij is de enige "hun" die ik ken.' Gabriel vist een cocktailkers uit zijn drankje. Er drijven nog twee kersjes onder in zijn glas.

'Hoe kom jij nou aan drie kersen?' wil ik weten.

'Gewoon gevraagd.'

Ik kijk naar Bret die bij zijn cliënten wegloopt en naar de hoek van het dak loopt waar drie mooie meisjes van begin twintig een cocktail staan te drinken en een sigaret roken. Het is best koud buiten, maar zij hebben geen panty aan hun gebruinde benen en aan hun voeten dragen ze pumps die te diep uitgesneden zijn en bij de hiel boven de tien centimeter hoge hakken wijkt. Deze meisjes kopen duidelijk schoenen omdat ze in mode zijn en niet omdat ze goed moeten zitten.

'Ik pik de bank in bij de haard. Prachtig hoor, zo'n zitkamer buiten, maar toch iets minder tegen de winter,' zegt Gabriel. 'Ik heb het zo koud dat je kunt schaatsen op mijn kont.'

'Ik kom zo,' zeg ik tegen hem, maar ik houd Bret en de meisjes in de gaten.

Twee van de jonge meisjes gaan weg, zodat een rillend blondje met een glas in haar hand overblijft. Bret buigt zich naar haar toe en zegt iets tegen haar. Ze lachen. Dan komt ze naar voren en trekt ze zijn das recht. Door dit intieme gebaar zet Bret meteen een klein stapje achteruit.

Er staat een briesje op het dak en de witte lichtjes van de kroonluchter dansen op en neer en werpen kleine streepjes op de grond. Het meisje tilt haar hoofd op naar Bret. Hun gesprek is inmiddels ernstig geworden. Ik kijk een paar tellen toe en dan, met de koude wind in mijn rug, loop ik op ze af.

Ik steek mijn hand naar het meisje uit en onderbreek hun gesprek. 'Hoi, ik ben Valentina, een oude vriendin van Bret.'

'Ik ben Chase.' Ze kijkt naar hem. 'Een van de vele assistenten van Bret.'

'O, heeft hij er zo veel, dan?'

'Ik overdrijf,' zegt Chase met een glimlach. Ze heeft de perfect wit gebleekte tanden van een meisje dat is opgegroeid met de tandartshulp die je sinds de jaren negentig kunt krijgen, waaronder ook bleekbehandelingen, lasers en onzichtbare beugels.

'Jeetje, wat heb jij een mooi gebit,' zeg ik tegen haar.

Ze weet even niet wat ze moet zeggen. Ze is duidelijk gewend complimentjes te krijgen, maar dit is de eerste keer dat iemand haar gebit het mooist vindt. 'Dank je,' zegt ze.

Ik sla mijn armen over elkaar en houd mijn glas tegen me aan alsof het een bloempot is.

Als het tot haar doordringt dat ik niet van plan ben weg te gaan, zegt ze: 'Nou, ik ga maar wat te eten halen.' Ze kijkt Bret aan. 'Wil jij ook iets?' Ze stelt de vraag niet als zijn assistente. Dat valt Bret ook op, en hij kijkt naar mij en zegt dan erg zakelijk: 'Nee, bedankt. Ga maar lekker feestvieren.'

Chase draait zich om en loopt weg terwijl Bret over het dak en de East River uitkijkt.

'Je kunt Floral Park zien.' Ik wijs in de verte, naar Queens, waar wij vandaan komen.

'Dat is niet waar,' zegt hij.

'Het zou wel mooi zijn als het wel waar was.' Ik geef hem mijn glas en hij neemt een slok. 'Misschien zou je dan weer je afkomst kunnen herinneren.'

'Is dat een steek onder water?'

'Nee hoor, helemaal niet. Je hebt het echt heel goed gedaan.' Het is duidelijk dat ik het meen en Bret kijkt me aan. 'En, hoe zit dat met het meisje?' vraag ik hem.

'Wat ben je toch vreselijk Italiaans,' zegt hij.

'Niet van onderwerp veranderen.'

'Niets. Er is helemaal niets aan de hand.'

'Zij denkt van wel.'

'Hoe weet jij dat nou?'

'Hoe lang kennen we elkaar nu al?'

'Een eeuwigheid.' Bret knijpt zijn ogen samen en kijkt in de richting van Queens alsof hij ons daar kan zien, twee tieners die op het hek van de pastorie aan Austin Street zitten te praten tot de avond valt.

'Klopt. Sinds ik een beugel had. Bovendien ben ik ook nog eens een vrouw, dus ik weet meteen dat zij meer wil dan alleen maar een hapje voor je halen.'

Bret haalt diep adem. 'Nou goed, maar wat kan ik daar nou aan doen?'

'Je moet haar vertellen dat je getrouwd bent met een fantastische vrouw en dat je twee prachtige dochters hebt, Grace en Ava, en dat je dus niet beschikbaar bent. Ze weet natuurlijk al dat je een gezin hebt, want ze neemt de telefoon aan op kantoor. En dan zeg je dat ze een leuke vent verdient. Daar gaat ze natuurlijk tegenin, en dan zeg jij dat ze te jong voor je is. Dat is een behoorlijke afknapper als je inderdaad te jong bent.'

Bret moet lachen. 'Val, je bent echt grappig. Ben je klaar met de preek?' Hij kijkt me aan.

'Helemaal klaar. Nu kun jij me er een geven.'

Dankzij ons verleden weet hij meteen dat er iets is. 'Wat is er?'

'Kun je me helpen om ons bedrijf te redden?'

'Wat is er aan de hand?'

Ik spring van de hak op de tak als ik hem alles over Alfred, de schuld, oma en mij vertel. Bret is geduldig en luistert goed. 'Ik kijk er wel naar,' zegt hij. En dan zegt hij datgene waardoor ik me altijd weer gerustgesteld voel: 'Maak je geen zorgen, Val, ik help je wel.'

Ik ga in de koude taxi tegen Gabriel aan zitten alsof hij een brandend kacheltje is. De taxi rijdt over het drukke kruispunt op Union Square.

'Ik ga nooit meer na augustus naar een feestje op een dak. Die haard was er alleen maar voor de show. Hij gaf totaal geen warmte. Ik had me nog beter kunnen warmen aan een aansteker.'

'Het was inderdaad koud, maar ik ben blij dat we zijn gegaan.'

'Waar hadden Bret en jij het over? Gaat hij weg bij zijn vrouw en worden jullie weer een stelletje?'

'Alleen als jij dan als kinderjuf voor ons komt werken.'

'Mooi niet, ik heb een hekel aan kinderen.'

'Mijn *nonna* Roncalli had gelijk wat mannen betreft. Het maakt niet uit hoe oud ze zijn, je moet ze altijd goed in de gaten houden. Heel goed!'

Gabriel slaat zijn ogen ten hemel. 'Een beetje maar. Je bent echt gemeen. Dat arme meisje durfde de hele avond niet meer in Brets buurt te komen. Alsof je iets over hem heen had gespoten of zo. Hoe lang denk je dat het kind in het toilet heeft zitten huilen?'

'Heeft ze gehuild?'

'Niet echt, maar ze had graag met een van die stenen tiki-beeldhouwdingen jou een mep op je hoofd verkocht.' Gabriel zakt onderuit. 'Ze had natuurlijk dan wel hulp nodig gehad om hem op te tillen. Die pezige types hebben vaak geen kracht in hun bovenlichaam. En dat ze in deze tijd nog roken. Belachelijk gewoon.'

'Ze zijn tweeëntwintig. Ze komen pas kijken,' help ik hem herinneren. 'Het eten was lekker.'

'Wel wat veel vijgen. Iedereen doet tegenwoordig overal vijgen in. Vijgenpasta op de foccacia, plakjes vijg in de arugula, gepureerde vijg in de ravioli. Je zou bijna denken dat vijgen een aparte voedselgroep zijn.' Gabriel zucht.

'Ze heet Chase.'

'Wie?'

'Dat meisje dat gek was op Bret.'

'Dezelfde naam als de bank?' Gabe schudt zijn hoofd. 'Je weet hoe betrouwbaar ze daar zijn. Wie is haar vader? De bankier van Monopoly?'

'Je weet maar nooit. Haar vriendin heet Milan.'

'Net als de stad?' vraagt Gabriel.

'Net als de stad en de voetbalclub.'

'Zijn Bijbelse namen of namen van soapsterren dan niet meer in?' Gabriel slaat vertwijfeld zijn handen ineen. 'Geef mij dan toch maar Ruth of Laura. Het is toch te gek voor woorden dat mensen hun kinderen naar plaatsen vernoemen waar ze nooit zijn geweest.'

'Een Ruth of een Laura zou nooit haar baas willen versieren. Een Chase wel.'

'Weet je, volgens mij mist Bret jou.' Gabriel kijkt me aan.

'Ik mis hem ook. Maar toen ik nog bij hem was, stond ik eigenlijk nooit stil bij mijn leven. Ik bouwde het min of meer om hem heen op. Toen we uit elkaar gingen, moest ik uit zien te vinden wat ik zelf leuk vond.'

'Ach, Valentina, soms denk ik wel eens dat je de zorg voor Bret hebt ingeruild voor de zorg voor je oma. Je zou weer verliefd moeten worden en je eigen leven leiden.' De taxi rijdt naar de stoep toe op de hoek van Twenty-first Street in Chelsea.

'Ik héb een eigen leven!' zeg ik tegen hem.

'Je weet best wat ik bedoel.' Gabriel geeft me een zoen op mijn wang. Hij stopt een tiendollarbiljet in mijn hand en stapt uit.

Ik draai het raampje naar beneden en wapper met het geld. 'Dit is te veel.'

'Houd maar.' Dan zwaait Gabriel. 'Bel die chef-kok.'

Ik vertel de chauffeur hoe hij in Perry Street en de West Side Highway komt. Ik zak onderuit en kijk toe hoe Chelsea overgaat in Greenwich Village, waar het weekend in het Meatpacking District volop gevierd wordt. Een oud grijs pakhuis is nu een dansclub, met felgele en paarse neonstrepen op het voormalige laadperron, en een entree met rode touwen afgezet voor de mooie meisjes die daar staan tot ze naar binnen mogen. Een rustieke fabriek is nu een populair restaurant met rode leren bankjes en grote spiegels waar het menu in schuine letters op staat geschilderd en met gordijnen voor de ramen die in de wind opbollende rode capes lijken.

Door het taxiraampje zie ik jonge vrouwen zoals Chase in kleine groepjes als exotische vogels in glazen kooien in de dierentuin door de zachtblauwe stralen van de straatlantaarns lopen. Ze voorzien de nacht van kleurige flitsen: de een heeft een paarsblauwe blouse aan, de ander een felrode regenjas, en een meisje een rok van glanzend lamé waarvan de zoom langs haar bovenbenen ruist tijdens het lopen. Hun lange benen lijken op de stakerige poten van kraanvogels. Ze steken de straat over en lachen terwijl ze elkaar vasthouden voor steun en ervoor zorgen dat de metalen hakken midden op de kinderkopjes terechtkomen en niet op het cement ertussen. Deze meisjes weten heel goed hoe ze zich op gevaarlijk terrein moeten begeven.

Ik steek mijn handen in mijn zakken, zak nog meer onderuit in de stoel en vraag me af hoeveel er nog van mijn jeugd over is. En hoe ik met die kostbare tijd omga. Zal mijn leven er altijd zo uitzien? Hard werken, vroeg naar bed en bij het ochtendkrieken weer op, elke dag weer, de rest van mijn leven? Heeft Gabriel gelijk als hij zegt dat ik een verzorgster ben geworden, dat ik mezelf in mijn werk en gepieker begraaf en zo niet kan genieten van mijn leven als dertiger? Bestaat er een kansje dat hij daar gelijk in heeft?

Onder in mijn zak stuit ik op het visitekaartje. Ik haal het eruit. De taxi stopt voor een verkeerslicht. Ik bekijk het kaartje alsof ik zeven ben en het een vrijkaartje is voor de attracties in Coney Island. Ca' d'Oro. Weer iets anders. Roman Falconi. Iemand anders. Ik leer op mijn werk geen mannen kennen. Ik hoef niet met het openbaar vervoer naar huis, dus zo ontmoet ik ook al geen leuke vent. Ik doe evenmin aan internetdaten omdat ik er in het echt een stuk beter uitzie dan op een foto en hoe kan ik nu aangeven waar ik naar op zoek ben terwijl ik dat zelf niet eens goed weet? Bovendien kan ik rustig Roman Falconi bellen. Hij heeft me zelf zijn kaartje gegeven. Hij wil dat ik hem bel. Ik vis mijn mobieltje uit mijn avondtasje. Ik toets het nummer in van het visitekaartje. Hij gaat drie keer over en dan…

'Goedenavond,' zegt Roman over de telefoon. Ik hoor van alles op de achtergrond: stemmen, geratel, stromend water.

'Met Valentina.'

Nog meer herrie.

'Valentina?' Door de manier waarop hij het zegt is duidelijk dat hij niet weet wie ik ben. Hij overhandigt vast aan iedere vrouw in de stad zijn visitekaartje begeleid van een knipoog en een glimlach en de toezegging van een bord braciole. Ik wil het telefoontje al dichtklappen en dan hoor ik hem zeggen: 'Míjn Valentina? De kleindochter van Teodora?'

Ik houd het mobieltje weer tegen mijn oor. 'Ja.'

'Waar ben je?'

'Ik zit op Greenwich Street in een taxi. Je hebt het druk, hè?'

'Nee, hoor,' zegt hij. 'We gaan zo dicht. Heb je zin om langs te komen?'

Ik verbreek de verbinding en buig me naar het glas toe om wat tegen de chauffeur te kunnen zeggen. 'Ik ben van gedachten veranderd. Wilt u me op de hoek van Mott en Hester Street in Little Italy afzetten?'

De taxichauffeur steekt Broadway over en draait Grand Street in. Little Italy schittert in het donker als een diamanten oorbel met smaragden en robijnen. Het maakt niet uit in welk seizoen je hier komt, het is altijd kerst. De witte lampjes die over de weg hangen, vastgezet met rozetten van rood en groen klatergoud, lijken wel een Italiaans wapen dat boven Grand Street hangt. Net als mijn moeder willen mijn landgenoten het hele jaar door glitter zien, zelfs op straat.

We rijden langs de kraampjes waar T-shirts worden verkocht met teksten als: BID VOOR ME, MIJN SCHOONMOEDER IS ITALIAANSE!, en koffiemokken met de vermelding WIJ HEBBEN AMERIKA ONTDEKT, EEN NAAM GEGEVEN EN OPGEBOUWD. Oude ingelijste zwart-witfoto's van onze idolen staan in etalages als beelden in een kerk: Sylvester Stallone als Rocky rent vastberaden door Philadelphia, Dean Martin proost dromerig met een cocktail naar de camera, en Frank Sinatra met een gleufhoed op in een opnamestudio zingt op onnavolgbare wijze in een microfoon. Op de deur van een winkel hangt een poster van de een meter zevenenvijftig lange *bellissima* Sophia Loren in een zwarte strakke broek en een bustier in *Marriage Italian-Style.* Jerry Vale brult 'Mama Loves Mamo' in de speakers die op de hoek van

Mulberry Street zijn opgehangen, terwijl een hiphopdreun uit de auto's bij de kruising komt denderen. Ik betaal de taxichauffeur en stap uit de auto.

Goedgeklede stelletjes slenteren over de kruising, de mannen in een overhemd met open kraag en een sportjasje en de vrouwen, die allemaal op mijn moeder lijken, in een strakke rok met uitlopende zoom en een getailleerd aangerimpeld jasje. De fonkelende pumps met hoge hak die ze dragen hebben zo'n puntige neus dat je er een kipfilet mee plat kunt slaan. Heel af en toe zie je een luipaard- of zebramotief op een tasje of een laars of een baret langsflitsen. Italiaanse meisjes zijn dol op junglemotieven in kleren, meubels, accessoires, maakt niet uit, wij zijn nu eenmaal gek op wilde dingen. De vrouwen houden hun man stevig bij de arm zodat ze op hun stilettohakken kunnen lopen.

Ik kijk om me heen en ik moet zeggen dat iedereen die ik zie familie van me had kunnen zijn. Deze Amerikanen van Italiaanse afkomst gaan voor een avond stappen eerst eten in hun favoriete restaurant. Na de maaltijd en een wandeling (de Amerikaanse versie van *la passeggiata*) gaan ze naar Ferrara voor een kop koffie en een toetje. Eenmaal binnen gaan de vrouwen aan een van de tafels zitten, die voorzien zijn van een glimmend marmeren blad, en kiest hun man bij de toonbank een stuk gebak uit. Na de koffie en het dessert gaan ze weer terug naar de toonbank om lekkere dingen uit te zoeken om mee naar huis te nemen: zachte schelpen met honing doordrenkte sfogliatelle, zoete baba au rhums, en vederlichte engelenvleugelkoekjes, die allemaal voorzichtig in een kartonnen doos worden geplaatst waar een touwtje omheen wordt gestrikt.

Ferrara blijft altijd hetzelfde, de inrichting is nog precies zo als toen mijn grootouders net verkering hadden. Wij zijn echter wel veranderd, wij jonge Amerikanen van Italiaanse afkomst. Omdat mijn generatie buiten de groep trouwt zien onze kinderen er lang niet zo Italiaans uit als wij: de Romeinse neus wordt kleiner, de Napolitaanse kaak minder vierkant, het gitzwarte haar wordt bruin en vaak zelfs meteen blond. We gaan in de massa op, dankzij een Ierse man hier en haarverf daar. Toen Donatella Versace, hét voorbeeld van de Zuid-Italiaanse vrouwen, platinablond werd, verfden alle meiden uit

Brooklyn hun haar ook zo. Maar er zijn nog steeds een paar ouderwetse *paisanas* zoals ik over, die wachten totdat krullen weer in de mode komen, onze eigen tomaten inmaken en met de rest van de familie zondags na de dienst samen eten. We vinden de dingen die onze grootouders leuk vonden nog steeds leuk, zoals een avondje uit beginnend met een bord zelfgemaakte pasta, warm brood en zoete wijn die wordt afgesloten met een goed gesprek in Ferrara en een bord cannoli's. Mijn Little Italy is niet bekrompen, het is mijn thuis.

Ik houd de nummers op Mott Street in de gaten. Ca' d'Oro zit tussen de levendige raviolifabriek Felicia Ciotola & Co. en een snoepwinkel met de naam Tuttoilmondo geklemd. Boven de ingang van het restaurant hangt een zwart-wit gestreepte luifel. De deur is voorzien van een marmereffect door geschilderde vegen goudkleurige verf op een roomwitte achtergrond. De woorden *Ca' d'Oro* staan cursief op een eenvoudig koperen plaatje naast de deur geëtst.

Ik loop het restaurant binnen. Het is klein, maar prachtig met behulp van Dorothy Draper in de Venetiaanse stijl ingericht. Aan de rechtermuur is een lange bar met een zwarte leien bovenkant. De barkrukken die eraan vastzitten hebben een zilverkleurige leren zitting. De tafels staan zo gerangschikt dat er optimaal gebruik van de ruimte wordt gemaakt. Het blad is zwart gelakt en de stoelen zijn bekleed met goudgeel damast met zwarte figuurtjes. Het valt niet mee om in een kleine ruimte met een barokke inrichting weg te komen (of bij een stel schoenen, trouwens), omdat je juist ruimte nodig hebt om de drukke patronen uit die tijd terug te laten brengen. Maar meneer Falconi is het gelukt.

Er zijn nog twee stellen, die aan het afrekenen zijn. Het ene paartje houdt elkaars hand vast op tafel, hun gezicht zacht beschenen door kaarslicht boven hun lege wijnglazen, het enige wat er nog over is van hun maaltijd is een zweem roze wijn in het kristallen glas.

De barkeeper, een mooi meisje van in de twintig, staat achter de bar de glazen te wassen. Ze kijkt me aan. 'We zijn gesloten,' zegt ze.

'Ik heb met Roman afgesproken. Ik ben Valentina Roncalli.'

Ze knikt en loopt naar de keuken.

Op de muur achter in het restaurant is een wandschildering gemaakt van een Venetiaans paleis in de avondschemering. Hoewel het palazzo er eerder uitziet als een van de bruidstaarten in de etalage van Ferrara, met zijn bewerkte bogen, open balkons en goudkleurige kruisen langs het dak, lijkt het eerder spookachtig dan kitscherig. De maan schijnt door de ramen van het paleis waardoor het kanaal op de voorgrond pastelblauwe linten lijkt te hebben. Het is primitief geschilderd, maar wel met passie.

'Ha, daar ben je.' Roman staat in de deuropening van de keuken. Hij heeft zijn armen over elkaar geslagen en zijn borst in het witte koksjasje is gigantisch, net het zeil van een schip. Hij is dit keer zelfs nog langer; ik weet niet wat het is, maar elke keer dat ik hem zie lijkt hij gegroeid te zijn. Er zit een blauwe bandana om zijn hoofd geknoopt waardoor hij in deze belichting wel wat wegheeft van de piraat op een rumfles.

'Wat vind je van de muurschildering?' Hij kijkt me nauwlettend aan.

'Ja, mooi. Zoals het maanlicht door het paleis op het water schijnt is prachtig. Het palazzo, bedoel ik. Of het huis van de doge,' verbeter ik mezelf. Als hij mijn oma kan verleiden met zijn Italiaans, kan ik in elk geval wel de enige officiële architectonische term gebruiken die ik ken.

'Dat is het Ca' d'Oro aan het Canal Grande in Venetië. Het is in 1421 gebouwd en het duurde vijftien jaar voordat het af was. De architecten waren Giovanni en Bartolomeo Bon, vader en zoon. Ze hebben het ontworpen zodat de mensen die vanuit het Oosten hier zaken kwamen doen meteen zouden zien dat het hun ernst was. En dan in volle glorie. Veel grote ego's in Venetië, het centrum van de wereldhandel en dat soort dingen. Je kent dat wel.'

'Ik ben onder de indruk. Wie heeft het geschilderd?'

'Ik.'

Roman draait zich om en loopt de keuken in nadat hij gebaarde dat ik met hem mee moet komen. Ik zie mezelf in de spiegel achter de bar en haal meteen de frons op mijn voorhoofd weg. Terwijl ik Roman achterna loop de keuken in, bedenk ik me dat ik mijn moeder moet vragen Frownies voor me te kopen, dat zijn van die plakkers die je op je rimpels kunt plakken terwijl je slaapt. Mijn moeder ging altijd slapen met die grote pleisters op haar rimpels en dan werd ze wakker met een superglad huidje.

De keuken is piepklein, daarmee vergeleken lijkt het eetgedeelte erg groot. Er staat een hakblok middenin dat zo klein is dat je het beter een veredelde snijplank kunt noemen. Aan een aluminium stang hangen allemaal potten en pannen.

Aan de muur aan de andere kant zit een aluminium plaat achter de grote grill. Naast de grill staan vier gasbranders naast elkaar, dus niet twee van voren en twee erachter zoals thuis. In de hoek daarnaast staan vier ovens op elkaar gestapeld, net een kleine wolkenkrabber met ramen.

Aan de andere muur zijn drie gootstenen. Ik sta naast drie grote koelkasten. In een nis bij de achterdeur bevindt zich een vaatwasser. De deur staat open en er is een klein terras te zien dat is omheind met oud geverfd hekwerk. De stoom komt uit de vaatwasser en vormt in de koude nachtlucht een nevel.

'Heb je trek?' vraagt Roman.

'Ja.'

'Mijn favoriete vrouw: eentje die trek heeft.' Hij glimlacht. Hij helpt me uit mijn jas, en ik leg die op een kruk op wieltjes naast de deur en zet mijn tas erop.

'Er hangt een schort aan die haak.'

'Moet ik je helpen, dan?'

'Zo zijn de regels.'

Achter me hangt inderdaad een schoon wit schort. Ik trek het aan; het ruikt naar bleekmiddel en is gesteven. Roman reikt achter me en pakt de banden die hij kruiselings voor op mijn buik strikt. Dan geeft hij me een klopje op mijn heup. Dat had voor mij niet gehoeven, maar ik ben te laat. Ik ben hier en hij geeft me een klopje. Roman overhandigt me een lange houten pollepel.

'Roeren.' Hij wijst naar een grote pan op een laag vuur. In de pan zit zachte, goudkleurige risotto die naar zoete boter, room en saffraan ruikt. 'En blijven roeren.'

De zool van mijn schoenen blijft aan de matten op de grond plakken, er liggen allemaal open rubberen driehoekige matten in de keuken.

Roman laat zich op zijn knie zakken en maakt de veters van mijn avondschoentjes los. Het zijn zilverkleurige open schoentjes van kalfsleer met platte witte veters die je als een gladiator over je enkel moet binden. Terwijl hij de schoen van mijn voet af trekt, krijg ik de rillingen van zijn warme hand.

'Mooie schoenen.' Hij komt overeind.

'Bedankt, zelfgemaakt.'

'Alsjeblieft.' Hij trekt eenzelfde paar rode plastic muilen als hij draagt onder het hakblok vandaan. 'Doe deze maar aan. Deze heb ik niet zelfgemaakt.' Hij trekt vervolgens mijn linkerschoen uit en de muilen aan, net als de prins in Assepoester.

Ik neem een stap. 'Ik heb een elegante maat 40, wat voor maat is dit, 50?'

'Het is een 47. Maar je hoeft er niet veel in te lopen. Voorlopig hoef je alleen nog maar te roeren.' Hij pakt mijn schoentjes en hangt ze op het haakje waar het schort aan hing. 'Ik ben zo terug,' zegt hij, en hij loopt het restaurant in.

Ik roer en werp af en toe een blik op mijn voeten, het lijken wel Nederlandse klompen. Ze doen me ook denken aan de grote schoenen van mijn vader, die ik als kind altijd aantrok. Dan liep ik erin rond te strompelen en deed net of ik volwassen was.

Ik ben nu toch alleen en kijk eens uitgebreid in de keuken rond. Boven de gootsteen hangt een ingelijst schilderijtje van een naakte vrouw met grote borsten die tegen een stapel vuile borden aan staat. Ze knipoogt naar me. Erboven staat: EEN HUISVROUW IS NOOIT KLAAR MET HAAR WERK.

'Dat is Bruna,' zegt Roman achter me.

'Dat is nog eens een grote stapel.'

'Ze is de beschermheilige van de keuken.'

'En van chef-koks?' Ik kijk voortaan wel alleen naar de risotto.

Hij neemt de lepel van me over. 'En, waarom heb je me toch gebeld?'

'Je hebt het me gevraagd, en ik ben uitstekend opgevoed, dus vandaar.'

'Dat lijkt me toch niet.' Hij strooit een snufje zout in de pan. 'Volgens mij vind je me best aardig.'

'Dat kan ik je pas zeggen als ik wat heb gegeten.'

'Dat lijkt me redelijk.' Roman schudt grijnzend zijn hoofd.

De hulpkelner komt het restaurant uit met een grote pan vol vuile vaat. Hij zet hem in de gootsteen. Ze praten in het Spaans terwijl Roman een paar twintigdollarbiljetten uit zijn zak haalt en ze aan hem geeft. De hulpkelner bedankt hem, trekt zijn schort uit en vertrekt.

'Roberto werkt ook nog in een ander restaurant,' legt Roman uit. 'Ooit zal hij zijn eigen tent hebben. Ik ben ook begonnen als vatenwasser.'

'Hoeveel mensen heb je in dienst?'

'Drie fulltime: de kok, de barkeeper en ik. Drie parttime: de hulpkelner en twee obers. We hebben maar plaats voor vijfenveertig gasten, maar we zitten elke avond vol. Je weet hoe dat gaat als je een klein bedrijf runt in New York, je hebt geen moment rust. En zelfs als de tent niet vol zit, dan heb ik het nog druk met de voorbereidingen, of ga ik al vroeg naar de markt of ik ben hier om een ander menu samen te stellen.' Roman roert in de risotto en het valt me op hoe schoon zijn handen zijn en hoe netjes zijn nagels zijn bijgevijld. 'En het is een dure business. Ik heb soms het gevoel dat ik het maar ternauwernood red.'

Ik ga naar de gootsteen en draai me met mijn rug naar Bruna toe. 'Volgens mij red je het aardig. Je was wel een appartement aan het bezichtigen in het Richard Meier-gebouw.'

'Ik ben verslaafd aan huizen. Ik bekijk alles wat er te koop staat.' Hij glimlacht. 'Er staat geen appartement hier in de buurt te koop dat ik niet heb bekeken. Dat pand van je oma is echt waanzinnig.'

'Dat is ons bekend.'

De barkeeper, in jas en met hoed op, steekt haar hoofd om de deur. 'Ik ben ervandoor.'

'Bedankt, Celeste. Dit is Valentina.'

'Dag, Valentina,' zegt ze en ze gaat weg.

'Wat een mooie meid.'

'Getrouwd.'

'Nog mooier.'

'Ben je een groot voorstander van het huwelijk?'

'Van de goede huwelijken wel.' Ik wip op het schone aanrecht naast de gootsteen. 'En jij?'

'Nee, ik ben er geen voorstander van.'

'Je bent in elk geval wel eerlijk.'

'Ben je wel eens getrouwd geweest?' vraagt hij.

'Nee. Jij wel?'

'Ja.'

'Heb je kinderen?'

'Nee.' Hij glimlacht.

'Je vindt het toch niet erg dat ik je een verhoor afneem?'

Hij lacht. 'Het is wel een stijl die ik niet gewend ben.'

'Het gaat mij niet om de stijl. Anders had ik je meteen afgeschreven toen ik je in dat Campari-T-shirt zag en de gestreepte korte broek die sprekend lijkt op de pofbroeken van de bewakers in Vaticaanstad.'

'O, dus je houdt niet van felle kleuren.'

'Nee, daar gaat het niet om. Ik vind het alleen wel leuk als een man eens iets anders draagt dan alleen maar dat soort kleding.'

Roman schaaft wat belegen Parmezaanse kaas over de risotto. 'Wat ik me er nog van kan herinneren, was wat jij die avond droeg behoorlijk spectaculair.'

Ik word net zo rood als de robijnrode stiletto's van Sint-Bruna.

Hij moet lachen. 'Daar hoef je je toch niet voor te schamen.'

'Als ik jou in je nakie op het dak had gezien, had ik net gedaan of ik niets zag. Zo hoort dat gewoon.'

'Daar heb je gelijk in. We doen net of ik jou op straat heb leren kennen en dat je een prachtige jurk droeg, net zoals die je nu aanhebt. Uiteraard mag ik er wel over fantaseren hoe je er zonder jurk uitziet. We kunnen het er dus op houden dat we een stap hebben overgeslagen.'

'Ik sla nooit stappen over. Integendeel…' flap ik eruit, 'ik ga zelfs nooit met Italianen uit.'

Hij legt de lepel neer en gebruikt de zoom van zijn schort als pannenlap om de pan van het gas af te tillen.

'Waarom niet?'

'Omdat ze niet trouw zijn.'

Hij gooit zijn hoofd in zijn nek en lacht. 'Dat meen je niet. Je wilt niet met Italianen uit omdat jij vermoedt dat ze je ooit zullen belazeren? Dat is nog eens een vooroordeel.'

'Ik geloof heilig in genen. Maar ik leg het je wel op een culinair niveau uit. Ongeveer tien jaar geleden verschenen er opeens een hoop artikeltjes over soja. Dat je soja moest eten en drinken en zuivelproducten moest mijden omdat je daar dood aan zou gaan. Dus ik at geen normale kaas meer en dronk ook geen melk maar ging over op de soja. Ik werd er ziek van, maar ik hield vol, want iedereen beweerde dat soja zo goed voor me was, ook al liet mijn lijf duidelijk merken dat dat niet klopte. Toen vertelde ik mijn oma erover en die zei: "Nog nooit in de hele geschiedenis hebben Italianen soja gebruikt. Wij eten al eeuwenlang kaas en tomaten en room en boter en pasta. Daar doen we het uitstekend op. Weg met die soja." Dat heb ik gedaan. Toen ik weer alles ging eten wat mijn voorouders altijd hebben gegeten, werd ik weer helemaal de oude.'

'En wat heeft dat te maken met uitgaan met Italiaanse mannen?'

'Dat is hetzelfde principe. Italiaanse mannen baseren al duizenden jaren hun romantische ideeën op de Madonna en de hoer. Ze trouwen met de Madonna en hebben lol met de hoer. Je zult wel helemaal terug moeten naar de Etruskanen, en dan Dr. Phil met je meenemen, om de manier van denken van de Italiaanse man te veranderen. En volgens mij is het onmogelijk om ons Italianen en dan met name de mannen te veranderen. De risotto is klaar.'

'Ik heb een tafel voor ons gedekt.' Hij gebaart naar de deur. 'Ga je gang.'

Ik loop achter hem aan de eetzaal in, waar de ophaalgordijnen tot halverwege zijn neergelaten. Er staan op zijn minst vijftig witte kaarsen in alle soorten en maten in het restaurant, en ze zijn allemaal aangestoken. In de stenen niches onder de muurschildering staan flakkerende waxinelichtjes in kristallen houders netjes naast elkaar.

Ik kijk op mijn horloge. Het is twee uur 's nachts. Ik eet bijna nooit na zeven uur 's avonds. Het is voor het eerst sinds ik in de Village woon dat ik zo laat op ben. Het is niet te geloven. Ik heb het erg naar mijn zin. Ik vang een glimp van mezelf op in de spiegel en wonderbaarlijk genoeg zit er nu eens geen frons tussen mijn wenkbrauwen. Het kan zijn dat het door de gezichtsverjongende stoom van de risotto komt, of ik heb het gewoon naar mijn zin.

'Ga maar zitten,' zegt hij.

'Wat prachtig.'

'Het is alleen maar voor de sfeer.' Roman zet een bord gefrituurde pompoenbloemen op de tafel.

'Hoezo?'

'Omdat het ons eerste afspraakje is. Het schort kan nu wel uit.'

Ik trek het schort over mijn hoofd en hang hem over een stoel aan de tafel naast die van ons. Ik leg het servet op mijn schoot en pak een pompoenbloem. Dan neem ik een hapje. Het dunne blaadje, omhuld met knapperig deeg, is zo luchtig als organza.

Roman loopt naar de keuken en komt terug met een warm brood, gewikkeld in een helderwit servet, en gaat weer terug naar de keuken.

Terwijl hij daar is, kijk ik naar de tafel en het valt me op hoe mooi alles is. Ik ken dit porseleinen servies niet, dus draai ik het bordje voor het brood om en kijk naar het merk. De borden zijn Umbrisch en het patroon, met de hand geschilderde witte veren op een heldergroene achtergrond, heet Falco. Het geeft wat kleur op het zwart gelakte tafelblad.

Roman komt terug met een kleine terrine die hij op tafel zet. Hij ontkurkt een fles Toscaanse chianti en schenkt eerst wat wijn in mijn glas en dan in dat van hem zelf. Hij gaat zitten en pakt zijn glas. 'Een mooie wijn, mooi eten en een mooie vrouw…'

'O, ja. Op Bruna!' Ik hef het glas.

Roman schept risotto op mijn bord en een naar boter ruikende wolk komt ervan af drijven. Het valt niet mee om een goede risotto te maken. Het is erg arbeidsintensief, want je moet blijven roeren totdat het geweld is of totdat je arm eraf valt. Het is een kwestie van timing, want als je te lang door blijft roeren, wordt de rijst een grote bonk behangstijfsel, en doe je het te kort, is het net soep.

Ik neem een hapje. 'Je bent fantastisch,' zeg ik tegen hem. Hij bloost bijna. 'Waar heb je leren koken?'

'Mijn moeder heeft het me geleerd. We hadden een restaurant in Chicago: Falconi in Oak Lawn.'

'Wat doe je dan in New York?'

'Ik heb nog vijf oudere broers. We werkten allemaal in het restaurant, maar mijn broers bleven me zien als het kleine broertje. Zelfs toen ik al in de dertig was. Ik raakte dat eenvoudigweg niet kwijt. Dat ken je vast wel.'

'Alfred is de baas, Tess is intelligent, Jaclyn is de knapste en ik ben de leukste thuis.'

'Dat bedoel ik. Ik werkte al als tiener in het restaurant. Mijn moeder heeft me koken geleerd, en daarna ging ik naar school en leerde ik er nog meer bij. Uiteindelijk wilde ik datgene wat ik geleerd had toepassen en het een en ander in het restaurant veranderen. Maar het werd me al snel duidelijk dat iedereen het bij het oude wilde laten. Na een hoop gedoe en nadat ik bijna in al mijn moeders tranen was verdronken, ben ik weggegaan. Ik wou iets voor mezelf beginnen. En waar kun je beter naartoe als je naam wilt maken als Italiaanse kok dan naar Little Italy?'

Roman schenkt wijn bij. We hebben een hoop gemeen. Onze achtergrond is hetzelfde, niet alleen dat we Italiaans zijn, maar ook hoe we door onze familie worden behandeld. Hoewel we allebei grote beslissingen hebben genomen en veel hebben meegemaakt, ziet onze familie ons nog steeds als kinderen.

'En wanneer ben je tot de zaak toegetreden?' vraagt hij. 'Zo veel schoenmakers zijn er tegenwoordig nu ook niet meer.'

'Nou, ik gaf Engels in Queens. Maar in het weekend hielp ik mijn oma een handje in de zaak. Uiteindelijk ging ze me dingen leren over schoenen die veel verder gingen dan inpakken en versturen. Na een tijdje was ik verloren.'

'Er gaat niets boven het betere handwerk, vind je niet?'

'Het is zowel geestelijk als lichamelijk buitengewoon vermoeiend. Soms ben ik na een dag werken zo kapot dat ik amper de trap op kom. Maar het werk zelf is maar een klein gedeelte ervan. Ik vind het heerlijk om te tekenen, om schoenen te schetsen en iets nieuws te bedenken en dan uit te vogelen hoe we ze moeten maken. Ik wil graag ontwerpster worden.' Door de wijn voel ik me veilig. Ik heb net mijn grootste droom, die ik zelfs aan mezelf amper toe wilde geven, aan een man verteld die ik nauwelijks ken.

'Hoe lang werk je nu al bij je grootmoeder?' vraagt hij.

'Bijna vijf jaar.'

Roman pakt een bloempje van de schaal. 'Vijf jaar. Dus dan ben je…'

Ik knipper zelfs niet met mijn ogen. 'Achtentwintig.'

Roman bekijkt me eens goed. 'Ik had je jonger geschat.'

'Is dat zo?' Ik heb nog nooit over mijn leeftijd gelogen, maar nu ik bijna vierendertig ben lijkt het me wel eens tijd om daarmee te beginnen.

'Ik ben op mijn achtentwintigste getrouwd,' zegt hij. 'Gescheiden op mijn zevenendertigste. Ik ben nu eenenveertig.' Hij ratelt die getallen gedachteloos op.

'Hoe heette ze?'

'Aristea. Ze was Grieks. Ik heb nog nooit zo'n mooie vrouw gezien.'

Als een man zegt dat zijn ex de mooiste vrouw ter wereld is, en hij heeft al een uurlang naar jou zitten kijken, dan valt dat niet echt lekker. 'Griekse meisjes zijn net Italiaanse meisjes maar dan met een donkerder kleurtje.' Ik neem een slok wijn. 'Wat ging er mis?'

'Ik werkte te veel.'

'Houd toch op. Een Griekse vrouw weet toch hoe dat gaat.'

'En… ik werkte niet echt aan ons huwelijk.'

Ik werp een blik op wat Roman heeft gedaan – de muurschildering, de kaarsjes, het lekkers op onze tafel – en dan kijk ik hem in de ogen, en ik besef dat ik hem vertrouw. Ik kan met deze man praten. En bijna zonder moeite. Ik voel me schuldig dat ik over mijn leeftijd heb gelogen. Dit is misschien wel ons eerste afspraakje en wellicht volgen er nog vele. Wat moet ik nu doen?

'Ik vond het erg leuk dat je me belde…' begint hij.

'Ik moet je iets vertellen,' val ik hem in de rede. 'Ik ben drieëndertig.' Mijn wangen worden net zo rood als de stukjes paprika in de salade. 'Ik lieg anders nooit, oké? Maar ik zei het omdat drieëndertig bijna vierendertig is, en dat leek me al zo oud. Maar jij hoort te weten hoe oud ik ben.'

'Maakt niet uit. Je gaat toch niet uit met Italianen. Weet je nog wel?' Hij glimlacht. Vervolgens staat hij op en komt hij naar me toe. Hij pakt mijn handen vast en trekt me omhoog uit de stoel. We kijken elkaar aan en vragen ons af of we gaan zoenen of niet. Ik voel me schuldig omdat ik Gabriel heb gezegd dat Romans neus op de neus lijkt met de Groucho Marx-bril. Zoals ik hem nu zie is het een mooie, rechte neus, niets mis mee.

Roman omvat mijn gezicht met zijn handen. Onze lippen ontmoeten elkaar voor het eerst, hij kust me zacht en sensueel, en recht op de man af, net zoals hij zelf is. Ik had net zo goed midden op het

Piazza Medici in Venetië kunnen staan, want zijn aanraking voert me weg van waar ik ben en naar een wonderschone plek, een plek waar ik al heel lang niet ben geweest. Roman legt zijn arm om me heen en de zijde van mijn jurk ruist alsof er een peddel in het kanaal op de muurschildering achter me wordt gestoken.

De laatste man die ik heb gekust was Carl Rosenberg, de zoon van onze knopenleverancier in Manhassett. We zullen het erop houden dat ik het bij één keer heb gelaten. Maar deze kus van Roman Falconi, midden in zijn prachtige restaurant aan Mott Street in Little Italy, met aan mijn voeten plastic werkschoenen, geeft me het gevoel dat er wel eens een romance in zou kunnen zitten. Terwijl hij me weer kust, streel ik zijn biceps. Koks moeten duidelijk vaak zware dingen tillen, en knopenleveranciers en hedgefondsmanagers dus niet.

Ik stop mijn gezicht in Romans nek; zijn schone huid, met een vleugje amber en ceder ruikt bekend en toch ook weer niet. 'Wat ruik je lekker.' Ik kijk hem aan.

'Dat heb ik van je grootmoeder gekregen.'

'Wat heb je van haar gekregen?'

'Dat luchtje.'

Niet te geloven dat mijn oma Roman het cadeautje heeft gegeven van Jaclyns trouwen. Ik weet niet of ik me moet schamen omdat ze het aan hem heeft gegeven of omdat hij het op heeft gedaan.

'Ze zei dat ik het moest aannemen en dat ze het anders aan Vinnie de postbode zou geven. Vind je het lekker?'

'Heerlijk.'

'Dat is nogal een sterk woord: heerlijk.'

'Het is dan ook een sterk luchtje.'

De stilte in het restaurant wordt verbroken door gelach op straat. Door het raam zie ik een groepje kroegtijgers dat onderweg is naar de volgende tent. Hun schoenen, gepoetste wingtips, suède enkellaarsjes en twee paar hooggehakte pumps, de een van robijnrood leer en de andere van zwart imitatiekrokodillenleer, blijven voor Ca' d'Oro staan. 'Gesloten,' hoor ik een vrouw bij de voordeur zeggen.

Maar niet voor mij. Roman Falconi kust me opnieuw. 'Zullen we wat eten?' vraagt hij.

Ze zijn hier in Manhattan aan deze kant van de Hudson druk bezig met renoveren, maar de overkant doet daar niet voor onder. Er staan in de verte hijskranen waar balken, buizen en cementblokken aan hangen als marionetten op een toneel. Het ritmische gebonk van de heipaal neemt af over het water en doet me denken aan het gepruttel van een ouderwetse percolator.

Ik sta voor onze zaak en buig me over de leuning van de pier terwijl ik sta te wachten op Bret om met lunchpauze te gaan. Onder de permanent opgestelde witte markiezen op de pier is een tekenklas bezig. Twaalf schilders staan met hun rug naar me toe en hun ezel is gericht naar het oosten waar ze de oever van de West Village op het witte doek vereeuwigen.

Ik kijk naar de leerlingen terwijl de lerares zachtjes tussen de ezels doorloopt en af en toe een stap naar achteren zet om hun werk beter te bekijken. Ze legt haar hand op de schouder van een van de schilders. Ze wijst. De man knikt, buigt zich naar achteren, knijpt zijn ogen samen en kijkt naar het doek, en doet dan een stap naar voren, doopt zijn penseel in wat verf op zijn palet en zet een wit lijntje langs de rand van een oude fabriek die hij gedetailleerd heeft geschilderd. De grijze lucht op zijn schilderij, die over het dak hing als een oude katoenen doek, licht daardoor op en het schilderij is meteen veel mooier. Mijn grootmoeder heeft me alles over contrasten geleerd. Door een licht randje langs de schoen te plaatsen lijkt de instap hoger terwijl een donker randje het tegenovergestelde effect heeft. Maar ik heb het nog nooit zo duidelijk gedemonstreerd gezien met zo'n klein lijntje. De volgende keer dat ik een randje uitzoek zal ik daaraan denken.

Bret werkt voor een makelaarskantoor op loopafstand van onze zaak. Toen we nog wat samen hadden, kwam hij soms in het weekend langs om een handje te helpen als hij even pauze nodig had van zijn studie voor zijn MBA. Ik vind het bewonderenswaardig dat hij nooit zijn afkomst is vergeten en dat hij waar nodig gewoon zijn handen uit de mouwen stak. Als we hulp nodig zouden hebben met een bestelling en we zouden het hem vragen, zou hij dat nog steeds doen.

Ik zie Bret in de verte stevig op me af komen stappen in zijn pak en zijn beige regenjas die in het briesje openwaait. Hij neemt nog een hap van een appel en gooit het klokhuis in de Hudson. Ik ben erg trots op hem en op wat hij allemaal heeft bereikt, maar ik maak me ook zorgen. Hij is de enige man die ik ken die alles heeft, maar iemand die alles heeft wil steeds meer. Ik moet aan Chase denken en haar schitterende glimlach terwijl hij over de pier naar me toe komt lopen. Hij geeft me een kus op mijn wang als hij bij me is. 'Vertel op. Hoe zit het met de zaak?'

'Mijn oma heeft een extra hypotheek genomen om de zaak open te houden. Alfred heeft de boekhouding bekeken en zegt dat ze haar leningen opnieuw moet afsluiten.'

'Nou, dat lijkt me geen slecht idee. Wat kan ik voor je doen?'

'Volgens mij grijpt Alfred dit aan om oma met pensioen te sturen en het pand te verkopen. Hij vangt dan een hoop geld, maar de Angelini Shoe Company is wel ter ziele. En dan sta ik…'

'Op straat. Zowel wat je werk als je huis betreft.'

'En wat mijn toekomst betreft,' voeg ik eraan toe.

'Wat wil je grootmoeder eigenlijk?'

'Ze heeft hem verteld dat ze nog niet wil verkopen. Maar eerlijk gezegd is ze knap bang.'

'Moet je horen, ze heeft daar een fantastisch pand in handen. We hebben goede mensen in dienst die het prima kunnen verkopen.'

'Ik wil niet dat je het voor haar verkoopt. Ik wil dat je me helpt om het te kopen.'

Bret zet grote ogen op. 'Meen je dat nou?'

'Je weet hoeveel de zaak voor me betekent. Maar ik heb heel weinig spaargeld, lang niet genoeg om er iets mee te kunnen. Ik heb geen onderpand. En hoewel ik al heel ver ben, moet ik nog steeds een hoop van oma leren.'

'Val, dit is erg moeilijk. En je grootmoeder luistert naar Alfred.'

'Dat weet ik! Maar ook naar mij. Als ik met een goed plan aan kom zetten, denk ik wel dat ze het zal overwegen.'

'Dus je bent op zoek naar investeerders die je zaak draaiende houden terwijl jij uitzoekt hoe je de zaak kunt overnemen?'

'Dat lijkt me een goed plan. Ik heb natuurlijk totaal geen verstand van financiële toestanden.'

'Dat weet ik,' zegt hij met een glimlach.

'Maar jij wel.'

'Ik ben hier toch voor jou? Ik moet er even over nadenken.' Hij pakt me bij de arm en we lopen terug naar Perry Street.

'Gedraag je je wel?' vraag ik.

'Als een braaf koorknaapje. Ik weet wat ik thuis heb zitten, maar fijn dat je me daar nog even aan herinnert.'

'Hé, daar ben ik voor. Ik ben als een misthoorn voor huwelijkse trouw.'

Tess draait heen en weer in de stoel van de styliste om de achterkant van haar nieuwe kapsel te bekijken. Ik heb mijn zus meegetroond naar Eva Scrivo, de beste kapsalon in het Meatpacking District, met de belofte dat ze een hippe moderne coupe zou krijgen.

Voor de grote spiegels staan zwarte leren stoelen naast elkaar, bezet met klanten in verschillende stadia van een knip- en een verfbeurt. Er is een vrouw wier hoofd vol zit met aluminiumfoliewikkels om haar haar te bleken, en een met kort mooi vallend haar met highlights die geföhnd wordt met behulp van een borstel, en dan is er nog eentje waarbij de haarwortels bewerkt worden met een paarsbruin goedje terwijl haar haren zelf als stekels van haar hoofd af staan.

'Je had helemaal gelijk, Val. Dit had ik echt nodig. Ik was net een saaie voetbalmoeder met dat stomme kapsel.' Tess glimlacht. 'Niet dat er iets mis is met voetbalmoeders, want dat ben ik natuurlijk wel.'

Scott Pere, de meester van krullend haar, duwt Tess' volle lagen haar met zijn hand omhoog terwijl hij naar haar spiegelbeeld kijkt. 'Ik zeg het maar een keer, dus luister goed. Na je dertigste alleen maar laagjes, meisjes. Laagjes.'

'Ik weet nog wel meer dingen die een vrouw na haar dertigste nodig heeft, en laagjes staan niet in mijn top tien,' zeg ik tegen hem.

'Kleine uitzondering,' zegt hij. 'Met jouw prachtige huid kun je het tot je veertigste uitstellen.' Scott pakt zijn kam en gaat door naar de volgende klant die onder een droogding zit waarbij de warmte op de krullers wordt gestraald terwijl het als een draaiende metalen halo om haar hoofd heen draait.

Ik pik wat gel van Scotts werktafeltje, buig me voorover en kneed het door mijn haar. Mijn mobieltje gaat over in mijn tas. 'Neem jij even aan, Tess. Dat is vast oma die zich afvraagt waar we zitten.'

'Hallo.' Tess luistert een paar tellen. Ik steek mijn haar op. 'Ik ben Valentina niet, ik ben haar zus.' Tess geeft me de telefoon aan. 'Het is een man.'

'Hallo?'

'Ik dacht dat jij het was. Sorry,' zegt Roman.

'Roman?'

'Wat een sexy naam!' zegt Tess goedkeurend terwijl ze haar tas pakt en naar de toonbank gaat om af te rekenen.

'Ik wilde je even bedanken voor de afgelopen avond,' gaat Roman door. 'Ik heb je briefje nog, dat zit in mijn zak.'

'Ik droom nog steeds van die risotto.'

'Alleen daarvan?' Hij lijkt oprecht teleurgesteld. 'Ik vroeg me af of we weer eens iets konden afspreken.'

'Moet je nodig naar de kapper?' vraag ik hem.

'Nee,' zegt hij lachend.

'Jammer. Er is hier een stoel vrij en ik ben behoorlijk goed in knippen.'

'Ik sla de knipbeurt maar over, maar jou wil ik wel zien. Oké? Er is alleen een probleempje: ik kan hier eigenlijk niet weg.'

'Dat heb ik ook in de zaak. Zal ik je anders bellen voor een kop koffie? Na de lunch een keer?'

'Prima.'

Ik klap mijn mobieltje dicht en steek hem in mijn zak. Tess staat buiten voor de kapsalon. Ze zwaait naar me terwijl ze haar man aan de lijn heeft. 'Nee, geen speciale avond. Helemaal niet. Zeg tegen Charisma dat ze van de slagroomspuitbus af moet blijven, en Chiara mag niet in ons bed slapen. Goed, lieverd. Ik ga met Val weer naar oma. Ik ben zo tegen bedtijd thuis. Dag, lieverd.' Ze verbreekt de verbinding. 'Charlies hoofd loopt om. Charisma was met zijn mobieltje aan het spelen en belde per ongeluk zijn baas.' Tess kijkt me aan. 'En?'

'Ik heb een afspraakje.'

'En?'

'Hij is erg interessant.'

'Een echte wijsneus?'

'Nee, hij is een moderne vent.'

'Moeilijk?'

'Dat zijn ze toch allemaal.'

'Klopt, zelfs die Charlie van mij. Moeilijk in zelfs de kleinste dingen. Hij eet graag op dinsdag pasta, wil naar de bioscoop op vrijdag en seks op zaterdag.'

Tess heeft het nooit eerder over seks met haar man gehad. Haar nieuwe kapsel heeft duidelijk iets in haar losgemaakt. Ik lach. 'Dat is nog allemaal wel te doen.'

'Je hoort mij niet klagen. Maar je moet wel uitkijken dat het geen sleur wordt. Je moet je man bij de les houden. Charlie is bijna veertig en je weet wat er dan gebeurt: een nieuwe auto, een nieuwe vrouw, een nieuw leven.'

'Dat zal jou nooit gebeuren,' beloof ik mijn zus.

'Het is mama ook gebeurd.'

'Ja, maar dat was in de jaren tachtig. In die tijd gebeurde het met alle moeders.'

'De geschiedenis herhaalt zich toch altijd weer.' Tess steekt haar handen in haar zakken. 'Zelfs oma had haar probleempje met opa.'

Ik blijf staan en kijk mijn zus aan. 'Hè?'

'Ja, mama heeft me verteld dat opa een… vriendin had.'

'Echt waar?'

'Ik weet niet hoe ze heette of wat dan ook, maar mama vertelde het me voordat ik ging trouwen.'

'En dat heb je niet aan mij verteld?'

'Verhalen over ontrouw in de familie moeten toch niet als een erfstuk aan elkaar door worden gegeven?'

'Maar toch.' Ik vind het erg dat mijn grootmoeder mij dit nooit heeft verteld. 'Oma heeft het er nooit over gehad.'

'Jij was stapelgek op opa. Waarom zou ze?'

Ik steek de sleutel in het slot bij ons pand. Tess en ik lopen de hal binnen. De deur naar de zaak staat open, de werktafels zijn leeg en het kleine lampje op het bureau is de enige verlichting in de ruimte. Er ligt een briefje op het bureau waarop in mijn oma's handschrift staat geschreven: 'Kom naar het dak, de kastanjes zijn binnen.'

We rennen de trap op en komen buiten adem boven aan. 'In mijn volgende leven,' breng ik hijgend uit, 'wil ik in zo'n fantastische loft wonen, een gigantische open ruimte zonder trappen.'

'Een aanleunwoning dus,' merkt Tess hortend en stotend op.

Ik doe de deur open naar het dak. Oma heeft de barbecue aangestoken en er staan twee grote pannen afgedekt met aluminiumfolie op de rode vlammen. De rook van de houtskool begeleidt de geur van de roosterende kastanjes, het ruikt zalig naar honing en room.

'Ze zijn erg lekker dit jaar. Groot,' zegt mijn grootmoeder, die met een ovenwant de steel van de pan pakt en hem schudt. Ze heeft een sjaaltje om haar hoofd gebonden en haar winterjas is tot bovenaan dichtgeknoopt. 'O, Tess, wat zit je haar leuk.'

'Dank je.' Ze schudt met haar hoofd. 'Scott is ontzettend goed. Je moet ook eens naar hem toe gaan, oma.'

'Misschien doe ik dat ook wel.' Grootmoeder pakt de spatel die aan een haak aan de barbecue hangt. Ze haalt met haar ovenwant het folie van een van de pannen af en slaat met de spatel op de kastanjes waardoor ze openbarsten. Ze schept ze op een roestvrijstalen bakplaat. Tess en ik gaan op de ligstoel zitten en pakken de bakplaat aan. We blazen op de kastanjes en pellen dan de zoete, doorzichtige vrucht uit de gebrande schil. We stoppen ze in onze mond. Verrukkelijk.

'Mijn moeder vond kastanjes vies,' zegt oma. 'In Italië hadden ze het arm bij haar thuis en werd alles van kastanjes gemaakt: de pasta, het brood, de koekjes, de vulling voor de ravioli. Toen ze emigreerden bezwoer ze dat ze nooit meer kastanjes zou eten. En ze heeft haar woord gehouden.'

'Zo zie je maar weer, soms raak je de dingen die in je jeugd gebeurd zijn nooit meer kwijt.' Tess kijkt uit naar New Jersey, waar haar man waarschijnlijk opgesloten zit in de garage terwijl Charisma en Chiara de garagedeuren met slagroom bewerken.

'Ik zou graag enkele dingen die in mijn jeugd zijn gebeurd kwijt zijn,' zeg ik, terwijl ik een kastanje pel.

De deur naar het dak gaat open. 'Niet schrikken, ik ben het maar,' zegt Alfred, die zijn aktetas naast de deur zet. Hij gaat naar oma toe en geeft haar een zoen.

'Wat een verrassing,' zegt Tess terwijl onze broer haar een kus op de wang geeft en vervolgens mij.

'Oma belde dat er weer kastanjes waren,' zegt Alfred stijfjes.

'Fijn dat je er bent.' Oma straalt zo veel liefde uit naar haar enige kleinzoon dat je er de botenvijver bij Pier 46 mee had kunnen vullen.

'Ik ben bij de bank geweest,' zegt hij en hij haalt diep adem. 'Ze willen weer een taxatie van je pand.'

'Gaat het wel goed komen?' Ik kom overeind.

'Dat weet ik nog niet, Valentina. Ik moet nog steeds een hoop uitzoeken. Hoe meer ik graaf, hoe meer ik denk dat jullie maar beter het gebouw kunnen verkopen.'

'O, dus je bent hier niet voor de kastanjes, je bent hier om een Te koop-bordje neer te zetten,' zeg ik tegen hem.

'Val, dit schiet niet op,' zegt Alfred.

'Wat jij doet wel dan?' kaats ik terug.

Mijn grootmoeder roert met de spatel de kastanjes in de pan. 'Laat de taxateurs maar komen, Alfred,' zegt ze rustig.

'Oma…' werp ik tegen, maar ze onderbreekt me.

'Het zal wel moeten, Valentina. We moeten het gewoon doen.' Aan haar stem hoor ik dat het onderwerp gesloten is. Alfred pakt een kastanje van het bakblik dat Tess in haar handen heeft, pelt hem en eet hem op. Ik kijk naar Tess, zij kijkt naar mij. Dan zegt Tess: 'En hoe zit het met Valentina, oma? Zij is wel de toekomst van het bedrijf.'

'Ik denk altijd als eerste aan mijn kleinkinderen.' Ze pakt het blad van Tess over. 'Aan al mijn kleinkinderen.'

5

Forest Hills

De E-trein is compleet verlaten als oma en ik onderweg naar Queens op het metrostation van Eighth Street instappen. Het is een stille zondagochtend, maar dat het een wilde zaterdagavond is geweest, is te zien aan de lege drankflessen en limonadeblikjes waar we overheen moeten stappen. We komen door de tourniquet, en het perron van de metro stinkt naar motorolie en donuts. Het is mij een raadsel dat de lucht van donuts wel helemaal naar beneden kan zweven maar frisse lucht niet.

Er komt een trein aanrijden, de saaie grijze deuren gaan open en ik stap snel naar binnen en kijk om me heen om me ervan te verzekeren dat het veilig is. In een veilige wagon liggen er geen voedselresten op de stoelen, zitten er geen enge passagiers en liggen er geen plasjes van twijfelachtige herkomst op de grond. Mijn oma gaat op een hoekplaats zitten en ik neem naast haar plaats. Terwijl de trein het station verlaat, haalt oma het Metro-gedeelte van *The New York Times* uit haar tas en gaat zitten lezen.

'Het is doorgestoken kaart, dat weet je toch?' zeg ik. 'We zijn uitgenodigd voor het zondagsmaal, maar er is iets heel anders aan de hand. Ik voel dat soort dingen altijd aan.'

'We gaan toch de foto's en de video van Jaclyns trouwdag bekijken?'

'Dat hoort er allemaal bij.'

Mijn grootmoeder vouwt de krant op. 'Wat is er volgens jou dan aan de hand?'

'Geen idee. Heb jij een vermoeden?'

Ik ben zo eerlijk mogelijk tegen mijn oma, want zij heeft nogal eens de neiging om bepaalde dingen achter te houden en pas als ze in een kamer vol familieleden zit de bom te laten barsten. Omdat ze niets zegt, probeer ik een andere aanpak. 'Alfred belde. Wat moest hij?'

'Hij wilde iets over de btw weten, meer niet.'

'Ik dacht dat hij het pand al had verkocht en dat de gebroeders Moishe onderweg waren om de boel voor ons in te pakken.'

Ze legt de krant op haar schoot. 'Valentina, ik wil alleen maar doen wat goed is voor mijn familie.'

Ik wil graag tegen oma zeggen dat wat goed is voor haar familie niet goed is voor ons tweeën. Ik heb met een makelaar gesproken en hij zegt dat er absoluut niets in de buurt van Perry Street is wat wij ons voor de Angelini Shoe Company kunnen veroorloven. De makelaar had een lege zolderruimte voor ons gevonden, helemaal in Brooklyn, op een industrieterrein met allemaal garages, een staalfabriek en een timmerwerkplaats. Ik moet er niet aan denken dat we zo ver weg van de Hudson en de sfeer van Greenwich Village zullen zitten, dus ik ben zelfs niet gaan kijken.

'Je snapt toch wel waarom ik me zorgen maak?' Ik kijk naar buiten.

'Er is nog niets gebeurd.'

Ik knik. Oma is ouderwets en juist door die houding zijn we in de problemen geraakt. En, helaas, ik ben al net zo. Het is zalig om iets te ontkennen, omringd door hoop en getekend door geluk, het is een neutrale emotie die overal bij past en haar tijd afwacht. Het kan jaren duren voordat de bom barst. We blijven hopen. Ontkenning kan tot op het laatste moment geen kwaad, maar dan is het wel te laat om er nog iets aan te doen. 'Sorry hoor, ik ben gewoon erg nerveus,' zeg ik.

De trein rijdt station Forest Hills in en ik help mijn grootmoeder overeind. Haar handen zijn nog sterk, maar haar knieën willen niet altijd en dat wordt steeds erger. Het kost haar 's avonds elke keer weer wat meer moeite om de trap op te komen, en ze loopt bijna nooit meer naar de Village. Ik heb een artikel over kunstknieën uit *The New York Times* geknipt en dat naast haar koffiekopje gelegd, maar toen mijn oma las dat het zes weken duurt om te revalideren, zag ze het meteen niet meer zitten. 'Mijn knieën doen het nog prima,' houdt ze vol. 'Ze hebben me tot dusver gedragen, ze dragen me door tot het einde.' En ze gooide het artikel bij het oud papier.

We gaan met de roltrap naar de straat. Ik weet niet wat we hadden moeten doen als er alleen maar een trap was geweest. Dan had ik haar misschien wel op mijn rug moeten dragen als de herder met zijn schaap in onze kerststalletje.

We komen uit op de stoep voor de kerk Our Lady Queen of Martyrs waar ik totdat ik ging studeren elke zondag de dienst bijwoonde. Mijn oma geeft me een arm en we lopen de twee straten naar mijn ouderlijk huis.

'Weet je, ik kan het soms bijna niet geloven dat ik hier ben opgegroeid,' zeg ik terwijl ik de oude buurt bekijk.

'Toen je moeder zei dat ze na haar trouwen in Forest Hills ging wonen, kreeg ik zowat een hartaanval. Ze zei: "Ma, vanwege de frisse lucht." Ik bedoel maar, is hier meer frisse lucht dan bij ons in Manhattan?'

'Je mag haar tuin en haar eigen garage niet vergeten, daar is ze het trotst op.'

'Dat was je moeders grootste ambitie: dat ze haar auto kon parkeren waar ze woonde.' Grootmoeder schudt mistroostig haar hoofd. 'Wat heb ik toch verkeerd gedaan?'

'Ze is een goede moeder, oma, en iemand op wie de burgerij van Forest Hills trots mag zijn.' Ik geef mijn grootmoeder een arm bij het oversteken. 'Was ze ooit opstandig?'

'Was dat maar zo!' blaft oma. 'Ik had er zo op gehoopt dat ze een hippie zou worden, net als alle andere kinderen van haar leeftijd. Dat had tenminste van lef betuigd. Ik zei tegen je moeder dat elke generatie haar cultuur bij de kraag moest vatten en het eens goed heen en weer moest schudden. Maar het enige wat je moeder wilde schudden was een martini. Ik heb werkelijk geen idee waar zij van afstamt.'

Ik weet precies wat mijn oma bedoelt. Ik bad vroeger voor een feministische moeder. Beth, de moeder van mijn vriendin Cami O'Casey, was een magere lat, met op haar zesendertigste al grijs haar, die jezussandalen droeg en haar eigen meel maalde. Ze werkte voor de overheid in Harlem en had te gekke buttons op met DOOD AAN DE TV en IK HOU NIERVEEL VAN JE. In plaats daarvan had ik 'Mike' uit Hollywood met haar haarstukjes en een doos vol make-upspulletjes en zo'n afschuwelijke kapspiegel met lampjes eromheen. Cami's moeder demonstreerde voor de vrede terwijl mijn moeder zat te wachten totdat netkousen weer in kwamen.

Tot op de dag van vandaag houdt mijn moeder de mode bij. Ze weet precies wanneer ze limoengroen moet laten liggen omdat paars weer je van het is. Toen in de jaren tachtig veel haar in was, liet mijn moeder zich permanenten. Dan kwam ze thuis met wilde krulletjes, en als de bos haar nog niet wijduit genoeg stond, boog ze zich voorover en spoot ze haarlak op de wortels totdat het haar leek op de stralenkrans om Jezus' hoofd. Soms stond haar haar zo wijduit dat we bang waren dat ze niet in de auto zou passen.

In 1984 bad ik dat mijn moeder geen longemfyseem zou krijgen van de haarlak die ze gebruikte. Ik maakte ooit een werkstuk over de nadelige gevolgen van aluminium chloorfluorkoolstof, het poeder dat in spuitbussen zit. Ik toonde mijn moeder wetenschappelijk aan dat ze zichzelf ermee vermoordde. Ze gaf me een klopje op mijn hoofd en noemde me 'mijn kleine groene activiste'.

Als ik niet God bad om haar te redden, dan bad ik wel of mijn vader geen astma of nog erger zou oplopen doordat hij ook die haarlak binnen kreeg. Ik zag ons hele gezin al dood voor me ten gevolge van de spray en dat de politie ons op de grond zou aantreffen. Toen ik mijn moeder vertelde waar ik zo bang voor was, zei ze: 'Maar als we dan dood worden aangetroffen, zit mijn haar wel goed.'

'Je moeder is weer in de tuin bezig geweest,' zegt mijn oma als we op de stoep voor Austin Street 162 staan. 'Het lijkt Klein-Babylon wel.'

Huize Roncalli is onlangs chocoladebruin geschilderd en het gehele portaal heeft een roomwit randje gekregen. Er staan drie gloednieuwe glimmende hulststruiken aan weerskanten van de entree. Waar anders gras groeit zijn nu twee kleine bloemperken in de Engelse stijl. Alles is volgepropt met pompoenen, herfstkolen en nog een paar sterke paarse impatiens, binnen de perken gehouden met een scheve stenen afzetting aan beide kanten van het pad. Drie hangpotten met glanzende groene bladeren hangen aan het portaal als kippen in Chinatown. Voor de ramen hangen een Amerikaanse en een Italiaanse vlag naast elkaar. In het kozijn eronder staan rode, witte en groene zilverpapieren molentjes die draaien in de wind. Auto's bete-

kenen voor Queens Boulevard hetzelfde wat flora, fauna en zilver-
papier voor mijn moeders voortuin betekenen. Waar je ook kijkt, er
staat overal wel iets te groeien of te draaien of te zwiepen. Mijn vader
mag dan gepensioneerd zijn en niet meer voor de plantsoenendienst
werken, maar nu moet hij voortdurend voor mijn moeder in haar
tuin aan de slag.

'Ze weet van geen ophouden.' Mijn grootmoeder loopt het pad op.
'Wat zal ze elk jaar wel niet aan kunstmest uitgeven?'

'Veel. De zaadcatalogus is harde porno voor mama.'

'Hoi, kinderen!' Mijn moeder doet de voordeur open en rent het
pad op om ons te begroeten. 'Ma, je ziet er fantastisch uit.'

'Dank je, Mike.' Oma geeft mijn moeder een zoen op haar wang.
'De tuin is…'

'Je weet dat ik niet van gras hou. Het is zo landelijk.'

Mijn moeder heeft een lange witte tuniek aan van ruwe zijde met
een bijpassende witte broek. De diepe v-hals van de tuniek is afgezet
met platte turquoise kralen. Haar bruine haar is steil tot op haar
schouders geföhnd, zodat de bijzonder grote zilveren oorringen goed
opvallen. Door haar schoenen, winterwitte suède muiltjes met tien
centimeter hoge brede hakken, komen haar slanke enkels goed uit.
Aan haar linkerarm draagt ze van haar pols tot aan haar elleboog allemaal zilveren armbandjes. Ze rinkelt ermee. 'Toch wel heel erg Jen-
nifer Lopez, vinden jullie niet?'

'Nou en of,' zeg ik tegen haar.

'Ik ben omeletten aan het bakken. Je vader maakt tosti's,' zegt mijn
moeder terwijl we het buitentrapje op lopen. 'Iedereen is er al.'

De inrichting in mijn ouderlijk huis is een eerbetoon aan het Britse Rijk en nageaapt van elke kamer in de tudorstijl die sinds 1968 in
Architectural Digest heeft gestaan. Amerikanen van Italiaanse afkomst zijn weg van alles wat Engels is, omdat we respect hebben voor
het feit dat zij er eerder waren. Mijn moeder is dus dol op kleurige
chintz, gevlochten kleedjes, porseleinen lampen en olieverfschilderij-
en van het Engelse platteland, waar ze nog nooit is geweest.

Mijn grootmoeder en ik lopen met mijn moeder mee naar de moderne witte keuken die voorzien is van alle gemakken en een wit marmeren aanrecht afgezet met een zwarte rand. Mijn moeder noemt het

kleurenschema 'drop met marshmallow' omdat er bij haar nooit iets eenvoudigweg zwart-wit kan heten.

Jaclyn heeft de foto's van de trouwerij uitgespreid op de keukentafel. Alfred zit aan het hoofd van de tafel, maar Tess, die aan zijn rechterhand zit, valt me meer op. Haar neus is rood, ze heeft gehuild.

'Kom op, zo slecht zie je er vast niet uit op de foto's,' plaag ik Tess, maar ze kijkt weg.

Tussen de twee zoenen op elke wang en gedag zeggen, gebaar ik naar Tess dat ze met me mee naar de badkamer moet gaan. We proppen ons naast de keuken in de kleine ruimte met het zitbad, die vroeger een bijkeuken is geweest. Het behang, roze, groene en gele stippen, geven me in die piepkleine badkamer het gevoel dat ik in een flesje met pillen ben beland. 'Wat is er?'

Tess schudt haar hoofd en krijgt er geen woord uit.

'Toe nou, wat is er aan de hand?'

'Papa heeft kanker!' Tess barst in snikken uit. Mijn moeder doet de deur open van de badkamer en we zien papa, mama, oma, Alfred en Jaclyn hutjemutje in de deuropening staan alsof we in een rijdende trein zitten en zij ons op het perron uitzwaaien.

Ik werp een blik op mijn vader en weet dat het waar is.

'Lucht, ik heb lucht nodig!' roep ik. We waaieren uit in de keuken. Mijn vader pakt me beet en geeft me een stevige knuffel. Tess en Jaclyn komen erbij staan en knuffelen hem ook. Alfred kijkt met een grimmige uitdrukking op zijn toch al betrokken gezicht van een afstandje toe. Mijn moeder heeft haar arm om oma heen geslagen. De tranen biggelen over haar wangen, maar wonderbaarlijk genoeg loopt haar mascara niet uit.

'Papa, wat is er nou?'

'Maak je maar geen zorgen, het stelt niets voor.'

'Het stelt niets voor? Je hebt kanker!' Tess probeert rustig te blijven, maar het lukt haar niet. De tranen blijven stromen.

'Wat voor kanker?' roep ik over al het gehuil heen.

'Prostaatkanker,' antwoordt mijn moeder.

'Wat erg, Dutch.' Mijn oma pakt mijn vaders arm beet. 'Wat zegt de dokter?'

'Ze zijn er al vroeg bij. Dus ik kan een paar dingen doen. Ik denk dat ik maar voor de zaadjes in de ballen ga.'

'Hè, pap, moet je ze nou… ballen noemen?' Dikke tranen stromen over Jaclyns wangen.

'Ik wilde het woord "scrotum" niet in het bijzijn van je oma gebruiken.'

'Alles beter dan ballen,' zegt mijn moeder.

'Maar goed, zo'n vijfenzeventig procent van alle mannen van mijn leeftijd heeft prostraatklachten.'

'Prostáát, lieverd.' Aan de toon van mijn moeders stem te horen heeft ze mijn vader sinds de diagnose al lopen te verbeteren.

'Prostaat, prostraat, wat maakt het verdomme uit? Ik ben achtenzestig en ik moet toch ergens aan doodgaan? Als het geen rammelende tikkerd is,' mijn vader klopt op zijn borst, 'is het wel kanker. Zo is het nu eenmaal. Ik vond alleen dat jullie, mijn nazaten, moeten weten wat er aan de hand is. En ik wou het jullie persoonlijk vertellen, zonder de aanhang of de kinderen erbij, zodat jullie de informatie rustig konden laten bezinken. Ik wou natuurlijk ook de kleinkinderen niet afschrikken met praatjes over mijn edele delen. Hoe moet ik ze nu vertellen dat opa problemen heeft met zijn plassertje? Dat leek me geen goed idee.'

'Nee, daar heb je gelijk in,' fluister ik. Ik kijk naar mijn vader, die ontzettend grappig is, al beseft hij dat niet. Hij heeft zijn hele leven hier in Forest Hills voor de plantsoenendienst gewerkt totdat hij drie jaar geleden met pensioen ging en bij mijn moeder in dienst trad als tuin-/vuilnisman. Hij heeft geld bij elkaar geschraapt zodat wij door konden leren. Hij kwam altijd op de tweede plaats na mijn moeder, die de ster in het huwelijk was. Ik kon me gewoon niet voorstellen dat hem ooit iets ergs zou overkomen omdat hij zo solide was. Hij was weliswaar geen heilige, maar wel betrouwbaar.

Mijn moeder slaat haar handen ineen alsof ze ons voor wil gaan in gebed. 'Hoor eens. We gaan dit allemaal als gezin aan en we zullen het ook als gezin verslaan.' Ze is net een actrice in een soap. Mijn moeder haalt diep adem, en heeft nog steeds haar handen gevouwen. Ze gaat door: 'De dokter zegt dat het G2 is…'

'… en G4 is het ergst,' voegt papa eraan toe.

Mijn moeder praat verder: '… en dat is goed nieuws. Dat betekent dat je vader op zijn leeftijd de kanker gemakkelijk kan overleven.'

Ik heb geen idee wat mijn moeder daarmee bedoelt, niemand eigenlijk, maar zij ploetert door.

'Ik ben opgelucht. Hij is net zo opgelucht. En godzijdank kan Alfred ervoor zorgen dat papa de beste medische verzorging krijgt die er in dit land bestaat. Alfred gaat zijn vriend in het Sloan-Kettering bellen zodat je vader daar terecht kan.'

Alfred knikt dat hij zal bellen.

'We hebben fantastische kinderen… kleinkinderen' – mijn moeder zwaait met haar armen – 'een heerlijk modern huis, en een prachtig leven.' Het wordt haar te veel en ze moet huilen. 'We zijn nog jong en we zullen het overwinnen. En zo is het.'

'Goed gezegd, Mike.' Mijn vader klapt in zijn handen. 'Wie wil er een tosti?'

Ik heb veel te veel van de herfstmelange hazelnootkoffie gedronken die mijn moeder uit de rijk versierde sterlingzilveren koffiepot met de spuit in de vorm van een vogelkop schonk. (Iemand nog een erfstuk?) Door de tere Spode-theekopjes en de bodemloze koffiepot denk je dat je niet zoveel cafeïne naar binnen krijgt. Of misschien heb ik wel te veel koffie gedronken omdat ik een smoesje wilde hebben om af en toe eens van tafel te gaan, zodat ik niet waar mijn vader bij was in snikken uit hoefde te barsten.

Tijdens het ontbijt lukte het ons over koetjes en kalfjes te praten, maar zo nu en dan moesten we weer denken aan het vreselijke nieuws over papa en viel er een stilte. Het gesprek kabbelde niet voort, het kaatste rond de kamer en we werden er doodmoe van. Het viel door de ziekte van mijn vader niet mee om opgewekt te blijven, zelfs niet voor de leukstethuis. Hij was zelfs nog nooit een dag ziek geweest.

De meisjes hebben na de brunch de tafel afgeruimd en zitten nu de trouwfoto's uit te zoeken. Papa en Alfred kijken in de kleine zitkamer naar een voetbalwedstrijd. Het is zeker even nodig om met mannen onder elkaar te zijn na de trouwfoto's bekeken te hebben.

Ik ben de achtertuin in gevlucht voor wat frisse lucht, maar het is er behoorlijk benauwend, want je kunt alleen maar op het stenen voetpad staan dat naar een tuinversie van Engelse cottagemeubels leidt. Kunstzinnig tussen de opeengepakte planten staan de gebruike-lijke tuinornamenten, zoals een zonnewijzer, een vogelbadje, een beeld van drie renaissance-engelen die fluit spelen. Mijn gezicht wordt in de blauwe bal boven op een verhoging weerspiegeld en lijkt sprekend op een werk van Modigliani: lang en paardachtig en triest.

'Hé, meid,' zegt mijn vader achter me.

'Waarom moet mama altijd zo overdrijven?' vraag ik. 'Denkt ze soms dat als ze de tuin in de Engelse stijl doet Colin Firth over die muur heen komt en een duik neemt in het vogelbadje?'

Ik ga op de loveseat zitten en mijn vader wurmt zich ernaast. We zitten op een bankje ter grootte van een enkel tramstoeltje. 'Groen leed, noemen ze dit.'

Mijn vader moet lachen en legt zijn arm om me heen. 'Je moet je over mij geen zorgen maken, meisje.'

'Sorry, hoor, pap, maar dat doe ik dus wel.'

'Ik mag zeer van geluk spreken, Valentina. En trouwens, die k is lang zo erg niet als het vroeger was. Mensen lopen tegenwoordig rond met kanker alsof het een kroon is. Het gaat bij je horen, zeiden de dokters tegen me. De remissie kan duren totdat je je graf in gaat.'

'Wat fijn dat je er zo positief tegenover staat.'

'En ik ben bepaald geen heilige geweest, Val. Het is waarschijnlijk mijn eigen schuld.'

'Hè?' Ik wend me tot mijn vader, wat in dat poppenstoeltje nog niet meevalt.

'*Mezzo, mezzo*.' Hij houdt zijn hand schuin. 'Ik heb mijn best ge-daan een goede vader en echtgenoot te zijn. Maar ik ben ook maar een mens, en soms ging het mis.'

'Je bent een goed mens, pap. Je bent bijna nooit de mist in gegaan.'

'Nou... anders wel genoeg om de rekening gepresenteerd te krij-gen.'

'Je hebt geen kanker gekregen omdat je een paar dingen fout hebt gedaan.'

'Natuurlijk wel. Kijk, ik heb geen longkanker gekregen omdat God de pest in had omdat ik rookte. Ik kreeg kanker daar beneden omdat ik... nou ja, je weet wel.'

Door de woorden 'je weet wel' valt er een stilte en komen de herinneringen bij ons boven. Mijn vader herinnert zich 1986 op zijn eigen manier, en ik herinner die tijd als een periode dat mijn familie tot op het bot geschokt was door de midlifecrisis waar mijn vader doorheen ging, en door mijn moeders vermogen om ermee om te gaan.

'Ik geloof niet in een wraakgierige god,' zeg ik tegen hem.

'Ik wel. Ik ben nog een ouderwetse katholiek. Ik geloof alles wat de nonnen me hebben verteld. Zij zeiden dat God me elk moment van de dag gadesloeg, en dat ik maar beter voordat ik ging slapen God om vergeving voor mijn zonden moest vragen omdat mocht ik toevallig in mijn slaap stikken, en ik dat niet had gedaan, ik met mijn onreine ziel rechtstreeks naar de hel zou gaan. Toen ik eenmaal een tiener was, zeiden ze dat als ik ook maar aan seks dacht, ik maar beter met haar kon trouwen. En dat heb ik gedaan. Maar op een gegeven moment ging ik over God nadenken en over wie Hij werkelijk is, en ik kwam tot de conclusie dat Hij me helemaal niet elk moment in de gaten hield zoals de nonnen hadden beweerd.'

'Wat deed Hij dan wel?'

'Volgens mij heeft Hij me het leven geschonken en me vervolgens gedag gewuifd met de woorden: "Zoek het zelf maar uit, Dutch." Ik moest het dus zelf zien te redden. Het was aan mij om een goed leven te leiden en de dingen zo goed mogelijk te doen. Een ziel is als een magnetisch tekenbord. Als je de fout in gaat, is het net of je erop getekend hebt. Maar je krijgt de kans om te zeggen dat het je spijt, je draait het bord ondersteboven en schudt het totdat alle vervelende dingen verdwenen zijn. Daar gaat het in wezen ook om bij de biecht. De bedoeling is dat je het einde bereikt zonder dat je ziel beschadigd is geraakt. Je kunt dus zeggen dat die kanker juist goed is omdat ik hierdoor de kans krijg om me voor te bereiden. Ik krijg er tenminste een bepaalde tijd voor. De meeste mensen krijgen dat niet.'

De tranen springen me in de ogen. 'Ik wil niet dat je doodgaat, papa.'

'Maar het gaat toch gebeuren.'

'Maar niet nu al. Dat is veel te vroeg.'

'Ik wil er gewoon klaar voor zijn. Als er dan inderdaad een dag des oordeels is, zoals de nonnen zeiden, dan ben ik er klaar voor. God zal net als bij het begin opduiken om te zien of ik het goed heb gedaan.

Wat kun je nog meer verlangen? Ik zou God best willen zien. Potjandorie nog aan toe.'

'Papa, je lijkt wel een boeddhist.'

Mijn vader is nooit welbespraakt geweest en al helemaal niet waar het zijn gevoelens betreft. Maar ook al zei hij veel niet, ik wist dat hij van ons hield en heel veel ook. Maar ik had geen idee dat hij zo filosofisch was. Ik dacht altijd dat dat niet hoefde omdat hij zo'n goed mens was. 'Papa, je hebt het met mij nog nooit over God gehad.'

'Dat liet ik aan de kerk over. We namen je niet voor niets elke week mee naar de mis. Die mensen zitten in de verlossingsbusiness. Laten we wel zijn,' zegt hij en hij vouwt zijn handen op zijn schoot, 'ik ben bepaald geen heilige, maar ik moest mezelf wel de grote vraag stellen: wat laat ik, Dutch Roncalli, de mensheid na?'

'En wat is dat dan?'

'Het stukje bos in park 134. Toen ik in 1977 voor de plantsoenendienst ging werken, kreeg ik de verantwoording voor het planten en onderhouden van een stuk van één hectare groot midden in het park met een natuurlijke vijver omringd door een bosje dennenbomen. Dat mag, net als de rest in Central Park, nooit verkocht worden. Het is bij de wet geregeld dat dat stukje groen voor altijd zo moet blijven. Dus dat is mijn nalatenschap aan de toekomstige generaties in Queens. Het stelt niet veel voor, maar voor mij is het belangrijk.'

'Wat mooi, pap.' Ik haal diep adem. 'Maar vind je niet dat je kinderen je nalatenschap zijn?'

'Ik kan me niet voorstaan op wat jij en Tess en Jaclyn en Alfred zijn geworden. Jullie zijn net de hamsters die je in groep 2 een tijdje moest verzorgen. Jullie zijn tijdelijk. Ik heb voor jullie gezorgd tot jullie op eigen benen konden staan.'

'Maar je hield ook van ons.'

'Nou en of. En wat het vaderschap aangaat heb ik het lang niet slecht gedaan. Geen van jullie is aan de drugs, of gokt. Jullie hebben ook geen last van tics. Maar dat is te danken aan jullie moeder. Jullie zijn allemaal goed in wat jullie doen. En jij ook, dat je het schoenmakersvak leert en voor je grootmoeder zorgt. Dat zegt een hoop over jou. Jij bent in elk geval voorbereid, Valentine.'

Mijn vader is de enige die ik ken die geen A achter mijn naam plakt, en dat geeft me troost.

Dan zegt hij: 'Als jij oud bent, is er vast iemand die voor jou zorgt. Wie zaait zal oogsten.'

'Dat hoop ik maar.'

'De man die jou krijgt mag in zijn handjes knijpen van geluk.'

'Meen je dat nou?'

'Jazeker. Je hebt een groot hart. Van al mijn kinderen lijk jij het meest op mij. Je kwam niet alwetend op aarde zoals je broer Alfred. Je had geen groot opgezet plan zoals Tess. En je vertrouwde nooit op je mooie snoetje zoals Jaclyn. Wat je hebt bereikt, heb je helemaal zelf gedaan. Daarom ben je ook zo grappig. Je had je gevoel voor humor nodig als het een keer niet lukte. En dat gaat ook op voor mij. De dingen lukten niet altijd. Maar ik gaf het nooit op. En jij mag het ook nooit opgeven.'

'Dat beloof ik.' Ik geef mijn vader een kneepje in zijn hand.

'Ik wil dat je een leuke vent leert kennen.'

'Weet je er toevallig een voor me?'

Mijn vader steekt zijn armen in de lucht. 'Daar moet jij voor zorgen. Ik ga me daar niet mee bemoeien.'

'Ik heb eerlijk gezegd iemand ontmoet.'

'O, ja?' Nu draait mijn vader zich om op het piepkleine bankje en ontwricht hij bijna zijn heup. Ik schuif wat op zodat hij zijn draai kan maken. 'Wat doet hij?'

'Hij is kok. Italiaans.'

'Een echte Italiaan? Of is hij soms een Albanees of een Tsjech? Weet je, tegenwoordig komen ze hiernaartoe met een accent en openen een pizzatent alsof ze authentieke Italianen zijn, terwijl wij als echte Italianen wel beter weten.'

'Nee, nee, hij is een echte Italiaan, papa, uit Chicago.'

'En wat vind je van deze *paisano*?'

'Dat weet ik nog niet, pap.'

'Weet je wat? Je hoeft ook niet alles te weten. Soms is het zelfs beter van niet.'

De rust van een zondagmiddag in Forest Hills daalt als een mistbank op de tuin neer. De armleuning van de loveseat prikt in mijn bovenbeen, maar ik blijf zitten. Ik wil zo dicht mogelijk bij mijn vader zijn, alleen wij tweeën, hij met zijn ideeën over geloof, liefde en de eeuwigdurende natuur van bomen, en ik met mijn hoop dat hij erbij zal zijn als mijn leven een andere wending neemt.

Ik pak mijn vaders hand, wat ik sinds mijn tiende niet meer heb gedaan. Hij houdt mijn hand stevig vast, alsof hij me nooit meer los wil laten. Papa kijkt naar de tuin, naar de felrode picknicktafel, verschrompelde struiken, en de afbrokkelende Venus van Milo (met armen). Ik kijk naar het huis. Mijn moeder staat voor het keukenraam naar ons te kijken en haar gezicht is zo verdrietig dat zij nu sprekend een Modigliani is.

De wieltjes van de poetsmachine draaien terwijl ik het pedaal intrap. Ik trek een katoenen want aan en leg er dan een zachtroze leren schoen op. De hak houd ik met mijn andere hand vast en ik plaats de schoen tussen de twee borstels. Ik borstel de schoen net zolang tot het leer op een iriserende roze schelp lijkt.

Het leuke van leer is dat je het zo'n mooi patina kunt geven. Leren vellen die rechtstreeks van de looier komen zijn prachtig, maar zonder dat ze door een schoenlapper zijn behandeld, zijn het weinig meer dan vellen. In de handen van een vakman wordt hetzelfde velletje een kunstwerk. Leer dat met de hand wordt bewerkt, krijgt zijn eigen identiteit; door het te etsen en te versieren krijgt het een patroon, en door het op te poetsen krijgt het karakter. En juist door dat karakter wordt het speciaal.

Soms ben je dagen bezig om het leer te verven, te laten drogen, dan op te wrijven en te poetsen totdat het een mooie kleur krijgt die bij de schoen past. Dan wrijf ik het leer met de hand op voor nog meer glans. Ik zie kleurverschillen in het leer die door een bepaalde lichtval veranderen; door diepe groeven lijkt het ouder en de glans geeft het eindproduct meer aanzien. Mijn oma heeft me geleerd dat het palet voor leer en suède net zo beperkt is als een toonladder. Er was eens een zeer lastige bruid die haar schoenen Tiffany-blauw geverfd wilde hebben om bij het doosje te passen waar haar trouwring in zat. Ik ben er een maand mee bezig geweest, maar het is me gelukt.

Ik manoeuvreer de andere schoen onder de borstels. Er wordt op het raam van de zaak geklopt. Bret zwaait naar me en ik gebaar dat hij naar de deur moet lopen.

'Wat ben jij vroeg bezig,' zegt hij terwijl ik de deur openmaak en hem naar binnen wenk.

'Dat hoort nu eenmaal bij het schoenmakersleven. En hetzelfde gaat dus op voor de hoge pieten op Wall Street.' Ik kijk op de klok. Het is half zeven 's ochtends. Ik ben al sinds vijf uur bezig.

'Ik heb wat voor je.' Bret neemt plaats op een van de krukken aan de snijtafel. Ik ga naast hem zitten. Hij slaat een dossier open. 'Ik heb het een en ander uitgezocht. Maar ik moet je wel zeggen dat je niet bepaald in een positie zit om investeerders te trekken.'

'Heel fijn.'

'Mode is erg onbetrouwbaar. Er zijn meer floppen dan successen. Het hangt helemaal af van wat de markt wil en of men wel geld genoeg heeft. Ontwerpers zijn kunstenaars en dus wat de zakenwereld betreft onbetrouwbaar. Kortom: handwerk is geen goede investering.'

Ik vind het raar dat iets wat zo belangrijk is voor mensen, schoenen dus, als een riskante investering wordt beschouwd, maar Bret gaat door: 'Tenzij je natuurlijk Prada of een van die andere grote familiebedrijven bent waar iedereen iets van wil hebben.'

'Maakt het nog uit dat de zaak al sinds 1903 bestaat?' vraag ik.

'Wel iets. Het toont aan dat jullie kwaliteit en vakmanschap leveren. Dat is dus mooi. Maar voor de investeerder betekent het ook een kleine markt.'

'Hoe bedoel je?'

'Dat je maar een beperkte naamsbekend hebt en dat trouwschoenen een luxevoorwerp zijn. Gezien de huidige financiële toestand zijn investeerders niet geïnteresseerd in luxevoorwerpen als manier om winst te maken. Het gaat in de mode momenteel meer om trends en lage prijzen. Daarom zie je ook zo veel sterren met hun eigen kledinglijn. Diverse kledingzaken hebben een aandeel in laaggeprijsde haute couture. Zij zijn de mensen die de trends financieren.'

'Nou, wij zijn nu eenmaal anders.'

'Wat jullie kunnen gaan doen, en dat doen uiteindelijk alle grote ontwerpers, is dat jullie je naam en je ontwerpen doorverkopen. De schoenen worden dan op grote schaal vervaardigd en jullie krijgen een gedeelte van de winst. Maar zelfs dan moet iemand er wel van overtuigd zijn dat er een markt voor is.'

'We hebben voor alle grote trouwjaponontwerpers gewerkt. Vera Wang stuurde regelmatig meisjes naar ons toe totdat ze zelf schoenen ging maken voorzien van haar eigen naam.'

'Dat bedoel ik maar. Die ontwerpers pikken dus met hun eigen goedkope ontwerpen dat gedeelte van de markt in dat van jullie zou zijn. Val, als jij Angelini Shoes uit het rood wilt halen door een aantal investeerders geld erin te laten steken, dan moet je iets hebben wat stijlvol is maar ook machinaal gemaakt kan worden zodat je er zo veel mogelijk van kunt verkopen en er goed aan kunt verdienen.'

'Ik weet niet of oma haar ontwerpen wil verkopen. Ze zijn wel van mijn overgrootvader geweest.'

'Dan moet je zelf iets ontwerpen. Iets wat wel representatief is voor jullie bedrijf, maar toch van jezelf is. Dan heb je je oma's toestemming niet nodig. Het is nu eenmaal zo dat niemand interesse heeft in een schoenenzaak die maar drieduizend paar schoenen per jaar kan produceren. Daar is te weinig winst op. Maar jullie klassieke trouwschoenen kunnen wel het vlaggenschip van een veel groter aanbod worden. Je kunt gewoon nog exclusieve schoenen blijven maken. Dat zal trouwens wel moeten ook, want dat hoort bij Angelini, maar je moet ook een product hebben dat machinaal vervaardigd kan worden zodat jullie de bestaande schulden af kunnen lossen, alsmede de hypotheek, en in een van Manhattans betere buurten kunnen blijven wonen en werken. Dat zal niet meevallen, Val, maar als Angelini Shoes het in de eenentwintigste eeuw wil redden, zal het wel moeten.'

Bret laat een dossier achter, vol met onderzoek naar luxegoederen gemaakt door familiebedrijven die al generaties lang bezig zijn en hoe ze het in deze eeuw doen. Er zitten spreadsheets bij met getallen en vergelijkende lijsten en grafieken waarin voor de afgelopen twintig jaar de groei van bepaalde producten staan aangegeven, evenals een beschrijving van failliet gegane ondernemingen. Familiebedrijven als Hermès, Vuitton en Prada komen erin voor. Er is een gedeelte over overnames van kleine bedrijven door grote (wat bij de modewereld schijnt te horen). Ik kijk om me heen in de zaak, met zijn apparaten uit begin twintigste eeuw, en onze met de hand getekende patronen op sitspapier en ik vraag me af of de Angelini Shoe Company wel in staat zou zijn om naam te maken in de wereld van machinaal geproduceerde goederen. En zelfs als het zou lukken, zou ik dan degene zijn die dat moet doen?

De novemberlucht over de Hudson heeft een dreigende paarse gloed waarin laaghangende wolkjes in de stijl van Jasper John regen voorspellen. Af en toe komt de oranjekleurige zon om een hoekje kijken en werpt zijn stralen op de rivier. De witte golfjes steken uit als de rand van een kartelmes. Ik trek de ceintuur van mijn wollen jas strak, doe de klep van mijn basketbalpetje omlaag en stop mijn chenille sjaal in mijn jas.

'Kijk eens.' Roman geeft me een kop warme koffie van de koffiezaak aan terwijl hij op het bankje gaat zitten en zijn benen met de vintage zwarte leren Doc Martens op de reling voor ons legt. Hij draagt een verschoten spijkerbroek en een bruin leren jasje dat zo te zien minstens twintig jaar oud is, maar het staat hem ontzettend sexy. Roman zakt onderuit op het bankje terwijl een jogger met een gezicht rood van de kou langs rent. Roman slaat zijn arm om me heen.

'Wat leuk dat je belde,' zeg ik tegen hem.

'Door jouw schoenen en mijn gnocchi zie ik je half zo vaak niet als ik zou willen.'

Roman kwam naar me toe toen ik hem vertelde dat ik voor mijn koffiepauze naar de rivier ging. Hij wist meteen dat er iets aan de hand was toen ik naar het restaurant toe ging en hem hielp aubergines te snijden, en vandaag, toen we elkaar aan de lijn hadden, vertelde ik hem eindelijk over mijn vaders ziekte. Ik had het hem niet willen vertellen omdat bij een prille romance slecht nieuws nooit goed valt. Een van ons (hij dus) zou dan de hele tijd de andere (ik dus) op moeten monteren. Dat werkt toch niet?

Roman neemt een slok koffie. 'Wat is je vader voor iemand?'

Ik kijk uit over de rivier alsof het antwoord ergens aan de oever van Tenafly ligt. Na een tijdje zeg ik: 'Hij is als Toscaans leer.'

Roman lacht. 'Wat bedoel je daarmee?'

'Taai vanbuiten, maar zacht vanbinnen. Niet luxueus. Bestendig. Maar zeer veelzijdig. Net als ik. Als hij iets wil leren, is dat nooit op de gemakkelijke manier.'

'Geef eens een voorbeeld.' Roman trekt me naar zich toe, gedeeltelijk om warm te worden en gedeeltelijk omdat we niet van elkaar af kunnen blijven als we samen zijn.

'Papa werkte voor de plantsoenendienst in Queens en in de zomer van 1986 ging hij naar een bijeenkomst in de staat New York. Toen hij daar was, leerde hij een zekere Mary uit Pottsville in Pennsylvania kennen.'

'Meen je dat nou?'

'Vreselijk, hè? Pottsville! Mijn moeder had toch liever gehad dat hij rotzooide met een vrouw uit het chique Franklin Lakes of het buitengewoon gewilde Tuxedo Park, maar als echtgenote zijnde heb je het helaas niet voor het zeggen. Maar goed, mijn vader kwam dus terug na die bijeenkomst en alles ging een tijdje weer zijn gangetje, alleen liet hij opeens zijn snor staan en kocht hij contactlenzen. Ik was nog klein, maar ik weet nog dat ik naar hem keek en dacht: die snor lijkt wel een masker. Wat wil mijn vader verstoppen?'

'Hoe is je moeder erachter gekomen?'

'Ze kreeg een keer een anoniem telefoontje toen hij op het werk was. Toen ze had opgehangen werd ze krijtbleek, ze liep naar haar slaapkamer, deed de deur dicht en belde mijn oma. We waren dan wel jong, maar we wisten heel goed dat mijn moeder ons nooit slecht nieuws zou vertellen. Dus Tess, mijn oudste zus, luisterde stiekem mee op de andere telefoon. Toen mijn moeder op had gehangen, wist ze wat ze moest doen. Ze pakte rustig onze spullen in en trok met ons in bij mijn grootouders. Mijn moeder heeft nooit gezegd dat ze bij mijn vader was weggegaan. Ze verzon gewoon een verhaal dat het huis opnieuw bedraad moest worden en dat papa in Queens moet blijven om een oogje op de werklui te houden.'

'Dus iedereen deed alsof.'

'Precies. Mijn moeder zei tegen oma dat ze tijd nodig had om erover na te denken. Maar wij kinderen kregen nooit te horen wat er nu eigenlijk aan de hand was, dus we snapten er niets van.'

'Heeft je vader het ooit uitgelegd?'

'Hij kwam elke zondag naar ons toe om mee te eten, maar op de een of andere manier was mijn moeder dan altijd weg, met een of ander smoesje over een afspraak met een vriendin of zo. Nu weet ik dat ze er niet tegen kon om hem te zien. Ik kwam er onlangs achter dat ze altijd naar de film ging als papa kwam. Ze heeft die zomer *Flashdance* negen keer gezien. Ze heeft er een voorliefde voor een blote schouder bij truitjes aan overgehouden.'

'Ik kijk er zeer naar uit om haar te leren kennen,' zegt hij droog.

'Na een paar maanden ging mijn moeder voor een andere aanpak. Ze ontwikkelde een strategie om haar gezin te redden. Mijn vader is geobsedeerd door veiligheid in huis. Daar is hij altijd mee bezig. Hij kijkt voordat hij naar bed gaat elk raam en elke deur na. Mijn moeder was de avonturierster, mijn vader de verantwoordelijke. Mijn moeder wist dat hij nooit het veilige leventje van een vrouw en kinderen op zou geven voor de onbekende toekomst met maîtresse Mary in Pottsville.'

Ik neem een slok koffie en ga verder. 'Ze heeft het nooit over die relatie gehad. Nooit. Ze trok zichzelf gewoon terug uit mijn vaders wereld en liet hem ondergaan hoe het leven zonder haar was. Geloof me, als je mijn moeder kende en ze was opeens weg, dan zou je de energie die ze uitstraalt echt missen. Hij had haar heel veel pijn gedaan, maar ze wist dat als zij uit zijn leven zou stappen, hij zich weer zou herinneren waarom hij verliefd op haar was geworden.'

'Lukte het?'

'Nou en of. Ik was er getuige van dat mijn ouders opnieuw verliefd werden. Neem maar van mij aan dat ouders niet voor niets vóór ze kinderen krijgen romantisch zijn, het is echt niet om aan te zien. Ik kwam een keer thuis van school en toen zat mijn moeder bij mijn vader op schoot. En een keer betrapte ik ze zelfs toen ze in de keuken aan het vrijen waren. Mijn moeder was zo lief en zo gemakkelijk en aanwezig in de relatie dat mijn vader haar niet kon weerstaan. Van de ene op de andere dag was Mary uit Pottsville gewoon weer Mary uit Pottsville. Ze zou nooit Mike uit Manhattan worden.'

'Ik heb mijn ouders nooit romantisch met elkaar zien doen.'

'Wees blij. Je arme moeder was natuurlijk bekaf door het restaurant. Wie heeft er nu behoefte aan romantiek nadat je twaalf uur lang gehaktballen hebt gedraaid, visjes hebt gebakken en brood hebt staan kneden? Ik niet in elk geval.'

'En mijn moeder werkt nog steeds keihard in de keuken terwijl mijn vader in pak leuk doet met de gasten. Hij is een echte ouderwetse restauranteigenaar. Maar voor hen werkt het.'

'Weet je wat mijn grootmoeder zei toen mam weer terug was gegaan naar mijn vader?'

'Nou?'

'Ze zei: "Geef hem de ruimte, Mike." Met andere woorden: laat hem daar niet de rest van zijn leven voor boeten. Laat hem maar, vertrouw hem. En dat heeft mijn moeder gedaan.'

'Zal ik jou eens wat vertellen?' zegt Roman. 'Dat van de ruimte geven lijkt me wel wat.'

'Dat dacht ik wel.' Ik sla mijn armen om zijn nek. Tijdens de kus denk ik aan de vele keren dat ik in mijn eentje langs de kade heb gelopen en stelletjes op deze banken zag zoenen, en dan keek ik weg omdat ik me afvroeg of ik ooit ook iemand op een bewolkte dag zou hebben om te zoenen tijdens de koffiepauze. Nu heb ik iemand en ik vraag me af waar hij aan denkt.

'Ik ben bezig met een gemarineerde steak,' zegt hij terwijl hij opstaat.

Ik barst in lachen uit. Hij trekt me op van de bank. 'Waar moet je nu zo om lachen?'

'Ik moet wel een topzoener zijn als je ondertussen droomt van je marinade.'

Hij trekt me tegen zich aan en kust me weer. 'Je weet helemaal niet waar ik van droom,' zegt hij en hij pakt mijn hand. 'Kom mee, dan loop ik je terug naar je werk.'

'Heb ik iets gemist?' Ik hang mijn jas op in het halletje en ga de werkplaats in, waar druk ingepakt wordt. Oma stopt een stel zware zijden pumps in een van onze rood-wit gestreepte schoenendozen. June legt er rood-wit gestreept sitspapier over, doet het deksel op de doos en plakt ons logo erop, een gouden kroontje met ANGELINI SHOE COMPANY in eenvoudige belettering.

'Vijfenzeventig paar beige pumps voor Harlen Levine van Picardy Footwear in Milwaukee,' zegt June terwijl ze de doos in een krat zet. 'Ik kan nu wel een biertje gebruiken.'

'Autosuggestie.' Ik trek mijn werkschort aan.

'Het Palamara-meisje kan elk moment komen,' herinnert mijn

oma me. 'Jij moet haar maat nemen voor het patroon.'

'Goed.' Dat is voor het eerst. Mijn grootmoeder meet altijd op. Ik kijk naar June, die enthousiast haar duim naar me opsteekt.

Er wordt op de buitendeur geklopt. Er staat zo'n harde wind dat de toekomstige bruid zowat de zaak in wordt gewaaid als ik opendoe.

Rosaria is vijfentwintig, ze heeft een rond gezicht, zwarte ogen, een roze glimlachje en steil blond haar. Haar moeder heeft ooit haar trouwschoenen bij ons laten maken en nu zet Rosaria de traditie voort. 'Ik ben zo opgewonden.' Ze zoekt in haar tas. 'Dag, allemaal,' zegt ze zonder op te kijken. Dan haalt ze een tijdschriftartikel uit de tas dat aan een vel papier zit geniet waarop met de hand een bruidsjapon staat geschetst.

'Dit is de jurk. Ik heb een Amsale nagetekend.'

'Mooi, hoor.' Mijn oma geeft de schets en het artikel aan mij. 'Valentina gaat de schoenen voor je maken.'

'Fantastisch.' Rosaria glimlacht. Op de tekening is een eenvoudige zijden japon te zien met een verhoogde taille, een boothals en kapmouwtjes. 'Wat vind je ervan?'

'Rechtstreeks uit *Camelot*,' zeg ik tegen haar. 'Heb je die film wel eens gezien?'

Ze schudt haar hoofd van nee.

'Kijk je nooit met je grootmoeder naar oude films?'

'Nee.'

June lacht. '*Camelot* is geen oude film.'

'Voor hen wel. Hij is al veertig jaar oud,' zegt oma die nog steeds schoenen inpakt.

'Je gaat in juli trouwen. Wat dacht je van een open schoentje?'

'Dat lijkt me hartstikke leuk.'

Ik pak een modellenboek van het bureau om haar wat variaties op het Lola-ontwerp te laten zien. Ze slaakt een gilletje en wijst naar een gestroomlijnd linnen open schoentje met roze voering en gekruiste bandjes. 'O, die wil ik!' zegt ze.

'Dan krijg je die. Trek je schoenen uit, dan ga ik je even opmeten.'

Rosaria gaat zitten op een kruk en trekt haar schoenen en sokken uit. Ik pak twee voorgeknipte stukken overtrekpapier van de plank en schrijf op beide vellen haar naam in de rechterbovenhoek. Ik leg ze voor Rosaria op de grond en laat haar er dan op staan. Dan trek ik met een potlood de omtrek van haar rechtervoet en zet streepjes tussen elke teen. Dat doe ik ook voor de linker. Ze gaat van de stukken papier af. Ik knip twee stukken van het rol touw op mijn bureau en meet de lengte van haar bovenvoet op voor de neus. Dat doe ik ook voor het enkelbandje. Ik zet een streepje op het touw en stop het in een envelop met haar naam erop. 'Goed, nu wordt het leuk.' Ik trek voor Rosaria de kast met versieringen open. Ze kijkt naar de planken met doorzichtige plastic dozen als een klein meisje dat een schatkist vol sieraden heeft ontdekt en kan pakken wat ze wil.

We zijn erg trots op de onderdelen waarvan wij onze schoenen maken. Mijn oma gaat elk jaar naar Italië om voorraad in te slaan. Als je kookt heb je de beste ingrediënten nodig, en dat gaat ook op bij het schoenen maken. Weelderige stoffen, prachtig leer en met de hand gemaakte versieringen maken het helemaal af en verraden je exclusiviteit. Bij mijn grootmoeder speelt loyaliteit ook een grote rol. Ze betrekt leer en suède van de famlilie Vechiarelli uit Arezzo in Italië, de afstammelingen van dezelfde leerlooier die mijn overgrootvader in dienst had.

De meeste schoenlappers komen van een boerderij. De Angelini's waren oorspronkelijk boeren en vervolgens slagers. Slagers rolden weer vaak in de leerlooierij omdat het meer winst opleverde om gelooid leer te verkopen dan alleen de huiden. Mijn overgrootvader maakte precies op het juiste moment de overstap van slager naar schoenmaker.

In het begin van de twintigste eeuw was er een beweging waarin in Italië handwerklui (schoenlappers, sieradenmakers, kleermakers, pottenbakkers, zilver- en goudsmeden, glasblazers) jonge mannen die wanhopig op zoek waren naar werk de kneepjes van hun vak leerden. De leermeesters gingen naar dorpjes toe en gaven daar les. Het is in Italië altijd al zo geweest dat jongens bij iemand in de leer gingen, maar deze bepaalde beweging had ook een politieke achtergrond en was ontstaan uit de behoefte om na de oorlog de Italianen uit de armoede te verheffen. De beweging spreidde zich uit, en dus ook de hoeveelheid met de hand gemaakte producten, waarvan er vandaag de dag zelfs nog een paar van over zijn. Voor de families die samen zo'n opleiding volgden en hun eigen zaak openden, betekende dat het begin van een eigen merk.

Mijn oma koopt het leer voor onze schoenen in Arezzo, en de spijkertjes en linten van La Mondiale, de oudste schoenlapperleverancier in Italië. Voor de versieringen gaat ze naar Napels, waar ze werkt met een jong creatief team, Carolina en Elisabetta D'Amico, die zelfgemaakte versierselen voor schoenen vervaardigen. Mijn grootmoeder geeft ze ruwe schetsen van wat ze wil en daarnaast koopt ze ook nog spulletjes uit hun uitgebreide voorraad. De D'Amico's maken gespen en accessoires ingelegd met glinsterende kristallen, spierwitte rijnsteentjes, schitterende namaaksmaragden, -robijnen en -cabochons. Hun nepsieraden zijn zo mooi dat we hen *Verdura* voor de voeten noemen omdat je bijna niet kunt zien dat ze niet echt zijn.

We hebben ook een grote collectie met de hand gemaakte ornamenten van textiel, waaronder fluwelen strikjes die zo klein zijn dat we ze met een pincet op de dunne leren bandjes plaatsen om vast te naaien. We hebben ook zijden bloemen als versiering: grote lelies van ruwe zijde, onschuldige madeliefjes van organza en tule, en zijden roosjes in alle mogelijke kleurcombinaties, van robijnrood tot donkerpaars, met mosgroene fluwelen blaadjes ertussen. Verder hebben we allemaal verschillende kleine cijfers en letters, gemaakt van goud-, zilver- en koperkleurig leer, die we vaak aan de binnenkant van de schoen naaien. Voor het nageslacht naaien we ook wel eens de initialen van het bruidspaar of de huwelijksdatum erin.

Rosaria kijkt vol bewondering naar de plastic dozen met roosjes. Ze pakt eerst de blauwe rozen, omdat haar bruidsmeisjes die kleur dragen. Ze vindt de heldere kristallen op de satijnen linten erg mooi, maar toch iets te veel bling-bling naar haar smaak. Na veel wikken en wegen gaat ze voor de ivoorkleurige roosjes. Dan belt ze haar moeder op voor bijval.

Ik geef de tekeningen van Rosaria's voeten aan June, die ze in haar bakje legt. Daarna pak ik een indexkaartje uit mijn la en maak wat aantekeningen. Ik zet alle maten van Rosaria's voeten erop, en niet dan de staaltjes en het nummer van de roosjes eraan. Dan niet ik ook de envelop met de afmetingen van de bandjes aan het kaartje terwijl Rosaria haar moeder enthousiast op de hoogte brengt. Ze is net zo opgewonden over haar schoenen als over haar jurk. Rosaria verbreekt de verbinding en wendt zich tot mijn oma. 'Ik ben er erg trots op dat ik de traditie voort kan zetten.'

'Wanneer heb je de laatste pasronde voor de jurk?' vraag ik.

'Op 10 mei, bij Frances Spencer in de Bronx.'

'Die ken ik wel. Ze kan hier in de buurt als beste japonnen namaken. Ik kom er wel met de schoenen naartoe zodat ze de zoom kunnen maken als je de schoenen aanhebt.'

'Fijn, dank je.' Rosaria omhelst me, pakt haar tas en gaat weg.

Ik noteer Rosaria's pasdatum op het kaartje en maak de doos met indexkaartjes open op mijn bureau.

'Rosaria krijgt die schoenen gratis van mij,' zegt oma, zonder van haar werk op te kijken. 'Je hoeft dus geen rekening op te maken.'

'Goed.' Ik zet het op het kaartje. Niet zo slim om in deze tijd schoenen gratis weg te geven. 'Weet je het zeker?'

'Ja.' Mijn grootmoeder verpakt een paar schoenen in watten.

'Weet je, nu Alfred de boekhouding nakijkt…'

'Dat weet ik. Maar dit is Alfreds zaak niet, hij is van mij.'

June kijkt me aan en trekt haar wenkbrauw op alsof ze wil zeggen: ga er maar niet tegenin.

Ik schrijf de bestelling op. Op het mededelingenbord hangt een kaartje in oma's handschrift. Er staat op: 'Afspraak met Rhedd Lewis, op 5 december in Bergdorf, 10 uur. v. gaat mee.'

'Oma, wat is dit?'

'Weet je die kostuumontwerpster nog van die film? Debra McGuire? Nou, ze mag dan wel wat stekelig hebben gedaan, maar ze vond onze schoenen prima. Dus heeft ze ons bij Rhedd Lewis van Bergdorf aanbevolen, en die wil ons een keer spreken.'

'Zei ze ook waarom?' Ik kan mijn enthousiasme bijna niet bedwingen.

'Nee. Misschien gaat ze wel trouwen en heeft ze schoenen nodig.'

'Of misschien wil ze onze schoenen in de winkel hebben!' Mijn hoofd slaat op hol als ik eraan denk dat we de chicste kledingzaak in New York van onze schoenen zouden voorzien. Dit is nu precies de doorbraak waar Bret het over had. We hebben de grote jongens nodig om ons merk bekendheid te geven. 'Kun je het je voorstellen? Onze schoenen in Bergdorf?'

'Nee, liever niet.' June zet haar handen in haar zij en wendt zich tot mijn grootmoeder. 'Weet je nog dat je man schoenen in Bonwit Teller had gezet? Het was een ramp. We hebben toen bijna niets verkocht. We kregen te horen dat de bruidjes nadat ze al een vermogen aan de japon kwijt waren niet ook nog eens geld aan hun schoenen wilden uitgeven.'

'Daarom willen we niets meer met kledingzaken te maken hebben,' geeft mijn oma toe. 'Dat was de eerste en de laatste keer dat we wilden uitbreiden.'

'Misschien dat het dit keer anders is. Kijk maar eens in die modebladen. Een beetje shopper geeft zonder met haar ogen te knipperen tweeduizend dollar aan een tasje uit. Dan zijn onze schoenen nog een koopje. Misschien maken we wel een kansje.'

'Maar we kunnen natuurlijk gewoon naar het gesprek gaan, kijken wat ze wil, en dan in de koffiehoek van Bergdorf lekker een omelet bestellen,' zei June, praktisch als altijd, terwijl ze met de schaar een paar zolen uit het patroonpapier knipt. June kijkt me aan en glimlacht me bemoedigend toe, maar ze werkt hier al lang genoeg om te weten dat het hoogst onwaarschijnlijk is dat mijn grootmoeder iets zal veranderen aan de manier waarop zij de zaak leidt, ook als dat inhoudt dat ze de hele winkel moet sluiten.

'Oma, ik vind dat we onze mogelijkheden bij dat gesprek open moeten houden. Oké?'

Ze zegt niets terug want op dat moment parkeert een lange zwarte limousine voor de zaak. Het lijkt wel alsof hij vanaf de hoek helemaal tot aan de deur van het Richard Meier-gebouw komt. Terwijl hij inparkeert, zie ik dat er BUILDBIZ op het kentekenbord staat.

Een man in een keurig blauw pak en een rode das stapt uit en achter hem aan komt mijn broer. De wind waait de zijden dassen de lucht in alsof het vliegers zijn terwijl zij naar onze deur lopen.

'Wat doet Alfred nou hier?' vraag ik.

'Hij belde me toen jij met Roman weg was. Hij wou een taxateur het pand laten zien.'

Ik kijk June aan. Onze blikken ontmoeten elkaar, maar zij kijkt snel weg.

'Dag, dames,' zegt Alfred die de zaak in loopt. Hij gaat naar oma toe en geeft haar een kus op haar wang. Oma glimt van trots als Alfred zich tot de man wendt en haar voorstelt. 'Dit is mijn grootmoeder Teodora Angelini. Oma, dit is Scott Hatcher, de taxateur over wie ik het had. We hebben samen op Cornell gezeten.'

Oma drukt hem de hand. Alfred zet zijn handen in zijn zij en kijkt om zich heen alsof June en ik er helemaal niet zijn. Het is mij een raadsel hoe mijn broer zich zo goed kan aanpassen. Thuis is hij een chagrijn, maar op het werk moet hij een goede uitstraling hebben, en dus is hij een toffe peer.

De taxateur is ongeveer een meter drieëntachtig lang, een verbeterde versie van prins Albert van Monaco, met een volle bos haar. Zijn ogen zijn groot en groen, en hij heeft de hartelijke eeuwige glimlach van een verkoper.

'We kijken even rond, oma.' Alfred trakteert haar op zijn zakelijke nepglimlach.

'Ga je gang,' zegt ze.

'We gaan eerst naar het dak.' Alfred gaat Scott voor op de trap.

Ik neem plaats op mijn kruk. 'Kijk eens aan, de dag waarop ik zo tegenop zag is aangebroken.'

'Niet zo somber,' zegt oma zachtjes.

'Moet ik blij zijn, dan?' Ik pak de veters voor mijn laars op en loop ermee naar de strijkplank. Ik zet het strijkijzer aan en steek mijn handen diep in mijn zakken terwijl ik sta te wachten tot hij warm genoeg is.

June legt haar schaar neer en zegt: 'Ik heb trek in koffie. Willen jullie ook?'

'Nee, dank je,' zeg ik tegen haar.

June trekt haar jas aan en gaat snel naar buiten.

'June voelt dat er een ruzie aan zit te komen,' zegt mijn grootmoeder rustig.

'Ik wil geen ruzie met jou. Ik wil alleen dat je je best doet.'

'Bergdorf zal ons niet uit de problemen halen. Het enige wat ik zeker weet is dat er in de zakenwereld geen wonderbaarlijke oplossingen zijn. Het is net bergbeklimmen: één stap tegelijk.'

Mijn oma's woorden schieten me in het verkeerde keelgat. Ik ben woedend. 'Je weet niet eens waar het gesprek over zal gaan. Dat je heb je niet gevraagd. Waarom hang je niet meteen een bordje "Gesloten" aan de deur en geef je het op?'

'Hoor eens, ik heb van alles geprobeerd met deze zaak. Dit is niet de eerste keer dat we op het punt van sluiten staan. Je grootvader en ik waren het bedrijf bijna kwijt toen zijn vader in 1950 overleed. Maar we hebben doorgezet. We hebben de jaren zestig overleefd toen onze omzet tot onder het nulpunt daalde omdat hippiebruiden blootsvoets trouwden. We hebben de jaren zeventig overleefd toen er steeds meer overzees werd gefabriceerd, en we leefden weer op in de jaren tachtig toen in de nasleep van prinses Diana iedereen een formele trouwerij wilde met op maat gemaakte japon en schoenen. We hebben de zaak uit de schulden gekregen en in de winst, en ik heb het flatje ontworpen om zo het marktaandeel te behouden dat we aan Capezio dreigden kwijt te raken.' Ze gaat harder praten. 'Dus ga jij me nu niet vertellen dat ik het opgeef. Ik heb gevochten en gevochten en gevochten. En nu ben ik moe.'

'Oké, ik snap het!'

'Nee, je snapt het niet. Pas als je hier vijftig jaar lang elke dag hebt gewerkt, kun je misschien een beetje snappen hoe ik me nu voel!'

Ik ga ook harder praten en zeg: 'Laat mij dan de zaak kopen.'

'Waarmee?' Mijn oma gooit haar handen in de lucht. 'Ik betaal je salaris. Ik weet hoeveel je verdient!'

'Ik verzin wel wat!' roep ik.

'Wat dan?'

'Daar heb ik even tijd voor nodig.'

'Maar we hebben geen tijd!' werpt oma tegen.

'Als je me nu eens dezelfde dienst bewijst als je je kleinzoon hebt gedaan en me de tijd geeft om voor welk bod hij dan ook aan komt zetten een tegenbod te doen.'

Alfred loopt de zaak in. 'Wat er is verdorie aan de hand?' valt hij uit terwijl hij naar de hal gebaart waar Hatcher de trap staat te bekijken.

'Ik wil de zaak en het pand overnemen,' zeg ik tegen mijn broer.

Hij lacht.

Zijn wrede lachje snijdt me dwars door mijn ziel en ondermijnt, zoals mijn hele leven al het geval is, mijn zelfvertrouwen volledig. Dan zegt hij: 'Waarmee? Vergeet het maar!' Hij wappert om zich heen alsof hij de Angelini Shoe Company en Perry Street 166 al in zijn bezit heeft. 'Hoe kun je je in hemelsnaam dit alles veroorloven?

Je hebt niet eens genoeg geld voor het strijkijzer.'

Ik doe mijn ogen dicht en vecht tegen de tranen. Ik wil niet waar mijn broer bij is in huilen uitbarsten. Echt niet. Ik doe mijn ogen weer open. In plaats van toe te geven, zoals ik altijd heb gedaan, zeg ik zo laag en vastberaden mogelijk: 'Daar ben ik mee bezig.'

Scott Hatcher komt in de deuropening staan, steekt zijn handen in zijn zak en kijkt naar mijn grootmoeder. 'Ik wil u een bod doen. Contant. Ik wil graag Perry Street 166 van u kopen, mevrouw Angelini.'

Ik trek mijn wollen muts stevig over mijn oren, die pijn doen van de kou. Terwijl ik op deze dinsdagavond door Little Italy wandel zijn de straten verlaten en de met lichtjes versierde boom op Grand Street lijkt wel de laatste tentpaal die gestreken moet worden voordat het rondreizende circus weer verder trekt. Ik loop Mott Street in. Daar ga ik bij Ca' d'Oro naar binnen. Het restaurant zit zo'n beetje voor de helft vol. Ik zwaai naar Celeste die achter de bar staat en loop door naar de keuken.

'Hoi,' zeg ik vanuit de deuropening.

Roman legt ter versiering een takje verse peterselie op twee osso bucco's. De ober pakt de borden op en loopt langs me heen naar de eetzaal. Roman glimlacht, komt naar me toe en geeft me een zoen op mijn wangen voordat hij mijn muts van mijn hoofd trekt. 'Je bent ijskoud.'

'Het zal nog veel erger worden als ik werkloos en dakloos ben.'

'Wat is er gebeurd?'

'Mijn grootmoeder heeft een bod op het pand gekregen.'

'Wil je voor mij komen werken?'

'Mijn gnocchi smaakt naar klei en mijn kalfsvlees is veel te taai.'

'Dan trek ik mijn aanbod in.'

'Hoe doe je het, Romano? Hoe kun je een pand kopen?'

'Met de hulp van een bankier.'

'Heb ik: mijn ex-vriend.'

'Hopelijk heb je hem netjes gedumpt.'

'Zeker wel. Ik hou niet van dat theatrale gedoe in mijn privéleven. En dat is maar goed ook, want er is al genoeg theatraal gedoe in mijn werk.'

'Wat vindt je grootmoeder ervan?'

'Weet ik niet. Ze heeft het bod aangehoord, hield op met werken, liep naar boven, kleedde zich om en ging naar het theater.'

'Heeft ze die vent gezegd dat ze het pand aan hem zou verkopen?'

'Nee.'

'Misschien wil ze het dan ook niet.'

'Jij kent mijn grootmoeder niet. Die houdt niet van gokken. Zij gaat voor zekerheid.'

Romano kust me. Mijn gezicht wordt door zijn aanraking weer warm, alsof de zon op deze ijskoude avond even schijnt. De achterdeur is open, er staat een groot blik tomatenpulp tegenaan, en ik voel de tocht. Ik sla mijn armen om Romano heen.

'Is het je opgevallen dat ik je alleen nog maar slecht nieuws heb gebracht sinds we met elkaar uitgaan? Mijn vader heeft kanker en ik heb zakelijke problemen.'

'Wat heeft dat nou met ons te maken?'

'Je hebt niet het idee dat ik slecht nieuws beteken?'

'Nee.'

'Ik verwacht al helemaal dat jij ook slecht nieuws voor me hebt. Zeg het maar. Je bent misschien wel getrouwd en hebt zeven bloedjes van kinderen in Tenafly.'

Hij lacht. 'Nee, hoor.'

'Hopelijk let je wel op bij het oversteken.'

'Ik kijk altijd goed uit.'

De ober komt de keuken in. 'Tafel twee. Truffelravioli.' Hij kijkt dwars door me heen en werpt dan ongeduldig een blik op zijn baas.

'Ik ga maar weer,' zeg ik en ik zet een stap naar achteren.

'Nee, nee, ga lekker zitten terwijl ik aan het werk ben.'

Ik kijk rond in de keuken. 'Ik kan heel goed afwassen.'

'Nou, ga je gang.' Hij grijnst en loopt terug naar het fornuis. Ik trek mijn jas uit en hang die op. Ik pak een schoon schort dat aan de deur hangt en trek het aan. 'Misschien vind ik jou zelfs wel leuker dan Bruna,' zegt hij.

Ik zie mijn weerspiegeling in de roestvrijstalen koelkast, en voor het eerst deze dag breekt er een glimlach door.

6

Het Carlyle Hotel

Mijn grootmoeder en ik zijn stipt op tijd voor onze afspraak met Rhedd Lewis in het Bergdorf Goodman. Oma stapt uit de taxi en wacht voor me op de hoek terwijl ik met de chauffeur afreken. Ik schuif over de bank en loop naar haar toe op de hoek van Fifty-eighth Street en Fifth Avenue.

Mijn grootmoeder heeft een eenvoudig zwart broekpak aan en om haar nek een dikke gouden ketting met een chique grote hanger van een stralende zon. De zoom van haar broek valt op de bovenkant van haar met goud afgezette zwarte pumps. Ze houdt haar zwarte leren schoudertas tegen zich aan. Ze staat kaarsrecht als de paspop die achter haar in een Christian Lacroix visgraat jas in de etalage van de winkel staat.

Het Bergdorf is een statig gebouw; het was ooit een woonhuis, gebouwd in de jaren twintig van de twintigste eeuw, opgetrokken uit zachtgrijs zandsteen en voorzien van glas-in-loodramen. Het was een van de herenhuizen die de familie Vanderbilt in Manhattan heeft laten bouwen. Dit hoekpand is een van de mooiste in heel New York, met in het noorden uitzicht op het grote plein van het Plaza Hotel, en in het oosten Fifth Avenue.

Oma glimlacht naar me, haar helderrode lippenstift is perfect opgebracht. 'Mooi pak.'

Ik heb een kort jasje aan van blauwe zijde en wol met een wijde kraag en een bijpassende broek met wijde pijpen van b michael. Ik heb voor zijn moeder een paar schoenen ontworpen, en dit pak was de betaling ervoor. 'Je ziet er prachtig uit, oma.'

We gaan door de draaideur aan de zijkant de winkel in. Dit gedeelte van de zaak lijkt op een serre behalve dan dat de toonbanken niet vol staan met exotische planten maar met designer handtassen. De lichthouten parketvloer wordt verlicht door een kroonluchter met honingkleurige geslepen lampjes. Mijn grootmoeder en ik lopen naar de lift voor onze afspraak. Ik ben vol goede moed, en mijn oma heeft haar best gedaan me voor te bereiden op een teleurstelling.

We stappen op de achtste etage de lift uit. Het is er erg rustig, zelfs de telefoon rinkelt heel zachtjes. Hier is niets te merken van de winkeldrukte onder ons, het lijkt zelfs wel alsof we in een chic appartementenblok zijn aan Upper East Side in plaats van in een kantoorpand. De smaakvolle inrichting is uitgevoerd in neutrale tinten, met hier en daar in de meubels en kunstwerken een kleuraccent.

Ik meld me bij de receptioniste. Ze verzoekt ons op een bankje, bekleed met appelgroene moiré en afgezet met een marineblauwe bies, even te wachten. De moderne salontafel is rond, laag en van perspex. De Bergdorf-catalogus voor de winter ligt erop, met feestkleding op de omslag. Ik wil er net een pakken om erin te bladeren als er een jonge vrouw in de deuropening opduikt. 'Mevrouw Lewis kan u nu ontvangen. Komt u maar met me mee.'

De jonge vrouw gaat ons voor naar Rhedd Lewis' kantoor, dat vaag naar groene thee en roze pioenen ruikt. Het bureau is een groot, eenvoudig, modern rechthoekig blad, bekleed met turquoise leer. Het sisaltapijt geeft de kamer de aanblik van een Griekse villa. De gelakte bamboe bureaustoel is vrij. Mijn oma en ik gaan op de Fornasetti-stoelen zitten, twee ranke moderne tronen met karamelbruine kussens. Mijn grootmoeder wijst naar het park buiten. 'Wat een uitzicht.'

Ik sta op. Alle bladeren zijn van de bomen gevallen en de kale boomtoppen in Central Park lijken wel een eindeloze rij grijze krabbels van Cy Twombly.

'Wat moet het heerlijk zijn geweest om in dit prachtige pand te wonen,' zegt een zware vrouwenstem achter ons. Ik draai me om en zie Rhedd Lewis in de deuropening staan. Ik herken haar omdat ik haar heb opgezocht op Wikipedia. Ze is lang en slank, heeft een rode, rechte broek aan met een zwarte kasjmier tuniek en een ketting die ik alleen maar kan beschrijven als een macramé plantenhanger uit de jaren zeventig. Maar op de een of andere manier staat alles heel goed bij elkaar. Ze heeft klassieke zwarte leren schoenen aan van Capezio. Ze loopt bijna op haar tenen naar haar bureau toe.

Rhedd Lewis is van mijn moeders leeftijd en haar kaarsrechte gestalte en de manier waarop ze loopt verraadt dat ze vroeger danseres is geweest. Haar korte honingblonde haar is in laagjes geknipt en ze heeft een lange pony die als een gordijn over haar wenkbrauwen hangt. 'Fijn dat jullie helemaal hiernaartoe zijn gekomen.' Ze glimlacht en steekt haar hand naar oma uit. 'Ik ben Rhedd Lewis.'

'Ik ben Teodora Angelini en dit is mijn partner Valentina Roncalli,' zegt mijn oma. 'En ze is ook mijn kleindochter.'

Ik onderdruk mijn blijdschap dat mijn oma me haar partner noemt (het is de eerste keer dat ze dat heeft gezegd!) en steek mijn hand naar Rhedd uit alsof ik haar een flyer wil toestoppen over een meubeluitverkoop in East Village.

'Ik ben dol op familiebedrijven. En al helemaal als een jonge vrouw het stokje overneemt. De beste ontwerpers zijn geboren met hun talent. Maar niet doorvertellen dat ik dat gezegd heb, hoor.'

'Wij kunnen wel een geheim bewaren,' zeg ik.

'Dan heb ik nog een geheimpje voor jullie. Als het op vakmanschap aangaat, zijn Italianen niet te verslaan.'

'Helemaal mee eens,' zegt mijn oma.

'Vertel eens wat meer over jullie bedrijf.' Rhedd staat tegen haar bureau aan, en slaat haar armen over elkaar, als een lerares die de klas een moeilijke som heeft gegeven.

'Ik ben een ouderwetse schoenlapper, mevrouw Lewis. Ik vertrouw op het oude vakmanschap. Mijn echtgenoot heeft me geleerd hoe ik schoenen moet maken en hij had het weer van zijn vader geleerd. Ik maak al ruim vijftig jaar trouwschoenen.'

'Hoe ziet uw lijn eruit?'

'Elegant en eenvoudig. Ik ben in december 1928 geboren en mijn werk wordt beïnvloed door de periode waarin ik ben opgegroeid. Wat design betreft hou ik erg van de traditionele trendsetters. Ik vind Claire McCardell erg goed. Ik bewonder het grillige werk van Jacques Fath. Toen ik hier in de stad opgroeide, ging ik met mijn moeder naar de salons van ontwerpers als Hattie Carnegie en Nettie Rosenstein.

Het was zo fantastisch om ze te ontmoeten. Ik ben dan wel geen hoedenmaakster of kledingontwerpster geworden, maar wat ik bij hen heb gezien, kon ik goed gebruiken toen ik schoenen ging maken. De lijn, de afmetingen, het draagcomfort, door dat soort dingen word je pas een kunstenaar als het om het maken van kleding gaat.'

'Dat ben ik met u eens,' zegt Rhedd die aandachtig had toegeluisterd. 'Wat vindt u nu mooi?'

Mijn grootmoeder knikt. 'Wat schoenen betreft staat de Ferragamo-familie bovenaan. Alles wat ze doen is gewoon goed.'

'En waar haalt u uw inspiratie vandaan?' Rhedd trekt de ketting goed.

'O, eh... van mijn meiden.' Oma glimlacht.

'Welke meiden?'

'Nou, Jacqueline Kennedy, Audrey Hepburn en Grace Kelly.'

'Eenvoudig en stijlvol,' beaamt Rhedd.

'Precies,' zegt mijn grootmoeder.

Als oma het over cultuur heeft, dan verwijst ze naar haar heilige drie-eenheid voor vrouwen van een bepaalde leeftijd: de presidentsvrouw, de filmster en de prinses. Omdat ze rond dezelfde periode als oma zijn geboren, gaven ze, hoewel hun leven niet op dat van haar leek, toch richting aan haar werk. Jaqueline Kennedy was een en al scherp gesneden prachtige stoffen; Audrey Hepburn had een jongensfiguurtje, haar stijl werd beïnvloed door de danswereld, maar haar uitgaanskleding was geborduurd en met kraaltjes bezet. Grace Kelly was de koele klassieke schoonheid die handschoenen, hoedjes, jurken met een A-lijn en tweedjassen droeg.

Mijn grootmoeder legt uit dat haar muzen mode droegen en dat de mode niet hen droeg. Oma is er voorstander van dat een vrouw haar garderobe met beleid samenstelt. Zij vindt dat je een prachtige jas moet hebben, een fantastisch paar avondschoenen, en een paar voor overdag. Ze snapt de vrouwen van mijn leeftijd niet die maar blijven winkelen, want mijn oma vindt kwaliteit belangrijker dan kwantiteit. Maar op een bepaalde manier lijkt mijn generatie veel meer op die van haar dan ze beseft.

Mijn oma's tijdgenoten zijn geboren tegen het einde van de jazz age. Ze hadden een aangeboren vertrouwen in hun kunnen dat mijn moeders generatie niet had. Ook al waren de vrouwen uit mijn moeders tijd felle feministen, toch had mijn oma's groep voor hen het pad op de werkvloer geëffend; hoewel ze natuurlijk beweerden dat ze wel moesten. In mijn oma's tijd werkten de jonge vrouwen in fabrieken, bedrijven en winkels terwijl de mannen in de Tweede Wereldoorlog vochten. De baantjes die ze tijdens de oorlog hadden gingen weer naar de mannen toe toen die terugkeerden. Oma beweert dat op die manier de vrouwen weer in de jaren vijftig aan het aanrecht belandden. Zij ging ook weer de keuken in, maar dan wel na een lange dag werken in de schoenenzaak. Mijn grootmoeder was al een werkende moeder voordat die uitdrukking bestond. In haar tijd zeiden ze dat ze 'haar echtgenoot hielp', maar we weten maar al te goed dat ze in wezen zijn partner was.

Rhedd loopt om haar bureau heen, gaat zitten en buigt zich naar voren. Ze verschuift de Tiffany-klok en de porseleinen pennenbeker. Haar monitor zit in de muur naast haar bureau ingebouwd. De screensaver is een zwart-witfoto uit de jaren vijftig van het bekende model Lisa Fonssagrives die in een japon in de new look op de kruising waar mijn oma en ik een paar minuten geleden uit de taxi stapten een sigaret staat te roken.

'Dames, mijn goede vriendin Debra McGuire vertelde me over u. Debra heeft er oog voor. Ze heeft me het paar schoenen laten zien dat u haar voor de film hebt geschonken en ik was diep onder de indruk.'

'Dank u,' zeggen mijn oma en ik in koor.

'En ik kreeg opeens een inval.' Rhedd staat op en loopt naar een theewagen onder het raam. Ze schenkt een glas water voor zichzelf in en dan nog twee glazen, een voor mij en een voor mijn grootmoeder. Ze overhandigt ons ieder een glas en zegt: 'Wij werken een jaar van tevoren al aan de kerstcollectie. En toen ik die schoenen zag, kreeg ik opeens een idee voor de etalage van 2008. Ik wil bruidjes doen. En een Russisch thema.'

'Oké.' Oma denkt even na. 'Fluweel, laarzen, kalfsleer, schaapsvacht.'

'Zou kunnen. Ik dacht meer aan een exclusieve sprookjesschoen, iets wat alleen bij mij in de etalage zou staan.'

'Interessant,' zegt mijn grootmoeder, maar ik hoor de sceptische ondertoon. 'Maar u moet wel weten dat we met onze eigen ontwerpen werken…'

'Oma, elk paar schoenen dat we maken is op maat,' val ik haar in de rede en ik kijk naar Rhedd. 'We hebben wel vaker aparte dingen gemaakt, zoals een paar rijlaarsjes van wit kalfsleer en zwart lakleer voor een bruid en bruidegom die op een paardenboerderij in Virginia trouwden.'

'Dat is zo,' geeft oma toe. 'En we hebben een paar muiltjes in vuurrood satijn gemaakt voor een bruidje in Lower East Side dat met een brandweerman trouwde.'

'En dan was er nog de bruid die met een Fransman het huwelijksbootje in stapte en voor wie we een Madame de Pompadour-pump creëerden met grote zijden strikken.'

'Eerlijk gezegd,' zegt Rhedd, 'heb ik niet veel succes gehad met kleine zaakjes zoals dat van u. Kleine bedrijven, exclusieve schoenmakers, blijven niet voor niets klein. Ze hebben hun eigen toko en voelen zich niet op hun gemak in een grotere onderneming. Ze hebben geen brede visie.'

'Dat hebben we wel,' stel ik haar gerust. Ik kijk niet naar mijn oma als ik het uitleg. Opeens komt de verkoopster in me naar boven. 'We weten dat we ons merk meer bekendheid moeten geven en we zijn nu aan het bekijken hoe ons dat in de huidige markt gaat lukken. We zien elke cliënt als een mogelijkheid om onze ontwerpen opnieuw te ontdekken. Maar, en dat moet u wel beseffen, we zijn erg trots op ons bedrijf. Onze schoenen zijn de mooist gemaakte ter wereld. Daar geloven we in.'

Rhedd kijkt naar de gesloten deur achter ons alsof ze verwacht dat er elk moment een goed idee binnen komt wandelen, maar gelukkig heeft ze het dit keer al gehoord. 'Daarom wil ik jullie een kans geven.'

'En dat stellen we zeer op prijs,' zeg ik tegen haar.

'Jullie en een paar andere schoenontwerpers krijgen de kans om mij te leveren wat ik wil.'

'Zijn er nog meer, dan?' Mijn oma zakt onderuit in haar stoel.

'Het is een wedstrijd. Ik heb met nog een paar andere ontwerpers afgesproken: een maatwinkel in Frankrijk en een paar bekende namen die op grotere schaal produceren.'

'Moeten we het tegen de grote jongens opnemen?' Ik neem een slok water.

'De allergrootste. Maar als jullie zo goed zijn als jij beweert,' – ze knijpt haar ogen tot spleetjes – 'dan moeten jullie het talent en het vakmanschip hebben om het te redden.

Mijn creative director zal een paar etalageontwerpen maken, voor de achtergrond. Dan zoek ik de bruidsjaponnen uit en uit die groep sturen we het ontwerp van een japon naar jullie en de andere ontwerpers toe. Jullie moeten ieder een paar schoenen ontwerpen en vervaardigen voor die japon. En dan maak ik uit welk paar het beste is en die ontwerper mag dan voor alle japonnen in de etalage de schoenen ontwerpen.'

De moed zakt me in de schoenen. Ik had gehoopt dat ze ons een echte opdracht zou geven, en snel ook. Maar ze is niet van gisteren en bemerkt mijn teleurstelling.

'Hoor eens, ik snap best dat dit tegenvalt, maar als jullie je beweringen waar kunnen maken, dan heb je net zoveel kans als de anderen om de opdracht binnen te slepen.'

'Dat is zo, mevrouw Lewis.' Ik sta op en geef haar een hand. Mijn oma komt ook overeind en geeft haar ook een hand. 'Bedankt voor de kans. We zullen u laten zien dat we het kunnen.'

Na ons gesprek met Rhedd Lewis stuurde ik oma in een taxi terug naar Perry Street en nam ik de stadsbus naar Sloan-Kettering naar mijn moeder. Ik verzond mijn zussen en Alfred een sms'je over het gesprek met Rhedd Lewis en legde ze uit over de wedstrijd. Tess zal voor ons bidden (en dat kunnen we goed gebruiken), Jaclyn zal ons ondersteunen en Alfred had ik het alleen maar gestuurd om aan te tonen dat ik wel degelijk een visie over de toekomst van de zaak heb. Ik stuur mijn moeder een afschrift en doe er fotootje bij van oma voor de winkel, want zij ziet graag plaatjes bij haar berichten.

De automatische deuren van het ziekenhuis glijden open als ik aan kom lopen. Eenmaal binnen zie ik mijn moeder op een bank bij het raam zitten met uitzicht op een goed bijgehouden zonnige tuin, terwijl ze driftig iets op haar BlackBerry aan het intikken is. Haar zonnebril staat als een tiara boven op haar hoofd, en ze is van top tot teen in zachtblauw gehuld, met een brede beige kasjmier omslagdoek als een vlag over haar borst.

'Hier ben ik, mam.'

'Valentina!' Ze komt overeind en omhelst me. 'Wat fijn dat je er bent.' Mijn moeder vond dat in plaats van dat we allemaal tegelijk bij elke afspraak die mijn vader heeft aanwezig zijn, we met een roulatie-schema zouden werken om het vol te kunnen houden. Natuurlijk is zij wel bij elke prik, steek en MRI aanwezig.

Mijn moeder heeft nooit last gehad van een burn-out en ze laat ook nooit iets vallen waar ze aan is begonnen. Ze heeft nooit bij de pakken neergezeten wat haar gezin betrof; ze was en is eeuwig vrolijk, of ze nu het haar van mij en mijn zusjes voor school vlocht of ons door de chaos van een vakantie leidde, of beton stortte voor een nieuw looppad, ze gaat er altijd helemaal voor. En nu is ze bezig om mijn vader weer beter te krijgen.

'Wat een leuke foto. Hoe ging het gesprek?'

'We doen mee aan een ontwerpwedstrijd voor een paar schoenen en als we winnen mogen we de kerstetalage van 2008 ontwerpen.'

'Fantastisch! Dat zou wat zijn!'

'Maar we moeten eerst nog winnen, mama. We zien wel hoe het gaat.' Mijn moeder staat er zelfs niet bij stil dat we wel eens zouden verliezen. De zoveelste reden dat ik van haar hou. 'En, hoe gaat het met pap?'

'O, vandaag zijn het weer die saaie tests. Na oma's verjaardag planten ze de zaadjes.'

Mijn moeder en ik gaan zitten. Ik leg automatisch mijn hoofd op haar schouder. Ze ruikt naar witte rozen en witte chocola. Haar cre-ool ligt op mijn wang bij het praten. 'Het komt allemaal weer in orde.'

'Weet ik,' zeg ik tegen haar. Maar eerlijk gezegd ben ik daar nog niet zeker van.

'We blijven positief en we bidden. Dan komt het goed.'

Wat heerlijk dat mijn moeder gelooft dat je kanker met een glim-lach en een weesgegroetje kunt genezen. Als ik in bed aan mijn vader en aan de toekomst lig te denken, dan denk ik aan zijn kleinkinderen en dat hij mijn kinderen op deze manier nooit leert kennen. Soms heb ik het vermoeden dat mijn moeder mijn gedachten kan lezen, want ze vraagt: 'Hoe zit het met die knul met wie je verkering hebt?'

Ik til mijn hoofd van haar schouder. 'Hij is lang.'

'Dat is mooi.' Mijn moeder knikt langzaam. Wat mannelijke eigenschappen betreft vindt mijn moeder lengte belangrijker dan veel geld en een volle bos haar. 'Knap?'

'Dat vind ik wel.'

'Prachtig hoor. Papa zegt dat hij kok is. En wat een verrukkelijke naam: Roman Falconi. Sexy.'

'Hij heeft een restaurant in Little Italy.'

'O, ik zou dolgraag een kok in de familie willen hebben. Misschien kan hij me wel leren hoe ik zo'n chic schuim kan maken zoals bij Per Se. Het stond in *Food and Wine*. Heerlijk toch, al die nieuwe dingen!'

'Hij weet er alles vanaf.'

'Wanneer krijgen wij hem te zien?' vraagt mijn moeder.

'Hij komt op oma's verjaardagsfeestje in het Carlyle.'

'Mooi. Neutraal terrein. Nou, wat ik je kan aanraden, is dat je het rustig aan moet doen. Ga het niet forceren.' Mijn moeder bijt op haar lip.

'Oké.'

'Ik hoop van harte dat je net zo gelukkig zult worden met hem als ik met Dutch ben. Je vader en ik zijn dol op elkaar, weet je.'

'Dat weet ik.'

'We hebben natuurlijk wel onze probleempjes gehad, ons huwelijksbootje heeft wat stormen en slecht weer doorstaan. Maar op de een of andere manier hebben we ons erdoorheen geslagen en zijn we veilig aan land gekomen. We moesten soms zelfs kruipen, maar het is ons gelukt.'

'Dat is zo.'

'We hebben doorgezet.'

'Zeker.'

'En zal ik jou eens wat vertellen? Daar gaat het ook om. Een groot filosoof heeft ooit gezegd dat liefde is wat je samen hebt meegemaakt of zoiets. Het is altijd moeilijk om moppen of wat een filosoof heeft gezegd precies te herinneren, maar zoiets was het.'

'Dat was James Thurber. De Amerikaanse humorist en auteur.'

Soms komt het feit dat ik Engels heb gestudeerd me van pas.

'Maakt het uit. Wat ik daarmee wil zeggen, is dat we ons er wel doorheen slaan.'

'Jij zeker, mam.'

'Je vader was geen heilige. Maar ik ben ook de Heilige Maria niet!'

'Volgens mij heb je daar te veel sieraden voor.'

'Dat is zo.' Ze moet lachen. 'Maar ik weet wel dat hij mij en jullie nooit verdriet heeft willen doen. Hij was gewoon even de richting kwijt. Mannen hebben hun eigen overgang als ze in de veertig zijn, en je vader dus ook.'

'Roman is eenenveertig.'

'Misschien heeft hij het vorig jaar gehad, voordat je hem leerde kennen,' zegt mijn moeder optimistisch.

'Dat is te hopen.'

Mama duikt in haar tas, en zodra die opengaat, komt je een walm van pepermunt en zoete jasmijn tegemoet. In het zakje voor de mobiel zit een lading parfumstrookjes van Estée Lauder. Dat is voor mijn moeder het goede leven: ze stopt papieren parfumstrookjes tussen de lingerie, avondtasjes, tassen en in de ventilator van de auto, waar je maar een lekker luchtje wilt hebben, en in haar geval is dat overal.

Tussen de folders over kanker vist ze een paar stukjes kauwgom verpakt in folie uit haar tas. Ze geeft er een aan mij en steekt er een in haar eigen mond. We zitten een tijdje te kauwen.

'Mam, hoe wist je dat je papa terug zou krijgen na… dat gedoe?'

'Daar heb ik niets voor gedaan.'

'Tuurlijk wel.'

'Nee, echt niet. Ik heb hem gewoon in zijn sop gaar laten koken. Mannen vinden het vreselijk om alleen gelaten te worden. Ik ken er geen een die daarmee om kan gaan. Kijk maar eens wat eenzaamheid met onze priesters heeft gedaan. Maar dat is natuurlijk een heel ander onderwerp.'

'Ik weet nog dat papa en jij weer verliefd op elkaar werden.'

'We hebben geluk gehad dat we elkaar weer vonden. Dat gebeurt niet vaak.'

'Hoe is het je gelukt?'

'Ik heb gedaan wat je als alleenstaand meisje nu eenmaal moet doen als je een man graag wilt. Het maakt niet uit dat ik vier kinderen had en een universiteitsbul waar ik niets mee deed. Ik moest weer aantrekkelijk worden. Dus elke keer dat hij me zag moest ik er op mijn best uitzien. Ik moest er weer achter zien te komen wat hij leuk vond. Ik veranderde onze wereld, inclusief ons huis en mijn garderobe. Maar bovenal moest ik oprecht zijn. Ik kon niet bij hem blijven vanwege jou of vanwege mijn moeder, of vanwege het geloof. Ik moest bij hem blijven omdat ik dat zelf wilde.'

'En wanneer wist je dat het je gelukt was?'

'Je vader kwam op een dag thuis met een zak boodschappen van D'Ags. Jullie zaten op school. Dat was een paar weken nadat we weer bij elkaar waren gekomen. Een bijzondere week. School was weer begonnen...'

'Dat was september 1986. Ik zat in groep 6.'

'Ja. Maar goed, hij komt dus de keuken in. En ik zit daar een of ander formulier voor een van jullie voor school in te vullen, en hij trekt de koelkast open en zet er eten in. En vervolgens steekt hij het gastoestel aan en zet een grote pan water op. Toen pakte hij een koekenpan en gaat koken. Hij snijdt uien, pelt knoflook, braadt vlees aan, voegt tomaten en kruiden en zo toe. Na een tijdje zei ik: "Dutch, waar ben je mee bezig?" Hij zegt: "Ik ben aan het koken. Lasagne leek me wel wat." En ik zeg: "Prima."'

'En toen wist je dat hij van je hield?'

'In de achttien jaar van ons huwelijk heeft hij geen een keer gekookt. Hij hielp me wel als ik erom vroeg. Hij sneed de meloen in stukjes voor de fruitsalade voor een buffet of hij deed ijs in de koelbox als we gingen picknicken, of hij kocht drank voor de feestdagen. Maar hij was nog nooit naar de winkel gegaan en boodschappen gehaald zonder dat aan mij te vragen. En koken moest ik doen. En zo wist ik dat ik hem had teruggewonnen. Hij was veranderd. Weet je, op zo'n moment weet je dat iemand van je houdt. Ze gaan na wat je nodig hebt en dan zorgen ze daarvoor, zonder dat ze het je moeten vragen.'

'Dat niet vragen is het moeilijkst.'

'Het moet vanuit je hart komen.'

'Inderdaad,' beaam ik.

Mijn moeder en ik kijken naar de mensen die door de gang lopen:

patiënten onderweg naar hun afspraak, verplegend personeel terug van hun pauze, en bezoekers die de liften in en uit stappen. De zon schijnt door de ramen in de hal en de tegelvloer wordt zo fel verlicht dat ik mijn ogen dicht moet doen.

'Ben je overstuur?' vraagt mijn moeder.

Ik doe mijn ogen weer open. 'Nee. Je bent een bron van wijsheid, mam.'

'Ik kan goed met jou praten, Valentina.' Ze speelt met de gouden sluiting van haar creool. 'Maar weet je…' En tot mijn verbazing begint ze zachtjes te snikken. 'Waarom moet ik verdorie nu huilen?' Ze steekt vertwijfeld haar handen in de lucht.

'Ben je bang?' vraag ik zacht.

'Nee, helemaal niet.' Mijn moeder rommelt in haar tas totdat ze het pakje zakdoekjes heeft gevonden. Ze trekt er een uit. 'Aan deze' – ze houdt het kleine doekje omhoog – 'heb je helemaal niets.' Ze dept haar ogen ermee. 'Ik hoop alleen maar dat het niet voor niets is geweest. We hebben al zo veel meegemaakt en hadden gehoopt dat we samen oud zouden worden. Maar nu is de tijd bijna om. Als we na al dat gedoe misschien geen tijd meer hebben, zou dat mijn dood worden. Alsof je als soldaat de oorlog in gaat, geweervuur en bommen en granaten overleeft, dan terugkeert uit de oorlog en uitglijdt op een bananenschil, je nek breekt en sterft.'

'Heb vertrouwen.'

'En dat zegt mijn minst gelovige kind.' Mijn moeder gaat rechtop zitten. 'Dat was geen verwijt, hoor.'

'Ik bedoel dat je op hem moet vertrouwen.'

'Op God?'

'Nee, op papa. Hij laat ons echt niet in de steek.'

Onze familie, net als alle Italiaans-Amerikaanse families, is dol op feestjes en we vieren dan ook verjaardagen en jubilea die op een nul of een vijf eindigen uitbundiger dan anders. We hebben er zelfs speciale benamingen voor: een vijfentwintigjarig feest is een zilveren jubileum, een dertigste verjaardag is *La Festa*, een vijftigjarig huwelijksfeest is een gouden jubileum en alles van vijfenzeventig is een wonder. Dus je kunt je voorstellen dat we dolblij zijn dat oma, die nog steeds goed gezond en zeer vitaal is, en ook lichamelijk nog in orde, behalve die knieën dan, en met een nog uitstekend werkend bovenkamertje, zoals zij dat zegt, haar tachtigste verjaardag viert.

Omdat de hele familie aanwezig zou zijn leek het mij de perfecte gelegenheid om iedereen met Roman kennis te laten maken. Ik weet dat ik daarmee een risico neem, maar wat mijn familie betreft heb ik geleerd dat ik het best een nieuwe vriend naar een drukke plek kan meenemen want dan heb ik minder kans op blunders, versprekingen of iemand die opeens met foto's aan komt zetten waar ik als vierjarige, op een paar engelvleugels na, poedelnaakt op sta.

We hadden mijn grootmoeder zoals gewoonlijk een feestelijke avond in de Knights of Columbus Hall in Forest Hills aangeboden, met een dj, zilverkleurige ballonnen aan het plafond, de verschillende stadia van de kruistocht aan de muur, serpentines van crêpepapier, en een taart met de leeftijd van mijn oma erop gespoten. Maar ze had liever een chic avondje uit, met een diner en een show in het Café Carlyle. Ze had de rest van de familie al tot vervelends toe bij Jaclyns trouwerij gezien, en bovendien is mijn oma's lievelingszangeres de fantastische tekstschrijfster en zeer grappige comédienne Keely Smith. Dus toen mijn vriend Gabriel, die daar werkt als hoofdkelner, ons vertelde dat zij die maand zou optreden, boekten we onmiddellijk een tafel.

Keely Smith en haar muziek hebben een speciaal plekje in mijn oma's leven. Toen mijn grootouders nog jong waren, reisden ze Keely en haar man Louis Prima, met de band Sam Butera and the Witness overal na om haar te horen zingen. Hun optreden was een combinatie van cabaret en zang en orkestmuziek. Mijn oma vond dat zij de personificaties van 'hip' waren.

Amerikanen van Italiaanse afkomst willen trouwen en begraven worden bij de muziek van Louis Prima. Jaclyn, Tess en Alfred hebben op Louis' interpretatie van 'Oh Marie' op hun trouwdag gedanst en mijn grootvader werd op Keely's versie van 'I Wish You Love' begraven. Prima is helemaal prima wat de Roncalli's en de Angelini's betreft.

In de taxi onderweg naar het Café Carlyle, de topattractie wat cabaret aangaat, kijk ik even of mijn lipstick nog goed zit. Als een meisje uit de Village Fourteenth Street oversteekt en naar het noorden gaat, kan ze maar beter topklasse Upper East Side zijn. En ik wilde er natuurlijk ook leuk uitzien voor Roman, want die had me sinds ons eerste afspraakje niet meer zo opgetut gezien. Hoe kan ik er nu schitterend uitzien als ik naar de keuken ren in het restaurant om hem een handje te helpen met de zelfgemaakte pasta en het openen van schelpdieren voor de soep? Vanavond krijgt hij de beste uitvoering van zijn vriendin te zien.

Ik heb een donkerblauwe manteljapon aan met een brede, geborduurde ceintuur, die van mijn moeder is geweest. Ik heb er al jaren een oogje op en van de zomer, toen ze haar kast aan het opruimen was, kreeg ik hem eindelijk. Mijn moeder staat op de foto terwijl ze mij bij mijn doop in de herfst van 1975 in haar armen heeft, en daarop heeft ze deze manteljapon aan. In haar lange haar zit een sluier, en haar krullen komen tot op haar middel. Mijn moeder is net een katholieke Ann-Margret met een voet in het klooster en de andere in Vegas. Mam blikt in de camera met een grote zonnebril van Oscar de la Renta op haar neus, de glazen zo zwart als windschermen, en ik vraag me af of ze me wel kon zien door die donkere bril.

Ik heb een broek aan bij de manteljurk, omdat hij bij mij een stuk korter is. Mijn moeder droeg hem als een jurk met dunne nylons van L'eggs eronder, en ik weet dat omdat we vroeger de plastic eieren waarin de kousen verpakt zaten bewaarden om boerderijtje mee te spelen.

Tess, Jaclyn en ik zijn altijd blij met mijn moeders oude kleren omdat we weten hoe zorgvuldig ze ermee omspringt. Tess heeft een paar jasjes van St. Johns uit de jaren tachtig van haar, prima geschikt voor ouderavonden, en ik kreeg een paar jassen en jurken die ze door een coupeuse voor speciale gelegenheden heeft laten maken. Jaclyn, met haar kleine voeten, kreeg mijn moeders collectie platformschoentjes van Candy in elke kleur van nepslangenhuid die er maar tijdens de regering-Carter verkrijgbaar was. En ja hoor, ook oranje slangenhuid bestaat. Mijn moeder beweert dat je beseft dat je oud bent als je alles al een keer in je schoenencollectie hebt gehad wat hakken betreft. Ze heeft nog steeds de schoenen van Famolare met de gegolfde zool. Mijn moeder heeft nooit drugs hoeven gebruiken, ze deed gewoon die schoentjes aan en stond al te tollen op haar benen.

De taxi slaat Madison af en East Seventy-sixth Street in en ik zie dat Gabriel voor de hotelingang in zijn mobieltje staat te praten. Ik reken af met de taxichauffeur en stap uit.

Gabriel klapt zijn telefoon dicht. 'Jullie hebben de beste tafel voor het toneel.'

'Mooi. Is oma er al?'

'Nou en of. Ze zit al aan haar tweede whisky met soda. Ik hoop dat de show snel begint, anders geeft zij wel een show weg!'

'Is ze aangeschoten?'

'June is nog het ergst. Die vrouw kan wat verstouwen, zeg. Haar benen moeten wel hol zijn. En je tante Feen lijkt wel stoned. Wat heeft die trouwens? Gebruikt ze soms Lipotor met daarna een slaapmiddel? Doe me een lol en kijk eens wat ze geslikt heeft.' Gabriel gebaart dat ik met hem mee naar binnen moet gaan. 'Komt Roman ook?'

'Ja.'

'Zijn jullie al met elkaar naar bed geweest?'

'Nee.' Ik trek mijn ceintuur aan. Vanavond misschien, maar dat ga ik Gabriel niet aan zijn neus hangen.

'Zo saai. Waarom in hemelsnaam nog niet?'

'Ik wil hem gewoon wat beter leren kennen voordat we mijn sprookjesbos in gaan. En onze relatie gaat verder prima, dank je.'

'Wie heeft het nou over een relatie? Ik heb het over seks.'

'Je weet hoe ik daarover denk.'

'Ga zo door. Als je zo blijft denken, zul je gauw weer alleen zijn. Kom maar mee, schat.'

Ik loop achter Gabriel aan door de hal van het Carlyle Hotel. Door de art-decospiegels worden we teruggevoerd naar die elegante periode, met uitklapbankjes, illegale drankgelegenheden, zelfgestookte gin en satijnen avondhandschoenen tot aan de elleboog. De kroonluchters schitteren als geopende sigarettenhouders, met zilveren, gouden stralen en kristallen dolken van licht. Alles in de lobby is weelderig: de koperen deurknoppen, de scharnieren en zelfs de gasten glimmen. De glanzende marmeren vloer lijkt wel van ijs, zilverwit marmer met in het midden zwarte, granieten randen.

Gabriel leidt me door de bar, waar de muurkandelaars met opalen kapjes zacht licht over de lichtgrijze muren werpen. Door de lichte achtergrond komen de prachtige fauteuils van William Haines, bekleed met perzikkleurig fluweel en gerangschikt om lage tafels met een marmeren blad, heel mooi uit.

Door de deur met bewerkt glas lopen we het Café Carlyle binnen. De zaal doet denken aan een luxe treinwagon met lederen banken bekleed met groene en zachtroze bouclé. Een reeks muurschilderingen van Marcel Vertes vertonen prachtige vrouwen die vliegen, dansen en springen, in de kleuren aardbeierood, roomwit, zeegroen, magenta en grasgroen waardoor het in de ruimte eeuwig zomer lijkt. Het plafond is zo donkerblauw geverfd als de hemel bij nacht. De leren zitjes met een patroon van kleine rondjes en luchtige belletjes, zouden zo door Gustav Klimt ontworpen kunnen zijn. Voor het toneel staan tafeltjes met gesteven donkerblauwe tafellakens erop.

Mijn oma en June zitten naast elkaar aan onze tafel te kletsen, een grote om ons allemaal plaats te bieden. Tante Feen is noten in een zilveren schaal aan het uitzoeken, terwijl June de kers onder in haar cocktailglas als een flipperbal heen en weer laat draaien. De orkestleden komen binnen en nemen plaats op het toneel. Een glimmende zwarte Steinway-vleugel domineert het kleine toneel. Ervoor staat een microfoon. Keely zal nog geen meter van ons af staan.

'Daar ben je,' zegt mijn grootmoeder en ze houdt haar whiskyglas naar me op. Ik geef haar snel een kus.

'Gefeliciteerd.'

'Wat heb je leuke kleren aan,' zegt June.

'Dank je. En jij ziet er ook prachtig uit.'

'Op oude besjes!' Oma houdt haar glas op naar June.

'Dat zijn we zeker!' June tikt met haar glas tegen dat van mijn oma.

'Dankzij de crème van Elizabeth Arden ben ik ongeveer een week jonger dan toen ik vanochtend het huis uit ging.' Mijn grootmoeder pakt mijn hand en knijpt erin. Tess, Jaclyn en ik hebben oma getrakteerd op een schoonheidsbehandeling bij Elizabeth Arden. Ze is de hele dag beklopt, geëpileerd en bijgewerkt. 'Dank je. Het was een heerlijke dag, en nu krijgen we ook nog Keely.'

Mijn moeder slaat haar armen om haar moeder heen terwijl ze achter haar staat. 'Gefeliciteerd, ma,' roept ze uit, in haar zwarte topje met lovertjes en bijpassende zijden broek en een brede goudkleurige schakelriem die tot op haar bovenbeen hangt met een franje van rijnsteentjes. Om het Cleopatra-effect te vervolmaken heeft ze er goudkleurige sandaaltjes met bandjes bij aan. Mijn vader draagt een zwart-wit gestreept pak met een grijs overhemd en een brede zwartwitte das. Ze passen bij elkaar, maar dat doen ze natuurlijk altijd al.

June komt overeind en omhelst mijn vader. 'Dutch, je ziet er fantastisch uit.'

'Maar niet zo mooi als jij, June.'

'Hoe gaat het met de kanker?' schettert tante Feen.

'Mijn kansen worden steeds beter, tante.'

'Ik heb een kaarsje voor je gebrand in Saint Brigid.'

'Wat lief.'

'De kerel voor wie we het laatst hebben gebeden is overleden, maar dat lag niet aan ons.'

'Dat lijkt me ook niet.' Mijn vader werpt ons een blik toe en gaat naast tante Feen zitten om nog meer naar zijn hoofd te krijgen.

Tess zwaait vanaf de balie, ze heeft een strapless rode cocktailjapon aan. Haar entree is bijna net zo waardig als die van mijn moeder en achter haar aan komt Charlie die een bijpassende rode stropdas draagt. Er zijn nu eenmaal aangeboren eigenaardigheden waar je niets aan kunt doen.

Tess omhelst mijn vader. 'Hoi, papa. Hoe gaat het ermee?'

Voor hij iets kan zeggen, tettert tante Feen: 'Wat denk je zelf? De man is één groot kankergezwel.'

Charlie geeft me een kneepje in mijn schouder. 'Dag, zus,' zegt hij. 'Ben erg benieuwd naar de grote man.' Charlie glimlacht bemoedigend. Grappig dat Charlie Roman de grote man noemt want Charlie is zelf erg groot. Hij lijkt net Brutus in elke bijbelverfilming die ooit in Hollywood is gemaakt. Hij is Siciliaans, dus hij is binnen twaalf minuten bruin en het duurt twaalf jaar voordat hij een rotopmerking kan vergeven.

'Ik ben erg benieuwd wat je van hem vindt. Wel aardig zijn, hoor.'

'Ik zal poeslief zijn,' zegt Charlie en hij gaat naast Tess zitten.

Gabriel begeleidt Jaclyn en Tom naar de tafel. Jaclyn heeft een korte roomwitte rok aan met een bijpassende kasjmier trui en een parelketting. Tom, in zijn zondagse pak, ziet eruit alsof hij ter communie gaat. Terwijl Jaclyn en Tom plaatsnemen, komen Alfred en Pamela eraan.

Pamela wordt volgend jaar veertig, maar ze lijkt geen dag ouder dan vijfentwintig. Ze is slank en heeft lang, blond haar, met een paar geverfde plukjes in de kleur van witte kalk bij haar gezicht. Ze is gedeeltelijk Pools en Iers, maar wat patronen, lovertjes en de grootte van haar verlovingsring betreft heeft ze de Italiaanse smaak overgenomen. Ze draagt een lange, soepel vallende omslagjurk met orchideeprint.

Alfred legt zijn arm om haar heen. Hij komt zo van zijn werk, dus hij heeft nog een Brooks Brothers-pak aan met een rode Ronald Reagan-das. Pamela geeft iedereen een kus, maar het gaat niet van harte. Hoewel ze al dertien jaar met mijn broer getrouwd is, is het elke keer weer net of we haar voor het eerst zien. We hebben herhaaldelijk pogingen gedaan om haar erbij te betrekken, maar dat had geen nut. Mijn moeder vindt Pamela 'afstandelijk', maar Alfred heeft Tess verteld dat wij 'intimiderend' zijn.

Mijn zussen en ik vinden niet dat wij beangstigend zijn. Goed, we willen elkaar de troef afsteken, hebben onze eigen mening en zijn kritisch. En zeker, we schreeuwen, roddelen over elkaar, vallen elkaar in de rede en zijn dus net tienjarige kinderen, alleen trekken we niet meer aan elkaars haar. Maar intimiderend? Het zal wel. Pamela zit aan tafel en houdt haar avondtasje zo stevig vast alsof het een stuur is. Ze kijkt naar de Steinway met een geduldige, maar wel nepglimlach terwijl Alfred een glas witte wijn voor haar bestelt.

De ober komt eraan en hij zet onze tafel vol hors d'oeuvres, heerlijke krabkoekjes, kleine aardappeltjes met dotjes zure room en kaviaar, mosselen op een kunstzinnig bedje van glimmend zeewier, oesters op ijs, en een zilveren schaal met lamskoteletjes. Tante Feen komt overeind, reikt over de tafel heen en pakt een lamskoteletje vast alsof het een pistool is. Nog voordat ze gaat zitten neemt ze er al een hap van. 'Lekker mals,' zegt ze met volle mond.

De lichten in het café worden gedimd en het publiek klapt en fluit. Ik kijk naar de deur in de hoop Roman naar binnen te zien rennen om naast me plaats te nemen. Ik kijk om me heen, maar hij is nergens te bekennen. De band zet een bruisend intro in en het applaus wordt luider als Gabriel aankondigt: 'Dames en heren, Keely Smith!'

De glazen deuren gaan open en Keely komt de zaal in. Ze ziet er precies zo uit als op de hoes van haar platen. Haar haar is kort en pikzwart, met zoals altijd een krul op haar wangen. Haar bleke huid is perfect, haar donkere ogen glimmen als gitten. Ze heeft een eenvoudige goudkleurige zijden broek aan met een jasje van Erté versierd met kralen. De driekwartsmouwen laten grote plastic armbanden vrij die een ring met een diamant zo groot als een mobieltje prachtig doen uitkomen.

Keely wandelt door het publiek als een bruid bij haar derde huwelijk, en groet de vaste klanten hartelijk, maar ook wel een tikje blasé. Ze is ongedwongen en eigen, alsof ze op het punt staat na een etentje in haar eigen eetkamer iets te gaan zingen. Ze pakt de microfoon en kijkt naar het publiek, daarbij haar ogen samenknijpend alsof ze wil weten wie we zijn en waarom we er zijn. 'Zijn er nog Italianen in de zaal?'

We fluiten en joelen.

'Fans van Louis Prima?'

We klappen hard.

'Wij zijn fans van Keely!' roept oma luid.

'Oké, oké, het is duidelijk dat ik vandaag aan de bak moet.' Ze kijkt naar de dirigent aan de piano en zegt: 'Daar gaan we dan…' Het orkest zet een snelle versie van 'That Old Black Magic' in.

Keely staat voor de microfoon in de bocht van de vleugel en tikt tijdens het zingen met haar lange rode nagels het ritme op het glimmende oppervlak mee. Ze geeft met haar goudkleurige open schoenen met naaldhakken en riempjes versierd met tijgerogen de maat aan. Haar teennagels zijn kastanjebruin gelakt. Het valt haar op dat ik naar haar schoenen kijk en ze glimlacht. Als het lied is afgelopen, klapt het publiek uitbundig. Ze zet een stap naar voren en kijkt me aan. 'Vind je mijn schoenen mooi?'

'Ja, ze zijn prachtig,' zeg ik tegen haar.

'Er is nog meer in het leven dan schoenen alleen. Hoewel ik het vaak alleen daarmee moest doen. Ik heb wat afgelopen in mijn leven. Ik ben bijna tachtig.'

Het publiek lacht.

Keely gaat door. 'Inderdaad, tachtig. En dat heb ik allemaal te danken aan…' Ze wijst naar boven.

'Ik ook!' Mijn oma zwaait naar haar.

'Ze is vandaag jarig,' roept Tess.

'O, ja?' zegt Keely met een glimlach.

'Ja, dat is zo.' Mijn grootmoeder had de crèmes van Elizabeth Arden helemaal niet nodig, ze krijgt hier een regelrechte verjongingskuur. 'Jij was mijn cadeau.'

'Sta eens op, zuster,' zegt Keely tegen mijn oma.

Oma komt overeind.

Keely schermt haar ogen af tegen het felle licht en kijkt naar mijn oma. 'Jij weet wat het geheim is, hè?'

'Zeg jij het maar,' zegt oma, die meespeelt.

'Nooit grijs worden.'

Mijn moeder slaakt een kreet van verrukking. 'Helemaal waar, Keely!'

'En bovendien: jongere mannen.'

'Yes!' June, die inmiddels al drie whisky's achter haar kiezen heeft, zwaait met haar servet alsof ze zich over wil geven, aan wie weet ik niet zeker, maar ze blijft zwaaien.

Keely wijst naar June. 'Nee, niet vanwege waar jij aan zit te denken, rooie. Hoewel dat ook belangrijk is.' Ze gaat door: 'Ik hou van jongere mannen omdat de mannen van mijn leeftijd 's avonds niet meer goed kunnen zien en dus niet meer kunnen rijden.'

De drummer geeft een roffel weg. 'Ik ga iets speciaal voor jou zingen. Hoe heet je?'

'Teodora,' vertelt mijn grootmoeder haar.

'Hé, je bent een echte *paisan*.' Keely doet net alsof ze iets snijdt, het internationale gebaar voor een Italiaan. 'Heb je een vriend?'

Haar kleinkinderen antwoorden voor haar. 'Nee!' roepen we. Een man met een bril op met dikke glazen die naast ons aan een tafeltje zit, fluit alsof hij een taxi aanroept. 'Ze zei toch niet dat ze geïnteresseerd was?' plaagt Keely hem. 'Tee, heb je een man?'

'Ik ben hier met mijn gezin,' zegt oma giechelend.

'Hoe minder ze weten hoe beter. Neem dat maar van me aan.' Keely glimlacht en wuift met haar handen alsof ze een priester is en ons zegent. 'Als er iemand oma's plezier vergalt, is hij nog niet jarig.' Dan strekt ze haar hand uit naar mijn grootmoeder. 'Dit liedje is speciaal voor jou, meid. Een fijne verjaardag.'

Keely zingt 'It's Magic'. Oma buigt zich naar voren, zet haar ellebogen op tafel, legt haar kin in haar handen en doet haar ogen dicht om te luisteren. Mijn vader legt zijn arm om mijn moeder heen, die tegen zijn schouder aan gaat liggen alsof het een oud kussen is. Tess kijkt met tranen in haar ogen mijn richting op. Jaclyn pakt Tess' hand en geeft er een kneepje in. Hun echtgenoten glimlachen en nemen een slok. Pamela zit kaarsrecht en knippert met haar ogen terwijl Alfred een stukje peterselie van het krabkoekje afplukt voordat hij er een hap van neemt. Mijn mobieltje trilt in mijn tas. Nadat de magische song is afgelopen, appaudisseert het publiek enthousiast en gaat mijn oma staan en werpt ze Keely een kushandje toe. Ik kijk in mijn tas en klap het telefoontje open. Het sms'je luidt:

KEUKEN ONDERGELOPEN. RED HET NIET.
SORRY. KUS VOOR OMA.
ROMAN

Tess buigt zich naar me toe en fluistert: 'Gaat het wel?'

'Hij kan niet komen.'

'Wat rot nou.'

Mijn wangen worden rood. Ik had me zo veel van deze avond voorgesteld. Ik zag Roman, knap en vlot, al binnen komen zeilen om met mijn familie kennis te maken. Hij zou ze allemaal voor zich innemen. Dan zou hij mijn vader apart nemen om hem te vertellen hoeveel ik wel niet voor hem beteken, en vervolgens zou mijn vader me vertellen dat hij nog nooit zo onder de indruk is geweest van een van mijn vrijers, en ik zou me dan zo veilig voelen, op de manier waarop je je helemaal aan iemand kunt overgeven. Maar in plaats daarvan voel ik me opgelaten en vernederd. Natuurlijk is de keuken ondergelopen en natuurlijk moet hij dat dan zien te regelen, maar de woorden 'red het niet' betekenen veel meer dan alleen maar dat hij het die avond niet gaat redden. Zullen we het ooit samen redden? Zal Ca' d'Oro altijd op de eerste plaats komen? Keely zingt 'I'll Remember

You' en bij oma schieten de tranen haar in de ogen, June schiet ook vol en zelfs tante Feen glimlacht terwijl ze terugdenkt aan haar jeugd. Een traan biggelt over mijn wang, maar hoewel ze heel goed is, komt dat niet door Keely. Ik heb haar niet nodig om te huilen.

7

Soho

Mijn grootmoeder en ik staan op de hoek van Jane en Hudson Street. We kijken naar het aanbod van kerstbomen en ademen de koude nachtlucht in die ruikt naar dennennaalden en cederhout.

December in Manhattan is fantastisch met al die te koop staande kerstbomen. Elke straathoek lijkt wel een tuin met stapels pas omgehakte bomen die immergroene gangetjes vormen. Stukjes doordringend ruikende boombast vallen op de stoep terwijl de verkopers de bomen bijwerken en ze voor aflevering in een soort paraplu of plastic hoes verpakken. Glimmende kransen met rode fluwelen strikken en hier en daar wat hulst vastgezet met een goudkleurig gazen lint hangen aan eenvoudige houten ladders, en kunnen zo opgehaald worden. Als je je ogen dichtdoet moet je gewoon wel in de mogelijkheid van een perfecte kerst geloven.

Ik koop een blauwspar en regel de aflevering terwijl mijn oma een krans voor de winkeldeur uitzoekt. Meneer Romp zet onze drie meter hoge boom op een draaivoet en pakt hem stevig in. Mijn oma geeft me een arm onderweg terug naar de zaak.

'Nodig je Roman nog uit voor het kerstdiner?'

'Denk je dat hij daar tegen zou kunnen?' zeg ik gekscherend.

Ik heb Roman eerlijk gezegd al voorbereid. Het goede nieuws is dat hij ook van een gekke Italiaanse familie afstamt, dus hij weet er alles van. Maar ik maak me wel zorgen, onze relatie zou inmiddels al behoorlijk standvastig moeten zijn. We weten wat we voor elkaar voelen, maar tijd vrijmaken blijft een probleem.

Misschien is dat nu eenmaal altijd zo voor twee kleine zelfstandigen. Tussen zijn werk in het restaurant en dat van mij in de zaak, bestaat onze communicatie uit een hele lading e-mails, die we als we even de kans hebben lezen en beantwoorden. Het begon allemaal met een langzame, verrukkelijke maaltijd in Ca' d'Oro. Ik dacht dat het niet beter kon: een man die voor me kookte, me te eten gaf, me verwende. Maar de laatste keer dat we elkaar zagen hebben we bami bij Mama Buddha gehaald en dat op een bankje in Bleecker Street opgegeten voordat ik weer naar een klant moest om schoenen te laten passen.

'Roman moet toch iets doen voor de kerst,' zegt oma die de deur naar de hal openduwt. 'Door hem wordt de boel wat vrolijker.'

'Dat kunnen we nu net gebruiken.'

Mijn grootmoeder loopt naar de keuken om spaghetti marinara klaar te maken. Ik loop de trap op want ik ga de kerstversieringen uit de kast in mijn moeders oude slaapkamer halen. Ik knip het lampje op het nachtkastje aan en trek de kartonnen dozen vol versieringen uit de kast en zet ze op het bed. De dozen waarop een etiket met GLIMMERS zit bevatten oude langwerpige goudkleurige ballen, en gewone zilverkleurige, groene, rode en blauwe kerstballen versierd met strepen of stippen, elk met zijn eigen betekenis en herinneringen.

De oude kerstlichtjes, veel te grote rode, blauwe, groene en gele lampjes, zijn de enige die van mijn zussen in oma's boom mogen hangen. Tess en Jaclyn hebben dan zelf thuis kleine moderne lampjes, bij oma moet de boom net zo zijn als in onze jeugd: een echte blauwspar volgehangen met de glazen ornamenten uit mijn moeders jeugd. We koesteren de versieringen die een tikje versleten zijn, zoals het vilten rendier met maar één oog, de plastic koorknaapjes in hun verkleurde rode flanellen soutanes, en de aluminium ster voor boven in de boom die Alfred op de kleuterschool gemaakt heeft.

Het bed staat inmiddels vol dozen. Ik zoek naar het verlengsnoer met het voetpedaal om de lichtjes aan en uit te doen. Ik kan het nergens vinden. 'Oma!' brul ik vanaf de trap.

'Wat is er?' Ze komt op de overloop onder me staan.

'Waar is het verlengsnoer?'

'Kijk maar in mijn kamer. In mijn toilettafel. Het zit vast in een van de la's,' zegt ze, onderweg naar de keuken.

Ik doe het licht aan in mijn oma's slaapkamer. Haar parfum hangt in de lucht, fresia's en lelies, dat je ook ruikt als oma haar sjaal af doet of haar jas ophangt.

Ik loop naar haar toilettafel en ga op zoek naar het verlengsnoer. Mijn grootmoeder bewaart alles, net als ik. Haar lades zijn netjes, maar wel vol. In de bovenste la liggen lingerie en nieuwe panty's, nog in doosjes. Ik til ze voorzichtig op, om te zien of het snoer er ligt.

Boven op een stapel gestreken antieke zakdoeken staat een onge-opende fles Youth Dew-parfum, die ze bij speciale gelegenheden in haar avondtasje doet. Ik til een doos met lampen op. Terwijl ik eron-der kijk, ontdek ik een schoenendoos vol rekeningen, die ik weer net-jes terug zet.

Ik kijk in de la eronder. Hier liggen haar keurig opgevouwen wollen vesten. In een open vuilniszak zitten een zaklamp, een fles wij-water uit Lourdes en een envelop waarop MIKES RAPPORTEN staat.

Ik trek de onderste la open. Hier liggen oma's tassen en avondtas-jes keurig in vilten zakjes opgestapeld. Ik til een sigarendoos op waar allemaal kleine metalen dingetjes in zitten, wieltjes, veersloten en haakjes voor de apparaten in de winkel. Onder de doos ligt een zwart fluwelen zakje. Er zit een zwaar vergulde fotolijst in.

Ik bekijk de foto van oma, die is van ongeveer tien jaar geleden. De achtergrond komt me niet bekend voor. Mijn grootmoeder staat naast een olijfboom met een man die niet mijn grootvader is. Het is vast ergens in de heuvels van Italië. De man heeft een volle bos zilver-wit haar met een scheiding opzij, felle blauwe ogen en een brede glimlach. Net als zij, is hij goudbruin gekleurd door de zon.

Op de heuvels achter hen staan zonnebloemen in volle bloei. De man heeft zijn arm om oma's middel geslagen en zij kijkt glim-lachend naar beneden. Ik schuif de foto snel weer in het zakje en stop het onder in de la met het doosje machineonderdelen erbovenop. Opeens zie ik het verlengsnoer in een hoek liggen. 'Ik heb hem!' roep ik naar beneden. Ik doe de la rustig dicht en draai het licht uit.

'Het kan een neef zijn,' fluistert Tess terwijl we in de hal van de Our Lady of Pompeii-kerk aan Carmine Street voor de dienst op onze ouders wachten. Er hangen dennentakken aan de pilaren, versierd met goudkleurige folie en rode kerststerren. Een paar boompjes met witte lichtjes vormen de achtergrond voor het bewerkte gouden tabernakel.

'Hij zag er niet uit als een neef.'

Mijn oma zit samen met de kleinkinderen en Alfred, Pamela, Jaclyn en Tom al binnen, en Tess en ik wachten op onze ouders die de auto aan het wegzetten zijn.

'Wie zou het dan zijn?'

'Het kwam op mij erg romantisch over.'

'Hou nou toch op! Het is wel onze oma, hoor.'

'Oudere mensen hebben ook relaties.'

'Maar oma niet.'

'Ik weet het nog zo net niet. Ze wordt wel erg vaak vanuit Italië gebeld, en weet je nog wat ze tegen Keely Smith zei over een vriend?'

'Ze zei niet dat ze er een had. Ze speelde gewoon het spelletje mee. Oma is daar het type niet voor,' zegt Tess resoluut.

'De foto zat in een fluwelen zakje in haar toilettafel, dus volgens mij betekent het wel iets.'

'Goed dan, weet je wat? Als we terug zijn, houd jij haar bezig in de keuken en dan ga ik naar boven om te kijken. Het stelt vast niets voor.'

'Het is een drukke boel buiten,' zegt mijn vader, die samen met mijn moeder de kerk in komt lopen.

Tess en mijn ouders lopen achter me aan naar onze kerkbank. We proppen ons naast Charlie en de meiden. Oma zit naast Alfred aan de andere kant van de bank. Ze buigt zich naar voren om te kijken of haar voltallige familie wel op zijn plaats zit. Ze glimlacht gelukkig voordat ze haar blik weer op het altaar richt. Misschien heeft Tess wel gelijk. Mijn grootmoeder is het type niet om buiten haar geliefde familie nog een leven te hebben. Ze is tachtig. Daar is ze gewoon te oud voor.

De keuken van mijn grootmoeder is speciaal voor de feestdagen ontworpen en met het koken van uitgebreide maaltijden in het achterhoofd, dus we kunnen daar met een paar man tegelijk in staan. Het lange marmeren aanrecht is prima geschikt om aan te werken terwijl een paar anderen eten opwarmen en de tafel dekken. De maaltijd op de avond voor kerst is nog precies hetzelfde als toen we jong waren, alleen nu bereidt mijn oma niet meer in haar eentje het eten maar dragen we allemaal ons steentje bij.

Oma maakt haar bekende huwelijkssoep met spinazie en kalfsgehaktballetjes, Tess heeft haar zelfgemaakte manicotti meegenomen, mijn moeder heeft een varkenshaas gebraden met daarbij zoete aardappelen, en ze heeft ook nog een ander hoofdgerecht gemaakt, gepaneerde kipstukjes met gestoomde asperges. Jaclyn heeft de salade bereid. Ik heb de voorgerechten op me genomen, zoals altijd met zeven verschillende vissoorten: spierinkjes, garnalen, sardientjes, oesters, klipvisjes, kreeft en wulken.

'Wat heeft Klikklak voor het dessert gemaakt?' vraagt Tess nadat ze om zich heen heeft gekeken of Pamela niet in de buurt is.

'Ze zijn naar DeRoberti's geweest,' vertel ik haar. Pamela heeft koekjes, cannoli en kwarkgebak gekocht, maar we vinden het niet erg dat ze het niet zelf heeft gemaakt, want ze koopt het wel bij een fantastische Italiaanse bakker.

'Het is kerst en ik wil vrede op aarde,' zegt mijn moeder gedecideerd.

'Sorry, mama,' verontschuldigt Tess zich.

'Laat maar. Moet je mijn kipstukjes toch eens zien,' zegt mijn moeder trots terwijl ze ze op een schaal schikt. 'Ik heb ze net zolang geklopt totdat ze zo dun waren als een velletje papier. Voordat ik ze paneerde kon je er dwars doorheen kijken. Jaclyn, de salade ziet er heerlijk uit.'

'Ik heb hem uit Nigella Lawsons kookboek,' zegt Jaclyn. 'Ik dacht dat ze wel wat Italiaans bloed in zich moest hebben omdat ze Nigella heet. We hebben al haar boeken voor ons huwelijk gekregen.'

'Al haar boeken? Werkelijk?' vraagt oma die de keuken in loopt. 'Toen ik trouwde kreeg de bruid maar één kookboek.'

'Dat heb ik nu: Ada Boni's *The Talisman*.' Mijn moeder garneert de kip met wat verse peterselie.

'Een beter boek bestaat niet. Als ik gehaktballen voor Charlie maak, het tweede recept uit dat boek, doet hij alles voor me. Ik heb ze verleden maand bereid en toen heeft hij de halve badkamer voor me betegeld.'

'Nou ja, jij weet tenminste hoe je hem kunt motiveren,' zeg ik tegen Tess.

'Weet je, ik wil het net als mama doen toen wij klein waren. Elke avond een verse zelfgemaakte maaltijd waar het hele gezin bij aanwezig is. Dat valt tegenwoordig nog niet mee.'

'Fijn dat je mijn aandeel waardeert. Ik heb altijd gehoopt dat mijn kinderen de kleine dingetjes die ik deed en de grote maaltijden die ik kookte op prijs zouden stellen. Volgens mij heeft Sint-Teresa het het best verwoord: "Doe de kleine dingen op een grootse manier." Of was het nu: "Doe de grote dingen op een kleine manier"? Nou, ik weet het niet meer. Maakt niet uit. Ik heb mijn hele leven hard gewerkt' – mijn moeder tilt het stoommandje met de asperges van het gastoestel, haalt het deksel eraf en pakt de asperges er met een tang uit – 'in mijn eigen huis. Ik vind het onderscheid tussen thuis werken of op kantoor belachelijk. Werk is werk. En ik heb voor mijn gezin gewerkt, en mijn eigen ambities daarvoor opzijgezet. Mijn vier kinderen waren mijn werk. Mijn beloning kwam toen ieder van jullie eindexamen deed en het nest verliet om voor zichzelf te gaan zorgen. Ik mag dan mijn eigen leven hebben opgeofferd, maar daar hoor je mij niet over klagen. Zo ging het nu eenmaal. En ik kan jullie wel vertellen dat ik het heerlijk heb gehad!' Mijn moeder zet de schaal op tafel.

Toen we nog jong waren, zeiden mijn vriendinnetjes wel eens dat hun moeder tegen ze zei: 'Ik hoop dat jouw kinderen je leven zullen verpesten zoals jij dat bij mij hebt gedaan!' of: 'Als je nu niet ophoudt, pleeg ik zelfmoord en dan moet je het zelf zien te redden, ettertje!' of: 'Volgend jaar rond deze tijd ben ik er niet meer, dus rook jij maar gerust marihuana, hoor' om ze te laten doen wat zij wilden. Mijn moeder deed dat nooit. Ze heeft nooit gedreigd met zelfmoord, want ze houdt ontzettend veel van het leven.

Nee, als mijn moeder ons bang wilde maken, zei ze: 'Oké. Nu heb ik het gehad! Nu ga ik werk zoeken. Je hebt me wel gehoord: werk! Dan zul je eens merken hoe het is zonder moeder die altijd voor je klaarstaat!' Of, helemaal erg, en dan op een zangerig toontje gezegd: 'Ik ga weer terug naar mijn oude baantje!' Het maakt niet uit dat mijn moeder nooit buiten de deur heeft gewerkt. Ze heeft haar onderwijsbevoegdheid gehaald, maar er nooit iets mee gedaan. 'Wanneer zou ik weer voor de klas moeten gaan staan?' vroeg ze dan. 'Wanneer?' Alsof de klas een of ander magische plek was die vrouwen met een onderwijsbevoegdheid met huid en haar opvrat.

Het punt is dat mijn moeder geheel andere plannen had. Ze was bezig het familiebedrijf Roncalli op te bouwen. Ze kreeg Alfred tien maanden nadat ze met mijn vader was getrouwd. Toen werd Tess geboren, daarna ik en uiteindelijk Jaclyn, en wij werden haar fantastische baan. Zelfs de beste zakenvrouw stak bleek af bij mijn moeder. Het moederschap was haar IBM, haar Chrysler en haar Nabisco. Zij was de CEO van ons gezin. Elke ochtend stond ze vroeg op, maakte ze zich op en kleedde ze zich aan alsof ze naar kantoor moest. Mijn moeder maakte lijsten, en regelde zes levens met behulp van een enorm whiteboard. Ze zorgde ervoor dat we gehaald en gebracht werden en ze mopperde nooit. Nou ja, bijna nooit. We hebben een keer voor Kerstmis visitekaartjes voor haar gemaakt waarop stond:

MICHELINA 'MIKE' RONCALLI
De perfecte moeder
24 uur per dag beschikbaar
Forest Hills, Queens, New York, VS

Ze was zo trots op die kaartjes dat ze ze aan volslagen vreemden gaf alsof ze presidentskandidaat was. Dat had ze trouwens ook prima kunnen worden. Mijn moeder is een geboren leider, een opziener en iemand met een vooruitziende blik. Bovendien steekt ze haar eigen loftrompet, en dat kan beslist geen kwaad in de politiek.

'Hoe gaat het met de jongens op het dak?' Oma loopt met de soepkommen naar de ontbijtbar.

'Ik ga wel even kijken.' Ik loop de trap op naar het dak.

'En roep de kinderen ook,' roept mijn moeder me na. 'We gaan zo eten.'

Ik neem de trap met twee treden tegelijk. Ik kijk even snel in de slaapkamers. Op de wekker in oma's slaapkamer kijk ik hoe laat het is. Waar blijft Roman? Hij zou er al een kwartier geleden moeten zijn. Ik maak me zorgen. Tess en Jaclyn denken al dat hij niet echt bestaat. Dan zet ik het van me af: hij komt heus wel.

De kinderen zijn overal en nergens, ze zijn zich aan het verkleden en verstoppertje aan het spelen, of misschien is Charisma wel naar Japan aan het bellen, zoals de laatste keer dat ze hier was (drieëntwintig dollar kostte dat geintje). Wat ze ook aan het doen zijn, niemand is aan het bloeden of aan het huilen, dus ik snel langs hen heen en ga naar het dak.

De mannen zijn de barbecue aan het aansteken. Na het eten trekken we een jas aan en gaan we allemaal naar het dak om marshmallows te roosteren. Dit was altijd mijn opa's taak voor de kerst, en we beseffen maar al te goed dat mijn vader, Alfred, Charlie en Tom nu met z'n allen doen wat mijn grootvader altijd in zijn eentje deed.

Ik stap het dak op de koude nachtlucht in en kijk hoe het met de barbecue staat. De houtskool is nog zwart maar heeft wel al een donkerrood randje. Over een uur zal het precies de juiste temperatuur hebben voor de marshmallows. Een sliertje grijze rook kringelt omhoog terwijl Alfred in zijn overjas van Barney hof houdt.

Mijn broer wijst naar de gebouwen aan de West Side Highway. Hij houdt zo te horen een college over vastgoed, met Pamela rillend in een capeje van bont naast zich. Charlie, Tom en mijn vader luisteren aandachtig, geboeid door zijn kennis erover. Hij wijst naar een pand op de hoek van Christopher Street. Hij ratelt de vraagprijs en de prijs waarvoor het onlangs verkocht is af alsof hij al zijn kinderen opnoemt. Ik sta daar lang genoeg buiten om hem wat grote bedragen te horen laten vallen.

'Het eten is klaar,' val ik hem in de rede.

'Kan ik nog wat in de keuken doen?' vraagt Pamela.

'Nee, dank je.' Ik glimlach naar haar. 'Maar je kunt wel helpen om de kinderen allemaal mee te krijgen.'

'Oké.' Ze loopt achter me aan de trap af. Ik ben als een speer naar het warenhuis aan Twenty-third Street gerend om rubberen beschermmatjes te kopen omdat ik wist dat Pamela zou komen en ik bang was dat ze met die tien centimeter hoge hakken een doodsmak zou maken op de trap en op de grond van de werkplaats zou belanden.

'Leuke jurk, Pamela,' zeg ik tegen haar, want ik vind haar rode zijden hemdjurk met bijpassende bolero en rode open schoenen met enkelbandjes heel erg mooi. 'Je ziet er geen dag ouder uit dan toen je mijn broer leerde kennen.'

Ze bloost. 'Je broer zei dat ik absoluut niet mocht veranderen.'

'Hoe bedoel je?'

'Nou, hij zei, dat wat er ook gebeurde, ik er altijd hetzelfde uit moest blijven zien.'

'Maar dat kan toch niet?'

'Misschien niet. Maar ik doe mijn best. Bovendien worden zijn ogen steeds slechter, dus dat is mooi meegenomen.'

Pamela verzamelt de kinderen voor het eten en ik ga weer naar de keuken. Mijn moeder, grootmoeder en zusjes garneren de borden voor de feestmaaltijd met zeven visjes. Ik wil net mijn zussen over Alfreds opmerking vertellen, en zeuren over hoe dominant hij kan zijn, maar ik doe het toch niet. Pamela is per slot van rekening alleen maar bezig met wat wij al die jaren al wilden: Alfred gelukkig maken. Als ze daarvoor haar spijkerbroek uit 1994 voor de rest van haar leven aan moet kunnen, dan moet dat maar. Ik heb medelijden met mijn schoonzusje. Als ik Pamela voor me zie op familiefeestjes, staat ze altijd wat apart, ze gluurt tussen de confettislierten door alsof het tralies zijn. Ze doet op trouwpartijen nooit mee met de polonaise en ze speelt ook nooit mee met een potje kaart na de zondagse maaltijd. Ze zit in een hoekje en leest een tijdschrift. Ze hoort er gewoon niet bij.

De bel gaat.

'Komt er nog iemand?' vraagt mijn moeder.

'Wie zou het kunnen zijn? De pakketbezorger?' vraagt Tess plagend, omdat ze heel goed weet dat ik op Roman zit te wachten zodat ik met hem kan pronken alsof hij een radijsroosje in de salade is. 'Een zenuwachtig bruidje wellicht?'

'Op kerstavond? Nee, dat kan niet,' zegt mijn grootmoeder. 'Dat gebeurt eigenlijk nooit.'

'Het zal June wel zijn. Je hebt haar toch uitgenodigd, oma?' Jaclyn gaat mee met Tess, want het is per slot van rekening kerst, dus dan moet je de leukstethuis ook eens te pakken nemen.

'Die ging bij haar wilde vrienden in East Village kalkoen eten en hasj roken,' zegt oma en ze haalt haar schouders op. 'Je weet hoe dat soort mensen is.'

Ik druk op het knopje van de monitor. 'Wie is daar?'

'Roman.'

'Kom maar naar boven,' zeg ik vrolijk in de intercom. Ik wend me tot mijn zusjes. 'Gedraag jullie.'

Tess slaat haar handen ineen. 'Je vriendje! Eindelijk gaan we hem ontmoeten!'

'Ik ben benieuwd!' zegt Jaclyn vrolijk.

'Meisjes, laat Valentina met rust.' Zich sterk bewust van het effect van de eerste indruk, controleert mijn moeder in het broodrooster of haar lippenstift goed zit. Dan gaat ze anders staan, ze steekt haar borst vooruit, strekt haar hals en doet haar lippen heel lichtjes van elkaar zodat er in haar linkerwang een klein kuiltje is te zien. Nu is ze er klaar voor om mijn vriend te ontmoeten.

Roman komt de keuken in met een grote vorm verpakt in aluminiumfolie en daaromheen krimpfolie. Hij heeft een getailleerde kasjmier jas aan die ik nog nooit heb gezien. 'Ik dacht dat jullie als toetje wel een vruchtentaart zouden lusten. Vrolijk kerstfeest,' zegt hij.

Ik geef Roman een zoen. 'Vrolijk kerstfeest.'

Ik neem de vorm van Roman over en zet hem op het aanrecht. Hij geeft zijn jas aan mij. 'Wat zie je er mooi uit,' fluistert hij in mijn oor.

'Stel ons eens voor, Valentina.' Mijn moeder neemt Roman van top tot teen op alsof ze de *David* van Michelangelo bestudeert tijdens een rondleiding in het museum. Ze gaat zelfs op haar tenen staan om hem beter te zien.

'Ciao, Teodora.' Hij kust mijn oma op beide wangen voordat hij mijn moeder een hand geeft.

'Dit is mijn moeder Mike.'

'Vrolijk kerstfeest, mevrouw Roncalli,' zegt hij hartelijk.

Mijn moeder biedt hem haar wang aan, en Roman geeft haar prompt op de Europese manier op beide wangen een kus. 'Zeg maar mama. Ik bedoel Mike. Welkom op onze kerstviering.'

'Dit is mijn zus Tess.'

'Jij hebt twee dochters, toch?' vraagt Roman terwijl hij Tess een hand geeft.

'Ja, dat klopt.' Tess is ervan onder de indruk dat de vreemdeling zomaar iets over haar onthouden heeft.

'En dit is mijn jongste zus Jaclyn.'

'Die onlangs getrouwd is?'

'Inderdaad.' Jaclyn schudt hem de hand en neemt hem met toege-knepen ogen op alsof ze bij de slagerij in D'Agostino het stoofvlees bekijkt.

'En, Roman, wat heb je voor ons gekookt?' Mijn moeder knippert met haar wimpers naar hem.

'Een vruchtentaart met bramen en vijgen,' zegt hij, precies op het moment dat ik mijn nichtje op de trap hoor.

'Wie is dat?' Charisma wijst naar Roman.

'Charisma, kom eens gedag zeggen.' Tess werpt Roman een blik toe. 'Sorry, hoor. Ze is pas zeven en heeft een hekel aan alle jongens. Dit is de vriend van tante Valentina.'

Charisma kijkt hem onderzoekend aan. 'Tante Valentina heeft geen vriend.'

'Het is inderdaad alweer even geleden, maar nu heeft ze er weer een, en dat vinden we heel fijn voor haar,' legt mijn moeder uit terwijl ik het liefst het keukenraam uit spring.

'We wilden net gaan eten.' Mijn moeder gebaart naar de tafel. Haar lichaamstaal verandert van lichtelijke afstandelijkheid tot volledige acceptatie van Roman Falconi. 'Mijn man en de jongens komen er zo aan.'

'Dat zijn onze broer Alfred, zijn zonen en onze mannen,' legt Tess uit en ze legt haar arm om Jaclyn heen om aan te geven dat we een eenheid vormen en dat hij dus goed moet uitkijken.

'Je vergeet Pamela,' zeg ik.

'En Pamela, mijn enige schoondochter. Ze is zo klein dat je haar gemakkelijk over het hoofd ziet.' Mijn moeder zwaait met haar hand en lacht.

Mijn vader en de jongens komen de trap af en mijn moeder, die inmiddels Roman Falconi in haar macht heeft, stelt de rest van de familie voor. Alfreds kinderen geven netjes een hand. Chiara, net zo charmant als haar oudere zus, trekt een gezicht naar Roman en rent snel weg om bij haar zusje aan tafel te gaan zitten.

Oma geeft aan dat we haar een handje moeten helpen in de keuken. Pamela komt overeind om met ons mee te gaan, maar Tess zegt:

'Laat maar, Pam. We redden het prima.' Pamela haalt haar schouders op en gaat weer zitten.

'Je zeurt altijd dat Pamela nooit iets doet, maar je geeft haar gewoon de kans niet,' fluistert mijn grootmoeder.

'Als ik haar een schaal geef om naar binnen te dragen, zou ze onder het gewicht bezwijken en haar hakken zouden zo in de planken vloer zakken.' Tess steekt de pepermolen onder haar arm en pakt een waterkan op. Oma, Jaclyn en ik pakken de rest van de schalen en gaan ook aan tafel zitten.

Mijn vader neemt plaats aan het hoofd van de tafel. Hij vouwt zijn handen in gebed. Hij slaat een kruis en wij ook. 'Nou, God, het is me verdorie het jaartje wel geweest.'

'Pap…' zegt Tess zachtjes met een blik op de kinderen, die het erg grappig vinden dat hun opa verdorie tegen God zegt.

'U weet best wat ik bedoel, lieve Heer. We hebben wat probleempjes gehad en nu hebben we op onze reis weer iemand leren kennen…' Mijn vader kijkt Roman aan.

'Roman,' zegt mijn moeder snel.

'Roman. Wij danken U voor onze goede gezondheid en mijn relatief goede gezondheid, de tachtigste verjaardag van mijn schoonmoeder en wat er verder zoal is gebeurd.' Mijn vader wil weer een kruis slaan.

'Papa?'

Hij kijkt naar Jaclyn.

'Nog één ding, pap.' Jaclyn houdt Toms hand vast. 'Tom en ik willen jullie graag vertellen dat ik in verwachting ben.'

Iedereen is blij en de kinderen springen op en neer. Oma pinkt een traantje weg en mijn moeder buigt zich over de tafel om Jaclyn en Tom een zoen te geven. Mijn vader steekt zijn handen in de lucht.

Roman pakt mijn hand beet en slaat zijn arm om me heen. Ik kijk naar hem, hij straalt, waar ik heel blij van word.

'Mijn kindje krijgt een kindje. Nou, beter bewijs dat God ons nog niet laat stikken, is er niet.' Mijn vader tikt met zijn hand zijn voorhoofd aan. 'In de naam van de Vader en van de Zoon en van de Heilige Geest…'

'Amen!' roepen we allemaal, degenen die het minst gelovig zijn het hardst. Ik ben erg blij voor Jaclyn en Tom, en ook dat mijn eerste Kerstmis met Roman zo goed is begonnen.

We gaan met z'n allen naar het dak, met een jas en wanten aan, en muts op, voor de jaarlijkse kerstmarshmallows. Mijn moeder komt achter ons aan met een fles Poetry-wijn en plastic glazen waar sexy meisjes in elfenkleding op staan. (Hoe komt ze eraan?)

Mijn vader en Alfred prikken aan elk stokje een marshmallow en geven ze aan de kinderen, die om de barbecue gaan staan en de witte bolletjes in het vuur houden. Roman slaat zijn arm om me heen.

'De fakkels moeten aan!' roept mijn moeder. 'Sfeer zowel vanbinnen als vanbuiten, zeg ik altijd maar.'

'Ze is precies zoals je haar omschreven hebt,' fluistert Roman in mijn oor en dan gaat hij naar Charlie en Tom toe om de fakkels op elke hoek van het dak aan te steken.

Mijn vader helpt kleine Alfred en Rocco de marshmallows aan de stokjes in het vuur te houden. Bij Charisma, een echte pyromaan, vat haar marshmallow vlam, hij ontploft en de stukjes vallen op de hete kolen. Chiara is geduldig en roostert haar marshmallow aan elke kant even lang. Mijn zussen staan achter de meisjes de traditie voor kerst voort te zetten die in onze familie al jaren in ere wordt gehouden.

'Overgrootmoeder?' vraagt Charisma. 'Vertel het verhaal eens over de fluwelen tomaten.'

'Oma heeft te veel wijn op.' Mijn grootmoeder gaat languit op de tuinstoel zitten. 'En ik neem nog een glas. Laat tante Valentina het verhaal maar vertellen.'

'Vertel, vertel!' Charisma, Rocco, de kleine Alfred en Chiara springen op en neer.

'Goed, dan, zeg ik. 'Toen ik zes was, mocht ik bij mijn oma en opa logeren toen mijn moeder voor de achtste keer naar *Phantom of the Opera* ging.'

'Ik ben gek op Andrew Lloyd Webber-shows,' zegt mijn moeder zonder zich te verontschuldigen tegen Roman, die zijn schouders ophaalt.

'Alfred en Tess zaten in het zomerkamp…'

'Kamp Don Bosco,' vult Tess aan.

'… en Jaclyn, die toen nog een baby was, bleef in Queens bij papa. Ik had oma en opa helemaal voor mezelf. En ik speelde hier op het dak. Eerst hield ik een theepartijtje, met tuingereedschap als kop-en-schotels en modder als gebakjes. Toen deed ik oma na en ging ik naar de tomatenplanten toe en groef ik wat in de aarde. Maar toen ik naar de planten keek, zag ik geen tomaten. Dus rende ik naar beneden, rechtstreeks naar de zaak, en ik zei: "De tomaten zijn gestolen." En toen moest ik huilen.'

'Ze had zowat een zenuwinstorting,' zei mijn oma droog.

'Ze was hartstikke bang! Er waren geen tomaten,' zegt Chiara die voor mij in de bres springt.

'Precies. Dus opa legde uit dat de planten niet altijd vruchten dragen, dat het soms, hoe goed je ook voor ze zorgt, gewoon te vaak regent voor de planten om tomaten te kunnen maken. De planten zijn zo slim, die weten dat ze niet moeten bloeien omdat de tomaten dan veel te melig en smakeloos worden en dan heeft niemand er wat aan.'

'En toen zei ik dat de tomaten de volgende zomer wel weer zouden komen. Maar Valentina was zo verdrietig.' Oma tilt haar glas wijn op.

Ik ga weer verder en werp een blik op Roman, die net als de kinderen helemaal meeleeft met het lot van de tomaten, of misschien is hij wel gewoon beleefd. 'De volgende zondag kwam iedereen eten en oma zei: "Ga eens naar het dak, Valentina. Je zult je ogen niet geloven."'

'En iedereen rende naar boven!' zegt Chiara.

'Inderdaad.' Ik leg mijn handen op de schouder van Rocco en de kleine Alfred. 'We gingen allemaal naar het dak om te zien wat er aan de hand was. En het was een wonder. Er hingen overal tomaten. Maar het waren geen tomaten waar je saus van maakt, want deze waren van rood en groen fluweel, en ze bungelden als kerstballen aan de kale planten. Zelfs het speldenkussen in de vorm van een tomaat uit de zaak hing ertussen. We sprongen op en neer alsof het kerstochtend was, hoewel het een bloedhete zomerdag was. Ik vroeg aan opa hoe dat nou kon. En hij zei: "De engeltjes van Greenwich Village hebben voor onze tuin gezorgd." En toen hebben we met ons allen de oogst van de fluwelen tomaten gevierd.'

Mijn moeder steekt haar duim naar me op terwijl de kinderen op hun marshmallow aanvallen en wij wijn drinken. Ik kijk naar mijn familie en ik voel me gezegend en rijk. Pamela blijft zo dicht bij mijn broer staan dat ze wel een Siamese tweeling lijken, en oma ligt lekker languit op de tuinstoel. Tess en Jaclyn trekken mijn moeder weg om een Noors cruiseschip lui de haven van New York binnen te zien varen. Ik kijk naar Roman die prima bij deze malle familie schijnt te passen. De maan gluurt tussen de wolkenkrabbers van het centrum door en lijkt verdacht veel op een geluksmuntje.

Mijn vader steekt zijn plastic beker met sexy elfen in de lucht. 'Ik wil graag een toost uitbrengen. Op dokter Buxbaum in het Sloan omdat hij mijn prostraatprobleem zo goed behandelt.'

'Op dokter Buxbaum!' zeggen we allemaal. Mijn vader wordt behandeld voor prostaatkanker maar kan het nog steeds niet uitspreken.

'Nog vele, vele jaren, Dutch,' zegt mijn moeder die opnieuw haar glas omhoog houdt. 'Er zijn nog veel zonsondergangen te zien en nog heel veel plaatsen om te bekijken. We moeten altijd nog een keer naar Williamsburg.'

'In Virginia?' vraagt Tess.

'Daar wil je het liefst naartoe?' vraagt Jaclyn. 'Maar daar ben je zo.'

'Ik leg de lat liever niet te hoog. Met lage verwachtingen leid je een gelukkig leven. Ik hoef niet zo nodig Bora Bora te zien. Bovendien vind ik glasblazerij, georgiaanse architectuur en het naspelen van de Amerikaanse burgeroorlog allemaal prachtig. Ga voor de dingen die je kunt halen, kinderen.'

'Je meent het nog ook.' Ik neem een slok wijn.

'Maar natuurlijk. Ik heb van haalbare dingen gedroomd en die ook gekregen. Ik wou een lieve Italiaanse knul met een mooi gebit, en dat is me gelukt.'

'Ik heb nog steeds mijn eigen tanden,' beaamt mijn vader.

'Je denkt dat kleine dingen niet belangrijk zijn, maar je eigen tanden zijn dat wel degelijk.' Oma proost naar mijn vader vanaf haar stoel.

We drinken wijn en denken aan mijn vaders gebit en mijn moeders dromen van Williamsburg. Het is rustig op af en toe een zachte plop van de marshmallows na als die vlam vatten in het oranje vuur, dan helderblauw oplaaien en vervolgens verkolen. Roman kijkt alles eens aan en hij lijkt het naar zijn zin te hebben. Hij werpt me een blik toe en knipoogt.

Als de kinderen eenmaal naar beneden zijn gegaan om te spelen, nemen de volwassenen plaats aan de oude tafel. Het is koud buiten. Het vuur in de barbecue is bijna gedoofd. Ik ruim de bekers op en wil net naar beneden gaan om de afwas te doen, als ik Alfred in oma's oor hoor fluisteren: 'Scott Hatchers bod staat nog steeds.'

'Niet nu, Alfred,' zegt ze rustig.

Ik wist dat hij dat zou doen. Ik kon Alfred vanavond amper aankijken omdat ik wist dat hij met elke hap manicotti de opbrengst per vierkante meter zat te berekenen en hoeveel rente het op zou brengen. Hij heeft zo veel opmerkingen geplaatst en zo veel hints laten vallen dat ik er doodziek van ben. Dus ik wend me tot mijn broer en zeg: 'Het is Kerstmis! Ze wil het helemaal niet hebben over Scott Hatcher en zijn bod. En trouwens, jij hebt ons verteld dat Hatcher makelaar was, geen koper.'

'Hij doet allebei. Hij verkoopt panden, maar hij koopt ze ook op als investering. En wat maakt dat nou uit?'

'Dat maakt heel veel uit. Een makelaar komt langs en geeft een mening. Dat is een heel proces. Pas na een paar maanden, als je genoeg informatie hebt verzameld en wat meer mensen erbij hebt gehaald om te achterhalen wat de beste prijs is, en als je inderdaad wilt verkopen, neem je zelf een makelaar in de arm en zeg je wat je ervoor wilt hebben. Maar dat gaat er hier wel heel anders aan toe. Hij is gewoon een projectontwikkelaar.'

'Hoe weet je dat?' kaatst Alfred de bal terug.

'Dat heb ik opgezocht.' Alfred moest eens weten hoe ver ik ben gegaan. Ik weet veel meer van Scott Hatcher af dan ik ooit had gewild. 'Het is niet slim van oma als ze al bij het eerste het beste bod het pand verkoopt. Dat moet je gewoon niet doen.'

'En daar weet jij alles vanaf?' zegt Alfred spottend.

'Ik heb het een en ander eens bij elkaar opgeteld.' Mijn familieleden kijken me aan. De leukstethuis is artistiek, die heeft niets met cijfertjes. Ik heb ze mooi te pakken.

'Je hebt er gewoon geen verstand van.' Alfred draait zijn rug naar me toe.

'En of ik er verstand van heb,' zeg ik met luide stem.

Alfred draait zich om en kijkt me verbaasd aan.

'Laat nou maar, Valentina,' zegt mijn grootmoeder met een veelbetekenende blik.

'Het is oma's huis, dus die moet de beslissing nemen, niet jij,' zegt Alfred laatdunkend.

'Ik ben oma's partner.'

'Sinds wanneer?' schreeuwt Alfred.

Ik kijk naar mijn grootmoeder, die wat wil zeggen, maar er toch vanaf ziet.

'Kinderen, houd op,' komt mijn vader tussenbeide.

'Nee, we houden niet op.' Ik kom overeind. De schoonfamilie – Pamela, Charlie en Tom – staat eveneens op en trekt zich terug naar het hek rondom het dak. Alleen Roman blijft bij de tafel staan, maar hij heeft een uitdrukking op zijn gezicht die zegt: nu zullen we het krijgen.

'Nu is het afgelopen,' zegt mijn moeder met hoge stem. 'Het was net zo'n leuke dag.'

Ik houd vol. 'Hoe hoog was het bod ook alweer, Alfred?'

Hij zegt niets.

'Ik vroeg je hoe hoog het bod was.'

'Zes miljoen dollar,' verkondigt Alfred.

Mijn familieleden slaken gilletjes alsof ze de loterij hebben gewonnen.

'Oma, je bent superrijk!' roept Tess uit. 'Net als Brooke Astor!'

'Over mijn lijk,' zegt oma die naar beneden kijkt. 'Die arme vrouw. En ik bedoel ook echt arm. Moge ze rusten in vrede. Als je je kinderen geen goede opvoeding geeft, maakt het niet uit hoeveel geld je hebt. Het komt dan nooit goed.'

'Toe nou, ma, we zijn toch niet als de Astors? Wij houden van elkaar,' zegt mijn moeder.

'En hoe zit het met het bod?' werpt Jaclyn voorzichtig op.

'Het is een heel hoog bod, een erg goed bod, en ik heb oma geadviseerd dat ze moet verkopen,' zegt Alfred, die zijn plan als een plattegrond uitvouwt. 'Ze kan dan eindelijk na vijftig jaren keihard werken met pensioen, een woninkje in New Jersey kopen, bij ons in de buurt, en voor het eerst van haar leven het eens rustig aan doen.'

'Ze doet het nu ook rustig aan,' zeg ik tegen hem. Ik wend me tot mijn grootmoeder. 'Wat gaat er met de Angelini Shoe Company gebeuren?'

Mijn oma zegt niets.

'Valentina, ze is moe.' Alfred gaat harder praten. 'En jij dwingt haar een bepaalde kant op. Doe toch niet zo egoïstisch en denk eens een keer aan oma.'

'Alfred, je weet best dat ik dol ben op mijn werk,' zegt oma.

'Zie je nou wel. En we hebben een fantastische zaak. We maken wel drieduizend paar schoenen per jaar.'

'Ach, houd toch op. Dat telt toch niet aan als je naar andere bedrijven kijkt. Jullie hebben geen website, jullie adverteren niet en de zaak wordt gerund alsof het nog steeds 1940 is.' Alfred zegt tegen onze grootmoeder: 'Daar wil ik je niet mee beledigen, hoor, oma.'

'Ik ben ook niet beledigd. Dat was een heel goed jaar voor ons.'

Alfred gaat door: 'Je gebruikt nog steeds dezelfde apparaten als opa. De Angelini Shoe Company is eigenlijk meer een hobby voor jullie en voor de parttimers die jullie in dienst hebben. Jullie spelen quitte als je een goed jaar hebt, maar met al die schulden is het onverantwoordelijk om niet de boel te sluiten en de schulden af te lossen. Trouwens, ook al is er iemand die het bedrijf wil overnemen, dan zou het nog geen procent bedragen van wat het pand waard is. Dat pand is goud waard.'

'We verdienen ons geld in dat bedrijf!' zeg ik tegen hem.

'Nauwelijks. Als je huur moest betalen, zou je op straat staan.'

Klikklak gaat naast Alfred staan. Ze steekt haar arm door die van hem, wat voor mij aangeeft dat ze het allemaal al eerder heeft gehoord.

'Ik leef naar mijn geld. Ik heb nooit om meer gevraagd.'

'Ik heb je geholpen toen het uitging met Bret en je ophield met lesgeven.'

'Dat was drieduizend dollar. Je hebt me dat geld niet gegeven, ik heb het in een half jaar terugbetaald tegen een rente van zeven procent!' Niet te geloven dat hij daar nu mee aan komt zetten. Maar eigenlijk is het wel logisch. Zo is Alfred nu eenmaal. Mijn moeder schuift slecht op haar gemak heen en weer op haar stoel en mijn vader kijkt in de verte naar de Verrazano Narrows Bridge alsof die elk moment als een marshmallow op een stokje vlam kan vatten.

'Wat Alfred volgens mij wil zeggen,' komt mijn moeder diplomatiek tussenbeide, 'is dat oma op een bepaalde leeftijd is gekomen, en je moet nu eenmaal rekening houden met de toekomst.'

'Ja hoor, mam,' daag ik haar uit. 'Bemoei jij je er vooral ook eens mee. Val vooral je geliefde briljante zoontje niet af. Als hij iets wil, krijgt hij het ook. Als hij zich echt zorgen maakte over oma en haar gezondheid, dan zou je mij er niet over horen. Maar bij mijn broer gaat het alleen maar om het geld. En dat is altijd al zo geweest.'

'Hoe waag je dat te zeggen! Ik maak me wel degelijk zorgen over oma!' schreeuwt Alfred.

'O, ja?'

'Je broer houdt echt van zijn grootmoeder,' komt mijn vader tussenbeide.

'Ga jij nou niet zeggen wat hij denkt,' zeg ik tegen mijn vader.

'Ga jij nou niet zeggen wat ik denk,' zegt Alfred tegen mijn vader.

Pap steekt zijn armen in de lucht en geeft het op.

'En jij hoeft niet te zeggen wat ik denk,' zegt oma die opstaat. 'Ik maak zelf wel uit wat ik met de Angelini Shoe Company en het gebouw doe. Alfred, je bent een slimme jongen, maar je hebt ook een grote mond. Je mag nooit bedragen laten vallen. Nu is iedereen van slag.'

'Maar ik dacht omdat we onder elkaar zijn...'

Roman kijkt weg, als een gast die zich onzichtbaar wil maken. Maar hij kan geen kant op. Ik zie een vleugje ongeduld in zijn ogen oplaaien.

'Dat is zelfs nog erger!' zegt oma. 'Door dat soort bedragen worden mensen nerveus. Ik word er verdorie zelfs nerveus van. Ik houd mijn zaken graag privé en ik ben er niet van gediend dat alles zo op tafel wordt gegooid. En, Valentina, ik vind het fijn dat je zo veel voor me doet, maar ik wil niet dat je hier blijft omdat je je verplicht voelt...'

'Ik wíl hier graag blijven.'

'… en Alfred heeft wel gelijk. Ik ben de jongste niet meer.'

'Dat bedoelde ik niet zo, oma,' zegt hij. 'Ik weet best dat jij het zelf moet uitmaken. Maar ik zou graag zien dat je het eens rustig aan kon doen. Mensen werken niet voor niets niet meer als ze tachtig zijn.'

'De meesten zijn dan dood, bedoel je?' vraagt oma, die het opgeeft en weer gaat zitten.

'Nee, omdat ze dan wel genoeg gedaan hebben. En, Valentina, natuurlijk mag je als hobby best schoenen maken. Maar het is zo langzamerhand tijd dat je eens een echte baan krijgt. Je bent nu halverwege de dertig en je woont nog steeds niet zelfstandig. Hoe moet dat straks als je oud bent? Dan moet ik zeker weer voor je gaan zorgen.'

'Al ben je de laatste persoon op aarde, dan nog zou ik jou niet om hulp vragen.' Dat meen ik. Klikklak slaakt een zucht van verlichting, daar hoeft ze zich in elk geval niet druk om te maken.

'We zullen zien. Maar voorlopig ben ik de enige Roncalli die de rekeningen betaalt.'

'Hoe bedoel je dat?' wil Tess weten.

'Oma's verjaardagsfeestje, bijvoorbeeld.'

'We hebben het aangeboden, hoor,' zeggen Jaclyn en Tess in koor.

'En ik ook!' zeg ik.

'Maar ik ben degene die heeft betaald. En zal ik jullie eens wat vertellen? Ik ben altijd de pineut.'

'Dat is niet eerlijk, Alfred. Je kunt niet zelf de rekening willen betalen en dan erover gaan zeuren. Dat kan echt niet!' Tess gebaart dat oma, het feestvarken, er ook bij zit.

Het maakt Alfred niet uit, die gaat gewoon door. 'Wie betaalt paps doktersrekeningen, denk je? Hij is verzekerd, maar bepaalde behandelingen worden wel vergoed en andere weer niet. Hij moet voor sommige behandelingen zelfs contant betalen. Maar dat weten jullie meiden niet, hè? En waarom niet? Omdat jullie er nooit naar vragen!'

'We betalen je wel terug, Alfred,' zegt mijn moeder zachtjes.

'Als jij niet overal als de grote gulle gever voor betaalde, dan zouden we ook ons steentje bij kunnen dragen,' zeg ik tegen hem. 'Je betaalt het alleen zodat je het tegen ons kunt gebruiken.'

Alfred wendt zich tot me. 'Ik ga me hier niet verontschuldigen voor het feit dat ik het zo goed doe. Voor elk succes dat ik behaal moet ik in deze familie belasting betalen. Ik ben degene die geld verdient en dus ben ik ook degene die de rekeningen betaalt. En dat verwijt je me dan ook nog!'

'Omdat je erover zeurt! Ik ben liever platzak en dat ik in een kartonnen doos in de Bowery moet wonen dan in het kasteel van de angst waar jij in woont. Kijk alleen maar eens naar Klikklak…' Het is eruit voordat ik het besef.

Tess en Jaclyn houden geschokt hun adem in en mijn moeder mompelt: 'Nee, hè?' Het is zo stil erna dat ik de wolken bijna langs de hemel hoor ruizen.

'Wie is Klikklak?' vraagt Pamela. Ze kijkt eerst mij en vervolgens haar man aan.

'Ik heb geen idee,' zegt hij.

'Valentina?' Pamela kijkt naar mij.

'Dat is een…'

'Een koosnaam, eigenlijk,' zegt Tess snel. 'Een bijnaam.'

'Ik heb hem nog nooit gehoord, dus het kan geen bijnaam zijn.' Voor de eerste keer in zeventien jaar gaat Pamela's stem omhoog. 'Ik zou mijn eigen bijnaam dan toch wel kennen?'

'Meiden, houd er alsjeblieft over op. Hier hebben we niets aan.' Mijn moeder zet de kraag van haar imitatie nerts omhoog. 'Kom op. Het is hier veel te koud. We gaan naar binnen voor een Irish Coffee. Wie wil er een?'

'We blijven hier.' Pamela houdt mijn moeder in een ijzige blik gevangen. 'Wat betekent Klikklak, verdomme?'

'Valentina?' Mijn moeder kijkt me aan.

'Dat is een bijnaam voor…' begin ik.

'Dat horen we als jij op hoge hakken loopt,' zegt Jaclyn opeens. 'Omdat je zo klein bent neem je ook kleine pasjes en dan maken je hakken een klikklakgeluid.'

De tranen schieten Pamela in de ogen. 'Hebben jullie me al die hele tijd uit zitten lachen?'

'Zo hebben we het niet bedoeld.' Tess kijkt wanhopig Jaclyn en mij aan.

'Ik kan er ook niets aan doen dat ik… niet zo lang ben. Ik heb jullie nooit belachelijk gemaakt, en er is anders genoeg om te lachen in deze achterlijke familie!' Pamela draait zich op haar hakken om en loopt op hoge benen weg. *Klikklak. Klikklak. Klikklak.* Als ze hoort wat voor lawaai haar hakken maken, loopt ze op haar tenen door naar de deur. Ze pakt de deurstijl beet om niet te vallen. 'Alfred!' blaft ze naar hem. En dan klikklakt Pamela de trap af. We horen haar de jongens roepen.

'Weet je, het kan me niet schelen als jullie gemeen tegen mij doen. Maar zij heeft jullie nooit iets gedaan. Ze is een prima schoonzus.' Alfred loopt ook de trap af.

'Ik ga wat kliekjes voor ze inpakken,' zegt mijn moeder, die Alfred achterna loopt.

'Waarom zei je dat nou?' vraagt Tess met haar handen in de lucht. Ik wijs naar Jaclyn. 'Waarom vertelde je haar wat het betekent?'

'Ik voelde me in een hoek gedreven.'

Mijn wangen zijn warm door de wijn en de ruzie. 'Je had toch wel iets anders kunnen verzinnen? Iets chics, zoals het tikken van een duur horloge of zoiets.'

'Dan had het Tiktak moeten zijn,' zegt Charlie vanaf zijn uitkijkpost bij de fontein.

'Je zult je verontschuldigingen aan moeten bieden,' zegt oma rustig.

'Je weet best dat ik me momenteel nergens druk om mag maken,' zegt mijn vader die de kraag van zijn jas goed doet. 'Die zaadjes die ze erin hebben gestopt zijn radioactief. Als mijn bloeddruk omhoog schiet, kunnen ze als de Vesuvius uitbarsten.'

'Sorry, papa,' fluister ik.

Mijn vader kijkt naar zijn drie berouwvolle dochters. 'Weet je, we zijn allemaal één familie. Een klein eilandje mensen. We zijn verdorie niet Iran en Irak en Tibet, we zijn één land. En jullie allemaal, behalve jij, Tom, met je Ierse bloed, jullie allemaal, hebben wel wat Italiaans bloed in jullie aderen. En wat Charlie betreft, zijn familie De Fazzani is honderd procent Italiaans, inclusief een kwart Siciliaans, dus we hebben geen uitvluchten.' Mijn vader moet opeens aan zijn manieren denken en kijkt Roman aan. 'Roman, ik neem aan dat jij ook honderd procent bent?'

Roman, die hierdoor verrast wordt, knikt snel om dat te bevestigen.

Mijn vader gaat door: 'We moeten een eenheid vormen, een fort, zodat we onverslaanbaar zijn. Maar wat doen we? We hebben rancunes. De rancunes komen ons de oren en de reet uit. En waarom? Laat het toch gaan. Laat het allemaal toch gaan. Het maakt allemaal geen moer uit. Neem dat maar van jullie vader aan. Ik heb Magere Hein gezien en hij is een taaie rakker. Je hebt maar één leven, kinderen. Eén maar.' Pap steekt zijn wijsvinger in de lucht en zwaait ermee om zijn woorden kracht bij te zetten. 'En geloof mij nou maar, je moet ervan genieten. Echt. Ook al heeft Pamela korte beentjes en moet ze hoge hakken dragen om op haar horloge te kunnen kijken, nou ja, dan moeten wij maar accepteren dat dat nu eenmaal zo is. En als Alfred van haar houdt, dan houden wij ook van haar. Is dat duidelijk?'

'Ja, pap,' zeggen Jaclyn, Tess en ik. Roman, Charlie en Tom knikken bevestigend.

Mijn oma zakt onderuit op de stoel met haar ogen dicht.

'Dus zo doen we het voortaan. Ik ga naar beneden.' Mijn vader loopt de trap af.

Charlie en Tom hielden zich zo afstandig van de ruzie dat ze bijna van het dak af waren gevallen. Ze hebben hun handen in hun zakken, en verwachten eigenlijk nog meer herrie. Als het rustig blijft, kijkt Tom om zich heen en vraagt: 'Is er nog bier?'

Roman helpt me op de passagiersstoel van zijn auto en stapt dan zelf in. Ik ril terwijl hij de motor aanzet. Zijn stoel is helemaal naar achteren geschoven, dat doe ik ook met die van mij. 'Wat wil je gaan doen?' vraagt hij.

'Rijd maar naar de Brooklyn Bridge, dan kan ik ervanaf springen.'

'Leuk, hoor. Ik weet wel iets beters.'

Roman rijdt over Sixth Avenue naar het centrum. De straten van Manhattan zijn helder verlicht en verlaten.

'Ik vind het erg vervelend dat je dat aan moest horen.' Ik pak zijn hand.

'Bij ons thuis vierden we een keer kerst en we aten het kerstdiner in de garage. Mijn broers kregen ruzie en ze waren zo kwaad dat ze elkaar bekogelden met de reservebanden. Maak je maar niet druk.'

'Nu niet meer, nee.' We lachen. 'Wat vond je van Alfred?'

'Dat weet ik nog niet,' zegt Roman diplomatiek.

'Alfred legt de lat heel hoog. Niemand mag falen. Na mijn vaders ontrouw werd Alfred erg rechtschapen en hij heeft er zelfs aan gedacht om het klooster in te gaan en priester te worden. Maar toen werd Alfred geroepen door een andere god. En werd hij bankier. Natuurlijk is dat ook om mijn vader terug te pakken. Mijn vader heeft nooit veel geld verdiend, en op deze manier voelt Alfred zich boven hem staan. Alfred is moreel en financieel gezien zijn meerdere.'

'En zijn vrouw?'

'Die zit onder zijn duim. Ze is zo nerveus dat ze babyvoer moet eten omdat ze altijd last van maagzweren heeft.'

'Waarom is hij zo gemeen tegen jou?' vraagt Roman lief.

'Hij denkt dat ik wispelturig ben. Ik ben van baan veranderd, woon bij mijn grootmoeder en ik had de perfecte man maar ben niet met hem getrouwd.'

'Wie was dat?'

'Dat maakt niet uit, ik wil geen perfecte man.'

'Wat wil je dan wel?'

'Jou.' Roman tilt mijn hand naar zijn lippen en drukt er een kus op. Ik ben gek op hem, en volgens mij is het geen bevlieging. Hoe akelig de ruzie op het dak ook was, ik vond het fijn dat Roman erbij was. Zonder iets te zeggen of te doen, was het door zijn aanwezigheid toch minder erg. Ik voel me veilig bij hem.

Roman remt af voor Saks Fifth Avenue en slaat dan Fifty-first Street in. Hij zet de auto bij de ingang neer. 'Kom mee,' zegt hij. Hij loopt naar mijn kant toe en helpt me bij het uitstappen. 'Het is kerst, we moeten de etalages bewonderen.'

Hij pakt me bij de hand en we lopen achter de fluwelen touwen om. Voor een winkel staat een latinogezin foto's te maken van de etalage waar een paar sneeuwmannen acrobatische toeren uithalen. De vader tilt zijn driejarige zoon op voor het raam.

Het is stil op Fifth Avenue terwijl we daar etalages lopen te kijken, doorkijkjes van de feestelijkheden door de jaren heen: een drukke victoriaanse kerst met een gezin dat pakjes openmaakt en een puppy dat het lint van een pakje er elke keer weer af trekt, en een kerst uit de jaren twintig met meisjes met een pagekapsel en in een korte hemdjurk vol lovertjes die de Charleston perfect uitvoeren.

Er gaat een man met een saxofoon op de hoek van Fiftieth Street staan en hij verscheurt de stilte met een jazzriedel. Roman trekt me dicht tegen zich aan en we lopen door naar de etalage met de acrobatische sneeuwmannen. De man met de saxofoon houdt op met spelen, zijn koperen instrument hangt als een overmaatse gouden hanger om zijn nek. Hij kijkt naar Roman en mij. Terwijl we naar de volgende etalage lopen werp ik een blik op hem en ik glimlach. Het is een oude man, van een jaar of zeventig. Hij heeft een versleten tweed pet op en een oude jas aan. Hij zingt:

We have been gay, going our way
Life has been beautiful, we have been young
After you've gone, life will go on
Like an old song we have sung
When I grow too old to dream
I'll have you to remember
When I grow too old to dream
Your love will live in my heart
So, kiss me my sweet
And so let us part
And when I grow too old to dream
That kiss will live in my heart
And when I grow too old to dream
That kiss will live in my heart

Roman trekt me in zijn armen en geeft me een kus. Als ik mijn ogen opendoe zie ik de spotlichten op het dak van de kathedraal van Saint Patrick in de zwarte avondlucht opgaan als kegels witte rook. 'Blijf je vanavond bij me slapen?' vraagt hij.

'Een beter kerstgeschenk zou ik niet weten.'

Weer in de auto kijkt Roman me aan en hij glimlacht. Ik ben van plan om hem het hele ritje in zijn nek te zoenen. En dat doe ik ook. Hij zet de radio aan. Rosemary Clooney zingt strelend zacht als whisky met room. Ik kan alleen maar denken aan het moois waar we deze avond aan zullen beginnen. Ik verstop mijn gezicht in zijn nek en hoop dat de auto ons naar zijn huis zal vliegen.

Ik ben verliefd! In mijn hoofd gaat het tekeer als een hele lading muntjes die uit een fruitmachine komt rollen. Ik zie mezelf al zitten terwijl al die gouden schijfjes met honderden en duizenden tegelijk over me heen stromen! Ik zie confetti naar beneden dwarrelen, duiven wegvliegen, kerkklokken luiden, danseressen in korte rode broeken bezet met lovertjes uit alle macht tapdansen totdat het geluid zo hard wordt dat je je oren moet bedekken. Ik zie een helderblauwe hemel met rode vliegers en waar paars met witte luchtballons langs vliegen en zilverkleurig vuurwerk als kerstversiering naar beneden komt dwarrelen. En hier komt de parade! Fanfares, de een na de ander, in heldergroene uniforms, de aanvoerders die al gooiend met hun baton ertussendoor lopen, en glimmende koperen tuba's die van links naar rechts over straat marcheren en een liedje spelen. Mijn liedje! Mijn hoofd loopt over van het geluid, mijn ogen van alle praal en mijn hart van ouderwetse, waanzinnige blijdschap. Ik doe mijn ogen open en kijk naar de maan, en die doet een flikflak aan de hemel! Een hemelse muntopgooi! Ik heb gewonnen! Ik ben rijk, lieve vrienden!

Roman zet zijn auto in een parkeergarage aan Sullivan Street. Hij laat de sleutel in het slot zitten en zwaait naar de parkeerwacht, die terugzwaait. We lopen naar de straat en hij kust me onder de straatlantaarn. 'Waar woon je?' vraag ik.

'Daar.' Hij wijst naar een voormalige fabriek met een oude deur waar woorden in uitgesneden zijn, maar die kan ik niet lezen. Hij pakt mijn hand en we rennen naar de voordeur. We gaan naar binnen en nemen de lift naar de derde etage. We zoenen en omdat de liftcabine opeens deint, zitten onze lippen op elkaars neus en we moeten lachen.

De deuren van de lift glijden open en ik zie een gigantische open ruimte met aan weerskanten grote ramen. Er ligt een planken vloer op de grond met donkere stipjes van de oude spijkers die er nog in zitten. Vier grote witte zuilen staan in het midden van de kamer waardoor er een open binnenplaats wordt gecreëerd. Het hoge plafond bevat gipsen rozetten, en pilasters staan tegen de muur aan, zodat de zolderetage wel het magazijn van een museum lijkt. Er hangt een groot schilderij van een enkele witte wolk aan een nachtelijke hemel aan de muur tegenover ons.

Een moderne keuken, over de hele breedte van de etage, bevindt zich achter ons. Hij is netjes en geordend en heeft de allermodernste apparaten. Een kroonluchter van Murano-glas met oranje en groene wijnranken hangt boven de bar.

Zijn bed staat in de hoek van de kamer en het is een hemelbed, met een spierwitte katoenen hemel. De zilverkleurige radiatoren blazen stoom af in de stille ruimte. Het is zeker vijftig graden hier. Ik zweet me gek.

'Geef mij je jas maar,' zegt hij. Hij kust me terwijl hij de knopen van mijn jas losmaakt. Het blijft niet bij de jas. Hij maakt ook de paarlemoeren knoopjes van mijn zachtroze kasjmier vestje open en trekt hem bij me uit. Ik vraag me even af hoe ik eruitzie, maar dan zet ik het van me af, want hij heeft me al een keer in mijn blootje gezien. Hij raakt de zweetdruppels op mijn voorhoofd aan.

'Komt dit door de verwarming of door ons?'

'Door ons,' verzeker ik hem. Hij trekt de rits van mijn rok naar beneden. Ik help hem met zijn jas. Hij blijft hangen in de mouw van zijn overhemd, tot ik die van zijn arm trek. We lachen even, maar dan gaan we weer door met zoenen. Ik houd zijn gezicht in mijn handen en wil hem nooit meer loslaten terwijl we door de kamer lopen. We laten een spoor van kledingstukken als rozenblaadjes op de grond achter, tot we bij het bed komen. Hij tilt me op en legt me op de zachte fluwelen sprei. Hij reikt over me heen en zet het raam open. Er waait een briesje naar binnen waardoor het valletje wappert als was aan de waslijn. De koele lucht stroomt naar binnen en hij gaat naast me liggen.

We bedrijven de liefde op de muziek van de oude boiler en de fluitende kerstwind. We hebben het warm en koud, dan koud en warm, maar over het algemeen warm terwijl we ons in elkaar verliezen. Zijn kussen overdekken me als de fluwelen sprei die als een parachute op de grond ligt.

Ik laat me in de kussens zakken, net een lepel in deeg voor een chocoladecake.

'Vertel eens een verhaaltje.' Hij gaat tegen me aan liggen en legt zijn hoofd in mijn nek.

'Wat voor verhaaltje?'

'Zoals van de tomaten.'

'Eens kijken. Er was eens…' begin ik. Maar Roman is al in slaap gevallen. Ik kijk naar de sprei op de grond en weet dat de boiler binnenkort afslaat en ik zal bevriezen. Maar hij slaat niet af en ik bevries niet. Het enige wat ik in mijn slaap om me heen heb is zijn armen. Ik heb het warm en voel me veilig en gewild door de man op wie ik gek ben, en die naast me ligt, nu nog een groot raadsel, maar ik weet genoeg over hem om op deze kerstavond diep en lang te liggen dromen. Wat een zalige plek om mijn ooit vermoeide hart te laten rusten, opgelapt als de jaszakken van de oude man met de saxofoon, de man die te oud is om nog te dromen.

8

Mott Street

'Kijk, dat vind ik nu een leuke kerst.' June neemt een hap van een donut en doet haar ogen dicht. Als ze haar mond leeg heeft neemt ze een slok koffie. 'Weet je, seks tijdens de feestdagen is het allerlekkerst. Je eet zalig, hebt leuke gesprekken, of in jullie geval een familieruzie waardoor je zin krijgt in lekker rollebollen in het hooi. En na de ruzie, weet je, kun je dat goed gebruiken. Daardoor verdwijnen de muizenissen weer.'

'Was je erbij soms?' Ik had beter kunnen vragen waar June niet bij is geweest.

'O, ik kan je een verhaal vertellen over Saint Patrick's Day in Dublin waardoor je...'

'June.' Mijn oma komt de zaak in met haar jas aan en een sjaaltje om. Ze legt haar tas neer en trekt haar handschoenen en jas uit.

'Ik wilde net Valantine over die vent vertellen, die ik tijdens de vakantie in 1972 heb leren kennen. Seamus vond niets gek, geloof me. Heerlijke man.'

'Schrijf toch eens een boek. Dan kunnen we van je uitspattingen als een literaire ervaring genieten' – oma hangt haar jas op – 'en kunnen we zelf uitmaken of we het boek uit de bieb halen of niet.'

'Maak je maar geen zorgen, ik zal nooit een boek schrijven. Ik kan gewoon niet stralen op papier.' June bladert door het patroonpapier alsof ze een matador is die met een cape loopt te zwaaien. Ze legt het op de tafel. 'Maar wel in het echte leven.'

'Als alle echte kunstenaars,' zeg ik en ik zet het strijkijzer aan.

'Wat vinden jullie ervan?' Mijn grootmoeder doet haar sjaal af. Ze draait langzaam op haar hakken rond om haar nieuwe coupe en haarkleur te laten bewonderen. Ze heeft geen zilvergrijs haar meer! Het is nu zachtbruin en kortgeknipt met lange laagjes aan de zijkant en goudblonde highlights langs haar gezicht waar vroeger kleine stijve krulletjes zaten. Haar bruine ogen steken stralend af tegen haar roze huid en warme haarkleur. 'Ik heb de coupon gebruikt die jullie me met kerst voor Eva Scrivo hebben gegeven. Wat vinden jullie ervan?'

'Lieve hemel, Teodora. Je bent maar liefst twintig jaar jonger geworden,' verwondert June zich. 'En ik kende je twintig jaar geleden, dus ik kan het weten.'

'Dank je.' Mijn grootmoeder straalt. 'Ik wilde er eens anders uitzien voor mijn reisje naar Italië.'

'Nou, dat is je gelukt,' zeg ik haar.

'Eh... óns reisje naar Italië bedoel ik eigenlijk.' Mijn oma kijkt me aan. 'Valentina, ik wil graag dat je met me mee gaat.'

'Weet je dat zeker?' Ik ben alleen met school een keer naar Italië geweest en ik zou er dolgraag met mijn oma naartoe willen.

In al de jaren dat mijn grootouders naar Italië gingen, waren dat louter zakenreisjes: om materiaal te kopen, andere handwerklui te spreken, informatie uit te wisselen, en nieuwe technieken te leren. Ze bleven over het algemeen een maand weg. Toen ik nog klein was gingen ze elk jaar, maar na verloop van tijd werd het om het jaar of soms zelfs om de twee jaar. Toen opa tien jaar geleden overleed, maakte mijn grootmoeder er weer elk jaar van.

'Oma, wil je echt dat ik mee ga?'

'Zonder jou zou ik zelfs niet willen gaan. Je wilt toch die Bergdorfwedstrijd winnen?' Oma kijkt in haar werkdossier. 'Daar hebben we de beste spullen voor nodig, toch?'

'Zeker weten.' We wachten nog op de schets van de japon die Rhedd ons heeft toegezegd. Ik kom erachter dat in de modewereld de enige mensen die op tijd werken degenen zijn die de dingen daadwerkelijk maken en niet de mensen die ze verkopen.

June legt haar schaar neer en kijkt oma aan. 'Je hebt nog nooit iemand meegenomen naar Italië. Niet sinds Mike overleed.'

'Dat weet ik,' zegt ze rustig.

'Waarom nu dan wel?' June speldt het patroonpapier op het leer.

'Het is nu de juiste tijd.' Oma gaat, om zich een houding te geven, na of de prullenmanden geleegd moeten worden. 'Ooit zal Valentina de zaak runnen, en ze moet dus iedereen kennen met wie ik zakendoe.'

'Van mij mogen we vanavond al gaan. Ik ga eindelijk naar het Spolti-hotel, ik ga de looiers ontmoeten, en naar de grote zijdefabrikanten in Prato. Hier zit ik al mijn hele leven op te wachten.'

'En die Italiaanse mannen zitten op jou te wachten,' merkt June op.

'June, ik ben al bezet.' Heeft ze wel geluisterd naar de opgeschoonde versie van mijn kerstavond?

'Weet ik. Maar het is de wet van de sterkste. Het is me opgevallen dat zodra ik iemand heb, ik opeens iedereen kan krijgen die ik maar wil. In Italië zullen de mannen voor je in de rij staan, neem dat maar van me aan.'

'Voor een fooi ja. Portieren, obers en piccolo's,' zeg ik.

'Er is helemaal niets mis met een man die zware dingen voor je kan tillen,' zegt June met een knipoog.

'Valentina zal het druk hebben. Ze heeft helemaal geen tijd voor leuke dingen en vriendschappen.'

'Jammer, hoor,' zegt June zuchtend.

'Want daarom ga je mee,' zegt grootmoeder tegen me. 'Zodat jij kunt werken en ik tijd heb voor leuke dingen en vriendschappen.'

Ik moet denken aan die late gesprekken uit Italië die wel heel erg lang duren voor alleen maar wat leer bestellen. Ik moet denken aan de man op de foto die onder in de la van oma's dressoir ligt. Ik moet denken aan onze gesprekken over dat de tijd vliegt. Neemt ze me echt mee naar Italië om me op de hoogte te brengen van alles, zodat ik de Angelini Shoe Company uiteindelijk van haar over kan nemen, of zit er iets anders achter? Ik had verwacht dat oma van Eva Scrivo thuis zou komen met een kortgeknipte en wat vollere versie van haar oude coupe, maar ze komt hier binnenlopen als een bejaarde Posh Beckham die naar de bingo gaat. Wat is er aan de hand?

Er wordt op de deur geklopt.

'Daar gaan we weer,' zegt June vrolijk.

'Oma, dat is Bret voor ons gesprek.'

'Goed,' zegt mijn grootmoeder op een toon waardoor ik weet dat ze er totaal geen zin in heeft.

'Oma, wil je alsjeblieft naar hem luisteren?'

'Ik heb net een heel andere coupe gekregen. Het haar hangt niet meer voor mijn oren, dus goed luisteren moet lukken.'

Ik open de deur. Roman staat daar met een boeket rode rozen in zijn ene hand. Zijn andere hand houdt hij op zijn rug. 'Wat een verrassing!'

'Goedemorgen.' Hij buigt zich voorover en geeft me een kus terwijl hij me de bloemen overhandigt. 'Ik was toch in de buurt.'

'Wat mooi! Kom binnen!'

Roman loopt met me mee de zaak in. Hij heeft een spijkerbroek aan, een wollen jack en aan zijn voeten draagt hij dikke witte sokken en gele plastic werkschoenen.

'Heb je geen koude voeten?'

'Dankzij mijn Wigwam-sokken niet,' zegt hij met een glimlach. 'Maak je je zorgen om mij?'

'Alleen om je voeten. We moeten wel iets doen aan je schoenkeuze. Je gaat wel uit met een schoenlapper. Ik mag van jou geen light lasagne meer eten, dus jij mag van mij niet meer in plastic muilen rondlopen. Ik maak wel een paar mooie kalfsleren laarzen voor je.'

'Daar zeg ik geen nee tegen,' zegt hij grijnzend. Roman tovert nog twee boeketten vanachter zijn rug vandaan. Hij geeft er een aan mijn grootmoeder en de andere aan June. 'Voor de engelen in Greenwich Village.' Ze bedanken hem uitbundig. Dan valt Roman oma's nieuwe kapsel op. 'Teodora, je ziet er schitterend uit.'

'Dank je.' Ze zwaait met het boeket naar Roman. 'Dat had je niet moeten doen!'

'Het is volgende maand pas Valentijnsdag,' zegt June met haar neus in de rozen.

'Voor mij is het elke dag Valentijnsdag.' Roman kijkt me aan. 'Hoeveel vriendjes hebben dat al tegen je gezegd?'

'Allemaal,' zeg ik.

Ik vul in het toilet twee vazen van geperst glas met water en geef de ene aan mijn grootmoeder en de andere aan June. Dan vul ik nog een vaas en daar doe ik mijn boeket in.

Oma schikt haar rozen in de vaas. 'Wat fijn dat er nog mannen bestaan die weten wat een vrouw leuk vindt.'

'En niet alleen wat bloemen betreft.' June geeft me een knipoog.

Mijn oma zet Junes bloemen in de andere vaas en er valt een stilte die alleen onderbroken wordt door het geritsel van het patroonpapier dat June aan het knippen is. Roman, prima vent dat hij is, speelt met de borstels op de poetsmachine en wacht tot iemand iets zegt wat niet naar zijn/mijn/ons seksleven verwijst.

'En dan heb je zelfs nog nooit bij mij gegeten,' zegt Roman tegen June.

'Ik sta te popelen,' gromt June.

'June,' waarschuw ik haar. June mag ons rustig haar liefdesleven in geuren en kleuren vertellen, maar ze hoeft Roman daar niet bij te betrekken.

De voordeur gaat open.

'Goedemorgen, dames,' roept Bret vanuit de hal. Hij loopt de zaak in in een donkerblauw Armani-pak, met een opzichtige gele stropdas en een helderwit overhemd. Hij heeft glimmende zwarte instappers met kwastjes aan van Dior Homme.

Bret steekt zijn hand uit naar Roman. 'Bret Fitzpatrick.'

'Roman Falconi,' zegt hij en hij geeft Bret een stevige hand.

'Je komt hier je trouwschoenen passen, neem ik aan?' grapt Bret.

'Wat hebben jullie in een maat 48?' Roman kijkt oma, June en vervolgens mij aan.

En daar heb je het, mijn verleden en mijn toekomst tezamen. Als ik ze zo eens bekijk, is het duidelijk dat ik op lang val en dat hij een baan heeft. Maar ik ben mijn moeders dochter en dus behoorlijk kritisch. Romans werkmuilen lijken wel gigantische clownschoenen naast Brets mooie instappers. Ik had liever dat mijn vriend mooie schoenen aan had gehad.

'Bret is een goede vriend van ons,' zegt oma.

'Wel wat meer dan een vriend,' zegt June zachtjes.

'Bret helpt ons met wat nieuwe mogelijkheden voor onze zaak,' leg ik uit.

Roman werpt een blik op Bret en knikt. 'Nou, ik zal jullie niet ophouden. Ik moet er weer vandoor. Faicco heeft prachtige osso buco van een biologische boerderij in Woodstock. Dat is de specialiteit voor vanavond.' Roman kust me ten afscheid.

'Bedankt voor de bloemen,' zegt grootmoeder met een glimlach.

'Ja, dank je,' zegt June.

'Tot straks, meiden.' Roman draait zich om. 'Leuk kennis te maken,' zegt hij tegen Bret.

'Insgelijks,' zegt Bret terwijl Roman weg gaat.

'Dat was helemaal niet gênant,' zegt June die een speld tussen haar lippen geklemd heeft. 'Oud en nieuw.'

'Dus dat is je nieuwe vriend?' Bret kijkt naar de deur.

'Hij is kok,' schept oma op.

'In Ca' d'Oro, aan Mott Street,' zeg ik snel voordat Bret ernaar kan vragen. Toen we nog wat samen hadden, leek het soms wel of we elkaars gedachten konden lezen, en eerlijk gezegd mis ik dat wel.

'Daar heb ik van gehoord. Het moet heel goed zijn,' zegt Bret vriendelijk.

Fijn dat mijn oude vriendje totaal niet jaloers is op mijn nieuwe. Hoewel ik dat misschien liever anders had gezien. Een tikje anders maar. 'Ik kan je de risotto van harte aanbevelen.'

Bret gaat zitten en maakt zijn aktetas open. Hij haalt er een dossier uit waar ANGELINI SHOES op staat. 'Ik wil even iets met jullie doornemen. Hebben jullie nog de kans gehad om het over de bekendheid van jullie merk te hebben?'

'Valentina heeft een paar dingen voorgesteld…' begint mijn grootmoeder.

'Oma, je haar zit anders. Wat heb je ermee gedaan?'

'Het is een nieuwe coupe.'

'En een klein beetje geverfd,' zegt June lachend. 'En ik kan het weten, want dat doe ik zelf ook.'

'Nou, je ziet er heel mooi uit, oma,' zegt Bret. Indrukwekkend hoe Bret een onwillige cliënt gunstig kan stemmen. Hij moet een topper zijn in de hedgefondsen. 'June, vind je het niet erg als we het over de zaak hebben?'

'Doe maar net of ik er niet ben.'

'Valentina had het over merkbekendheid. Maar weet je, we zijn nu al zo'n honderd jaar bezig, dus ons merk is echt wel bekend. Zo is het nu eenmaal. Weet je wat ik nu niet begrijp?' Mijn grootmoeder strijkt een lok uit haar gezicht. 'We maken trouwschoenen naar oude ontwerpen. Dat is onze catalogus, als je dat zo wilt noemen. We maken ze met de hand. We kunnen ze niet sneller maken. Hoe kunnen we meer klanten bedienen dan we al doen?'

'Valentina?' Bret gooit me de bal toe.

'Dat kan ook niet, oma. Niet met onze basisontwerpen. Dat zou niet lukken. Nee, we moeten een andere schoen ontwerpen, een die wel machinaal kan worden geproduceerd. We moeten een nieuwe, betaalbare lijn gaan voeren.'

'Goedkopere schoenen?'

'Wat prijs betreft wel, maar niet wat de kwaliteit aangaat.'

'Ik zou eerlijk gezegd niet weten hoe dat zou moeten,' zegt mijn oma.

'Investeerders willen graag weten dat het product dat zij financieren massaal geproduceerd kan worden, omdat ze zo meer winst kunnen maken. Je moet dus iets maken wat zowel modieus als betaalbaar en te doen is voor de ontwerper en de fabrikant,' zegt Bret en hij overhandigt oma een rapport waarop staat MERKBEKENDHEID, GROEI EN WINST VOOR DE KLEINE BEDRIJVEN. 'Goed, als jullie snappen waar ik heen wil, denk ik wel dat we een fonds kunnen regelen waardoor jullie de tijd krijgen om deze nieuwe lijn uit te werken.'

'Dat lijkt me wel wat,' zeg ik enthousiast, maar een blik op mijn grootmoeder doet me beseffen dat ze nog niet overtuigd is.

'Nou, investeerders willen graag dat jullie, een klein bedrijf met een goede naam, iets verzinnen wat massaal geproduceerd kan worden.' Bret gaat door: 'En dit is het mooie eraan. Het hoeft niet per se een trouwschoen te zijn.'

'Op die manier.' Oma werpt me een blik toe.

'Ik zit te denken aan iets nieuws dat wel bij ons merk past, maar het maatwerk in onze zaak geen geweld aandoet,' leg ik uit. 'Dat zou een product zijn dat hier wel ontwikkeld is en uitgewerkt, maar ergens anders wordt gefabriceerd.'

'In China?' vraagt mijn grootmoeder.

'Zou kunnen. Of in Spanje, of in Brazilië of in Indonesië. Misschien zelfs in Italië,' zeg ik tegen haar.

'Zijn er nog Amerikaanse bedrijven die zelf machinaal schoenen produceren?'

'Een paar.'

'Kunnen we die dan niet gebruiken?'

'Dat ga ik meteen uitzoeken, oma.' Ik wil niet dat dit gesprek blijft hangen in het argument dat mijn grootmoeder alleen maar dingen wil die in Amerika zijn gefabriceerd. Ze moet het hele beeld blijven zien, en ons bedrijf.

'Maak je maar geen zorgen over dat aspect van de zaak,' zegt Bret om mij te ondersteunen. 'We moeten ons nu richten op het werk zelf.'

'Oma, ik moet eerst die schoen ontwerpen. Ik zit te denken aan een vrijetijdsschoen, maar dan wel hip. En misschien wat accessoires zelfs. Het kan dus nog meer worden.'

'Nee toch. Geen riemen, hoor!' valt June ons in de rede. 'Sorry hoor, ik mag me er natuurlijk niet mee bemoeien, maar soms moet het gewoon wel. We hebben dat al een keer gedaan. Dat was een regelrechte ramp. Mike maakte riemen en verkocht die aan Saks en die kregen we weer terug, weet je dat nog?'

Mijn grootmoeder knikt.

'Hij gebruikte daar zacht leer voor, kalfsleer, en als je dat een paar keer had gedragen, rekte het helemaal uit. De klanten waren ontevreden en Saks was des duivels. We kregen elke riem terug.' June schudt haar hoofd. 'Echt elke riem.'

'En Mike zei dat hij dat nooit meer zou doen. Hij zei dat een schoenmaker zich bij zijn leest moest houden.'

'Maar, oma, we zullen wel moeten. We moeten die kans pakken. Als we niets doen om onze zaak nieuw leven in te blazen, zijn we er over een jaar niet meer.'

'Goed, dan,' zegt Bret en hij geeft me het dossier. 'Jullie moeten maar eens praten, dan ga ik mijn mensen vertellen dat jullie bezig zijn een portfolio voor hen samen te stellen.'

'Je kunt ze ook vertellen dat we naar Italië gaan voor de nieuwste materialen die we kunnen krijgen,' zeg ik tegen hem.

'Val, ik had nooit gedacht dat ik dit ooit zou zeggen, maar je lijkt wel een zakenvrouw.'

'Ik sta nu eenmaal achter dit bedrijf.'

'Dat is duidelijk.' Bret geeft oma, June en dan mij een kus op de wang. 'Ga zo door. Je weet waar je mee bezig bent.' Bret laat de dossiers bij ons achter en gaat weg.

'Hij gelooft helemaal in jou,' zegt June.

'Hij kent me al een tijdje…' zeg ik. 'En dat is best handig eigenlijk.'

Ca' d'Oro is op maandagavond gesloten, dus dan gaan Roman en ik uit. Roman komt meestal naar mij toe en dan kook ik, of ik ga naar zijn huis en dan kookt hij. Vanavond heeft hij mijn familie in zijn restaurant uitgenodigd voor een etentje, als genoegdoening voor kerst en als boetedoening omdat hij niet bij oma's tachtigste verjaardag in het Carlyle aanwezig was. Het kan eigenlijk niet mooier, want nu leert mijn familie hem op zijn eigen terrein kennen. Ca' d'Oro is Romans meesterwerk, hij laat zien wie hij is, wat hij op kookgebied allemaal kan en dat zijn restaurant een van de beste in Manhattan is.

Nadat ik klaar was met mijn werk, ging ik naar hem toe, dekte ik de tafel in de eetkamer, zette overal kaarsen neer en plaatste een schaal met groen en viooltjes midden op tafel. Nu ben ik in de keuken bezig als Romans assistente. Eten bereiden is weer eens iets anders dan schoenen maken, voornamelijk omdat ik de gerechten die hij kookt even kan proeven.

'Dus hij is jouw type?' Roman legt een dunne plak pastadeeg op de raviolipers.

Ik doe in elke holte wat van Romans zelfgemaakte vulling, een romige puree van zoete aardappelen met een paar schijfjes truffel, belegen Parmezaanse kaas en kruiden. 'Ik vroeg me al af hoe lang het zou duren voordat je over Bret begon.'

'Hij is een zakenman in pak met stropdas. Is hij succesvol?'

'Behoorlijk.'

'Jullie zijn nog steeds bevriend, dus jullie zijn niet rot uit elkaar gegaan.'

'Het was wel een beetje rot, maar we waren daarvoor al bevriend, dus waarom zouden we dat daarna niet meer zijn?'

'Wat ging er mis?'

'Een carrière in Wall Street en een in de schoenenbusiness komen nu niet bepaald overeen. Achteraf gezien snap ik wel hoe het is gegaan. Het enige wat wel werkte in onze relatie was onze achtergrond. Die waren totaal verschillend.'

'Totaal verschillend?' Roman plaatst een plak deeg op de andere. Dan drukt hij met de pers twaalf ravioli's uit op het met meel bestoven aanrecht. Hij pakt ze een voor een op en legt ze naast elkaar op een houten blad dat is besprenkeld met geel maïsmeel. 'Leg dat eens uit.'

'Je moet nooit alles hetzelfde hebben in een relatie. Er moet variatie zijn. Iers: Fitzpatrick, en Italiaans: ik. Iemand uit het zuiden samen met iemand uit het noorden. Goed. Bij een jood en een katholiek kun je de schuldgevoelens en de schande mooi verdelen. Maar een protestant met een katholiek? Dat is wat minder. Mijn ouders moedigden ons aan om binnen onze groep te trouwen, maar te veel van het goede kan een drama tot gevolg hebben.'

'En twee Italianen?' vraagt hij.

'Dat kan prima, zolang ze maar uit verschillende streken komen.'

'Mooi. Ik kom uit Apulië en jij?'

'Uit Toscane en Calabrië.'

'Dus dat zit wel goed samen?'

'Ja, hoor,' stel ik hem gerust.

'Misschien zijn de carrières wel de boosdoeners. Hoe zit het met een kok en een schoenmaker? Kan dat wel samen?'

Ik ga op mijn tenen staan en geef hem een kus. 'Dat hangt ervan af,' zeg ik.

'Maar stel nou dat jij juist voor het drama gaat? Het drama van de creativiteit en het risico. Stel dat dat het enige is wat jullie bindt?'

'Tja, dan zou ik mijn mening bij moeten stellen.'

'Goed zo.' Roman legt weer een plak deeg op de raviolipers. Ik vul zorgvuldig de holletjes. 'Waarom ga je niet even lekker in het restaurant met je benen omhoog zitten?'

'Nee, dank je. Ik help liever. En als ik dat niet zou doen, zou ik je helemaal nooit zien.'

'Sorry,' zegt hij teder. 'Beroepsrisico.'

'Jij kunt er ook niets aan doen. Je houdt van je werk en dat vind ik prachtig.'

'Je bent de eerste vrouw met wie ik iets heb die dat snapt.'

'Je hebt trouwens meer aan mij hier dan ik aan jou bij mij in de zaak. Ik zie jou nog geen roze strikjes op een schoen naaien.'

'Ik kan totaal niet met naald en draad overweg.'

Roman legt een plak deeg over de gevulde holletjes, klapt de pers dicht, opent hem en een dozijn raviolikussentjes liggen klaar. Hij legt ze op het houten dienblad bij de andere. Dan doet hij de ovendeur open om het varkensvlees en de groenten te controleren die in een wijnsaus liggen te pruttelen. De hele keuken ruikt naar boter, salie en warme bourgogne. Ik kijk naar hem terwijl hij geroutineerd de maaltijd voorbereidt. Hij zet zichzelf voor de volle honderd procent in, het is duidelijk dat hij toegewijd is en er al zijn tijd in steekt. Roman doet ook onderzoek. Hij probeert nieuwe recepten en combinaties uit, verwerpt sommige ideeën en brengt hier en daar veranderingen aan.

Hoewel ik veel om hem geef (en hij om mij), vraag ik me soms toch af of we wel een goede relatie op kunnen bouwen terwijl we elkaar zo weinig zien. Ik kan me nog een interview met Katharine Hepburn herinneren waarin ze zegt dat in een relatie de vrouw aanbiddelijk moet zijn. Ik doe mijn best om een ontspannen vriendin te zijn die niet zeurt en die achter hem staat en zich bewust is van zijn werkdruk, en dus daar niet aan bijdraagt. Eerlijk gezegd doet hij dat ook naar mij toe. Ik denk dat zolang we ons zo blijven voelen het allemaal goed zal gaan en we vanzelf het volgende niveau bereiken (wat dat ook mag zijn).

'Hé, jongens!' Mijn moeder loopt de keuken in met een hele lading boodschappentassen. 'Ik ben even snel naar de winkels geweest. Ik ben dol op koopjes en dan moet je beslist naar Chinatown gaan, want betere koopjes krijg je nergens. Zijden sloffen voor twee dollar.' Ze houdt een plastic zak omhoog waar allemaal sloffen in zitten.

'Ik weet nu al wat ik voor de volgende kerst krijg.'

'Over een jaar weet je heus niet meer dat ik deze heb gekocht. Je zusjes zijn er ook. De jongens zijn hun auto aan het wegzetten. Zijn jullie ravioli aan het maken?'

'De specialiteit van vandaag,' zegt Roman.

'Jammie.'

'Waar is papa?' vraag ik.

'Die is een kan Manhattans aan het mixen aan de bar. Mag dat wel, Roman?'

'Tuurlijk. Doe maar net of jullie thuis zijn. Dit is jullie avond,' zegt Roman met een glimlach.

'Het is gewoon fantastisch! Een chef-kok helemaal alleen voor ons alleen in zijn eigen populaire restaurant. Waar hebben we dat aan verdiend?'

'Ik zie je zo bij de bar, mam.' Mijn moeder gaat terug naar de eetzaal terwijl ik het blad met ravioli oppak en op een serveerwagen zet. Ik trek de wagen naar het aanrecht toe. 'Mijn moeder is diep onder de indruk van jou, weet je.'

'Ja, dat weet ik. Als je eenmaal de moeder in je zak hebt, komt de dochter vanzelf.'

Ik geef Roman een kus. 'Mijn moeder heeft er niets mee te maken.'

Roman geeft me een mandje met zelfgemaakte broodstengels aan om op de bar te zetten.

Mijn ouders zitten op een barkruk met hun rug naar het restaurant. Mijn vader heeft zijn voeten, gestoken in zwarte suède Merrells, op het randje van de kruk gezet, terwijl mijn moeders voeten, gestoken in donkerbruine kalfsleren enkellaarsjes met een hoge plateauzool, als die van een kind boven de grond bungelen. Tess en Jaclyn staan bij de bar. Tess heeft een rode cocktailjapon aan en Jaclyn een zwarte zwangerschapsbroek met een bijpassende wijde coltrui. Jaclyn steekt haar hand op. 'Ik weet het, ik lijk wel een olifant.'

'Ik zeg toch niets?' Ik omhels haar even.

'Ik zag het je denken.'

'Ik dacht dus net dat je er prachtig uitziet.'

Jaclyn neemt het broodmandje van me over en pakt er een stengel uit. 'Leuk geprobeerd.' Ze neemt een hap. 'Ik zie er twee keer zo dik uit in deze broek.'

'Maar je eet dan ook twee keer meer dan anders,' plaagt mijn vader haar.

'O, wat ben je weer leuk, pap,' zegt Jaclyn terwijl ze weer een hap neemt.

'Hoe gaat het met je?' Ik leg mijn handen op papa's schouders.

'Je moeder heeft me door heel Chinatown laten rennen alsof ik een op hol geslagen riksja was. Ik mag dan bijna dood zijn, maar zij heeft tenminste een hele zak vol pantoffels.'

'Waar zijn jullie wederhelften?' vraag ik aan Tess.

'Die zoeken een parkeerplek.'

'Gelukkig maar dat die jongens elkaar mogen.' Mijn moeder walst de wijnrode Manhatten rond in haar glas en neemt een slok. 'Dat is vaak wel anders met schoonfamilie.'

Tess kijkt me aan.

'Mam, dat weten we zo langzamerhand wel,' zeg ik. Mijn moeder is soms echt stom, Pamela heeft ons per slot van rekening jarenlang afstandelijk behandeld. 'Komen Pamela en Alfred nog? We hebben niets op de uitnodiging gehoord.'

'We zitten nog op het eiland,' zegt Tess en ze haalt de schouders op. 'Pam heeft sinds die ruzie met kerst met niemand van ons gesproken.'

'Heb je haar gebeld om je verontschuldigingen aan te bieden?' vraagt mijn moeder haar.

'Ik zou niet weten wat ik moet zeggen. En bovendien zou Valentina dat moeten doen. Die moest het er zo nodig uit flappen.'

'We noemen haar allemaal Klikklak. Zij noemt ons trouwens de Gezusters Gehaktbal achter onze rug om en daar heeft ze zich ook nooit voor verontschuldigd.' Ik lijk wel vijf.

'Mam, jij hebt ook wel eens iets over haar gezegd,' zegt Jaclyn terwijl ze een kers uit haar limonade vist en in haar mond stopt.

'Ja, over haar maat, hoe klein ze is, maar nooit iets over haar voeten.'

'Voeten, achterste, handen, wat maakt het uit,' verklaart mijn vader. 'Jullie meiden zijn gewoon gemeen en Pamela is beledigd. Jullie moeten het weer goed maken. Zo kan het niet lang meer doorgaan. Een van jullie moet haar bellen om het recht te trekken.'

'Jullie vader heeft gelijk. We moeten haar inderdaad bellen,' zegt mijn moeder.

'Dat wil ik niet!' Jaclyn pakt nog een broodstengel. 'En dat doe ik ook niet! Ik ben elke dag kotsmisselijk en ik kan er niet meer bij hebben. Ik ben er doodziek van. Ze hoort nu al jaren bij onze familie. Kan ze nu nog nergens tegen? Goed, we zijn soms niet even aardig, nou en? Het leven is hard. Klikklak? Het zou Dundun moeten zijn.'

'De zwangerschapshormonen gaan tekeer,' fluistert mama. 'Het wordt vast een jongetje.'

Charlie en Tom komen het restaurant in en begroeten mijn ouders. Roman komt de keuken uit lopen met een schaal gefrituurde pompoenbloemen. Hij zet hem op de bar en geeft dan iedereen een hand.

'Wat parkeergelegenheid betreft krijg je van mij nu al vier sterren. Het was een eitje.' Charlie trekt zijn jas uit.

'Je kunt altijd prima parkeren in Little Italy,' zegt mijn vader. 'Wij Italianen weten hoe we klanten moeten trekken, toch, Roman? En terwijl jij ons te eten geeft, vertellen wij je wel of je er wat van kunt.' Mijn vader geeft Roman een knipoog.

Roman glimlacht als een boer met kiespijn. Het valt papa niet op. Oma komt de zaak in. Ze zet haar hoed af, schudt met haar nieuwe kapsel en draait dan een rondje alsof ze een model is. Charlie en Tom fluiten en mijn zusjes kijken verbaasd naar haar bruine haar.

'Ma! Je bent weer een brunette!' Mijn moeder slaat blij haar handen ineen. 'Je hebt eindelijk mijn raad opgevolgd!'

Papa draait zich om op zijn barkruk. 'Wat vitaminepillen al niet kunnen doen,' zegt hij waarderend.

'Mam, nu kun jij weer vijf jaar van je leeftijd aftrekken,' stelt Tess voor.

'Op zijn minst! Als je op je tachtigste zestig lijkt, dan ben ik veertig!'

'En dan ben ik dus een pedo.' Mijn vader neemt een slok. 'Dankzij jouw rekenkunsten ben ik nu oud genoeg om je vader te zijn.'

'Wat is er mis met een oudere man?' zegt mijn moeder en ze haalt haar schouders op.

'Alfred komt eraan,' zegt oma terwijl ze aan de tafel gaat zitten.

'Hij heeft tegen mij gezegd dat hij niet zou komen.' Mijn moeder loopt om de bar heen om voor oma een Manhattan in te schenken.

'Ik zei dat hij móést komen.' Mijn grootmoeder zet haar handtas op een kruk voor de bar. 'Ik ben deze stomme ruzie helemaal zat. Dat heb ik nu wel vaak genoeg meegemaakt in mijn leven. Als een familieruzie niet wordt uitgesproken, is het na verloop van tijd een honderdjarige oorlog, terwijl niemand zich nog kan herinneren waar de ruzie eigenlijk om ging.'

'Ik sta voor de volle procent achter je, ma.'

'Voor de volle hónderd procent,' verbetert mama mijn vader.

'Moeten we op Alfred wachten?' vraagt Roman aan mijn grootmoeder. 'Ik zet maar alvast wat eten op tafel,' zegt hij tegen mij onderweg naar de keuken.

'Zal ik even helpen?' vraag ik hem.

'Hoeft niet,' roept hij achterom. Hij klinkt getergd.

Mijn familie zit al te zeuren vanaf het moment dat ze binnen kwamen. Mijn vriend is het duidelijk zat dat mijn familie de ruzie over Pamela met de kerst weer uitkauwt. Dat zou niemand twee keer mogen meemaken.

'Het ontwerp van de bruidsjapon is binnen.' Mijn oma haalt een grote grijze envelop waar BG op staat uit haar tas geeft die aan mij. 'Persoonlijk afgeleverd door Bergdorf Goodman.'

De trouwjapon waarvoor we de schoenen moeten ontwerpen, is in inkt en waterverf op zwaar tekenpapier uitgevoerd. Aan de jurk hangen repen chiffon, die zo te zien met een vleesmes uit zijn gesneden en lukraak vastgenaaid zijn. Het is net een dure zijden jurk die per ongeluk is meegewassen. Het ziet er niet uit.

'Wie heeft er nu een paar schoenen bij deze jurk nodig? Je hebt meer aan een jas.' Ik geef het ontwerp door aan Tess.

'Een die je van boven tot onder helemaal dicht kunt knopen,' zegt oma droog. 'Wie zijn Rag & Bone?'

'Twee topontwerpers,' breng ik haar op de hoogte.

Mijn moeder zet haar leesbril op en bekijkt de schets. 'O, lieve hemel, is lelijk momenteel de mode?' Ze geeft de tekening aan Jaclyn. 'Ik snap niet waarom ze Stella McCartney niet in de arm hebben genomen. Zij is klassiek en romantisch en grappig.'

'En je moeder was verliefd op Stella's vader. Paul was haar lievelings Beatle,' doet papa een duit in het zakje.

'Ik ga me niet verontschuldigen voor het feit dat ik een goede smaak heb,' zegt mama en ze neemt een slok. Roman komt binnen met de schaal ravioli.

Jaclyn geeft de schets weer aan mij. 'Waarom kan het niet eens mooi zijn? Waarom moet alles zo lelijk zijn?' Jaclyn plengt een traantje en slaat dan met haar vuisten op tafel. 'Wat is dit toch? Waarom zit ik te janken?' zegt ze snikkend. 'In mijn hoofd huil ik niet, in mijn hoofd ben ik normaal! Het is maar een jurk. Wat kan mij die jurk nou schelen?' Ze snottert. 'Maar ik kan er gewoon niets aan doen…' Roman pakt een doos met tissues achter de bar vandaan. Hij zet hem bij Jaclyn op tafel.

'Stil maar.' Mijn moeder legt troostend haar arm om Jaclyns schouder.

'Mocht ik maar drinken! Nog vier maanden zonder!' Jaclyn legt haar hoofd op haar handen en zegt grienend: 'Ik wil een borrel!'

Roman ademt langzaam uit terwijl hij naar de tafel kijkt. Hij heeft dezelfde uitdrukking op zijn gezicht als tijdens de ruzie op kerstavond. Hij wil niet vervelend doen, maar hij ergert zich duidelijk kapot. Het is zonde om goed eten aan boze mensen te serveren.

Alfred duwt de voordeur open. Er komt een vlaag koude lucht met hem mee. Alfred steekt zijn hand naar Roman uit. 'Leuk je weer te zien,' zegt hij net zo kil als de wind die hij binnen heeft gelaten.

'Fijn dat je kon komen,' zegt Roman vriendelijk, maar de blik in zijn ogen geeft duidelijk aan dat er al zes Roncalli's te veel in zijn restaurant zitten.

Alfred maakt geen aanstalten om zijn jas uit te trekken. In plaats daarvan kijkt hij over onze hoofden heen om geen oogcontact te maken. Uiteindelijk loopt hij naar mam toe en geeft haar een kus op haar wang. Hij geeft mijn vader een hand. 'Ik moet zo weer weg. Oma wilde dat ik langskwam, maar ik kan niet lang blijven.'

Tess kijkt naar haar lege bordje en Jaclyn huilt tranen met tuiten die over haar wangen biggelen en als dauwdruppels op haar trui vallen. 'Wat is er, Jaclyn?' vraagt Alfred haar.

Ze zegt snikkend: 'Dat weet ik niet!'

'Alfred, neem in elk geval wat van de antipasto,' zegt pap tegen hem. Alfred kan geen kant uit, hij kan toch geen nee zeggen tegen zijn zieke vader.

Alfred trekt een stoel bij. 'Heel even dan.'

'Mooi.' Roman glimlacht geforceerd. 'Er is verse antipasto, gevolgd door truffelravioli, de specialiteit van het huis, en daarna geroosterd varkensvlees met groenten.'

'Mag ik even de kaart zien?' grapt mijn vader. Iedereen lacht behalve Roman.

We nemen plaats. Alfred zit naast mijn grootmoeder. Pa gaat aan het hoofd van de tafel zitten en Roman neemt tegenover hem plaats, vlak bij de keuken. We vallen aan op de salami, dunne plakjes roze prosciutto, glanzende olijven, in de zon gedroogde tomaten, brokken verse Parmezaanse kaas en stukjes tonijn in olijfolie. Roman zet een mandje met vers brood op tafel, zo uit de oven, zodat iedereen kan pakken.

Jaclyn geeft de schets van de japon aan Alfred.

'Wat is dit?'

'De Bergdorf-jurk.'

Hij werpt er een blik op. 'Dat meen je toch niet.'

'Het is beslist een uitdaging,' zeg ik met een scheve glimlach.

'Denk je nou echt dat je hiermee de zaak kunt redden?' Hij schudt het hoofd.

'Niet geschoten is altijd mis,' zeg ik rustig, de neiging om te snauwen onderdrukkend. Ik pak de tekening van hem aan en stop hem in de envelop en leg die op de tafel achter me. Er valt een matte stilte. Roman kijkt naar onze bordjes om zich ervan te verzekeren dat zijn gasten van alles voorzien zijn. Hij komt snel overeind en schenkt onze glazen bij.

'Pap, hoe gaat het met je?' vraagt Charlie.

'Wel goed, Chuck. Ik heb af en toe wel een branderig gevoel, daaronder, weet je…'

'We zitten te eten, lieverd,' zegt mijn moeder.

'Nou, hij vroeg het toch? En ik heb af en toe gewoon een branderig gevoel.'

'Wanneer ga je naar Italië, oma?' Alfred verandert van onderwerp.

'In april. Valentina gaat met me mee.'

'O, waarom?'

'Om de leveranciers te leren kennen,' zeg ik.

'In april. Italië is prachtig in april,' zegt Roman die weer bij ons komt zitten.

'Ga mee.'

'Misschien doe ik dat wel.'

'Ik zou zo mee willen, maar dan gaan net de plantjes in de grond,' zegt mam vrolijk.

'Niet voor het een of ander, er kunnen echt geen bloemen en planten meer bij in onze tuin.' Mijn vader zwaait met zijn vork naar mijn moeder.

'Lieverd, dat zeg je nu wel, maar voor je het weet staat er opeens weer een prachtige rododendron of een gele flox ergens te bloeien.'

'Een flox kan er altijd wel bij,' zeg ik en ik geef het brood door aan Jaclyn, die de slappe lach krijgt van het woord flox. 'Wat heb je?'

'Geen idee,' zegt ze giechelend. 'Het lijkt wel alsof ik veel te veel suiker binnen heb gekregen en in een kermisattractie zit. In mijn hoofd lach ik niet. Echt niet,' zegt ze gierend. 'Ha, ha, ha.'

'Toen ik zwanger was had ik geen last van mijn hormonen,' zegt Tess.

'Houd nou toch op. Het was net of Glenn Close uit *Fatal Attraction* bij ons in was getrokken. Je verstopte je in de kast. Je las mijn e-mails. Je was ervan overtuigd dat ik vreemdging,' zegt Charlie.

'Daar weet ik niets meer van,' zegt Tess stellig. 'Maar de bevalling? Dat is een heel ander verhaal.'

Tess scheurt een stuk brood doormidden en besmeert het met boter. 'Ze zeggen wel dat je het vergeet, maar dat is echt niet waar.'

'Tess, je maakt me bang,' zegt Jaclyn. Tom geeft haar een paar klopjes op haar hand.

Roman kijkt me aan en trekt allebei zijn wenkbrauwen omhoog. Hij komt overeind, pakt de schaal op en gaat de tafel langs om de ravioli te serveren. Het is duidelijk voor mij dat hij zijn geduld aan het verliezen is, met paps brandende kruis, het gehakketak van Tess en Charlie en Jaclyns gejank, dit is nu niet bepaald het luchtige dinergesprek dat prima bij de zelfgemaakte ravioli past. Wat heeft mijn familie toch? Het lijkt wel of ze het vervelend vinden om hier te zijn, alsof het een opoffering is om in het populairste restaurant in Manhattan te eten. Ze zijn niet alleen chagrijnig, ze gaan totaal voorbij aan het feit dat Roman zich voor hen heeft uitgesloofd.

Ik probeer het goed te maken voor ze. 'Roman, de ravioli is om je vingers bij op te eten,' zeg ik tegen hem.

'Dank je.' Roman gaat zitten.

Waarom zeggen de anderen nu niets? Ik geef Tess een schop onder tafel.

'Au,' zegt ze.

'Sorry.' Ik kijk haar veelbetekenend aan, maar ze kijkt net de andere kant op.

Toen Tess verkering had met Charlie deed ik er alles aan om het hem naar zijn zin te maken. Ik luisterde naar zijn oeverloze gezwam over alarminstallaties totdat ik bijna comateus was. Toen Jaclyn wat met Tom kreeg, waarschuwde ze ons dat hij 'verlegen' was, dus betrokken we hem bij elk gesprek, zodat hij zich niet buitengesloten voelde. Hij zei uiteindelijk tegen Tess en mij dat het best wat minder kon, dat hij echt niet aan elk saai gesprek dat we hadden deel hoefde te nemen, dat hij dat al genoeg op zijn werk had. Bij Pamela hebben we gefaald, maar we hebben wel ons best gedaan, ze vindt alleen de dingen die wij leuk vinden, eten bijvoorbeeld, helemaal niets aan, dus het valt gewoon niet mee om iets te vinden wat zij ook leuk vindt. Toen Alfred verkering met haar had, deden we nog ons best, maar toen ze eenmaal getrouwd waren was het te veel moeite.

Ik kijk de tafel rond, alle moeite die ik voor mijn broer en zussen heb gedaan zodat hun verkering zich bij ons op hun gemak zou voelen, wordt niet beloond. Ze zijn gewoon te blasé, te ongeïnteresseerd en te oud om voor Roman hun best te doen. Hij krijgt het 'wrak van de week' terwijl de rest van mijn schoonfamilie de Cadillac kreeg. Alsof je de leukstethuis niet serieus hoeft te nemen als die eens iemand heeft. Waarom zou je het mooie servies voor Roman tevoorschijn halen als hij toch geen blijvertje is? Maar ze hebben het mis. Zij zijn mijn familie en ze zouden er voor mij moeten zijn, en blij zijn dat ik iemand heb. Het is me wel duidelijk dat ze het geen moer kan schelen. Ze zitten hier in een restaurant dat in *The New York Times* vermeld staat als een van de beste Italiaanse restaurants en zij doen net of ze in het Yankee Stadium een hotdog zitten te eten. Hebben ze dan niet door hoe bijzonder dit is? Hoe bijzonder híj is?

'Gaan jullie de kok nog vertellen wat jullie ervan vinden?' zeg ik zo hard dat zelfs Roman ervan schrikt. De familie zegt onmiddellijk 'hmm, lekker, heerlijk,' maar het komt niet erg gemeend over.

En dan zegt Alfred: 'Wie betaalt de reis naar Italië eigenlijk?'

'Wij,' zeg ik.

'Nog meer schuld dus.'

'We hebben nu eenmaal leer nodig om schoenen te maken,' val ik uit.

'Je moet inkrimpen en het pand verkopen,' zegt hij. 'Oma, ik ben hier omdat ik Scott wil vertellen wat je van plan bent.'

Nu ben ik echt kwaad. Dit etentje zou een heerlijke avond moeten zijn om mijn vriend te leren kennen, en nu wordt het een bespreking over de Angelini Shoe Company. 'Kan dat niet een andere keer?'

'Ik wil Alfred graag antwoord geven,' zegt oma rustig.

Alfred glimlacht voor de eerste keer vanavond.

'Ik heb zelf ook wat onderzoek gedaan,' begint oma. 'Ik heb een heel gesprek met Richard Kirshenbaum gehad. Ken je die nog?' Ze wendt zich tot mam. 'Hij had die drukkerij aan de West Side Highway. Zijn vrouw en hij waren de eigenaren.'

'Haar kan ik me nog heel goed herinneren: Dana. Een zeer knappe brunette. Waanzinnig goed gevoel voor mode. Hoe gaat het met haar?' vraagt mijn moeder.

'Met pensioen,' zegt oma met een uitgestreken gezicht. 'Maar goed, ik had het met hem over het bod en hij adviseerde me te wachten. Hij zei dat het bod van Scott Hatcher lang niet hoog genoeg was.'

'Niet hoog genoeg?' Alfred legt zijn handen op de tafel.

'Dat zei hij, ja.' Mijn grootmoeder pakt haar vork. 'Maar we zullen er een andere keer wel dieper op ingaan.'

'Weet je wat, oma? Dat hoeft helemaal niet. Het is duidelijk dat je voor Valentina en haar idiote plannen gevallen bent en niet meer goed na kunt denken.'

'Dat valt wel mee, hoor,' stelt oma hem gerust.

'Nee, je zit alleen maar tijd te rekken.'

'Laat ik jou dit vertellen, Alfred, als ik tijd kón rekken, had ik dat allang gedaan. Want als ik iets nodig heb, dan is het wel tijd. Maar omdat geen van jullie al tachtig is, snappen jullie dat vast niet.'

'Houd toch op. Tijd? Ik hoor het gewoon verstrijken in mijn hoofd als ik in bed lig. En dan krijg ik de koude rillingen als ik aan de dood moet denken. Ik hoor Magere Hein langzaam naderen, geloof mij maar,' komt papa tussenbeide.

'Dat is zo, Dutch, je hebt gelijk. Jij weet het inderdaad ook. Maar dat komt door je gezondheid…

'Inderdaad.'

'… daardoor kun je oudere mensen beter begrijpen. Maar de rest van jullie is daar nog veel te jong voor.'

'Wat heeft dat nu met het gebouw te maken?' vraagt mijn broer ongeduldig.

'Ik wil nergens toe gedwongen worden. En dat gevoel heb ik bij jou wel, Alfred.'

'Ik wil je alleen maar helpen.'

'Je zit me een kant op te dwingen. En wat meneer Hatcher betreft, hij maakt zich alleen druk om zichzelf en niet om mij.'

'Je krijgt het geld zo in handen, oma. Hij wil het pand meteen overnemen.'

'Maar ik wil het nog niet kwijt.'

'Nou, goed dan.' Alfred legt zijn servet naast zijn bord. Hij staat op en loopt naar de deur. Roman schudt ongelovig zijn hoofd om de slechte manieren van mijn broer.

'Lieverd!' roept mijn moeder hem na. Hij loopt naar buiten. Mam gaat achter hem aan.

Pap kijkt naar me. 'Zie je nu wat je gedaan hebt?'

'Ik?'

Ik kijk naar Roman, maar die is er niet meer. 'Heel fijn. Het hele etentje is naar de knoppen. Jullie worden bedankt.' Ik gooi mijn servet op tafel. 'Nu heb je tenminste echt iets om om te huilen.' Ik kijk naar Jaclyn die er opeens geen traan meer uit kan persen.

Ik ga naar de keuken. Roman is het varkensvlees aan het snijden en rangschikt het op een schaal. 'Het spijt me heel erg.'

'Maakt niet uit. Mijn familie is zelfs nog erger. Als ze niet zitten te zeuren, zitten ze wel plannetjes te smeden.' Roman legt het mes neer, veegt zijn handen af aan een theedoek en loopt om de tafel heen om me in zijn armen te nemen. 'Niet op letten,' zegt hij.

Om hem een plezier te doen doe ik net of me dat lukt. Maar ik weet door de uitdrukking op zijn gezicht en doordat hij zo snel naar de keuken ging, dat mijn familie een probleem is geworden in onze relatie. Roman is uit Chicago weggegaan vanwege dit soort geharrewar in zijn eigen familie, dus waarom zou hij dat van de mijne wel accepteren? Waarom zou een man met dit soort gedoe genoegen nemen als hij het allemaal al een keer heeft meegemaakt?

Zo ingewikkeld als Roman in zijn werk is, zo minimalistisch is hij in zijn privéleven. Hij zet zijn woning niet vol met meubeltjes en zijn keuken niet met stofvergarende apparaten, of zijn hart met emotionele toestanden. Hij neemt snelle besluiten en staat er verder niet bij stil. Ik heb het hem zien doen. Hij houdt niet van drukte vanwege de drukte, en hij wil al helemaal geen gebekvecht. Hij wil dat zijn leven buiten het werk, dat al hectisch en moeizaam genoeg is, rustig en vredig is. Mijn familie, ook al smeek ik het hen, kan daar niet aan voldoen. Hij merkt hoe ik me voel en zeg: 'Maak je maar geen zorgen.'

'Te laat,' zeg ik tegen hem.

9

De Hudson

Verleden week is oma op haar jaarlijkse veertiendaagse vakantie met de vrouwenvereniging van Our Lady of Pompeii gegaan. De dames verblijven in maart altijd in een klooster in de heuvels van Berkshire op zoek naar innerlijke vrede. Ze volgen daartoe dagelijks de mis, bidden gezamenlijk een rozenkrans, wandelen in het bos en eten maaltijden die zo bol staan van het zetmeel dat oma thuis een week een sapdieet moet volgen om dat kwijt te raken. Maar ze vindt het toch de moeite waard, want hoewel het een aanslag is op haar lijf, wordt haar ziel gereinigd. *Mezzo. Mezzo.*

Ik wil tegen de tijd dat mijn grootmoeder weer terug is mijn ontwerp voor de schoenen bij de trouwjapon van Bergdorf af hebben. Voordat we naar Italië gaan wil ik weten wat voor schoen we gaan maken. Hoewel oma het ontwerp aan mij overlaat, heeft ze wel toegezegd ernaar te kijken en het bij te schaven voordat we de schoenen echt gaan maken en aan Rhedd Lewis geven. Ik ben geobsedeerd door de tekening van de japon en heb hem al zo vaak bekeken dat ik er zelfs van droom. Ik vind het ontwerp inmiddels wel mooi en snap de aantrekkingskracht ervan. Het Rag & Bone-team heeft me overtuigd.

Het is prettig dat ik alleen ben. Ik vind het fijn om alleen te zijn. Ik sta graag midden in de nacht op, doe het licht aan, zet een pot koffie en ga aan het werk zonder dat ik bang hoef te zijn mijn oma wakker te maken. Er is niets zo rustig als New York om drie uur 's ochtends. Het is de stilte voor de storm, die tegen zonsopgang opsteekt.

Ik vind het heerlijk om al die ruimte voor mezelf te hebben. Virginia Woolf had haar eigen kamer, maar ik heb een heel huis nodig. Ik zet overal dingen neer die me inspireren: een vanille-ijskleurige marmeren bal, een aquarel van een wolk in prachtige lavendeltinten op een witte achtergrond, verfstaaltjes, stofjes en strengen zijde. Ik heb graag een heel circus aan ideeën, waar ik tussendoor loop totdat iets me aanspreekt. Een voor een raak ik de overbodige dingen kwijt totdat alleen de spullen nog over zijn die me iets doen. Zo werk ik nu eenmaal: allerlei ontwerpen spelen door mijn hoofd, tot ik ergens bij uitkom. Verschillende stukken worden één geheel, of in dit geval een paar schoenen voor een bruidsjapon die op het eerste gezicht aan flarden gescheurd is, maar in wezen, na uren kijken, een ontwerp is dat nieuw en vooruitstrevend is. Mijn laptop staat opengeklapt zodat ik als me wat invalt het gelijk in kan tikken, en ook om onderzoek te doen als ik een bepaalde richting op wil.

De eettafel ligt onder de stofjes die keurig opgevouwen zijn, een paar oude schoenen, een gehaakte bruidspop die nog van mijn moeder is geweest, en een grote collage waar ik aan begonnen ben na ons gesprek met Rhedd Lewis. Ik heb op een groot stuk papier foto's en opschriften uit tijdschriften geplakt, samen met gewone foto's, en heb er stukjes kant, knopen en glitters aan toegevoegd. Ergens in deze chaos, me door mijn onderbewustzijn ingegeven, zit mijn ontwerp, of althans de inspiratie die me naar het ontwerp zal leiden.

Met Rhedds tekening als leidraad, is mijn collage een landschap vol vrouwen, geknipt uit foto's van modeshows, advertenties en krantenartikelen. De meesten ontspannen zich of kijken niet in de lens. Ik stel me de vrouw voor in het Rag & Bone-ontwerp, wie ze is en waarom ze nu juist deze japon wilde hebben. Ik denk dat het geen jurk is voor iemand die voor de eerste keer trouwt. Het is voor een vrouw die al vaker de ware liefde heeft ontmoet, ze is een beetje blasé en hinkt op twee benen, vandaar ook de onafgewerkte details en de repen chiffon. Als de bruid zich niet echt vast wil leggen, zal de japon ook niet volmaakt zijn.

Mijn oma heeft me geleerd dat wij als schoenmakers alleen goed werk afleveren als de cliënt haar schoen niet meer als gebruiksvoorwerp ziet maar als iets wat ze gewoon móét hebben.

We benadrukken de details en laten de cliënt er zo mooi mogelijk in uitzien, we zoeken de balans tussen een lekker zittende schoen en een die naadloos aansluit, de pasvorm wordt aangegeven door de smaak en het figuur van de cliënt, en het uiterlijk door de trends en wat er op dat moment in de mode is. De kleur moet overeenkomen met de jurk zodat ze goed bij elkaar passen, en het materiaal is het belangrijkste onderdeel van de schoen. Wordt het leer of stof, afhankelijk van de tijd van het jaar, en passen alle verschillende onderdelen wel goed bij elkaar?

Mijn grootmoeder zegt dat je het zo eenvoudig mogelijk moet houden, maar ook de theatrale toevoegingen niet moet schuwen. Dat moet je als leerling dus allemaal leren. Al deze overwegingen ga je na bij het ontwerpen. Het ene onderdeel mag het andere niet overschaduwen, ze moeten elkaar juist aanvullen. Door harmonie creëer je schoonheid.

Ik kijk naar de repen chiffon op de tekening. Ik zet hem tegen de kandelaar op de eettafel aan en loop naar de keuken om hem van een afstandje te bekijken. Hij doet me ergens aan denken. Opeens valt het me te binnen. Ik klim de trap op naar oma's kamer.

Mijn grootmoeder is in 1948 getrouwd in een lichtgele zijden japon met een boothals en korte pofmouwen van organza en een brede reep stof om haar bovenarm. De soepel vallende taille liep uit in een wijde rok. Er waren heel wat versieringen: met de hand gemaakt Italiaans kant op het bovenstuk, ruches aan de zoom van de rok. Op de foto waarop mijn oma het boeket gooit is de japon op de rug te zien, waar het chiffon als een korte cape bevestigd is, dat bij het lopen vast als een nevel achter oma hing. Het was typisch een ontwerp van net na de oorlog, erg vrouwelijk en met veel frutsels. De oorlog was voorbij en als dank werden de soldaten na thuiskomst overspoeld met een en al vrouwelijkheid.

Vandaag de dag komt het ontwerp te druk en erg zelfgenaaid over, net als het gehaakte bruidspopje waar mijn moeder als kind zo dol op was. Het lijfje van oma's japon is bezet met kleine pareltjes, en het popje heeft pareltjes op de vele lagen van de gehaakte rok. Oma heeft felrode lippenstift op en getekende wenkbrauwen zoals dat in die periode in de mode was, en de pop heeft een rood tuitmondje en helemaal geen wenkbrauwen. Maar zowel mijn grootmoeder als de pop ziet er huiselijk tevreden uit. Ik zie oma de volgende ochtend al voor me met een lichte lipstick op en met stralende ogen pannenkoekjes bakken in een gesteven organza schort met een hartvormig zakje erop en met ruche aan de zoom.

Terwijl ik de zwart-witfoto's van mijn grootouders' trouwen bekijk zoek ik naar iets speciaals. Ik kan me iets op deze foto's herinneren wat bij mijn ontwerp kan werken, alleen weet ik niet meer wat.

Eindelijk kom ik bij de foto van mijn oma's trouwschoenen. Ze tilt haar rok op om de kousenband te laten zien. Oma heeft een paar crèmekleurige leren schoenen met plateauzolen aan. Het leer komt boven op de schoen samen in een diamantvorm en is versierd met leren knoopjes.

Interessant: knoopjes bij een open schoen.

De japon op de schets, met zijn op het eerste gezicht nonchalante lagen gescheurd chiffon, kan als tegenwicht wel een mooie schoen gebruiken, maar geen laarsje. Plateauzolen zijn uit, maar dikke riempjes, grote gespen en strikjes zijn in. Ik moet er op de een of andere manier voor zien te zorgen dat men als eerste de schoen ziet en niet de jurk. De bedoeling van Rhedd Lewis' wedstrijd wordt me langzamerhand duidelijk. Je moet niet naar de japon kijken maar naar de schoen. En op dat moment krijg ik een inval, een helder inzicht, het moment van de waarheid, waar ik op wachtte: de japon moet de schoen aanvullen.

Ik pak mijn schetsblok en teken mijn grootmoeder. Ik geef haar dezelfde uitdrukking als op de foto, grote ogen, en haar haar in stijve krullen.

Dan trek ik mijn oma de bruidsjapon aan op de schets. Ik geef haar een vrouwelijk maar sterk figuur. Alle frutsels zijn verdwenen, het is eenvoudig en modern. De repen gescheurde chiffon zijn nu mooi en er niet lukraak op genaaid.

Ik sla het blad om in mijn schetsblok. Ik schets een voet en teken er dan brede riempjes op met een tussenstuk van zacht leer. Dan geef ik aan waar de riempjes van zijn gemaakt, een paar van soepel leer, andere van ribbelige zijde, en juist door deze combinatie van materialen wordt het een eigentijds ontwerp. Ik maak me er een andere keer wel druk over hoe ik het uit moet voeren. Voorlopig wil ik gewoon mijn ideeën aan het papier kwijt. De japon laat een stuk been vrij, dus volg ik die lijn op de enkel en teken daar een grote strik, een vleugje vrouwelijkheid dat stoer overkomt. Door de losse stukken stof van de jurk krijg ik de kans een schoen te creëren met verschillende luxe stoffen, zacht leer, bewerkt leer, vlechtwerk en wat grillige versieringen, en grote parels op de punten waar de riempjes aan de schoen vastzitten. Ik weet gewoon dat dit heel mooi wordt.

Ik teken en teken en teken. Al snel pak ik de gum en verander de hak. Hij is te strak, hij moet wat meer vorm krijgen om echt modern te zijn. Voorlopig lijkt hij nog te veel op de houten hak van oma in 1948, dus ik maak hem een centimeter hoger en ook breder totdat de hak net zo belangrijk is als de rest van de schoen.

Mijn mobieltje gaat over. Ik neem op.

'Zit je op de computer?' vraagt Gabriel.

'Nee, ik ben aan het ontwerpen.'

'Ga er dan meteen naartoe. Je zit in het *WWD*.'

'Dat meen je niet!'

Ik trek de laptop naar me toe. Het *Women's Wear Daily* heeft een website waarop de veranderingen in de mode-industrie, hun aankopen en hun aanbod staan.

'Scroll maar eens naar "Rhedd Lewis' etalage".'

Dat doe ik.

Rhedd Lewis heeft de estheten van Fifth Avenue de schrik van hun leven bezorgd toen ze bekendmaakte dat ze een wedstrijd heeft georganiseerd met door haar persoonlijk geselecteerde schoenontwerpers. het winnende ontwerp mag de kerstetalage van zijn schoenen voorzien. Mededingers zijn onder meer: Dior, Louboutin, Blahnik en Pliner, Weitzman en Spade. Naar verluidt doet Tory Burch ook mee. Het plaatselijke bedrijf Angelino Shoes dat schoenen op maat levert schijnt tevens mee te doen.

'Je hebt het gemaakt!'

'Hoe bedoel je? Onze naam is wel verkeerd gespeld. Angelino!'

'Ze zal gedacht hebben dat je een Latino bent. Nog even en ze noemen je Val.Ro. Net als J.Lo. Zie je nou? Je bent helemaal hip.'

'We waren al hip, Gabriel,' zeg ik in de bres springend voor ons merk.

'Hé, ik breng je alleen maar het goede nieuws, hoor.'

Ik verbreek de verbinding en sluit mijn laptop. Ik leg mijn hoofd op de tafel. Ik had het leuker gevonden als het geen wedstrijd was geweest. Die grote bedrijven hebben miljoenen te besteden en kunnen iedereen in de arm nemen, en ik heb alleen maar wat lijm, oude schoenen en een gehaakte pop ter inspiratie. Waar ben ik aan begonnen? Hoe had ik ooit kunnen denken dat we het konden winnen? Alfred heeft helemaal gelijk. Ik ben een dagdromer en niet eens zo'n goede.

Ik pak mijn potlood en ga weer aan de slag. Ik ben ermee begonnen, dus zal ik het afmaken ook. Het leuke is dat terwijl ik de knoopjes arceer, ik de schoen al helemaal af zie. Zal dat beeld me redden? Of is het echt gekkenwerk?

De bel gaat en ik schrik ervan. Ik sta op en druk op de knop om Roman binnen te laten. De klok op de oven geeft aan dat het vier over half vier 's nachts is. Ik hoor Roman naar boven lopen. Hij komt naar de keukendeur toe en blijft daar tegen de stijl aan staan.

'Hé, schatje,' zegt hij.

Ik teken door. 'Ik kom eraan.' Ik wil nog even de hak afmaken voordat ik niet meer weet wat ik ermee van plan was.

Hij loopt de keuken in voor een glas water. Hij komt naar me toe en kijkt over mijn schouder. Ik teken nog een grote parelknoop en leg het potlood neer. Ik kom overeind en leg mijn armen om zijn nek. Hij is doodop. Ik hoef het eigenlijk niet te vragen, maar doe het toch. 'Hoe was het op het werk?'

'Eén doffe ellende. Ik moest de souschef ontslaan. Hij was gewoon te langzaam en dan ook nog eens buitengewoon opvliegend. Eén heethoofd in de keuken is meer dan genoeg.'

Hij gaat zitten. 'Ik snap niet hoe mijn ouders dat hebben gedaan, hoe het hun is gelukt om zo lang de zaak te runnen. Dat is gewoon onmogelijk.' Roman zet het glas neer en legt zijn hoofd in zijn handen. Ik masseer zijn nek.

'Het lukt je wel,' fluister ik in zijn oor.

'Dat vraag ik me af.'

Ik verplaats mijn handen naar zijn schouders. 'Je schouders zitten muurvast.'

Ik masseer zijn schouders, en mijn rechterhand steekt doordat ik zo lang heb zitten tekenen. Ik houd ermee op en wrijf over mijn pols.

'Kom, we gaan naar bed.' Ik ga hem voor de trap op. Hij gaat naar het toilet en ik sla de lakens open. Ik dim het licht in de slaapkamer. Roman komt de kamer in, kleedt zich uit en stapt in bed. Ik stop hem in en hij legt zijn hoofd op het kussen. Binnen de kortste keren ligt hij te snurken.

Ik ga op mijn rug liggen en kijk naar het plafond zoals elke avond sinds ik hier woon. Ik bekijk de rozet aan het plafond, dat daar al is sinds het pand is gebouwd. Hij doet me altijd denken aan het glazuur op een taart. Het witte plafond is net een blad uit mijn schetsblok, klaar om op getekend te worden. Ik teken er mijn oma op met de japon van Rhedd Lewis aan en het paar schoenen dat ik heb ontworpen. Ze loopt vastberaden en weloverwogen over het plafond. Zij heeft de schoenen aan, de schoenen hebben niet haar aan, hoewel ze overdadig zijn en versierd, zijn ze ook stijlvol en grappig, zoals haute-coutureschoenen horen te zijn.

Ik adem langzaam uit, alsof ik de beelden van het plafond en uit mijn hoofd wil blazen. Ik stel me rue-de-wat-dan-ook voor op een zonnige dag in Parijs terwijl Christian Louboutin zich over zijn winnende ontwerp voor Rhedd Lewis buigt met een heel team Franse genieën om zich heen, in hun ultramoderne ruime ontwerplaboratorium. De medewerkers komen met vellen zacht kalfsleer aanlopen. Ze laden de tafel vol met prachtige stoffen: zijden moiré, tafzijde, crêpe de chine en geborduurd fluweel. Christian laat zijn ondergeschikten de details van zijn briljante ontwerp zien. Zij klappen. Maar natuurlijk winnen zij de etalage, en waarom ook niet? Het applaus wordt oorverdovend. Ik kan het wel vergeten, denk ik. Ik kan het wel vergeten. En het domste was nog wel dat ik mezelf er heel even van overtuigd had dat ik het wel tegen deze grote namen op kon nemen. De 'Angelino' Shoe Company. De kans dat wij gaan winnen is ongeveer net zo groot als dat mijn vader eindelijk het woord prostaat goed uitspreekt. Nooit dus.

Ik draai me om en leg mijn arm om Roman heen, die diep in slaap is. Ik had me wel wat anders voorgesteld toen ik hoorde dat we het huis voor ons alleen zouden hebben. Ik zag al romantische avondjes voor me: wijn op het dakterras terwijl ik aanwijs hoeveel verschillende tinten de Hudson wel kan hebben. Ik zag Roman kokend voor me in de oude keuken beneden, en dan vrijend met mij in mijn kamer. En op andere avonden zouden we het rustig aan doen, hij zou zijn benen op de oude poef leggen, ik zou naast hem zitten en we zouden naar *The Call of the Wild* kijken zodat ik hem alles over Clark Gable kon vertellen. In plaats daarvan is hij de hele dag weg, werkt hij tijdens het eten en de hele nacht door, komt hij tegen het ochtendkrieken doodmoe thuis, en duikt meteen het bed in. Zodra de zon op is, drinkt hij snel een kopje koffie en dan gaat hij er weer vandoor.

Ik zou dolgraag lange, diepzinnige gesprekken met hem voeren, maar dat komt er niet van. We praten zelfs bijna nooit omdat we er domweg geen tijd voor hebben. Door de sms'jes, het feit dat hij me om de haverklap even belt heb ik wel het gevoel dat hij me nodig heeft, maar zodra hij halverwege een zin ophangt, voel ik me verlaten. Hierdoor ken ik hem gevoelens en een tederheid toe die hij misschien niet heeft, want er is nooit genoeg tijd om erachter te komen wat hij nu precies voelt. Als we hier en daar een uurtje bij elkaar kunnen sprokkelen, blijft zijn telefoon overgaan, of er is een of andere ramp in de keuken die alleen hij kan oplossen, en dan wel onmiddellijk. Eerlijk gezegd heb ik het ook razend druk gehad, de opdrachten in de zaak, het zoeken naar financiële middelen om door te kunnen gaan, en de wedstrijd om de etalage bij Bergdorf. Ik ben vast geen prettig gezelschap, want ik heb het druk, met mijn werk, met mijn leven, en ik maak me ook nog eens zorgen om mijn vaders gezondheid en over mijn toekomst.

Misschien draaien relaties daar wel om. Misschien moet ik accepteren dat het nu eenmaal zo gaat omdat het moeilijk is om plaats te maken voor iemand in je leven als je veel ambitie, werkzucht en deadlines hebt. We moeten nu onze carrière veiligstellen, want anders is het wellicht te laat. Roman is niet voor niets naar New York gegaan om zijn eigen restaurant te beginnen. En toen ik achter de schuld kwam en dat mijn broer het pand graag wil verkopen, werd ook ik wakker geschud. Ik ben geen leerling meer. Ik moet de toekomst zeker stellen zodat ik straks nog ergens kan werken. Roman en ik weten wat we willen in ons werk, maar hoe zit dat met ons privéleven? Ik raak voorzichtig zijn gezicht aan. Hij doet zijn ogen open.

'Wat is er?' vraagt hij slaapdronken.

Ik wil het hem vertellen, maar doe het toch maar niet. Dat kan ik niet. Dus fluister ik: 'Niets. Er is niets aan de hand. Ga maar weer slapen.'

'Het kan me niet schelen of het vastentijd is. Omkoperij werkt altijd,' zegt Tess tegen me terwijl ze twee negerzoenen uit haar tas opvist. 'Charisma? Chiara?' De meiden komen de trap naar de werkplaats af rennen en stormen als twee roze raketjes de zaak in.

Tess kijkt ze aan. 'Jullie hebben nu wel genoeg gerend en gesprongen en gegild. Jonge dames zouden zich beter moeten gedragen. Jullie lijken wel een kudde olifanten op die trap.'

'Nou, je riep ons toch?' Charisma staat daar in een glimmend roze T-shirt waar PRINSES op staat en een wijde tule rok waarin ze wel de stervende zwaan lijkt. In haar zwarte Converse-instappers zijn haar kniekousen tot op haar enkels afgezakt. Chiara draagt nog steeds de kleren die mijn zus uitzoekt, dus zij heeft een roze gestreepte corduroy overgooier aan, een blouse met een klein kraagje en Stride Rite-veterlaarsjes.

'Rustig aan. Als jullie rustig blijven, krijgen jullie allebei een negerzoen. Mama wil even met tante Valentina praten.'

Charisma en Chiara houden hun hand op. Tess geeft ze elk een negerzoen.

'Ik bewaar de mijne!' brult Chiara die achter haar zusje aan de trap op rent.

'Ik ben een vreselijk slechte moeder, dat ik ze omkoop met snoep.'

'Je doet wat je moet doen,' vertel ik haar.

'Hoe gaat het met Roman?'

'Niet zo goed.'

'Dat meen je niet. Perry Street 166 zou toch een liefdesnestje worden terwijl oma weg is?'

'Dat is het dus niet. Ik ben de hele dag aan het werk. 's Avonds zit ik te ontwerpen. Hij werkt dag en nacht, komt hier tegen drie uur 's ochtends aan, gaat rechtstreeks naar bed en wordt een paar uur later wakker en vertrekt weer. Ik krijg alvast een voorproefje van hoe een permanente relatie met hem eruit zou zien, en ik kan je wel vertellen dat het enige permanente aan Roman is, is dat hij constant in beweging is.'

'Dat wordt wel anders als jullie getrouwd zijn.'

'Getrouwd? Hij wil zelfs geen afspraak maken om naar de film te gaan.'

'Je moet ervoor zorgen dat Roman zich op jou richt. Toen wij verkering hadden, was Charlie zo gericht op zijn werk, dat ik er bang van werd. Maar toen we getrouwd waren, werd het helemaal anders. Nu komt ons gezin op de eerste plaats. Hij gaat naar zijn werk, maar als hij thuis is, leeft hij pas echt.' Tess legt haar hand op haar hart. 'Wij zijn zijn leven.'

We horen boven een harde klap. We hollen naar de hal. Chiara en Charisma verschijnen boven aan de trap.

'Wat was dat?' gilt Tess. De hand op haar liefhebbende hart is een vuist geworden waarmee ze in de lucht zwaait.

'Ik draaide Charisma rond in een pas de deux. Niets aan de hand. Ze viel op het kleed.'

'Je mag je zusje niet rondslingeren. Ga nu maar gewoon tv-kijken.'

De meisjes lopen de zitkamer in.

Tess kijkt me aan. 'Jouw kinderen hoeven niet per se net zoals die van mij te zijn, hoor. Misschien krijg jij wel heel zoete kindjes.' Tess werpt een blik op de klok. 'Was mama er maar. Die weet hoe ze die twee aan moet pakken.'

June duwt de deur met haar achterste open. Ze heeft twee groene plastic bloempotten met paarse hyacinten in haar armen. 'We kunnen wel een beetje lentegevoel gebruiken,' zegt ze en ze geeft de bloempotten aan Tess.

'Val gaat het uitmaken met Roman.' Tess zet de bloempotten in de gootsteen en geeft de planten water.

'Dat heb ik niet gezegd.'

'Daar kwam het volgens mij wel op neer,' zegt Tess.

'Waarom zou je hem in godsnaam willen dumpen?' wil June weten.

'We zien elkaar amper. Hij heeft het druk, ik heb het druk.'

'Nou en?' June steekt haar handen in haar zakken en kijkt me aan.

'Nou en? Het is toch niet echt prettig dat we elkaar nauwelijks zien.'

'Iedereen heeft het druk. Denk je soms dat je het na verloop van tijd minder druk krijgt? Dat kun je wel vergeten. Ik heb het nu drukker dan ooit, en als ik de tijd zou nemen om erachter te komen hoe dat kwam, dan zou me dat niet lukken. Het is nu eenmaal nooit helemaal perfect. Af en toe eens een goede man is zo slecht nog niet.'

'Je hebt gelijk,' zeg ik. Als Roman en ik echt samen zijn, kan het niet beter. Ik denk soms wel eens dat de leuke dingen me de realiteit doen vergeten, zodat ik er elke keer weer mee doorga. Maar is het wel genoeg? Zou dat genoeg moeten zijn?

'Het is een ideale situatie.' June schenkt zichzelf een kop koffie in. 'Jullie zien elkaar regelmatig, hebben het leuk, en dan gaan jullie weer je eigen weg. Ik zou graag een man willen hebben die niet loopt te zeuren dat ik bij hem in moet trekken. Ik wil niet dag in dag uit iemand over de vloer. Ik leid liever mijn eigen leven.'

'Mijn zus wil ooit wel een gezin.' Tess zet de hyacinten op de vensterbank zodat de zon de stervormige bloemblaadjes kan beschijnen. 'Ze is nogal ouderwets,' zegt Tess.

'Is dat zo?' vraag ik me hardop af. Ik heb mezelf nooit als bijzonder ouderwets beschouwd. Ik lijk er wel bij te horen, maar als ik de kans krijg om de traditie te volgen, dan deins ik daarvoor terug.

De voordeur gaat krakend open. 'Joehoe!' roept mijn moeder in de hal.

'We zitten hier, mama,' brul ik terug.

Mijn moeder komt als een luipaard de zaak in stormen in haar gevlekte regenjas waarmee ze alle lentebuitjes kan weren. Mijn moeder is dol op luipaardprint. Ze draagt een zwarte legging, glimmend zwarte rubberen halfhoge laarzen en heeft een leren regenhoed met brede rand op, die onder haar kin zit vastgestrikt. 'Zijn de meisjes zover?'

Tess loopt naar de trap toe en roept haar dochters. Ze reageren niet. We horen haar roepen: 'Oké, ik kom eraan, hoor.' Tess stampt de trap op.

'Ze moet die kinderen eens wat meer onder de duim zien te krijgen,' zegt mam zachtjes.

'Waar is papa?'

'Thuis. Hij voelde zich niet zo lekker.' Mijn moeder glimlacht scheef. 'Door de behandeling is hij bekaf.'

'Die heeft toch wel effect, mam?'

'De dokter zegt van wel. Het radiotherapieteam in het Sloan is erg optimistisch.'

Voor het eerst sinds mijn vaders ziekte ziet mijn moeder er moe uit. De dagelijkse behandelingen zijn ook voor mijn moeder een hele belasting. Als ze niet met mijn vader naar de dokter gaat, leest ze zichzelf wel in over de ziekte. Ze leest over wat hij moet eten, hoe vaak hij moet rusten, en welke vitaminen hij moet slikken en wanneer. Ze koopt het allemaal, de biologische voeding en de geneeskrachtige kruiden, en kookt de gerechten voor hem, zet thee, en dan komt het moeilijkste van alles: papa overhalen om het allemaal te doen. Hij is het soort man dat nog kaas over zijn cake zou strooien als hij de kans kreeg. Hij is niet bepaald de gemakkelijkste patiënt en dat is mijn moeder soms aan te zien. Ze heeft al maanden niet goed geslapen en ze is duidelijk aan vakantie toe.

'Mam, je ziet er afgetobd uit,' zeg ik teder.

'Weet ik. De Here zij geprezen voor concealer. Ik smeer het op mijn wallen alsof ik broodjes loop te smeren.'

June schenkt een kop koffie voor mijn moeder in. Mam pakt de mok aan en wil hem op mijn schetsboek zetten. Dat trek ik snel weg en ik geef haar een rubberen onderzetter in de vorm van een kattenpootje.

'Wat doe je eraan?' Mijn moeder zucht terwijl ze een slok neemt, ze houdt de mok met haar ene hand vast en slaat mijn schetsboek met de andere open. Ze bladert er gedachteloos door. Opeens valt haar oog ergens op en ze bekijkt aandachtig mijn nieuwste ontwerp voor de Bergdorf-schoen. Ik wil haar net het schetsboek afpakken als mam zegt: 'Wat had mijn vader toch veel talent.' Ze houdt de tekening omhoog om hem aan June te laten zien. 'Moet je kijken.'

June werpt een blik op de schets en knikt. 'Die man was zijn tijd ver vooruit. De brede riempjes, de knoopjes. En die hak. Bovenaan breed en onderaan smal. Nog helemaal in, en de man is al tien jaar dood.'

'Dat is geen ontwerp van opa.' Ik haal diep adem. 'Dat is mijn ontwerp.'

'Hè?' June pakt het schetsboek over. 'Valentina, dit is echt briljant.'

'Dat is de schoen die we voor de Bergdorf-wedstijd gaan maken.

Tenminste, dat is een van de ontwerpen die ik aan oma wil laten zien, en als zij het wat vindt, gaan we hem maken.'

'Je hebt echt talent.' June legt het schetsboek op tafel. 'Wauw.'

'Geërfd. Het zit in de genen. Goede smaak kun je niet leren en ook niet kopen.' Mijn moeder trekt de riem van haar jas strakker. 'Het is een aangeboren talent en wordt beter door hard werken. Al de uren die je erin hebt gestopt, zijn niet voor niets geweest, Valentina.'

'Dat is me de schoen wel,' zegt June. 'Erg gecompliceerd. Hoe gaan we die maken?'

'Nou, ik hoop wat van de materialen in Italië te kunnen krijgen.'

'Mooi, want dat soort geborduurd leer hebben we hier niet in de zaak. En dan dat vlechtwerk, zoiets heb ik nog nooit gezien.' June schudt haar hoofd.

'Weet ik… Het kwam gewoon in me op.'

Charisma en Chiara komen de werkplaats in rennen. 'Tante June, heb je snoep voor ons?'

'Jullie moeten toch vasten?' vraagt de afvallige katholiek.

Chiara kijkt June alleen maar aan. Charisma, bepaald niet gek, doet een stap naar voren en zegt: 'Nou, maar snoep kunnen we niet opgeven, dus doen we alleen maar goede daden.'

'Wat voor goede daden dan?'

'Ik ben lief voor de kat.'

'Wat aardig van jou.' June maakt haar tas open en geeft ze elk een pepermuntje.

Charisma trekt een gezicht. 'Maar deze krijg je gratis bij de Chinees.'

'Dat klopt. Dus je moet ze daar maar eens voor bedanken,' zegt June. 'De Chinezen zijn de ruggengraat van onze beschaving. Zij hebben macaroni en teenslippers uitgevonden.'

Charisma en Chiari zijn niet erg overtuigd en kijken elkaar met het ene stomme snoepje in de hand eens aan.

'Goed, kinderen, we gaan. Opa zit thuis op ons te wachten.'

Tess helpt de kinderen in hun jas. 'Mama, hartstikke bedankt dat ze het weekend bij jullie mogen logeren.' Mijn moeder dirigeert de meiden de deur uit.

June is blij dat ze weg zijn, maar ik ben de enige die dat weet. 'Wat zijn het toch een schatjes.'

'Soms wel,' zegt Tess die haar jas aantrekt. 'Ik moet opschieten. Ik heb met Charlie bij de Havendienst afgesproken. We nemen de bus naar Atlantic City.'

'Een romantisch weekendje?' vraagt June.

'Een bijeenkomst van zijn bedrijf. Ik ga mee om te gokken terwijl hij de nieuwste rookmelders bekijkt,' zegt Tess onderweg naar buiten. De voordeur valt achter haar dicht.

'Rookmelders? Welk vuur moeten ze dan blussen?' fluistert June zachtjes. 'De koper kan maar beter meteen wegrennen. Dat is de beste advertentie voor het huwelijk, Valentina. Kijk maar eens goed.'

Ik word wakker door het open raam. Ik ga zitten en kijk naar buiten, met de katoenen deken en het dekbed om me heen gewikkeld. Het sneeuwt. Sneeuw in maart. De West Side Highway is een witte deken, met zwarte ritsen gemaakt door banden van de vrachtwagens van de leveranciers die 's ochtends vroeg hun vrachtje afleveren. Er zitten ijsbloemen op het raam en er ligt een laagje sneeuw op de vensterbank.

Ik heb de hele nacht aan een stuk door geslapen. In mijn eentje. Romans restaurant zat tot de nok toe vol en hij moest ook nog de voorbereidingen doen voor een feestje de volgende dag, dus ging hij in zijn eigen huis slapen in plaats van hier. Mijn grootmoeder komt morgen weer terug, en hoewel ik het leuk vond het rijk alleen te hebben, heb ik haar toch ook wel gemist.

Ik ben gisteren bijna de hele dag bezig geweest met schoonmaken en de dingen weer op hun plek zetten. Ik heb wat onderzoek gedaan voor onze reis naar Italië en heb nog wat andere leveranciers ontdekt buiten de ouwe getrouwe van oma. En een paar nieuwe trendsetters die vlechten en versieringen maken. Ik wil ze graag op onze reis ontmoeten en hen aan de huidige lijst van leveranciers toevoegen. Ik wil een schoen aan Bergdorf tonen met versieringen die Rhedd Lewis nog nooit heeft gezien. Italiaanse ontwerpers worden tegenwoordig beïnvloed door een nieuwe lading immigranten, dus ik heb al veel Russische, Afrikaanse en Centraal-Europese accenten gezien in knoopjes en versierselen. Ik wil oma dat meteen allemaal laten zien.

Eenmaal klaar met mijn onderzoek heb ik de badkamer geschrobd, de keuken schoongemaakt en lasagne gekookt. We zitten op schema wat het werk betreft. Oma komt terug in een schoon huis en een geoliede organisatie, waarbij alle deadlines gehaald zijn en alle bestellingen afgeleverd.

Ik sta op en trek een wijde joggingbroek en een sweater aan en loop naar de badkamer. Ik smeer wat van de heerlijke crème op mijn gezicht die ik van Tess voor de kerst heb gekregen. Ik kan er net zo goed een verwendagje van maken, want er komt toch niemand. Het is zondag, en ik heb de hele dag voor mezelf.

Ik ga naar de keuken, pak de perculator en zet een ketel water op. Ik pak melk uit de koelkast en schenk het in een pannetje, en zet dat op een laag vuur. Dan trek ik de papieren zak van Ruthie van de Chelsea Market open en haal de zachte brioche, besprenkeld met glazige ongeraffineerde suiker, eruit. De brioche leg ik op een dessertbordje en ik haal een linnen servet uit de la. Mijn mobieltje staat in de oplader te piepen, dus ik klap hem open en luister naar het bericht.

'Hé, lieverd,' zegt Roman schor. 'Met mij. Het is zondagochtend vijf uur. Ik sta nog in de keuken. Het sneeuwt. Waren we maar bij elkaar. Ik mis je. Ik bel je straks weer.'

'Dat zou zeker leuk zijn geweest, Roman,' zeg ik hardop. 'Maar jij hebt nu eenmaal een vrouw. Ze heet Ca' d'Oro en ze komt bij jou op de eerste plaats.'

Ik ben bereid een hoop door de vingers te zien omdat degene die met mij omgaat dat ook zal moeten. Maar ik weet ook dat Roman toen hij alleen nog maar een glimp van me op het dak had opgevangen een hoop moeite heeft gedaan om uit te vinden wie ik was. En nu hij me heeft, stel ik niets meer voor dan de werkschoenen in zijn restaurantkeuken. Ze staan altijd voor hem klaar. Beschikbaar. Aangenaam. Betrouwbaar. De jacht is voorbij.

Ik schenk het kokende water in de perculator en geniet van de volle geur van de donkere espresso. Dan pak ik het pannetje met de schuimende melk van het gasfornuis en schenk het in een grote mok. Ik voeg er net zoveel espresso aan toe totdat de melk de kleur van een chocoladetoffee heeft.

Ik loop met mijn ontbijt de trap op naar mijn kamer, trek mijn laarzen, jas, hoed en handschoenen aan en loop door naar het dak. Ik duw de deur open en stap het dakterras op dat bedekt is met een laag sneeuw. Het is net een kom zacht wit kaarsvet, alle bekende vormen zijn onherkenbaar veranderd in gladde randen, ronde hoeken en ijspegelgordijnen. Ik zet de koffie en brioche op de ondergesneeuwde Sint-Francisfontein, schud de sneeuw van de tuinstoel en klap hem open.

De zon die zich verschuilt achter de dikke, witte wolken glanst als een matte grijze parel. De rivier lijkt net ouderwets bosgroen linoleum met beige spikkels. Het pad naast de rivier is verlaten op een paar parkmedewerkers in een blauwe overall na die pekel over de kruising bij Jane Street strooien.

Er vliegt een zeemeeuw over me heen die een hongerige blik op mijn brioche werpt. 'Wegwezen,' zeg ik tegen hem. Hij fladdert ervandoor, zijn grijze vleugels gaan naadloos in de ochtendlucht over. Ik pak de mok met beide handen op en neem een slok. Ik voel me opeens schuldig als ik me bedenk dat de zondagmis nu gaande is. Een braaf katholiek meisje wordt meestal een schuldige katholieke vrouw, maar ik prevel gauw een gebedje en het knagende schuldgevoel over de mis om acht uur in Our Lady of Pompeii vliegt naar de zee. Ik doe mijn best, vertel ik God.

Het gaat weer sneeuwen waardoor er een wit net over Manhattan neerdaalt. Ik trek de capuchon van mijn sweatshirt over mijn hoofd, leg mijn benen op het muurtje en zak onderuit.

Hoe komt het toch dat ik de mooiste herinneringen heb aan momenten dat ik single ben? Ik kan ze rangschikken als een stel parfumflesjes van geslepen glas op een antieke toilettafel.

Tot mijn tiende ging ik met mijn vader mee als hij in het park ging werken. Aan het einde van de dag, als de lucht over Queens de kleur van geprakte frambozen kreeg, ging hij naar de schuur zodat ik op een paar meter afstand in mijn eentje op de schommel zat. Dan had ik het hele La Guardia Park voor mij alleen. Ik schommelde zo hoog en zo snel ik kon, almaar hoger en hoger totdat ik de blauwe lichtjes boven op het Empire State Building kon zien.

Op mijn negentiende, in mijn laatste jaar op de universiteit, ging ik om twee uur 's ochtends kijken wat voor cijfer ik had gehaald voor zuster Jean Klenes college over de komedies van Shakespeare. Het was een 10. Ik stond daar zolang naar dat cijfer te kijken totdat ik eindelijk besefte wat dat inhield: ik had het onmogelijke bereikt. De studente met altijd en eeuwig een 8 had eindelijk de barrière doorbroken en het hoogste cijfer behaald dat maar mogelijk was.

En ik zal ook nooit de avond vergeten dat Bret me afzette bij mijn flatje in Queens, voordat hij op zijn eerste zakenreis ging naar een filiaal in Dallas in Texas. Ik was zevenentwintig en hij had me net een aanzoek gedaan. Omdat hij aanvoelde dat ik twijfelde, had hij gezegd dat ik niet meteen ja of nee hoefde te zeggen. Nadat hij naar het vliegveld was gegaan, was ik immens opgelucht dat ik alleen was. Ik moest bij mezelf nagaan wat ik wilde, er goed over nadenken. Dus bereidde ik spaghetti met verse tomaten uit deze tuin, olijfolie uit Arezzo en zoete witte knoflook. Ik maakte een salade van artisjokken en zwarte olijven en trok een fles wijn open. Ik dekte mijn eigen tafeltje en stak een paar kaarsen aan. Toen ging ik zitten om die heerlijke maaltijd op te eten en genoot van elke hap en elke slok.

Ik wist dat mijn antwoord op zijn aanzoek als hij weer terug was niet het mooiste moment zou zijn; het mooiste moment was toen hij het aanzoek deed. Ik was enthousiast en voelde me vereerd, maar ik wist ook dat het niet goed zat. Dit was de eerste keer in mijn leven dat ik het proces fantastisch vond maar het resultaat niet echt. Ik was een goede vriendin voor hem, maar zou ik ook een goede vrouw zijn? Ik dacht van niet. Maar Bret wel. En nu heeft hij het toch voor elkaar.

Ik hoef niet alles te hebben wat andere mensen schijnen te willen. Ik wil niet per se een traditioneel leventje. Als ik dat wel had gewild, had ik dat inmiddels wel gehad. Mijn eigen zus denkt dat ik net zo'n leven als dat van haar wil met een man en kinderen. Hoe kan ik haar duidelijk maken dat het feit dat ik in de dertig ben niet betekent dat ik tegen de een of andere deadline aanzit? Misschien moet ik gewoon genieten van het feit dat ik mijn oma nog mee kan maken en dat ik mijn toekomst kan uitstippelen. Iets heel anders dus.

Als ik naar mijn oma kijk, valt me op hoe kwetsbaar de opvatting van traditie is. Door even mijn blik af te wenden terwijl zij het deeg voor het paasbrood kneedt of door niet goed op te letten als ze een naad in suède naait, of door het beeld kwijt te raken van haar onderhandelend met een knoopjesverkoper, kan ik haar diepste wezen verliezen. Als zij er niet meer is, komt de verantwoording van de zaak op mijn schouders terecht. Mijn moeder zegt dat ik de vlam brandend moet houden, omdat ik hier werk en omdat ik hier woon. Een vlam is ook zeer kwetsbaar, en soms vraag ik me af of ik hem wel brandende kan houden.

Het gaat waaien. De oude hordeur valt dicht. Ik draai me met kloppend hart om, in de hoop dat het Roman toch gelukt is te komen. Maar het is alleen maar de wind.

Die avond ijsbeer ik voor het aanrecht terwijl ik bedenk wat ik ga doen. Zal ik nu de lasagne opwarmen of zal ik op oma wachten? Een van de etiquetteregels die mijn moeder altijd volgde is dat je nooit een taart aansnijdt voordat het bezoek er is. Je laat de taart in zijn geheel als een geschenk aan de gasten zien. De lasagne zal een kliekje zijn in plaats van een welkomthuisgebaar als ik er vanavond al iets van neem. Dus zet ik het weer in de koelkast.

Ik hoor dat er beneden een sleutel in het slot wordt gestoken. Ik loop naar de trap en doe de lamp aan.

'Hé, Valentina,' zegt Roman glimlachend.

Zijn gezicht daar onder aan de trap is zo'n beetje het mooiste wat ik ooit heb gezien. 'Ik dacht dat je moest werken?'

'Ik spijbel zodat ik even bij mijn meisje kan zijn.' Hij neemt de trap met twee treden tegelijk, met een enorme boodschappentas in zijn hand. Hij zet de tas neer, neemt me in zijn armen en kust me. 'Verrast?'

Ik zoen hem teder op zijn wang, zijn neus en dan in zijn nek, in de hoop dat elke zoen de morbide gedachten die ik vanochtend op het dak had weg zou wissen. Ik kan niet goed liegen, dus zeg ik eerlijk: 'Ik ben zeker verrast. Ik had je helemaal niet meer verwacht.'

Roman kijkt me bezorgd aan. 'Wat had je dan verwacht?'

'Dat ik je pas weer zou zien als oma terug was.'

'Ah.' Hij is opgelucht. 'Nou, maar hier ben ik. En ik blijf voorlopig ook.' Hij kust me opnieuw. De woorden 'ik blijf voorlopig ook' zingen rond in mijn hoofd. Roman pakt de tas op en loopt achter me aan de keuken in. 'Ik ga voor je koken.'

'Dat hoeft niet. Ik heb lasagne bereid.'

'Echt niet.' Hij haalt een fles wijn uit de tas. 'We beginnen met een Brunello uit 1994.'

'Ik mocht toen officieel nog geen eens drinken.'

'Dat mocht je willen.'

Roman lacht terwijl hij de fles ontkurkt en hem op het aanrecht zet. Hij pakt twee wijnglazen uit de kast en schenkt ze vol. Hij geeft me een glas aan. We toosten en nemen een slok. Dan geeft hij me een kus en de volle wijn op zijn lippen doet me tintelen. 'Lekker?'

Ik knik.

'Bereid je maar voor. Er is voor elke gang een andere wijn.'

'Voor elke gang?'

'Ja,' zegt hij lachend. 'Er zijn er twee.'

Ik trek een kruk onder de bar vandaan en ga erop zitten. Ik kijk toe terwijl hij de boodschappen uitpakt. Het lijkt wel zo'n bodemloze doos uit het circus, waaruit de ene na de andere puppy in een tutu uit komt dansen. Doos na doos, schaal na schaal, bakje na bakje, totdat bijna de hele bar vol staat met onbekende heerlijkheden.

Roman trekt een kastje open en pakt er een grote en een kleinere pan uit. Hij zet ze op een laag vuurtje. Hij doet snel wat boter in de ene pan en een scheutje olijfolie in de andere.

Hij haalt een wit doosje uit de boodschappentas en geeft dat aan mij. 'Voor jou.'

Ik schud ermee. 'Eens raden: truffel?'

'Mijn truffelgerechten komen je vast je oren uit. Nee, het is geen paddenstoel.'

'Goed.' Ik maak het pakje open. Op een bedje van witte watten ligt een stukje koraal dat zo rood is als een bloedsinaasappel. Ik haal het uit het doosje en leg het op mijn hand. Door de takjes heeft het sieraad een prachtige vorm. 'Bloedkoraal.'

'Uit Capri.'

'Ben je daar wel eens geweest?'

'Heel vaak,' zegt hij. 'Jij niet?'

'Nee, nog nooit.'

'Dan gaan we er samen voor je verjaardag naartoe. Ik heb het al met je grootmoeder geregeld. Als jullie volgende maand naar Italië gaan, ga je eerst aan de slag, en daarna gaan we voordat je weer terug moet een weekje naar Capri. We verblijven in het Quisisana. Een oude vriend van mij staat daar in de keuken. We eten en zwemmen en genieten. Lijkt het je wat?'

'Meen je dat nou?'

'Nou en of.' Roman buigt zich over de ontbijtbar heen en geeft me een zoen.

'Ik ga dolgraag met jou naar Capri.'

'Ik regel het allemaal. Alleen wij tweeën, de zee, de strakblauwe hemel en het hotel. Dat is dan de eerste keer dat ik verliefd ben dat ik daar ben.'

'Ben je verliefd, dan?'

'Wist je dat niet?'

'Ik hoopte het wel.'

'Ik ben het ook.' Roman slaat zijn armen om me heen. 'En jij?'

'Zeker weten.'

'Er is een oude truc die ik ooit van de eilandbewoners van Capri heb geleerd toen ik daar verbleef. Iedereen wil altijd naar de Blauwe Grot, dus is het vergeven van de toeristen. Nu hebben zij een bordje gemaakt waarop staat *Non Entrata La Grotto*. Als het bordje er hangt, zegt de gids tegen de mensen op de boot dat het water te hoog staat om naar binnen te kunnen, maar in wezen zetten de plaatselijke bewoners het er alleen maar neer om de toeristen buiten te houden zodat zij daar kunnen zwemmen.'

'Wat gemeen. Stel nou dat een arme toerist Capri maar één keer in zijn leven kan bezoeken en zo de Blauwe Grot niet krijgt te zien?'

'De gids vaart om de grot heen en komt even later weer terug, het bordje is dan weg, en ze kunnen naar binnen roeien.'

'Hoe ziet de grot eruit?'

'Overal waar ik heb gewoond, heb ik een kamer in die kleur blauw willen schilderen. Maar die kleur bestaat gewoon niet. En het water is warm. Een of andere oude koning gebruikte het als een geheime doorgang om van de ene kant van het eiland naar de andere kant te komen. Er zijn daar heel wat decadente dingen gebeurd.' Roman houdt me stevig vast. 'En dat zal in april weer het geval zijn.'

Het ruikt in de keuken naar warme boter. Roman draait zich snel om en tilt de pan van het fornuis, gooit het knoflook en de kruiden erbij en walst ze heen en weer in de boter totdat er een gladde massa ontstaat. 'Oké, dit moet even gaar worden. Dan eerst: kaviaar. Uit de Zwarte Zee.'

Hij trekt een bakje open en legt een zeer dunne pizzelle, die veel wegheeft van een dun rond wafeltje, op een bord. 'Ken je de pizzelle-koekjes nog uit onze jeugd? Dit is mijn versie ervan. In plaats van sui-ker heb ik citroenschil en verse peper gebruikt.' Hij maakt het blikje kaviaar open en schept er een lepel van op de pizelle. Roman voegt nog een toefje crème fraîche toe op de kraaltjes uit de Zwarte Zee en geeft de pizelle aan mij.

Ik neem een hap. De combinatie van de zure citroen in de pizelle, de rijke kaviaar en de zoete room smelt in mijn mond.

'Wel lekker, toch?'

'Het is goddelijk.'

Ik kijk toe terwijl Roman twee biefstukjes in de grote koekenpan met de olijfolie doet. Hij hakt wat zoete ui en champignons en doet dat bij het vlees, giet er wat rode wijn uit de fles waaruit we drinken bij. Heel langzaam voegt hij room toe, en de saus wordt van goud-bruin donkerrood.

'Ik heb een paar maanden op Capri in de keuken van het Quisisa-na gewerkt. Dat was waanzinnig. Er staat een open oven buiten, ach-ter de keuken. 's Ochtends maakten we het vuur met oud wrakhout aan dat we van het strand hadden gehaald en dan hielden we het de hele dag gaande. We roosterden er tomaten op voor de saus, groen-ten, en wat je maar kunt bedenken. Hierdoor leerde ik hoe belangrijk het is om de tijd te nemen bij het koken. Ik rooster tomaten helemaal in, totdat het velletje een zijden draadje is geworden, en het vrucht-vlees zeer smakelijk wordt door de warmte. Je hoeft er zelfs geen saus van te maken. Je gooit ze gewoon op wat pasta, zo zoet zijn ze.'

In de kleine pan, waar de kruiden glanzen in de boter, gooit Ro-man rijst, olijven, kappertjes, tomaten en kruiden. De stoom slaat er vanaf, en terwijl de biefstuk in de pan sist, dekt Roman de ontbijtbar.

Hij heeft werkelijk prachtige handen (zoals de meeste mensen die met hun handen werken) en lange vingers die gracieus en kunstzin-nig doelbewust bezig zijn. Het is fascinerend om toe te kijken terwijl hij aan het snijden en aan het hakken is: het mes dat ritmisch op en neer gaat en tegen het hout fonkelt.

'De nachten waren het leukst op Capri. Na het werk gingen we naar het strand en de zee was heerlijk rustig en warm. Ik lag dan in het zoute water naar de maan te kijken en liet de golven over me heen kabbelen. Het was net een helend bad. Daarna maakten we een groot vuur en roosterden daar kreeftjes op en dronken er wat zelfgemaakte wijn bij. Dat vind ik nu de hemel op aarde.' Hij kijkt me aan. 'Ik wil dolgraag met jou daarnaartoe.'

Roman is heel netjes, tijdens het koken ruimt hij na gebruik alles meteen op. Misschien komt dat wel doordat hij gewend is om in een kleine ruimte te werken. Roman verspilt niets bij het koken, hij bestudeert elk steeltje, blaadje en kiem van de kruiden die hij gebruikt voordat hij ze klein snijdt of ze fijn wrijft. In zijn handen worden gewone etenswaren omgetoverd tot zaligheden, zachtjes sputterend in de boter, kokend in de room en besprenkeld met olijfolie.

Roman maakt een bakje open waar fijngesneden groenten in zitten – heldergroene komkommer, rode tomaat, gele paprika, paarse aubergine – en brokjes verse Parmezaanse kaas. Hij besprenkelt de groenten met wat balsamicoazijn uit een klein flesje waar een gouden stop op zit. 'Dit is buitengewoon bijzonder. Het is tweeëntwintig jaar oud. Ik heb nog maar één flesje over. Het komt van een boerderij in de buurt van Genoa. Mijn neef maakt het zelf.'

Roman verdeelt de salade over twee schaaltjes. Ik weet nog dat ik hem vertelde dat ik kleingesneden groenten het lekkerst vind; dat heeft hij onthouden en hij komt aan mijn wensen tegemoet. Hij trekt nog een fles open, dit is een stevige en zware Dixon bourgogne uit 2006. Hij draait de biefstukjes om in een wolk stoom. Een mistige nevel kringelt omhoog uit de pan met rijst. Hij haalt de pan van het vuur en schept het warme rijstprutje op de borden. Dan gooit hij de vaatdoek over zijn schouder en pakt de andere pan. De magere biefstuk wordt kunstig op de rijst gelegd, eerst die van mij en dan die van hem. Vervolgens giet hij de saus uit de pan over het vlees en de rijst.

'Zullen we aan tafel gaan zitten?' vraag ik hem.

'Nee, liever hier.' Hij trekt een kruk naar achteren en gaat tegenover me zitten. 'Aan die tafel heb ik het gevoel dat ik zit te vergaderen.'

Ik pak het mes om de biefstuk te snijden, maar dat hoeft helemaal niet. Ik breek er met de vork zo een stukje vanaf. De heerlijke saus is in het vlees getrokken, en de explosie van smaken wordt versterkt door de zoete druiven die stevigheid en kracht aan de smaak toevoegen. Ik neem een verrukkelijk hapje. 'Trouw met me,' zeg ik tegen hem.

'En ik dacht nog wel dat je het uit wilde maken.'

Ik leg mijn vork neer en kijk hem aan. 'Hoe kom je daar nou bij?'

'Houd toch op, Valentina. Wat heb je nu aan me? De afgelopen twee weken heb ik helemaal verknald. Teodora is er niet, en de bedoeling was dat ik elke avond gezellig met jou door zou brengen.'

'Het maakt niet uit,' hakkel ik. Alsof de zeemeeuw vanochtend op het dak de boodschap van mijn openbaring aan Roman heeft doorgegeven. Hij kan dus echt mijn gedachten lezen.

'Het maakt wel uit. Ik wil heel graag bij je zijn, maar het was zo druk in het restaurant dat het gewoon niet lukte. Zo zit het. Maar dat vind ik heel erg jammer. Ik wou het juist erg bijzonder voor je maken.'

'Wat erg toch dat we ons de hele tijd tegen elkaar zitten te verontschuldigen omdat we zo hard werken. Zo is het nu eenmaal. We zijn allebei bezig een zaak op te bouwen.' Prachtig toch, dat ik hem vanochtend wel had kunnen vermoorden, en nu allemaal uitvluchten voor hem zit te verzinnen? Dit valt toch echt wel onder de categorie 'Zo aanbiddelijk mogelijk zijn', nietwaar?

'Ik weet het anders ook niet. Ik weet niet hoe ik een restaurant moet runnen zonder daar vierentwintig uur per dag aanwezig te zijn. Volgens mij kan dat niet. Maar als het over een tijdje goed loopt, en de investeerders zijn terugbetaald, en ik heb een goede kok in de zaak staan om me te vervangen, dan wordt het een heel ander verhaal.'

Zo begripvol mogelijk zeg ik: 'Ik weet ook niet waar ik momenteel precies in je leven pas. En ik wil niet zeggen dat ik op de eerste plaats moet komen, want dat zou ook niet eerlijk zijn.'

Roman slaat zijn armen over elkaar op de ontbijtbar en buigt zich voorover. 'Wat wil je dan dat ik zeg?'

'Hoe denk je dat het verder zal gaan?' Ik heb het gezegd. We weten nu waar we aan toe zijn. Ik heb er al spijt van voordat ik het laatste woord heb geuit en zou het zo terug willen nemen. Maar dat gaat niet meer. Ik wilde beslist niet dat onze laatste avond samen zou ontaarden in zo'n soort gesprek.

'Ik wil graag met je door,' zegt hij. 'Ik denk niet dat ik een erg goede echtgenoot zal zijn, want ik heb het al een keer geprobeerd, en dat ging mis. Maar dat wil nog niet zeggen dat ik het niet opnieuw wil proberen.'

'Hoe zie je mijn carrière?'

'Ik heb respect voor je. Je bent kunstenaar.'

'Jij ook.' Ik neem een slok wijn. 'Maar je bent ook een held.'

'Hoe bedoel je?'

'Zodra het ernaar uitziet dat de relatie in vlammen opgaat, kom jij opdraven om de brand te blussen. Zoals vanavond. Je kookt voor me. Neemt me mee naar Capri zonder de keuken te verlaten. Kust me met die heerlijke wijn op je lippen. Zegt dat je verliefd op me bent. Dat was de crème fraîche op de kaviaar.'

'Ik wil dit echt.'

'Roman, je bent verliefd op me geworden.'

'Ik ga geen kaviaar uit de Zwarte Zee verspillen aan een tussendoortje.'

'Wat krijgt het tussendoortje dan?'

'Patat.'

Ik moet lachen. 'Dus zo weet ik dat er meer achter zit?' Ik strijk het servet op mijn schoot glad. 'Door de kaviaartest?'

'Er zijn nog meer manieren.' Roman komt naar me toe. Ik wil eigenlijk het liefst door blijven eten, maar soms moet een vrouw kiezen tussen eten en seks, en je moet wel erg stom zijn om voor het eten te gaan. Ik kan de biefstuk altijd nog opwarmen, maar ik kan Roman niet een ander keertje wel eens laten weten dat ik ook verliefd op hem ben, want dat moment komt nooit meer terug. Ik schuif het bord van me af en hij tilt me van de kruk af. Lust heeft wel degelijk een tijdje geen rol gespeeld. Als je liefde of de uitdrukking ervan voor je uit schuift, dan sterft het een langzame dood. Als je het vanzelfsprekend vindt, dan smelt het, net als in maart, als sneeuw op het dak.

Roman draagt me de trap op, en geeft me op elke tree een kus. Mijn voeten slepen over de gang als de riemen van een oude koffer terwijl hij me naar mijn kamer draagt. Tijdens de vrijpartij verdwijnt elke twijfel die ik heb, elke vraag die ik bij ons samen stelde, over wie we zijn, waar we mee bezig zijn, en wat we zullen worden, als de maan achter de wolken.

Op de dag dat ik het uit wilde maken met deze man, ben ik zwaar verliefd op hem geworden. Ik mag dan op mijn vrijheid gesteld zijn, maar ik wil ook dolgraag bij hem zijn. Ik zal dat niet altijd even duidelijk beseffen als hij niet bij me is, maar wel als we samen zijn.

'Ik hou van je, Valentina,' zegt hij.

'Weet je, dat gebeurt me nu zo vaak.'

'Is dat zo?' vraagt hij terwijl hij me in mijn hals zoent.

'Ik moet ze van me af meppen.'

'Mooi is dat. En wat zeg jij dan terug?'

'Ik hou van jou, Roman.'

Het is zover. Ik was bang om het te zeggen, maar ik meen het wel, want als je het zegt, moet je er ook verantwoording voor nemen, samen verdergaan, en duidelijk maken wat we voor elkaar betekenen. We zijn niet meer alleen geliefden die ontdekken wat we leuk vinden en elkaar alles over onszelf vertellen. Door deze verklaring moeten we rekenschap bij elkaar afleggen. We zijn verliefd en nu moet onze relatie langzaam en mooi worden opgebouwd, zodat we alle vreugde en ellende die de toekomst zal brengen, kunnen doorstaan.

Hij komt zo dicht bij me dat het puntje van zijn neus tegen dat van mij aan komt. Ik heb het gevoel dat hij me zo diep in de ogen kijkt dat hij mijn hele leven als een diavoorstelling aan zich voorbij ziet gaan. Ik vraag me af waarnaar hij op zoek is, wat hij ziet. Dan zegt hij: 'Onze kinderen mogen hun handjes dichtknijpen, weet je dat?'

'Ze zullen nooit honger hebben of het zonder mooie schoenen moeten doen.'

'Ze zullen bruine ogen hebben.'

'En lang zijn,' zeg ik.

'En grappig. Er zal bij ons thuis altijd gelachen worden.' Hij kust me.

'Daar droom ik van,' zeg ik.

We raken verward in het dekbed en de kussens vliegen overal naartoe, en terwijl we de liefde bedrijven, smeden we al plannen voor de toekomst. Ik vraag me niet meer af hoe dit verder zal gaan. Want dat weet ik al.

10

Arezzo

Ik zet de huurauto in de berm boven op de heuvel bij Arezzo. Na het gedoe op het vliegveld van Rome, eerst de douane, dan de bagage en vervolgens uit zien te vogelen hoe je moet rijden met behulp van een Italiaanse kaart, ben ik blij dat ik eindelijk voet op Toscaanse bodem zet.

We zijn er, en nu gaat ons werk beginnen. We moeten voorraad inkopen om onze bestellingen te kunnen maken, en nieuwe elementen zoeken voor het paar schoenen dat ik heb ontworpen voor de etalage van Bergdorf. Het zal niet meevallen om Rhedd Lewis enthousiast te krijgen, maar ik heb een veel groter doel voor ogen: dat de Angelini Shoe Company voortaan een vaste plek heeft in de schoenenbusiness. Dat lijkt nogal hoog gegrepen, maar we moeten slagen als we het oude bedrijf willen redden en er een nieuwe versie van willen maken.

Mijn grootmoeder en ik zijn bijna de hele vlucht bezig geweest met het bijschaven van de schets. Er klopt iets niet aan de hak die ik heb ontworpen. Oma zegt dat ik hem moet verfijnen, terwijl ik juist denk dat hij groots en opvallend moet zijn. Haar opvatting van wat modern is en die van mij schelen zo'n vijftig jaar. Maar dat hindert niet, mijn oma moedigt me aan mijn verbeelding te gebruiken, en hoewel ze mijn tekeningen mooi vindt, weet ze dat haar eigen ervaring meetelt bij het daadwerkelijk maken van de droomschoen.

Grootmoeder stapt uit en komt bij me staan. Een koel briesje waait over ons heen terwijl de zon, zo geel als een eidooier, achter de heuvels van Toscane zakt. De lucht wordt goudkleurig en werpt bij het ondergaan nog even zijn stralen over Arezzo. De huizen in het dorpje staan zo pal bij elkaar, dat het lijkt alsof het een gigantisch stenen kasteel is omringd door smaragdgroene zijden weilanden. De kronkelende straatjes met kinderkopjes zijn net roze linten en ik vraag me heel even af of ik daar wel met de auto door kan.

De heuvels om ons heen zijn ingedeeld in contourboerderijen. Steile dalen van droge aarde zijn beplant met rijen kronkelige olijfbomen naast vierkante bloembedden met vrolijke zonnebloemen. Hierdoor lijkt het wel een lappendeken, kleurige stukjes omzoomd met rechte naden. De lentebloesem bloeit hier in april overal, wilde lavendel groeit in de bermen en verspreidt een poederachtige geur.

'Daar is het.' Mijn oma glimlacht en ademt zo diep uit alsof ze sinds we in Rome zijn geland haar adem heeft ingehouden.

Het komt nu heel anders op me over. Ik ben toen ik nog studeerde in Italië geweest, maar het bleef beperkt tot de toeristendingen. We zijn een dagje door Arezzo gereisd en ik heb toen wat foto's voor mijn familie thuis gemaakt, maar stapte daarna gauw weer in de bus. Misschien was ik toen te jong om het te waarderen. Architectuur en de familiegeschiedenis interesseerden me toen geen bal, ik had wel wat anders aan mijn hoofd, zoals dat sexy rugbyteam van de universiteit Notre Dame, dat zich in Rome bij onze toergroep aansloot.

De Angelini's komen oorspronkelijk uit Arezzo. Maar we hadden niet zo'n schitterend uitzicht als vanaf deze heuveltop, want wij woonden in de vallei. We waren boeren, afstammelingen van de oude Mezzadri-methode. De *padrone*, of baas, woonde op de hoogste piek, waarvandaan hij uit zijn palazzo de oogst van de olijfbomen en de druivenpluk in de gaten kon houden. De boeren werkten voor kost en onderdak op het land van de padrone en ook de kinderen hielpen mee. Nu ik de vallei zo zie, zou ik het niet erg vinden om een knecht te zijn en onder een helderblauwe Toscaanse lucht over de donkergroene velden te lopen.

'Kom, we gaan,' zegt mijn oma en ze stapt weer in de auto. 'Heb je trek?'

'Ik klap van de honger.' Ik ga aan het stuur zitten. Voor het eerst in twaalf jaar rijd ik in een met de hand geschakelde auto. De laatste keer was in Bret Fitzpatricks Camaro uit 1988. 'Ik heb straks spierballen als we weer terug gaan.'

Voorzichtig rijd ik het stadje in, want er zijn geen stoepen, de mensen lopen lukraak over straat. Arezzo is de perfecte plek voor dichters. De barokke architectuur met zijn weelderige details vormt de volmaakte achtergrond voor kunstenaars om bij elkaar te komen. Vanavond zitten jonge schrijvers op hun laptop te tikken op de treden van het plein en aan de tafels onder de zuilengang van een oud Romeins bad waar nu kantoren en kleine winkels in zijn gevestigd. Er hangt hier een gemeenschapssfeer, en ik zou daar best deel van willen uitmaken.

De weg naar het hotel is zo steil dat ik op het gaspedaal moet staan. Zodra ik na het plein de bocht bereik vraagt oma of ik even wil stoppen.

Ze wijst me een klein perzikkleurige gestuukte pui aan met donkere balken. 'Daar zat de oorspronkelijke Angelini Shoe Company.' Het oude atelier is nu een *pasticceria* waar koffie met gebak wordt verkocht.

'Het was tevens hun huis. Ze woonden boven de zaak, net als wij,' voegt ze eraan toe.

Op de bovenverdieping kom je door een paar openslaande deuren op het balkon waar bloempotten met rode geraniums op staan. 'Ze hebben geen tomaten, oma.'

Ze lacht en wijst me de weg zodat ik voor het Spolti-hotel, een wat vervallen gebouw opgetrokken uit veldsteen, kan parkeren. Ik help mijn grootmoeder uit de auto en haal onze bagage eruit. Mijn grootouders logeerden altijd in dit hotel als ze voor hun inkopen naar Toscane gingen. Ik zal de naam van het hotel nooit vergeten, want we schreven hun trouw als ze in Italië op zakenreis waren.

Het personeel van het hotel en de dorpsbewoners kennen mijn oma. Sommigen hebben zelfs haar oudtantes en -ooms gekend, vertelt mijn grootmoeder me. De meeste schoenmakers betrekken hun leer uit Lucca, maar oma zweert bij Arezzo, waar onze familie al meer dan honderd jaar bij hetzelfde leerlooiersbedrijf komt.

We beklimmen de stenen treden naar de ingang van het hotel, en mijn grootmoeder laat opeens mijn arm los, trekt haar buik in en recht haar rug. Ze pakt de reling. Met haar bruine haar en strakke rok, zwarte katoenen blouse en open schoenen, lijkt ze wel twintig jaar jonger. Pas als haar knieën opspelen besef je hoe oud ze is.

We lopen door een kleine hal waar een grote verscheidenheid aan marmeren bloempotten staat met edelweiss, madeliefjes en hyacinten.

'Signora Angelini!' roept de vrouw achter de balie.

'Signora Guarasci!'

De oude vriendinnen begroeten elkaar met een hartelijke omhelzing. Ik kijk eens rond in de lobby. De balie is lang en van mahoniehout. Op de muur erachter bevindt zich een houten rek waar de kamersleutels aan hangen. Het zou zo 1900 kunnen zijn, ware het niet dat er naast het register een computer staat.

Aan weerskanten van een grote bank, bekleed met goud-witte damast, staan rijk versierde schemerlampen. Als salontafel wordt een voetenbank van goudkleurige chenille gebruikt. De kroonluchter is van wit gietijzer met crèmekleurige lampenkapjes.

Signora Guarasci is een tenger popje met klein handen en een dikke bos grijs haar. Ze heeft een blauwe katoenen rok aan met een gestreken wit schort erover, een grijze panty en open zwarte leren muilen, die een stuk chiquer zijn dan de plastic variant die Roman in de keuken van Ca' d'Oro aanheeft. De signora omhelst me nadat oma ons aan elkaar heeft voorgesteld.

Terwijl mijn grootmoeder en haar oude vriendin elkaar bijpraten, loop ik met onze bagage naar boven naar onze kamers. Ik maak de deur van nummer 3 open, zet mijn koffer bij de deur en kijk om me heen. De ruime hoekkamer is zonnebloemgeel geverfd, afgezet met gebroken wit. Er staat een hoog, zacht tweepersoonsbed met zes dikke donzen kussens en een gestreken zwart-wit geblokt sprei. Onder het raam bevindt zich een antieke eiken tafel. Een oude grijze schommelstoel staat bij een witte marmeren schoorsteen, zo te zien allebei zo'n honderd jaar oud. Ik doe de ramen open en er waait een koel briesje naar binnen, waardoor de lange witte vitrages opbollen als baljaponnen. De muren van de inloopkast zijn voorzien van cederhouten schrootjes, zodat de kamer naar groen hout ruikt.

De badkamer tussen mijn oma's kamer en die van mij is eenvoudig, met zwarte en witte tegels, een groot bad met een losse, glimmende zilverkleurige douchekop, en een marmeren wasbak waar een antieke spiegel boven hangt. Een groot erkerraam aan de andere kant kijkt uit over de tuin. De vouwgordijnen zijn opgetrokken. De signora heeft het raam opengezet, zodat een fris lentebriesje de badkamer in kan komen.

Ik loop terug naar de gang, pak mijn oma's bagage en open de deur van kamer 2. De kamer van mijn grootmoeder is twee keer zo groot als die van mij. Hij is blauw en wit, met gordijnen tot op de grond, een zitje met twee fauteuils en een bank bekleed met een witte stof.

'Hoe zijn de kamers?' vraagt oma als ik weer beneden ben.

'Prachtig. Ik snap wel waarom je hier logeert.'

'Wacht maar tot je met signora's kookkunsten hebt kennisgemaakt,' zegt mijn grootmoeder.

Signora Guarasci komt de lobby binnen en slaat haar handen ineen. 'Nu gaan jullie eten.'

Ik help mijn oma uit de erg zachte bank. Ze geeft me een arm terwijl we de eetzaal in lopen.

'Zodra we weer thuis zijn, regel ik een afspraak voor je bij dokter Sculco. Jij krijgt een paar nieuwe knieën.'

'Helemaal niet.'

'Echt wel. Moet je nou eens kijken. Je haar zit prachtig, je huid is mooi, en je hebt een heel leuk figuur. Waarom zou je dan zo kreupelen met je knieën? Dat is het enige aan jou wat tachtig jaar oud is.'

'Mijn hersens anders ook.'

'Maar dat valt niemand op in je kokerrok.'

'Daar heb je ook wel weer gelijk in.'

We gaan aan een tafel bij het raam zitten met uitzicht op een kleine vijver achter het huis. Op elke tafel ligt bestek, een gesteven servet en er staat ook een vaasje met viooltjes op, ook al zijn we de enige gasten in de eetzaal.

Signora Guarasci komt de keuken uit met een blad waar twee porseleinen kommen op staan met soep en een mandje met knapperig brood en een kuipje boter. De signora schenkt voor ons een glas rode huiswijn in uit een karaf, en gaat dan weer terug naar de keuken.

'*Perfetto! Grazie.*' Oma heft het glas.

'Ik ben blij dat je erbij bent, Val,' zegt mijn grootmoeder. 'Volgens mij wordt dit voor ons beiden een fantastische reis.'

Ik neem een hapje van de dikke minestrone met varkensvlees, groenten en bonen. 'Verrukkelijk.' Ik leg de lepel neer en breek een stukje van het warme broze brood af. 'Ik wil hier niet meer weg. Waarom zou je hier ooit weggaan?'

'Nou, je grootvader moest wel. Hij was zes jaar toen zijn moeder overleed. Zij heette Giuseppina Cavaline. Je overgrootvader noemde haar Jojo.'

'Wat weet je van haar?'

'Ze was het mooiste meisje van Arezzo. Ze was ongeveer negentien toen ze de Angelini schoenwinkel in liep en de eigenaar wilde spreken. Je overgrootvader, die toen ongeveer tweeëntwintig was, raakte op slag verliefd.'

'En Jojo? Was het wederzijds?'

'Uiteindelijk wel. Weet je, zij wilde een paar op maat gemaakte schoenen bestellen. Mijn schoonvader, die graag indruk op haar wilde maken, kwam met modellen aanzetten van het mooiste leer en liet haar de beste ontwerpen zien. Maar Jojo zei dat het haar niet kon schelen of het nu in de mode was of niet. Je overgrootvader vond dat maar raar. Welke jonge vrouw wil nu niet iets naar de laatste mode? Toen draaide ze zich om en liep door de winkel en je overgrootvader zag dat ze mank was. En ze zei: "Kunt u daar iets aan doen?"'

Mijn oma kijkt door het raam naar buiten, alsof ze zich op die manier alles wat een paar straten verderop is gebeurd, beter kan herinneren. Ze gaat door: 'Hij werkte zes dagen en nachten achter elkaar door en maakte een paar prachtige zwarte leren enkellaarsjes met een houten hak. Hij maakte de ene schoen aan de binnenkant een beetje hoger dan de andere, zodat ze niet meer mank liep.'

'Geniaal.' Ik vraag me af of ik ooit zo'n ingenieuze schoen zou kunnen maken.

'Jojo kwam terug om te passen en ze schreed door de winkel. Voor het eerst in haar leven waren haar passen gelijk en haar houding rechtop. Jojo was zo blij dat ze haar armen om je overgrootvaders nek sloeg om hem te bedanken.

Toen zei hij: "Ooit gaan we trouwen." En dat deden ze ook, een jaar later. En een paar jaar daarna werd mijn man, jouw grootvader, in het huis dat ik je aanwees geboren.'

'Wat een romantisch verhaal.'

'Ze zijn samen erg gelukkig geweest. Maar toen ze tien jaar later aan longontsteking overleed, was mijn schoonvader zo overmand door verdriet, dat hij met je grootvader naar Amerika emigreerde. Hij kon het niet meer verdragen om in Arezzo te wonen, om door de straten te lopen waar zij hadden gewoond, om in het bed te liggen waar zij samen in hadden geslapen, om langs de kerk te lopen waar zij getrouwd waren. Zo groot was zijn verdriet.'

'Heeft hij ooit weer iemand ontmoet?'

'Nee. En ik kan je vertellen dat vrouwen een schoenlapper erg aantrekkelijk vinden.'

'Geef een vrouw een nieuw paar schoenen en haar leven verandert totaal.'

'Dat klopt. Hij was een fantastische man, erg grappig en slim. Jij doet me op heel veel manieren aan hem denken. Michel Angelini was een groot ontwerper en naar mijn mening zijn tijd ver vooruit. Hij zou de schoen die jij hebt ontworpen erg mooi hebben gevonden, dat weet ik zeker.'

'Echt waar?' Ik ben verbaasd. Ik was dol op mijn grootvader, en dat zijn vader mijn werk mooi zou vinden, vervult me met een gevoel van trots dat ik nog niet eerder heb meegemaakt.

'Hij zou het heel fijn vinden dat Angelini Shoes nog steeds bestaat. En hij zou het prachtig vinden dat jij ermee door wilt gaan.'

'Hij heeft erg veel voor zijn werk opgeofferd. Nou ja, zijn privéleven dan in elk geval.' De betekenis van het offer dat hij heeft gebracht, is niet aan mij verloren. Ik snap dat een creatief leven je helemaal opslokt. Als we niet schoenen zitten te maken in het atelier, dan zijn we ze wel aan het inpakken, en als we ze niet aan het versturen zijn, zijn we wel nieuwe aan het ontwerpen. Het is een eeuwigdurende cyclus, en al helemaal als we ons werk goed doen. 'Jammer dat hij nooit een andere vrouw heeft leren kennen.'

'Hij was dol op haar. Eerlijk gezegd kon niemand aan haar tippen. Dat heeft hij me meermalen gezegd. Hij heeft haar tot het moment van zijn overlijden gemist. En ik weet dat, want ik was erbij.'

'Oma, ik heb me altijd iets afgevraagd. Waarom staat er "Sinds 1903" boven de winkel terwijl opa en zijn vader in 1920 emigreerden?'

Mijn grootmoeder glimlacht. 'In 1903 leerde hij Jojo kennen. Dat was zijn manier om haar te eren.'

Ik denk aan Roman, en of onze liefde zal blijven bestaan. Het lijkt wel alsof alle vrouwen in mijn familie voor de liefde moeten knokken. Het komt ons niet aanwaaien, en we kunnen ook niet op onze lauweren rusten als we eenmaal de liefde hebben leren kennen. We moeten ons best ervoor doen. Ik kijk haar aan. 'Is er iets?'

'De laatste keer dat ik hier met je grootvader was, was ook rond deze tijd, de lente voor zijn overlijden.'

'We wisten zelfs niet eens dat hij ziek was.'

'Hij wel. Volgens mij was hij zich ervan bewust dat dit de laatste keer zou zijn dat hij in Italië was. Hij had al jaren last van zijn hart. We hadden het er alleen nooit over.'

Oma breekt een broodje doormidden en legt een stuk op mijn bord. Ik weet nog dat Tess me vertelde dat opa een 'vriendin' had. We zijn niet in de buurt van Perry Street, en oma is openhartiger dan ze zichzelf ooit in haar huis heeft toegelaten. Ik ben er net als zij over het algemeen niet zo happig op om over dat soort zaken te praten, maar dit lijkt het juiste moment, en de wijn is sterk, dus vraag ik: 'Oma, had opa een vriendin?'

'Hoe kom je daarbij?'

'Dat heeft Tess me verteld.'

'Tess kan haar mond niet houden.' Oma fronst haar wenkbrauwen. 'Waarom heb je me dat niet verteld?'

'Wat voor nut zou dat hebben?'

'Weet ik niet. Het is misschien wel fijn om te weten hoe de echte geschiedenis van de familie is.'

'Voor wie zou dat dan fijn zijn?'

'Voor mij.' Ik leg mijn hand op de hare.

'Ja, hij had inderdaad een vriendin.' Oma zucht.

'Hoe kan dat nou? Daar had hij toch helemaal geen tijd voor?'

'Daar kunnen mannen altijd wel tijd voor vinden,' zegt mijn grootmoeder wrang.

'Hoe dan? Jullie woonden en werkten in hetzelfde gebouw.'

'Dit is een zakenreisje, geen vakantie,' zegt mijn oma. 'Ik bewaar mijn geheimen wel voor de biecht.'

'Doe maar net of ik pastoor O'Hara ben, maar dan met mooiere benen.'

'Wat wil je weten, dan?'

'Heb je hem ermee geconfronteerd? Heb je haar ermee geconfronteerd?' Ik zie mijn onafhankelijke oma al die net als Norma Shearer met Joan Crawford in *The Women* in de clinch gaat.

Ze knikt. 'Toen Michael was overleden, zag ik haar een keer op straat. Ik vertelde haar dat ik ervan wist en zij ontkende het, wat aardig was van haar. Toen vroeg ik haar of ze hem gelukkig heeft gemaakt.'

'Wat zei ze toen?'

'Dat ze hem niet gelukkig heeft kunnen maken. Hij wilde gelukkig zijn met mij. Nou, dat raakte me wel. Hoewel we onze probleempjes hadden, hield ik ontzettend veel van je grootvader. De zaak ging soms erg slecht, en dat had ook zijn gevolgen thuis. Ik ging tegen hem tekeer als hij iets nieuws uitprobeerde en het mislukte, en daardoor kreeg hij een hekel aan mij.'

'Als kunstenaar moet je juist nieuwe dingen uitproberen.'

'Daar ben ik inmiddels wel achter, maar toen wist ik het niet. Ik heb ook geleerd dat als een man zijn vrouw niet uit kan staan, hij er iets aan doet.'

'Wat zul je kwaad zijn geweest.'

'Dat kun je wel stellen. En ik reageerde zoals de meeste vrouwen dat doen. We stoppen het weg. We trekken ons terug. We praten niet meer. We gaan boos naar bed en staan boos weer op. We doen onze plicht, we zorgen voor het huis en de kinderen, maar dat alles is op zichzelf een vorm van afkeer. Om hem te kwetsen deed ik net of ik hem niet nodig had.'

Grootmoeder zet haar bril af en pinkt een traan weg.

Ze gaat door: 'Daar heb ik heel veel spijt van. Ik had, als hij eens pauze nam op het dak om een sigaar te roken, de trap op moeten gaan, mijn armen om hem heen moeten slaan en hem moeten vertellen dat ik van hem hield. Dan hadden we misschien weer ons oude leven terug gehad. Maar dat heb ik nooit gedaan, en we hebben ons oude leven nooit meer teruggekregen, en dat was dan dat.'

Door de jetlag kan ik niet slapen. Ik zit voor het raam van het Spolti-hotel en wacht tot de dag aanbreekt. De huizen zijn onverlicht, maar de maan staat helder aan de hemel zodat de hoofdstraat een glinsterende zilvergrijze rivier lijkt. De glooiende heuvels in de verte gaan in het donker op terwijl de wolken als ballonnen voor de maan langs drijven.

Ik sla het dekbed open en stap in bed. Ik pak Goethes *Italiaanse reis* op. Als bladwijzer gebruik ik een foto van Roman voor de deur van Ca' d'Oro. Ik klap het boek dicht en pak mijn mobieltje. Dan toets ik een nummer in en ik krijg Romans voicemail. Dus stuur ik hem een sms'je.

VEILIG AANGEKOMEN. BELLA ITALIA! HOU VAN JE, V.

Dan bel ik naar huis. Mijn moeder neemt op.

'Mam? We zijn er.'

'Hoe was de reis?'

'Goed. Ik rijd nu in een handgeschakelde auto. Oma en ik hebben straks een nekoperatie nodig na een maand in die huurauto. Hij bokt als een wild paard. Hoe gaat het met papa?'

'Die heeft honger. Maar het biologische dieet schijnt wel te werken.'

'Geef hem toch een bord spaghetti.'

'Maak je maar geen zorgen, hij pikt af en toe wat salami, dus als hij weer genezen is, kunnen we niet zeggen dat het door het dieet komt. Ik heb trouwens een cadeautje voor op Capri in je koffer gestopt. Het zit in de rode tas van Macy.'

'Leuk.' Mijn moeder koopt in de uitverkoop cadeautjes zoals een beha en een bijpassend broekje met dansende koffiebonen erop en op de achterkant VURIG geborduurd.

'Er gaat vast iets moois gebeuren op het eiland van Capri. Ik zit te denken aan een verloving.'

'Mama, toe, zeg.'

'Het zou alleen fijn zijn als je een beetje opschoot. Ik wil niet met mijn eerste facelift op jouw bruiloft dansen. Ik zak zo langzamerhand als een soufflé in elkaar.'

'Jij hebt helemaal geen operaties nodig, mam.'

'Ik ving een glimp van mezelf op in de badkamer toen ik die aan het schoonmaken was en ik dacht: lieve hemel, Mike, je lijkt wel zo'n sokpop. Ik zou wel aan de botox willen, maar ik hoor daar slechte dingen over, en trouwens, wat heb ik aan een gezicht zonder uitdrukking? Geef mij maar een levendige toet.'

Mijn moeder kan uren uitweiden over cosmetische chirurgie, dus ik zeg snel: 'Mam, hoe weet je nu of iemand de ware is?'

'Jij wilt weten of hij wel een goede echtgenoot zal zijn.' Ze is even stil en zegt dan: 'De man moet meer van de vrouw houden dan zij van hem houdt.'

'Het zou toch gelijk op moeten gaan?'

Mijn moeder grinnikt. 'Het gaat nooit gelijk op.'

'Maar stel nou dat de vrouw meer van de man houdt?'

'Dan zal haar leven een hel worden. Wij vrouwen hebben toch al alles tegen, inclusief de tijd. Wij worden oud, mannen worden interessant. En geloof mij maar, er zijn meer dan genoeg vrouwen op zoek naar een man, en het maakt hun niet uit of dat iemands echtgenoot is, of dat hij oud, krakkemikkig en doof is.'

Ze praat zachter. 'Zelfs met kanker, op zijn achtenzestigste, is je vader nog een goede vangst. Ik wil niet nog eens belazerd worden. Ik ben twintig jaar ouder en tien kilo zwaarder, en ik ben op van de zenuwen, laten we wel zijn. Hij heeft één keer een vergissing mogen begaan, maar daar blijft het wel bij! Dus moet ik aardig blijven en glimlachen, ook al huil ik vanbinnen. Onderhoud! Denk je dat ik voor de lol naar de tandarts ben gegaan om het amalgaam uit mijn kiezen te laten pulken en er nieuwe vullingen in te laten zetten waar genoeg porselein in is verwerkt voor een altaar voor de Maagd Maria? Natuurlijk niet. Maar het moest! Als ik glimlachte met mijn oude tanden leek het wel een fietsenstalling, en dat kon gewoon niet. Een vrouw moet heel veel doorstaan om zichzelf in vorm en een man geïnteresseerd te houden. En denk maar niet dat ik grapjes maak over die facelift. Ik heb er al informatie over in huis. Dat heb ik al heel vaak bekeken, maar het punt is dat sommige vrouwen in die advertenties er op de foto's voor de operatie beter uitzien dan erna. Daar moet ik nog even over nadenken. En welke vrouw over de zestig...'

Mijn moeder moet even hoesten. Ze krijgt dat getal bijna niet over haar lippen. Ze gaat door.

'… van een bepaalde leeftijd vecht nu niet als een tijger, want als je dat niet doet, dan heb je het opgegeven. Het enige verschil tussen de vrouwen die zichzelf laten gaan en er uiteindelijk uitzien als een oude vent met een pruik op en mezelf is dat ik wilskracht heb. Mijn kracht. Ik ben niet van plan om het op te geven.'

'Mam, je bent de Winston Churchill van het jong blijven. "Doe altijd je buikoefeningen, wat er ook gebeurt." Door jou wil ik meteen mijn bed uit springen en wat oefeningen doen.'

'Een lenige bruid is een gelukkige bruid, lieverd.'

Oma pakt me bij de arm als we over de steile heuvel onderweg naar Vechiarelli & Zoon, die al zolang als de Angelini's in het schoenenbedrijf zitten hun leerlooiers zijn, langs de kerk komen. De straatjes in Arezzo zijn kleurrijk: rode rozen op roze gestuukte muren, helderwitte was tegen een blauwe lucht, bloempotten met groene kruiden op de vensterbank, en af en toe een muurfonteintje in de vorm van een hoofd, waar glinsterend water uit klettert.

'Het is de eerste winkel aan de rechterkant,' zegt mijn grootmoeder hijgend als we op een straat die niet steil is uitkomen.

'Godzijdank.' Mijn hart gaat als een gek tekeer. 'Ik zou bijna zeggen dat we de auto hadden moeten nemen, maar ik denk niet dat die het de heuvel op had gehaald. Er is vast geen versnelling voor recht omhoog.'

Mijn oma blijft staan, ze trekt haar rok recht en strijkt haar haar glad, en pakt haar schoudertas stevig beet. 'Hoe zie ik eruit?'

'Mooi.' Het verrast me. Mijn grootmoeder heeft me nog nooit gevraagd hoe ze eruitziet.

'Zit mijn lippenstift goed?'

'Je ziet er fantastisch uit, oma. Als een sprookje.'

Mijn grootmoeder recht haar rug. 'Mooi. Kom, we gaan.'

Vechiarelli & Zoon is gevestigd in een pand met twee verdiepingen achter aan de straat, en lijkt veel op onze zaak. De hoofdingang bestaat uit een brede houten deur in een portiek. Op elke etage zijn openslaande dubbele deuren die uitkomen op een balkonnetje. Op de bovenste verdieping worden de deuren opengehouden door een plant, en over het balkon hangt een kleedje te luchten.

Terwijl we de stoep op lopen naar de winkel, horen we een verhitte discussie in volle gang, twee mannen schreeuwen hard naar elkaar. De ruzie wordt geaccentueerd doordat er tegelijk op hout wordt geslagen. Ze spreken Italiaans en veel te snel voor mijn beperkte kennis om het te kunnen volgen.

Ik wend me tot oma, die achter me staat. Aan mijn uitdrukking op mijn gezicht ziet ze dat ik vind dat we ervandoor moeten gaan voordat die twee dollemannen daarbinnen zien dat ze bezoek hebben. 'We hadden misschien beter eerst moeten bellen.'

'Ze weten dat we komen.'

'Wat een hartelijke verwelkoming, dan.'

Oma schuift me opzij, en laat de koperen deurklopper een paar keer hard neervallen. De ruzie neemt toe in volume naarmate de mannen dichter naar ons toe komen. Ik zet een stap naar achteren. We zijn midden in een wespennest beland en de zwerm zoemt gevaarlijk. Opeens vliegt de deur open. Een oude man met grijs haar, een blauwe wollen broek en een blauw gestreept overhemd kijkt woest naar buiten, maar zodra hij mijn grootmoeder ziet smelt de woede weg.

'Teodora!'

'*Dominic, come stai?*'

Dominic omhelst mijn oma en zoent haar op allebei haar wangen. Ik sta achter haar en het valt me op dat ze een andere houding aanneemt terwijl hij haar kust. Ze wordt wel vijf centimeter langer en haar schouders zijn ontspannen.

'*Dominco, ti presento mio nipote, Valentina,*' zegt ze.

'*Que bella!*' Dominic vindt me duidelijk wel wat. Gelukkig maar!

'Signor Vechiarelli, fijn met u kennis te maken.' Hij geeft me een handkus. Ik bekijk hem eens goed. Hij is de man op de foto die verstopt zit in het fluwelen tasje in de onderste la van oma's dressoir. Ik laat niets merken, maar wil het liefst meteen naar het hotel rennen om het naar Tess te sms'en.

'*Venite, venite,*' zegt hij.

We lopen achter Dominic aan de zaak in. Er staat een grote boerentafel midden in de kamer. Diepe planken met vellen leer beslaan een hele muur.

Ouderwetse tinnen lampen hangen boven de tafel en werpen wit licht op het gewreven hout. Als ik mijn ogen dichtdoe, ben ik door de geur van bijenwas, leer en citroen weer terug in Perry Street. Er is een deur naar een achterkamer. Dominic gaat ernaartoe en roept wat.

'*Gianluca! Vieni a salutare Teodora ed a conoscere sua nipote.*' Dominic kijkt me aan en trekt zijn wenkbrauwen omhoog. '*Gianluca è mio figlio e anche mio socio.*'

'Heel fijn.' Ik kijk naar oma en verwacht al half een dolle stier met wilde ogen door de deur naar binnen te zien stormen, die ons vervolgens op de hoorns neemt, ons in de lucht werpt, vertrappelt en vermoordt. Mijn grootmoeder gebaart dat het allemaal wel meevalt, maar ik geloof haar voor geen meter.

'Gianluca!' brult Dominic opnieuw. Dit keer is het een bevel.

Gianluca Vechiarelli, Dominics zoon en partner (zoals hij het verwoordt), duikt opeens op in de deuropening. Hij is lang en draagt een bruin werkschort over een werkbroek en een spijkerhemd dat al zo vaak is gewassen dat het bijna wit is geworden. Ik kan zijn gezicht niet goed zien omdat de verlichting erg fel is en omdat hij boven de lampen uitkomt.

'*Piacere di conoscer la.*' Gianluca steekt zijn hand uit en ik druk hem. Zijn handen zijn net kolenschoppen.

'*Come è andato il viaggio?*' Dominic vraagt mijn oma hoe de reis is geweest, maar het is duidelijk dat hij er geen klap om geeft, hij is allang blij dat ze er is. Hij trekt een paar krukken op wieltjes onder de tafel vandaan en biedt ze ons aan. Ik blijf staan terwijl hij naast mijn grootmoeder gaat zitten en haar al zijn aandacht schenkt. Hij kan niet dicht genoeg bij haar komen. Het schijnt hem niet te deren dat hun benen elkaar raken, en dat zijn handen op haar knieën liggen.

Terwijl oma hem op de hoogte brengt van onze reis, trekt Gianluca allemaal stalen leer van de planken en legt ze op de tafel. Hij ademt zwaar, tuurt even en legt ze dan heel anders. Ik werp een blik op zijn gezicht. Hij is knap, maar zijn haar is eerder grijs dan zwart, dus hij lijkt me in de vijftig.

Gianluca heeft dezelfde neus als zijn vader, recht en dun, met een hoge rug. Naast zijn mond zitten diepe lijnen, van het glimlachen, of van het schreeuwen, en persoonlijk denk ik van het laatste. Hij ziet dat ik zit te kijken. Hij glimlacht, dus ik glimlach terug, maar ik voel me niet helemaal op mijn gemak, alsof ik betrapt ben op winkeldiefstal.

Gianluca's tanden staan iets naar voren en zijn donkerblauwe ogen hebben dezelfde kleur als de ochtendhemel boven Arezzo. Het is algemeen bekend dat Italiaanse mannen Amerikaanse vrouwen van top tot teen bekijken, maar wat minder bekend is, is dat we dat andersom ook doen. Ik bestudeer hem net zo aandachtig als dat ik het leer bekijk. Het gaat me om kwaliteit, zuiverheid en structuur, want we zijn per slot van rekening wel deze heuvel op geklommen op zoek naar mooi Italiaans vakmanschap.

Mijn grootmoeder en Dominic blijven maar praten. Hij zegt iets en zij lacht haar bulderende lach, die ik maar heel af en toe bij ons thuis hoor. Eerlijk gezegd heb ik haar nog nooit zo gezien. Als ik niet zo weg was van het prachtige leer dat Gianluca voor me op de tafel legt, zou ik me afvragen wat er in hemelsnaam met haar aan de hand is.

'Dus jij maakt schoenen?' zegt Gianluca tegen me.

'Ja, zij leert het me.' Ik wijs naar mijn oma. 'Ik ben al vier jaar in de leer.'

'Ik werk al drieëntwintig jaar voor mijn vader.'

'Zo dan. En, gaat het goed samen?'

Gianluca moet lachen. 'Soms wel, soms niet.'

'En deze ochtend?' Ik leg mijn handen op mijn oren.

'Heb je ons gehoord?'

'Dat kan moeilijk anders. Jullie waren tot in Milaan te horen.'

'Papa? Teodora en Valentina hoorden ons ruziemaken.'

Dominic doet net alsof hij een vlieg van een boterham wegjaagt. Dan legt hij zijn handen op zijn bovenbenen, schuift de kruk zelfs nog dichter naar oma toe, en vervolgt zijn gesprek met haar. Ik heb de neiging om me voorover te buigen en tegen hem te zeggen: ga anders op haar schoot zitten, Dom.

De voordeur van de winkel gaat open en een prachtige jonge vrouw komt binnen en gooit haar tas op de tafel. Ze heeft lang bruin haar, en draagt een strakke donkerbruine suède rok en een getailleerd zwart topje. Ze schuift haar zonnebril als een soort haarband boven op haar hoofd. Ze heeft de mooiste sandalen aan die ik ooit heb gezien. Ze zijn plat, met dunne t-bandjes bezet met bruine steentjes die uitkomen in een middenstukje in de vorm van een lelie ingelegd met stukjes geslepen zwarte onyx. Ze loopt rechtstreeks naar Gianluca toe en omhelst hem. De Toscaanse lucht is duidelijk goed voor ieders liefdesleven behalve dat van mij.

Mijn oma draait zich naar haar toe. 'Orsola!'

'Teodora!' De jonge vrouw loopt naar oma toe en omarmt haar.

'Dit is Valentina, mijn kleindochter.'

Ik geef het Toscaanse stuk een hand. 'Fijn kennis met je te maken. Jij bent zeker Gianluca's vrouw?'

Gianluca, Orsola, Dominic en mijn grootmoeder barsten in lachen uit.

'Wat is er zo grappig?'

'Gianluca is mijn vader.' Orsola grijnst. 'Nu vindt hij zichzelf helemaal te gek.'

'Een Italiaanse man die zichzelf te gek vindt? Dat kan bijna niet,' zeg ik tegen ze.

Mijn oma werpt me een blik toe van: kijk uit wat je zegt. Je gevoel voor humor valt slecht in Arezzo.

Ze heeft gelijk, dus maak ik het snel goed. 'Orsolo, vertel eens. Hoe kom je aan die sandalen?'

'Mijn vriend Costanzo Ruocco op Capri heeft ze voor me gemaakt. We gaan er elke zomer naartoe.'

'Ik ga over een paar weken naar Capri.'

'O, dan moet je echt bij hem langsgaan. Ik geef je zijn telefoonnummer en adres wel voordat je weggaat.'

Ik hoopte al wat schoenmakers op deze reis te ontmoeten, want ik heb een paar vragen die mijn grootmoeder niet kan beantwoorden, en soms heb ik bepaalde ideeën die mijn oma maar niets vindt, en dan is het handig om ze met iemand te bespreken die er verder niets mee te maken heeft.

Orsolo loopt met mijn grootmoeder en Dominic verder de winkel in. Gianluca haalt nog een paar stalen voor me en legt ze op de werktafel. Ik ga zitten en kies er een paar uit voor oma om te bekijken. Er zit soepel beige kalfsleer tussen dat ik graag voor ons Osmina-ontwerp zou willen hebben. Mijn hoofd loopt om door alle mogelijkheden terwijl ik in de zaak rondkijk. Er is leer in alle variaties van crème en rood, geborduurd met kleine gouden Florentijnse wapens, andere met mooie vlechtwerkjes, en nog meer in kleuren waar ik alleen van heb kunnen dromen: ijsblauw lakleer, donker robijnrood suède en luipaardvlekken op glanzend zwart paardenhaar.

Gianluca trekt een la uit de vooraadkast en zet die op de tafel. Er zitten leren pastelkleurige veters in: muntgroen, roze en goudgeel; witte leren gespen; zwarte leren biesjes en lakleren strikken met zelfgemaakte clipjes. Ik keer de la boven de tafel om, want zo te zien zijn er geen twee gelijk.

Ik zoek in de stapel en leg een paar spullen apart. Opeens zie ik vanuit mijn ooghoek iets glimmen. Het is een vlecht van goudkleurig leer, een wit satijnen lint en wit kalfsleer. Het is erg Chanel; dat soort vlechtwerk staat mooi op een dure tas of zelfs op een leren jasje, maar deze lijkt me origineel, door de toevoeging van een gedraaide platte lint hennep dat stroachtig afsteekt tegen het goud.

'Orsola doet het vlechtwerk,' zegt Gianluca.

'Wat mooi.' Ik houd de gouden vlecht onder de lamp. 'Ik heb net een schoen ontworpen waar dit perfect bij zou staan.'

'Orsola kan alles maken wat je wilt.'

'Ze is erg goed. En mooi. Je vrouw is vast ontzettend knap omdat je dochter...' Ik fluit.

Hij glimlacht. 'Orsola's moeder is inderdaad knap. Maar we zijn gescheiden.'

'Ik dacht dat je in Italië niet mocht scheiden.'

'Dat was vroeger.' Hij draait zich om en trekt een kast open waar felgekleurde suède lappen in liggen. Hij tilt er een paar uit en legt die op de tafel.

Mijn grootmoeder steekt haar hoofd om de deur van de kamer achter in de winkel. Ze schijnt nu geen last te hebben van haar knieën. 'En, heb je al iets gezien?'

'We zitten in de problemen.' Ik houd een vel zacht kalfsleer naar haar op. 'Ik vind alles mooi.'

Dominic staat achter mijn oma en legt zijn hand onder op haar rug. 'Daar hebben we niet zo veel van,' zegt hij.

'Hoeveel heb je nodig?' vraagt Gianluca.

'We halen ongeveer drie paar schoenen uit een vel, hè, oma?'

Mijn grootmoeder knikt bevestigend.

'Vier vellen?' vraag ik aan Gianluca.

'Dat moet lukken.'

'Dan wil ik er vier.' Ik werp een blik op oma.

Ze knikt goedkeurend. 'Val, kies jij anders de rest ook maar uit.'

'Maar ik weet niet wat we allemaal nodig hebben!' hakkel ik.

'Dat weet je best.'

'Oma, dit is voorraad voor een jaar. Weet je zeker dat ik dat moet doen?'

'Heel zeker.'

Grootmoeder draait zich om naar Dominic. 'Moet je mijn knieën zien.' Ze tilt haar rok op. 'Ik heb nieuwe nodig.'

'Nieuwe?'

'Van titanium. Ze zeggen dat je er de benen van een danseres door krijgt en dat ik dan deze heuvels op klim als een gems. Maar tot dan zal ik op jou moeten steunen.'

Dominic houdt haar zijn arm voor en oma pakt hem en ze draaien zich om.

'Eh… waar gaan jullie naartoe?' roep ik haar luchtig na.

'Dominic wil me een nieuwe techniek laten zien om leer te bewerken.'

Dat zal best, denk ik terwijl ze weggaan. Gianluca heeft nog een stapel leer van de planken gehaald die ik moet bekijken.

Ik haal mijn schetsblok uit mijn tas en blader erdoorheen op zoek naar de lijst met dingen die we nodig hebben.

Gianluca staat achter me en mijn schetsblok valt open bij mijn ontwerp voor de Bergdorf-schoen.

'Heb jij dat ontworpen?' vraagt hij.

Ik knik.

'*Bellissima.*' Hij knijpt zijn ogen tot spleetjes en kijkt nog eens goed. 'Wel ambitieus, hè?'

'Nou ja, het is wel ingewikkeld,' zeg ik, 'maar…'

'*Si, si,*' onderbreekt hij me met een glimlach. 'Dat moet jij uitzoeken. Jij hebt het bedacht en nu moet jij het tot leven wekken.'

Ik kijk naar een van de vellen leer die op tafel liggen. Gianluca houdt me in de gaten terwijl ik het leer onder de lamp bekijk, let op hoe de patina en de afwerking zijn en hoe soepel het is. Ik rol de hoek van een van de vellen om, zoals oma me heeft geleerd, om na te gaan of het breekt of kreukt, maar het materiaal is zo glad en weelderig als deeg.

Sommige leerlooiers voegen wat aan de uiteindelijke oplossing toe om slechte plekken in het leer te verdoezelen. Omdat onze schoenen met de hand worden gemaakt, kun je dat soort onvolmaaktheden in tegenstelling tot bij schoenen uit de fabriek niet verbergen. Wij naaien en naden vaak opnieuw om een schoen precies op maat te maken, dus het leer moet sterk en stevig genoeg zijn om daar tegen te kunnen. Ik strijk met mijn hand over een stuk boterzachte suède. Geen wonder dat mijn familie al jaren naar dit bedrijf gaat. Ze hebben eersteklas spullen. Ik kijk Gianluca aan en glimlach waarderend.

Hij glimlacht ook.

Ik til een paar vellen leer van de stapel en leg ze opzij. De grootste stapel gaat weer terug naar de plank achter me.

Gianluca staat al heel lang in de deuropening. Waar kijkt hij naar? Ik werp een blik op hem. Zo te zien vindt hij iets vermakelijk, maar dat is vreemd, want ik heb niets gezegd. Doe ik soms onbedoeld iets grappigs? De leukstethuis is dat blijkbaar ook in Italië. Dat is wel aardig, maar daar zijn we hier niet voor. 'Oké, het lukt wel.' Ik zwaai met de vlecht naar hem om aan te geven dat hij kan gaan.

'*Va bene.*' Hij grinnikt en gaat weg. Maar volgens mij was hij liever gebleven.

11

Lago Argento

Ik word wakker van de regen die op de dakpannen tikt. Op de wekker zie ik dat het vijf uur 's ochtends is. Het is zo lekker warm onder de dekens dat ik er nog niet uit wil, maar de ramen staan open en de vloer eronder is nat van de regen. Ik sta op en doe eerst de ramen dicht die uitzien op de vijver, daarna sluit ik de ramen aan het plein.

Er hangt een lage, dikke mist als een roze suikerspin over het dorpje. Door de mist heen zie ik een vrouw naar ons hotel toe lopen. Ik ben benieuwd wie er zo vroeg in de ochtend al op is.

De vrouw loopt langzaam, en als ze dichterbij komt, knoopt ze haar sjaal onder haar kin vast. Het is oma. Wat doet zij nou zo vroeg op? Haar regenjas is onder de riem open en ik zie de mosgroene rok die ze gisteren ook aanhad. Lieve hemel. Ze heeft vannacht niet in haar kamer geslapen.

Ik ben na een late avondmaaltijd bij de Vechiarelli's meteen naar mijn kamer gegaan omdat ik nog wat e-mails moest afhandelen en mijn boodschappenlijst voor de stoffen die ik vandaag wil kopen wilde controleren. Maar ook omdat ik me het vijfde wiel aan de wagen voelde en dat oma alleen met Dominic wilde zijn.

Haar kamerdeur gaat zachtjes dicht. Dan hoor ik water stromen in de badkamer. Ik grijp het moment aan en loop op mijn tenen terug naar bed. Ik trek de dekens over me heen en doe mijn ogen dicht.

Om zeven uur word ik weer wakker. Ik spring uit bed, neem een bad, kam mijn haren en kleed me aan. Dan tik ik op haar slaapkamerdeur. Ze reageert niet. Ik trek de deur open en gluur naar binnen. Haar bed is opgemaakt. En dat is logisch, want ze heeft er niet in geslapen. Ik pak mijn tas, mijn aantekenboek en mobieltje en ga naar beneden.

Mijn grootmoeder zit in de eetkamer de krant te lezen. Ze draagt een blauwe rok met een bijpassende trui. Haar haar is geborsteld en ze heeft roze lippenstift op.

'Sorry, ik heb me verslapen.'

'Het is pas zeven uur.' Ze kijkt op van de krant.

'Maar we hebben het heel erg druk vandaag. De rit naar Prato duurt al twee uur, toch?'

'Ja. Daar wil ik het even met je over hebben.' Ze legt de krant neer en kijkt me aan. 'Zou je misschien alleen kunnen gaan?'

'Uiteraard, oma, als je tenminste denkt dat ik de stoffen zelf kan uitkiezen…'

'Zeer zeker. Het ging gisteren met het leer helemaal goed. Gianluca geeft je een lift naar Prato.'

'Wat ga jij dan doen?'

'Dominic trakteert me op een picknick.'

Signora Guarasci zet warme koffie, stomende melk en suiker op de tafel. Vervolgens komt ze met een mandje broodjes, een kuipje zoete boter en bosbessenjam aanzetten. 'Hebben jullie lekker geslapen?' vraagt de signora.

'Ja,' zeggen mijn oma en ik in koor.

'Ik snap niet dat je goed hebt geslapen, oma. Het onweerde heel erg hard.'

'Ja, dat is zo,' beaamt ze.

'Het verbaast me dat je een oog dicht hebt gedaan.'

'Het viel ook niet mee,' zegt ze, zonder haar blik van de krant af te halen.

'Al die klappen en knallen en de donder en de bliksem…'

Ze blijft lezen. 'Het was me het onweer wel.'

'Oma, je bent erbij.'

'Valentina, waar heb je het over?' Mijn grootmoeder legt de krant neer en kijkt om zich heen. Ze heeft geluk, want we zijn nog steeds de enige gasten in het Spolti-hotel.

'Toen ik vanochtend om vijf uur wakker werd, regende het en ik ging de ramen dichtdoen en toen zag ik jou buiten lopen.'

'Ah,' zegt ze. Ze pakt de krant weer en doet net of ze leest. 'Ik had last van de jetlag en ben even wat gaan wandelen.'

'In dezelfde rok die je gisteren ook aanhad?'

Ze legt de krant weer neer. 'Nou ja…' Ze bloost. 'Zo kan hij wel weer.'

'Ik vind het prachtig.'

'O, ja?'

'Echt waar.'

'Het is alleen een beetje vreemd…' begint ze.

'Dat ik deze kant van je leer kennen?'

'Ja, inderdaad.' Ze schraapt haar keel. 'En het is geen kant van me, zo bén ik.'

'Van mij mag het. Ik ben ontzettend blij voor je. Het is tegenwoordig al moeilijk genoeg om iemand te ontmoeten, en dat jij een…' Ik krijg het woord 'minnaar' niet over mijn lippen, dus zeg ik: '"vriend" hebt, is heel bijzonder. Dus waarom zou je net doen alsof er niets aan de hand is? Je hoeft helemaal niet stiekem in het donker de berg af te sluipen en net te doen dat je hier hebt overnacht. Pak je spullen en trek bij hem in. Wat hier in Arezzo gebeurt, gaat niemand iets aan.'

Mijn grootmoeder lacht. 'Dank je.' Ze neemt een slok koffie. 'En dat geldt voor jou ook.'

'Hé, ik ben bezet, hoor.' Ik kijk door het raam naar buiten en het is net of New York en alle problemen duizenden kilometers weg zijn. De Bergdorf-wedstrijd, de toenemende schulden en het gedoe met Alfred is allemaal even uit mijn gedachten. Zelfs Roman verban ik totdat we naar Capri gaan, want ik heb er geen zin meer in om over ons na te denken. Voorlopig zie ik alleen nog de lente in Italië, al die piepkleine groene ontluikende knoppen in de grijze takken. 'Maar eerst nog één ding.' Ik haal mijn aantekenboek tevoorschijn.

'Wat dan?'

'Hoeveel dubbelzijdig satijn denk je dat we nodig hebben?'

Gianluca komt me ophalen en ik sta op de stoep voor het Spoltihotel op hem te wachten. De mist is opgetrokken en de kinderkopjes zijn schoon en nat en de lucht fris.

Arezzo staat bekend om zijn winderige bergklimaat en dat kan ik merken ook. Ik heb een mouwloos roze wollen topje aan met een bijpassend kort jasje dat mijn moeder bij Loehmann in de opruiming tegen vijfenzeventig procent korting heeft gekocht. Mijn moeder zegt altijd dat je als je maar goed zoekt je fantastische spullen bij Loehmann kunt kopen, en ze heeft gelijk. Het jasje is een van haar grootste successen, want het is van prachtig, stevig kasjmier in een roze zandkleur.

Gianluca komt aanrijden en stapt uit. Hij loopt om de auto heen en houdt het portier voor me open.

'Goedemorgen,' zegt hij.

'Goedemorgen.' Ik vang een vleug van zijn geur op als ik instap, hij ruikt schoon en naar citroen. Hij doet het portier achter me dicht en houdt de deurkruk zo stevig vast alsof het het slot van een bankkluis is. Ik weet zeker dat Dominic hem heeft gewaarschuwd dat als ik per ongeluk uit zijn auto zou vallen, hij hem namens mijn oma zou vermoorden.

Gianluca loopt voor de auto langs en stapt in. De auto is een oude Mercedes, maar vanbinnen ruikt het nog naar nieuw leer en de donkerblauwe lak aan de buitenkant is glimmend gepoetst.

Gianluca geeft gas alsof hij meedoet aan een autorace.

'Hallo,' zeg ik. 'Honderdvijfenveertig kilometer per uur is wel wat te veel van het goede, vind je ook niet?'

Ik kijk mijn e-mails na, beantwoord Jaclyns vragen over het hotel, die van Gabriel over het weer en die van mama over oma. Roman heeft geschreven:

IK DROOM OVER JOU EN OVER CAPRI. R.

Ik sms terug:

IN DIE VOLGORDE? V.

'Vind je dat wel wat?' Gianluca wijst naar mijn mobieltje.

'Ik zou niet meer zonder kunnen. Zo heb ik altijd met iedereen contact. Dat kan toch nooit verkeerd zijn?'

Hij lacht. 'Wanneer heb je nog tijd om na te denken?'

'Nu je het toch vraagt. Gisteravond heb ik hem uitgezet en heb ik heerlijk in bad liggen weken. En daarna heb ik nog wat gelezen.'

'*Va bene, Valentine.*'

Grappig, alleen mijn vader noemt me Valentine.

Hij gaat door: 'Ik vind die dingen maar niets. Ze verstoren het leven. Waar je ook komt, hoor je piepjes en rare deuntjes.'

'Helaas, Gianluca, deze dingen horen er nu eenmaal bij.' Ik houd even het mobieltje omhoog.

'Getver.' Hij doet de hele telecommunicatie van tegenwoordig af met een zwaai met zijn hand.

'Ach, het spijt me. Het was behoorlijk onbeleefd van me om mijn berichten af te handelen en niet met jou te praten.' Ik zet de telefoon op de trilstand en stop hem in mijn tas.

In mijn ooghoek zie ik zijn mond krullen in een glimlach. Nou goed, Gianluca, je bent Italiaans. Je bent een man. Het gaat dus altijd over jou. 'Ik ben er nu weer helemaal voor jou,' zeg ik tegen hem.

Om me te belonen voor mijn onverdeelde aandacht, remt Gianluca regelmatig af om me een kerk in rococostijl of een wegaltaar voor Maria dat daar door een vrome boer is neergezet, of een inheemse boom die alleen maar daar voorkomt, te laten zien. Even voor Prato draait hij van de snelweg af een laantje in. Ik houd me vast aan de handgreep boven het portier terwijl we over het kiezelpad hobbelen.

Gianluca gaat langzamer rijden en ik zie een meer tussen de bomen doorschemeren. Hij glinstert als zachtblauwe zijde. De oevers van het meer zijn begroeid met lange groene stelen die de hele walkant beslaan. Ik sla dit kleurenschema op in mijn geheugen. Wat zou het mooi zijn om een ijsblauwe schoen te maken afgezet met een randje donkergroene veren. Ik draai het raampje naar beneden om het beter te zien. Zonnestralen vallen op het water als een regen zilverkleurige pijlen.

'Dit is een van mijn lievelingsplekjes. Lago Argento. Hier ga ik naartoe als ik ergens over na wil denken.'

De heerlijke stilte wordt verbroken doordat mijn mobieltje zoemend trilt. Ik ben bang dat ik Gianluca's heilige plek heb onteerd.

'Neem maar op. De vooruitgang is nu eenmaal toch niet te stoppen.'

Ik werp een blik op Gianluca, die moet lachen, en dan lach ik ook. Ik haal mijn telefoon uit mijn tas.

Roman sms't:

NATUURLIJK. JIJ KOMT ALTIJD EERST. R.

Ik glimlach.

'Leuk nieuws?' vraagt Gianluca.

'Nou en of.' Ik stop het mobieltje weer in mijn tas.

De zijdefabriek in Prato bestaat uit een aantal moderne gebouwen die matgrijs zijn geverfd. Er staat een hoog hek versierd met stalen punten omheen. Doordat het gras kort is, komt het goed onderhouden over.

Er hebben hier al heel veel topontwerpers materiaal gekocht. Van de oude garde, Europeanen zoals Karl Lagerfeld en Alberta Ferretti die hun tijd vooruit waren, tot nieuwe talenten zoals Philip Lim en Proenza Schouler, zijn ze allen naar Prato afgereisd. Er zijn zelfs ontwerpers geweest die stukjes stof van de grond raapten en daar iets origineels en moois van maakten; dus zelfs het afval in deze fabriek is waardevol.

Gianluca toont zijn identiteitskaart aan de bewaker als we bij het hek aankomen. Ik moet mijn paspoort laten zien. Gianluca slaat hem open op de bladzijde waar mijn foto op staat en geeft mijn pas aan de bewaker.

Nadat we de auto hebben weggezet, blijf ik zitten tot Gianluca het portier voor me opent. Hij was zo beleefd over mijn zoemende mobiel dat ik hem niet zijn Italiaanse goede manieren wil ontzeggen. Hij trekt het portier open en pakt me bij de hand om me uit de auto te helpen. Zodra zijn hand die van mij aanraakt, loopt er een rillinkje over mijn rug. Het zal wel door de lentebries komen, die is nog best fris ondanks de warme zon.

We lopen de hal in waar een kleine balie staat met een loket. Gianluca loopt naar het loket toe en vraagt naar Sabrina Fioravanti. Even later komt een vrouw van mijn moeders leeftijd met een leesbril aan een ketting om haar nek, op ons af lopen.

'Gianluca!' zegt ze.

Hij kust haar op beide wangen. 'Dit is signora Fioravanti.'

Ze geeft me een hand en is blij me te zien. 'Hoe gaat het met Teodora?' wil ze weten.

'Heel goed.'

'*Vecchio?*' zegt de signorina. 'Net als ik.'

'Alleen in jaren, maar wat de rest betreft niet.' Ik moet opeens denken aan wat mijn tachtigjarige oma nu aan het doen is.

Ik loop met Sabrina mee de fabriek in, naar het gedeelte waar de zijden stoffen gestreken op een rol worden gezet waarna de stof met behulp van gigantische wielen eromheen wordt gedraaid tot het zo dik is als een boomstam. Ik moet even de stof aanraken, boterzachte katoenzijde geborduurd met dunne gouddraad en fluweel met stukjes ruwe zijde.

'Je wilt toch dubbelzijdige stof?' vraagt Sabrina.

'Ja.' Ik pak de lijst uit mijn tas. 'En taffeta met een fluwelen voering, en, als jullie dat hebben, een zijden streepje.' Ik haal diep adem.

'Is er wat?' vraagt Gianluca. Hij wijst naar de diepe groeven tussen mijn wenkbrauwen. 'Zo te zien zit je iets dwars.'

'Nee hoor, ik denk alleen na,' lieg ik. 'En als ik nadenk, trekken mijn wenkbrauwen samen.'

'Hè?'

'Het zijn gewoon denkrimpels. Niet op letten.'

Sabrina komt terug met een jonge man die een hele stapel stalen draagt. Het gaat me wel een paar uur kosten om die allemaal te bekijken. Nu weet ik waarom die denkrimpels zich hebben gevormd. Dit is een grote verantwoording, en mijn grootmoeder is er nu niet bij om me te helpen. Die zit onder de Toscaanse zon met Dominic te rotzooien en heeft geen tijd om helemaal naar de fabriek te gaan en honderden stalen te bekijken. Ik voel me verlaten. Maar er is niets aan te doen, we zijn er nu, en ik zal het zelf moeten opknappen.

Sabrina gaat weg. Ik trek er een kruk bij en leg mijn tas op de tafel achter me. Gianluca pakt ook een kruk en gaat tegenover me aan de werktafel zitten. Ik leg mijn lijst op tafel en stort me op de staaltjes.

'Goed.' Ik kijk Gianluca aan. 'Ik heb slijtvaste satijnen jacquard nodig. Beige.'

Gianluca gaat door de stapel en trekt er een uit. Hij houdt hem omhoog.

'Nee, er zit te veel roze in,' zeg ik tegen hem. 'Het moet meer goud-kleurig zijn.'

Ik leg de stof opzij die te dun is, ook als we hem zelf zouden voeren. Gianluca doet dat ook. Vervolgens maakt hij een stapel met de meer uitgesproken stoffen. In mijn stapel zit een een rol zware dubbelzijde satijn geborduurd met gouden wijnranken. Ik vraag me af of we die stof wel kunnen knippen en leg hem teleurgesteld weg.

'Vind je die niet mooi?' wil hij weten.

'Ik vind het prachtig. Maar ik denk niet dat ik het patroon kan behouden als ik ga knippen.'

Gianluca pakt het staaltje op. 'Dat lukt wel. Je moet er alleen wat meer van kopen, en dan het patroon op elkaar aan laten sluiten.' Hij drapeert de stof op tafel en vouwt het dubbel. 'Zie je? Zo doe je het ook met leer.'

'Je hebt gelijk.'

Ik leg de zijde met de wijnranken boven op de stapel die ik wil kopen. Er zijn zo veel verschillende stalen, maar het is heerlijk om er uit te zoeken. Ik zie al van elke stof een schoen voor me. Ik heb al: crêpe, poul-de-siue, matelassé, katoenfluweel, faille en een zijden popeline met een iets lichter streepje. Ik stort me er vol enthousiasme op en het sorteren van de stoffen gaat steeds sneller.

'Vind je het leuk om schoenen te maken?' vraagt Gianluca.

'Valt het op?' Ik streep weer iets op mijn lijst af. 'Vind jij het leuk om leer te looien?'

'Niet echt.' Nu krijgt Gianluca zorgrimpels. 'Mijn vader en ik hebben altijd ruzie. Dat is al jaren zo. Maar na mijn moeders overlijden is het nog erger geworden.'

'Hoe lang is je vader al weduwnaar?'

'In november elf jaar.' Hij pakt een stapeltje linnen staaltjes op. 'Leven jouw ouders nog?'

Ik knik van ja.

'Hoe oud zijn ze?' vraagt hij.

'Mijn vader is achtenzestig. Als je ooit mijn moeder ontmoet, mag je niet laten merken dat je het weet, maar zij is eenenzestig. Bij ons in de familie hebben we een probleem met onze leeftijd.'

'Hoe dat zo?'

'We willen gewoon niet oud worden.'

'Wie wel?' Hij glimlacht.

'Hoe oud ben jij?'

'Ik ben tweeënvijftig,' zegt hij. 'Te oud dus.'

'Waarvoor?' vraag ik hem. 'Om een andere baan te zoeken? Dat zou je zo kunnen doen.'

Gianluca haalt zijn schouders op. 'Ik ben verplicht om voor mijn vader te werken.' Hij heeft zich er zo te zien bij neergelegd, en kan er redelijk mee leven.

'In Amerika, als het werk ons niet bevalt, gaan we wat anders doen. We gaan weer naar school om een ander vak te leren, of we nemen een andere baan, of andere werknemers. Je hoeft niet iets te doen wat je helemaal niet leuk vindt.'

'In Italië blijft alles bij het oude. Wat ik wil is niet belangrijk. Ik heb mijn verantwoordelijkheden en die neem ik ook op me. Mijn vader heeft me nodig. Ik doe net of hij de baas is, maar hoe ouder hij wordt, hoe langer zijn siësta duurt.'

'Bij mijn oma ook.'

'Jij werkt ook in het familiebedrijf.'

'Ja, maar dat wilde ik zelf. Ik wil schoenmaker worden.'

'Hier hebben we niets te kiezen. De droom van de familie is onze droom.'

Ik denk aan mijn familie en dat dat ook voor ons gold. Ooit stond de familie op de eerste plaats, maar nu lijkt het wel of mijn generatie zich daar niets meer van aantrekt. Ik zou nooit met mijn moeder kunnen werken, maar met mijn grootmoeder is een heel ander verhaal. De generatie tussen mijn oma en mij lijkt ons een gezamenlijk doel te geven. We begrijpen elkaar op een manier die zowel op het werk als thuis werkt. Misschien komt dat doordat zij hulp nodig heeft, en ik er op het juiste moment was om haar een handje te helpen. Geen idee. Maar mijn dromen en die van mijn grootmoeder kwamen overeen, en smolten samen tot het voor ons beiden iets nieuws werd. Ook nu, hoewel het erop lijkt dat ze de teugels aan mij overhandigt. De zaak mag dan op zijn laatste benen lopen, met de toenemende schulden en de geringe vraag naar op maat gemaakte schoenen, toch is het een erfenis van onschatbare waarde. Het is te hopen dat het me lukt het aan de volgende generatie over te doen.

Gianluca en ik lopen een groot binnenplein op, midden tussen de gebouwen, waar de arbeiders hun pauze doorbrengen. Enkele jongeren zijn bezig op hun BlackBerry, andere bellen op hun mobieltje. De werknemers van middelbare leeftijd drinken een espresso en eten een stuk fruit. Er zitten werknemers bij die zowat zo oud zijn als mijn grootmoeder, en dat is wel wat anders dan thuis. Hier worden de oude vaklui – de meesters – met eerbied behandeld, en vormen een belangrijk onderdeel bij het maken van stoffen. Mijn broer Alfred zou dit moeten zien, dan zou hij wellicht snappen waarom oma blijft werken. De voldoening waar een vakman na jaren werken naar op zoek is, is om iets af te leveren wat perfect is. Niet alle meesters zal dat lukken, maar na jaren onderzoek, werken en ervaring, komen ze er misschien bij in de buurt. En dat is al genoeg om naar te streven.

Gianluca haalt een caffé latte voor me en een fles water voor zichzelf. 'Mijn vrouw dronk caffé latte maar geen espresso.'

'Zo mag ik het horen.'

Gianluca komt naast me zitten.

'Wat jammer dat je met mij opgescheept zit. Je hebt het vast hartstikke druk.'

'Waarmee dan?'

'Je hebt een dochter en familie in Arezzo. Je hebt vast een hobby of een vriendin.'

Hij lacht.

'Wat is daar zo grappig aan?'

'Je bent niet erg subtiel.'

'Sorry, hoor. Ik wil alleen maar even kletsen. Stoffen zijn fascinerend, maar niet de hele tijd.' Ik neem een slok caffé latte.

Hij drinkt wat water en laat mijn vraag onbeantwoord op tafel liggen als een verfrommeld lapje linnen. Maar ik wil meer weten over deze man, al weet ik niet waarom. Ik heb niets te verliezen, dus stel ik een persoonlijke vraag. 'Waarom ben je gescheiden?'

'Waarom ben jij niet getrouwd?' vraagt hij op zijn beurt.

'Jij eerst.'

'Mijn vrouw wilde in de stad wonen. Maar ze wist dat ik mijn vader nooit in de steek zou laten. Dus spraken we af dat zij in Florence ging wonen en ik Arezzo zou blijven, en dat ik langs zou komen of dat zij in het weekend weer thuis zou zijn. Orsola zat op de universiteit en het leek erop dat het zou kunnen werken. We deden wat we moesten en wilden doen. Maar zo werkt het niet in een huwelijk.'

'Het lijkt mij ideaal. Romantisch, toch, dat je ieder je eigen leven leidt en dan af en toe elkaar weer ziet en dat dan de vonken ervanaf springen.'

'Het ging niet, want je ziet elkaar als vanzelfsprekend.'

'Daar weet ik alles van.' De reden voor Gianluca's scheiding lijkt wel erg veel op de smoesjes die ik gebruikte toen Roman me teleurstelde. Soms heb ik het idee dat we onze relatie in de koelkast zetten om ons werk te kunnen doen. Maar toch geloof ik dat de liefde ons wel redt. Liefde is toch de meest praktische emotie? Het is toch een constante? 'Hou je nog van haar?'

'Hoe kun je van iemand houden die niet van jou houdt?'

'Soms kun je er gewoon niets aan doen.'

'Ik wel,' zegt hij eenvoudig. 'Nu ben jij aan de beurt.'

Mijn mobieltje trilt. Ik vis hem uit mijn tas. 'Gered door de techniek.' Ik kijk op het schermpje, het is Gabriel. Die stuur ik straks wel een sms'je.

'Je vriend?' vraagt hij.

'Nee, gewoon maar een vriend.' Ik klap het telefoontje dicht en stop hem weer in mijn tas.

'We moeten weer aan de slag,' zeg ik.

Ik loop met Gianluca over het binnenplein naar de hal waar de werkplaats op uitkomt. Een paar glazen deuren scheidt de hal van het binnenplein. Gianluca toetst de toegangscode in. Ik kijk naar onze weerspiegeling in het glas.

'Leuk stel, hè?' zegt hij terwijl hij mijn blik in het glas opvangt.

Ik knik beleefd. Er valt me iets in wat Gabriel me heeft verteld toen we nog studeerden. Hij zei dat een man nooit tijd aan een vrouw spendeert tenzij hij iets van haar wil. Gianluca spendeert wel heel veel tijd aan mij. Ik vraag me af wat hij wil. Nog meer verkopen? Zou kunnen. Maar we maken maar een beperkt aantal schoenen per jaar. Het zit er niet in dat ik tweemaal zoveel leer ga bestellen. Het lijkt wel alsof hij iets zoekt om niet naar de looierij te hoeven. Ik hoor nog het geruzie. Zo leuk is het nu ook weer niet bij Vechiarelli & Zoon. Misschien gebruikt hij mij om even weg te kunnen.

We komen terug in de werkplaats en gaan aan de tafel zitten. Sabrina heeft een nieuwe stapel stalen op de tafel achtergelaten.

'Je bent nog steeds aan de beurt,' zegt Gianluca. 'Ik wil meer over je weten. Vertel eens iets over je vriend.'

'Nou, hij heet Roman. Hij werkt als kok in zijn eigen restaurant. Hij serveert Italiaans plattelandseten.'

Gianluca lacht. 'Italiaans eten komt altijd van het platteland. We eten al tweeduizend jaar hetzelfde. Ga je met die Roman trouwen?'

'Dat denk ik wel.'

'Heeft hij je al een aanzoek gedaan?'

'Nog niet.' Gianluca trekt een gezicht en dat irriteert me. 'Ik heb al eens eerder een aanzoek gehad, hoor. En dat heb ik afgeslagen.'

'Maar natuurlijk, je hebt vast heel veel aanbidders gehad.'

Ik kijk hem aan. Meent hij dat nou, gelooft hij echt dat ik een femme fatale ben? Hij gaat zijn gang maar. Mijn romantische verleden in Amerika lijkt wel een eeuwigheid geleden. Een vrouw kan op reis haar verleden wissen of herscheppen. Dat is een van de grote voordelen als je weg bent.

'Wil je kinderen?' vraagt hij.

'Weet je, heel lang wist ik het gewoon niet. Maar nu denk ik van wel.'

'Hoe oud ben je?'

'Eind van de maand word ik vierendertig.'

Hij fluit. 'Dan mag je wel opschieten.'

'Zit jij soms bij de vruchtbaarheidspolitie of zo?'

'Nee, maar ik ben al wat ouder en ik heb ervaring. Je hebt een hoop energie nodig om kinderen op te voeden. Dus begin er maar snel aan. Het is voor mij het mooiste wat ik ooit heb meegemaakt.'

'Orsola is mooi en heel lief. Je bent vast erg trots op haar.'

'Ze is het beste wat ik aan dat huwelijk heb overgehouden.'

'Zul je ooit weer trouwen?'

'Nee,' antwoordt hij onmiddellijk.

'Weet je dat zeker?'

'Ik heb een dochter. Waarom zou ik opnieuw trouwen?'

'Weet ik veel. Misschien uit liefde?'

'Met liefde houd je je huwelijk niet goed,' zegt hij. 'Je trouwt misschien uit liefde, maar door iets anders beëindig je het.'

'Is dat zo?' Ik leg de staaltjes neer en buig me naar voren. 'Vertel.'

'In Italië trouwde men vroeger om twee families samen te brengen.'

'Ja, en hun geld.' Ik knik. 'Een soort zakenovereenkomst.'

'Klopt. Maar ze vonden ook dat je zo samen een leven op moest bouwen. Alleen kunnen sommige families niet met elkaar overweg. Mijn vrouw hield volgens mij wel van me, maar zij dacht dat ik voor grootse dingen in de wieg was gelegd. En toen dat niet waar bleek, ging ze weg.'

'Wat wilde ze dan?'

Hij zwaait met zijn hand. 'Een leven in de stad.'

'Weet je, Gianluca, het leven in de stad valt echt wel mee.'

'Voor mij hoeft het niet.'

'Hoe weet je dat nou? Beter kan gewoon niet. Mijn grootmoeder en ik wonen in Greenwich Village in New York. We hebben een daktuin met tomatenplanten en soms is het daar 's avonds zo rustig dat je je bij het meer waant waar we vanochtend zijn geweest. Echt.'

'Daar geloof ik niets van.'

'Misschien komt het doordat er zo veel gebouwen staan en we op elkaars lip zitten, maar we houden heel erg van de natuur. Bomen vinden we prachtig. Bloemen worden gekoesterd. Stadsmensen zijn zo dol op bloemen dat ze het hele jaar door als boeket verkocht worden.'

'Ik heb liever een veld met bloemen.'

'Nou, dat kan ook, maar dan moet je de metro nemen naar het stadspark in de Bronx. Daar zie je de hemel ook goed. Natuurlijk is die niet zo mooi als hier in Italië, maar hij is evengoed prachtig. Door de luchtverontreiniging zijn de paarse zonsondergangen in New Jersey sensationeel.'

Hij moet lachen. 'Zolang je het maar niet inademt.'

'Het mooie is dat ons huis uitkijkt over de Hudson. Dat is een brede, diepe rivier en hij stroomt majestueus langs Staten Island naar de Atlantische Oceaan. In de winter raakt de rivier bevroren zodat het een grote zilveren ijsvlakte is. Hij bevriest nooit helemaal, zoals een meer – waar je op kunt schaatsen – maar er brokkelen grote grijze puzzelstukken ijs af die ronddrijven totdat ze door de zon smelten. En als het vriest botsen deze ijsschotsen tegen elkaar aan. En 's avonds als je langs de rivier loopt, hoor je alleen maar het zachte getik van de stukken ijs die ronddrijven terwijl het water eronderdoor stroomt.'

'En verder hoor je niets?'

'Bijna niets. In de winter zijn de parken en de wandelpaden verlaten. Als ik daar loop, is het allemaal van mij. Dan vraag ik me af hoe dit alles gratis kan zijn. Maar dat is het wel.'

'Het hoort bij jou.'

'Ik doe net alsof. Verleden winter liep ik een keer 's ochtends in mijn eentje op de pier. De rivier was bevroren maar opeens viel mijn oog ergens op. Ik zag iets roods op een ijsschots. Dus ik liep naar de kop van de pier. Drie zeemeeuwen hadden een vis gevangen, en een grote ook. Ze hadden de ingewanden eruit getrokken en waren aan het eten. Het rood dat ik had gezien was vissenbloed. Ik draaide me meteen om. Maar toen moest ik toch weer kijken. Het palet van de zwarte rivier, het zilverwitte ijs en het donkerrode bloed van de vis was buitengewoon aantrekkelijk. Het was afschuwelijk maar ook mooi. Ik kon mijn ogen er niet vanaf houden.'

Gianluca luistert aandachtig naar wat ik zeg.

Ik ga door: 'Die ochtend heb ik iets over mezelf geleerd.'

'Wat dan?' Gianluca buigt zich naar me toe, benieuwd naar het antwoord.

'Ik zie iets kunstzinnigs op de vreselijkste momenten. Ik dacht vroeger dat kunst moest komen uit dingen die ik mooi vond en me hoop gaven. Maar nu leerde ik dat kunst overal kan zijn, zelfs in pijn.'

Terwijl Gianluca ons weer naar Arezzo rijdt, ga ik door de staaltjes die we in de fabriek hebben uitgezocht. Mijn favoriet is een dubbelzijde zijde met daarop met de hand geschilderde lelies. Ik zie al een elegant muiltje voor me van die stof, afgezet met een zwart fluwelen biesje. Er zitten maar een paar stoffen tussen die we vroeger altijd hadden. Nu maar hopen dat mijn grootmoeder het ermee eens is. Ik ben op de zaken vooruitgelopen en heb de bestelling al geplaatst. Toen ik voor het eerst mijn handtekening op de stippellijn van het formulier zette waar 'ontwerper' op stond, beefde ik zowat van trots.

De zon gaat hier niet echt onder, hij zakt als een baksteen achter de heuvels. Het lijkt hier maar heel even te schemeren voordat de maan aan de paarse hemel als een kommetje slagroom opduikt. Het is een romantische maan, en het is niet zo verwonderlijk dat mijn oma door hem is betoverd. 'Weet je, jouw vader en mijn grootmoeder...'

Gianluca verschuift zijn blik van de weg naar mij.

Ik maak de internationale handbeweging voor seks.

Hij lacht. 'Al jaren. Al vanaf dat je grootvader is overleden.'

'Zolang al?' Niet te geloven, toch? Ik dacht dat ik alle familiegeheimen wel kende.

'Ze waren goede vrienden. Inmiddels is dat wel iets meer geworden.'

'Heel véél meer.'

'Mijn vader was ook goed bevriend met je grootvader. Zeer intelligent. Een hele persoonlijkheid. Net als jij,' zegt Gianluca terwijl hij de snelweg verlaat en een klein weggetje in slaat.

'Weer een meer?' vraag ik.

'Nee, eten.' Hij glimlacht.

Gianluca slaat weer een pad in. Iets verderop zien we een schattig boerderijtje verlicht door fakkels. Er staan een paar auto's voor geparkeerd.

'Dit is Montemurlo,' zegt hij. 'We zijn halverwege.'

Nadat we de auto hebben neergezet, legt hij zijn hand onder op mijn rug en leidt me zo naar het restaurant. Ik ga sneller lopen, maar hij neemt alleen maar wat langere passen om me bij te houden. Eenmaal bij de deur gebaart Gianluca me via de verlaten eetzaal door te lopen naar de achterkant.

Er staan twaalf tafels op de veranda, omringd door een laag muurtje van stapelstenen. De helderwitte tafellakens worden verlicht door votiefkaarsen. Flakkerende toortsen aan de muur werpen hun licht op een weiland. Ik hoor stromend water.

In de verte zie ik boven een meertje een indrukwekkende waterval de berg af storten. Het door de maan beschenen water lijkt wel een berg wit kanten ruches op zwarte zijde. 'Als het eten net zo goed is als het uitzicht, wordt het genieten,' zeg ik tegen hem.

Gianluca trekt mijn stoel onder de tafel vandaan. Ik kijk uit op de waterval. Vervolgens draait hij zijn stoel naar me toe, gaat zitten en slaat zijn lange benen over elkaar. Roman zat precies zo, aan de ontbijtbar in oma's keuken nadat hij voor me had gekookt.

De ober komt naar ons toe en ze praten in rap Italiaans met een Toscaans accent waar ik al een beetje aan gewend ben. De ober trekt een fles wijn open en zet die op tafel. Hij is kalend, draagt een bril en neemt me van top tot teen op, alsof hij stoofvlees aan het kopen is, voordat hij weer naar de keuken gaat.

Ik sla het menu dicht. 'Weet je wat, bestel jij maar voor me.'

'Wat vind je lekker?' vraagt hij.

'Alles.'

Hij moet lachen. 'Alles?'

'Triest maar waar. Ik hoor bij de zeldzame categorie vrouwen die werkelijk eten. Ik vind niets vies en heb ook geen allergieën.'

'Dan ben je echt de enige vrouw op aarde die zo is.'

'Ik ben zeer uniek, Gianluca.'

De ober komt ons een bord met knapperig Italiaans brood brengen belegd met Italiaanse prosciuttoham, besprenkeld met bramenhoning. Ik neem een hapje.

'Lekker?'

'Heerlijk. Zie je nou wel? Ik wil wel een hele pot van die honing.'

Terwijl de maaltijd wordt bereid, hebben we het over de fabriek en over de kunst om leer te borduren. Na een tijdje serveert de ober een grote schaal met pasta waar een flinke scheut olijfolie overheen is gegaan. Uit zijn vestzak haalt de ober een klein potje. Hij draait het deksel eraf en vist er een truffel uit (die ziet er een beetje uit als een knobbelige, lichtgele raap) die op een wit katoenen doekje ligt. Met een dun zilveren mesje schraapt hij over de truffel zodat er dunne plakjes op de pasta vallen. Hij gaat net zolang door totdat de warme pasta helemaal bedekt is.

'Hou je van truffel?'

'Ja,' zeg ik met mijn mond vol pasta en zoete wilde truffel. Vreemd genoeg heb ik het gevoel dat ik Roman bedrieg omdat ik truffel zit te eten.

'Jij bent dol op eten.'

'Dat kun je wel stellen,' zeg ik tegen hem. 'Het staat in mijn top drie.'

'Wat zijn de andere twee dingen?'

'Een fiets met vier versnellingen op een warme zomerdag en een baljapon van John Galliano op een koude winteravond.' Ik neem een slokje wijn. 'Wat staat er in jouw top drie?'

Gianluca denkt even na. 'Seks, wijn en lekker slapen.'

Dat lekker slapen accentueert het verschil in leeftijd tussen ons. Mijn ouders hebben het altijd over slapen. Maar dat zeg ik natuurlijk niet tegen Gianluca en ook niet dat de enige oudere mannen die ik ken mijn grootvader en mijn vader zijn. Ik val niet op oudere mannen. Wat de liefde aangaat heb ik liever iemand van mijn eigen leeftijd. Ik wil samen gelijk op gaan en niet dat een van ons al zijn halve leven achter zich heeft. Maar doordat ik nu tijd met Gianluca doorbreng, waardeer ik een vriendschap met iemand die ouder is wel. Ze hebben veel te bieden, zeker als er geen sprake is van romantiek. Ik heb vandaag veel van hem geleerd, zijn advies over het naaien van patronen alleen al was de reis meer dan waard. Hij luistert ook, alsof ik iets belangrijks te melden heb.

De ober biedt ons espresso aan. Gianluca zegt dat hij even wil wachten.

'Ik wil je iets laten zien. Kom mee.'

Er is een stenen trap bij de veranda die naar het grasland bij de waterval leidt. Hij springt zo snel van het trapje af, dat het duidelijk is dat hij dat al heel vaak heeft gedaan. Ik kom achter hem aan.

Het gras is al nat van de avonddauw, dus doe ik mijn schoenen uit om op blote voeten verder te gaan. Gianluca neemt de schoenen van me over, en pakt met zijn andere hand mij bij de hand. Ik vind dit nogal ver gaan, maar ik zou niet weten hoe ik me beleefd los kan rukken. Bovendien is er natuurlijk wijn in het spel. Ik heb twee glazen op. Vandaag heb ik bijna niets gegeten, dus ik heb een roesje terwijl we over het weiland lopen.

Onder aan de waterval bevindt zich een diep donkerblauw meer. Gianluca kijkt me aan en glimlacht. Het neerstortende water maakt zo'n herrie dat we elkaar niet kunnen verstaan. Ik trek mijn hand uit de zijne en steek hem in mijn zak. Hij mag dan een stuk ouder zijn, maar hij is nog steeds een man, en als ik met iemand handje in handje loop, dan is dat met Roman Falconi.

Ik steek mijn hand uit voor mijn schoenen. Hij geeft ze aan mij. Ik loop voor hem uit terug naar onze tafel waar de ober een caffé latte voor mij heeft neergezet en een espresso voor hem, en ook nog een schaal verse perziken.

Ik stap in bed en klap mijn mobieltje open. Ik toets het nummer van Gabriel in.

'Wat vind je van Italië?'

'Erg verrassend,' vertel ik hem.

'Nog problemen met de taal?'

'Nee. Oma ook niet. Oma heeft een minnaar.'

'Je oma heeft een minnaar en ik ben vrijgezel. Gekker moet het toch niet worden.'

'Hé, wat minder kan ook wel.'

'Je snapt best wat ik bedoel. Ze is tachtig! Maar wel een levendige tachtig dus,' geeft Gabriel toe.

'Erger nog. De zoon van haar vriendje zit mij te versieren.'

'Geniet ervan.'

'Mooi niet! Ik ga Roman niet bedriegen.'

'Waarom vertel je het dan aan mij? Jullie zijn nog niet eens verloofd.' Gabriel gaat ervan uit dat als je nog niet verloofd bent, het geen bedriegen is. 'Hoe oud is je aanbidder?'

'Hij heet Gianluca en hij is tweeënvijftig.'

'Ziet hij er nog goed uit voor zijn leeftijd?'

'Zeker wel.' Ik ben in elk geval eerlijk. 'Maar hij is wel grijs.'

'Wie niet?'

'Hoor eens, laat maar zitten. Ik ben verliefd op Roman.'

'Gelukkig maar, anders zou ik absoluut geen tafel bij Ca' d'Oro kunnen krijgen. En ik wil zo vaak mogelijk naar Ca' d'Oro. Je vriend is een echte topper.'

'Was hij aardig tegen je?'

'Roman trok alle registers uit. Je zou zo denken dat ik de eetrecensent voor *The New York Times* was, terwijl ik amper een varkenskarbonade van een lamskotelet kan onderscheiden.'

'Mooi. Heb je Romans souschef nog gezien?'

'Ja, zeker wel. Ze heet Caitlin Granzella. Ik zag haar toen ik een kijkje in de keuken mocht nemen.'

'En?'

'Je zit erg ver weg. Je kunt het beter niet weten.'

'Gabriel!'

'Nou, goed dan. Om eerlijk te zijn heeft ze wel wat weg van Nigella Lawson. Wat haar gezicht en haar lijf betreft. Slank maar met rondingen. Ze is net een flesje cola.'

Ik zeg niets. Ik kan niets uitbrengen. Mijn vriend heeft een bloedmooie souschef en ik ben al weken weg.

'Valentina? Wel door blijven ademen. En maak je geen zorgen. Volgens mij heeft meneer Falconi alleen jou in het vizier.'

'Meen je dat nou?'

'Hij heeft het alleen maar over Capri en dat hij jou alles gaat laten zien, en dat hij voor het eerst van zijn leven eens echt op vakantie gaat, omdat er maar één meisje ter wereld is met wie hij op een Italiaans eiland zou willen zitten, en dat ben jij dus. Maak je maar geen zorgen over dat knappe kokkinnetje bij hem in de keuken. Hij droomt niet over haar. Hij is helemaal weg van jou.'

We nemen afscheid en ik klap de telefoon dicht. Ik ga op mijn rug liggen en droom van Roman Falconi. Ik zie hem, de blauwe zee, de roze wolken en de hete zon boven Capri voor me. Terwijl ik wegzak in een diepe en ontspannende slaap, voel ik de armen van mijn vriend in het warme zand om me heen.

12

Capri

Mijn grootmoeder, Dominic, Gianluca en ik hebben onze zaken-reis de week voor onze laatste dag in Arezzo vervolgd. We zijn naar Milaan gereden, naar de Mondiale-fabriek, en hebben zo veel gespen, clips en haken en oogjes gekocht dat we genoeg hebben voor zo'n tienduizend paar schoenen.

Terwijl we in Milaan waren, hadden we een gesprek met Brets internationale zakenrelaties, een groep Italiaanse financiers die met ontwerpers in Italië en in Amerika werken. Zij bevestigden Brets op-vatting dat we een andere lijn naast onze op maat gemaakte schoenen moesten ontwikkelen. Ik legde uit dat we daarmee bezig waren. Ik had het over de mogelijkheid van de Bergdorf-etalage, en dat vonden ze erg goed, want ze hebben al heel wat zakengedaan met de vooraan-staande Neiman Marcus Company die Bergdorf Goodman heeft overgenomen.

We zijn ook naar Napels geweest om Elisabetta en Carolina D'Amico te ontmoeten, die allerlei versieringen maken. Ik verdwaal-de in hun winkel, want dat is een waar paradijs voor elke ontwerper: de ene na de andere ruimte vol met riempjes en veters bestikt met steentjes, kralen, clips en strikjes. De vrouwen hebben veel gevoel voor humor, dus hun werk is soms erg grappig: sierschelpjes vastge-plakt op een strandje van geverfde rijstkorrels. Of piepkleine kroon-tjes op bekende hoofden. En wat ik het mooiste vond: de trouwtaart, die bestond uit geslepen rijnsteentjes en op de schoen was bevestigd. Boven aan de enkel zaten bijpassende riempjes waaraan gouden be-dels van een bruid en bruidegom hingen. Briljant.

Het is onze laatste ochtend in Arezzo, en hoewel ik de soep van signora Guarasci, mijn bed en de open ramen om de avondlucht binnen te laten zal missen, wil ik toch ook wel erg graag naar het vliegveld toe om mijn oma af te zetten en Roman op te pikken. Ik houd me in, want hoewel ik blij ben om te gaan, is mijn oma verdrietig.

Ze zit in de gang voor onze kamers op me te wachten. 'Ik ben zover,' zegt ze stilletjes.

'Ik pak je bagage.' Ik ga naar haar kamer om de koffer te halen. Mijn bagage heb ik al in de auto geladen, samen met een duffelzak vol staaltjes. Het leer en de stof die ik heb besteld, worden verscheept en zullen tegen de tijd dat ik thuis kom afgeleverd moeten zijn.

Signora Guarasci staat onder aan de trap. Ze heeft lunchboxes voor ons klaargemaakt voor de reis: panini belegd met prosciutto en kaas, en twee koudje flesjes ranja om het weg te spoelen. Ze omhelst en zoent ons en bedankt ons voor ons verblijf.

Mijn grootmoeder loopt naar buiten, pakt de leuning en gaat de trap af. Dominic staat haar op de onderste tree op te wachten. Ik draaf snel om oma heen om hun wat privacy te gunnen.

Ik loop naar de auto, die naast het hotel staat, zet haar bagage in de kofferbak en ga wachten. Door de dikke heg heen zie ik hen elkaar omhelsen. Dan laat hij haar ietwat naar achteren zakken en geeft haar een kus. Zo'n zoen heb ik het laatst gezien toen Clark Gable Vivien Leigh zoende in *Gone With the Wind*.

'Mijn vader is erg verdrietig,' zegt Gianluca achter me.

Ik vind het gênant dat hij me betrapt heeft terwijl ik zit te gluren. 'Mijn grootmoeder ook.' Ik kijk hem aan. 'Bedankt voor alles.'

'Ik vond het leuk om met je te praten,' zegt hij.

'Ja, ik ook.'

'Hopelijk kom je nog een keertje langs.'

'Vast wel.' Ik kijk naar Gianluca die, nadat hij weken met ons op heeft getrokken, een echte vriend is geworden. Toen ik hem leerde kennen, stond ik al met mijn mening klaar: ik zag alleen maar zijn grijze haar, zijn grote auto, en zijn dochter die bijna net zo oud als ik is. Maar nu heb ik waardering voor zijn leeftijd. Hij is elegant zonder ijdel te zijn, en hij heeft uitstekende manieren zonder overdreven over te komen. Gianluca is erg aardig, hij zette mijn oma en mij altijd op de eerste plaats. 'Je bent vast blij dat we eindelijk gaan.'

'Hoe kom je daar nu bij?'

'Nou, omdat we zo veel tijd van je in beslag hebben genomen.'

'Ik vond het erg leuk.' Hij geeft me een stukje papier. 'Dit is het telefoonnummer van mijn vriend Costanzo op Capri. Ga een keer bij hem langs. Hij is de beste schoenmaker die ik ken. Behalve jij natuurlijk,' zegt Gianluca met een brede grijns. 'Je zou hem eens aan het werk moeten zien.'

'Ik ga zeker,' lieg ik. Ik ben niet van plan om naar schoenen te kijken terwijl ik op Capri zit, ik wil ze zelfs niet dragen. Ik wil de liefde bedrijven, spaghetti eten en bij het zwembad zitten, en wel in die volgorde.

'Nou, in elk geval bedankt.' Ik wil hem een hand geven, maar Gianluca drukt er een kus op. Vervolgens buigt hij zich naar voren en zoent hij me op mijn wangen. Hij ruikt naar cederhout en citroen, koel en fris, en het doet me denken aan de eerste keer dat ik in zijn auto zat, de dag dat we naar Prato gingen. Ik kijk op mijn horloge. 'We moeten gaan.'

Gianluca en ik lopen naar de trap voor de ingang van het Spoltihotel. Mijn grootmoeder en Dominic zijn aan het lachen, ze doen hun best om het afscheid luchtig te houden. Ik raak oma's arm aan, maar onderweg naar de auto blijven ze praten. Dominic helpt mijn grootmoeder bij het instappen, en Gianluca houdt het portier voor mij open. Ik stap in en hij doet het portier, net zo zorgvuldig als toen we naar Prato gingen, achter me dicht.

Oma zakt onderuit in de stoel terwijl ik de auto start. Ze beweegt zich heel traag, terwijl ik er juist als een speer vandoor wil, mijn grootmoeder op het vliegveld af wil zetten en Roman op wil pikken, zodat het eindelijk leuk kan worden.

Ik rijd de heuvel af naar de hoofdstraat van Arezzo, kijk op de borden en ga naar de buitenwijken op weg naar de snelweg.

Ik werp een blik op mijn oma, die zich de hele tijd als een dolle tiener heeft gedragen maar er nu echt als tachtig uitziet. De grijze wortels zijn zichtbaar in haar bruine haar, en haar handen, die ze in haar schoot heeft gevouwen, zien er breekbaar uit. 'Gaat het?' vraag ik, en ik doe mijn best niet al te vrolijk over te komen.

'Ja, hoor,' zegt ze.

Op de snelweg geef ik gas en we hebben er een aardig vaartje in. Het is niet druk, dus ik neem mijn kans waar. Oma doezelt weg en dat is misschien maar het beste. Als ze slaapt mist ze Dominic niet.

Mijn mobieltje gaat over in mijn zak. Ik vis hem eruit en klap hem open.

'Liefste?' zegt Roman.

'Ben je al geland?'

'Nee, ik zit nog in New York.'

'Is je vlucht geannuleerd?' Het hart zinkt me in de schoenen.

'Nee, ik ben niet gegaan. En ik wou je dat niet midden in de nacht vertellen.'

'Wat is er aan de hand?' zeg ik luid.

Mijn oma wordt wakker. 'Is er iets?'

'We kregen de tip dat de recensent van *The New York Times* van de week langskomt, waarschijnlijk op dinsdagavond, dus ik neem de vlucht van woensdag, en zie je dan op Capri. Je snapt het toch wel, lieverd?'

'Nee, dat snap ik niet.'

'Een recensie in *The Times* kan ons maken of breken.'

'Een vakantie op Capri kan óns maken of breken.' Nog nooit eerder heb ik een man zo voor het blok gezet. Aanbiddelijk zijn kan mijn rug op. Wat weet Katharine Hepburn nu van mannen af? Zij heeft nooit wat met Roman Falconi gehad.

'Het is alleen maar wat uitstel. Ik kom zo snel mogelijk naar je toe.'

'Laat maar. Ik heb er meer dan genoeg van dat ik steeds maar weer op je moet wachten. Ik heb er meer dan genoeg van dat we nooit eens samen zijn. Ik wil dat je naar me toe komt, zoals je hebt beloofd.'

Hij gaat harder praten. 'Deze recensie is heel erg belangrijk voor mijn restaurant. Ik moet er gewoon bij zijn, dat kan niet anders.'

'O, kan dat niet anders? Nou, dan weet ik wel wat er voor jou het belangrijkst is. Eerst je osso buco en dan ben ik eens aan de beurt. Of zijn er nog meer dingen belangrijker dan ik?'

'Jij bent echt allerbelangrijkst. Begrijp het toch, alsjeblieft. Ik kom echt zo snel mogelijk. Doe maar rustig aan tot ik er ben.'

'Ik kan nu niet praten, ik ga zo een tunnel in. Dag.' Ik kijk recht

voor me uit, naar de blauwe Italiaanse hemel met daaronder de snelweg. Ik klap het mobieltje dicht en gooi hem in mijn tas.

'Wat is er?' vraagt oma.

'Hij komt niet. Er komt een recensent van *The Times* en daar wil hij
bij zijn. Hij zegt dat hij de vlucht van woensdag neemt, maar dan kan
hij nog net naar Capri gaan en over zijn jetlag heen komen voordat
we weer moeten vertrekken.' De tranen stromen over mijn wangen.
'En ik zit op mijn vierendertigste verjaardag in mijn uppie.'

'Dat ook nog, je verjaardag.' Mijn grootmoeder schudt haar hoofd.

'Ik heb het gehad met die man. Het is voorbij.'

'Loop nou niet zo hard van stapel,' zegt mijn oma vriendelijk. 'Hij
is vast liever bij jou dan bij die recensent in zijn restaurant.'

'Hij is onbetrouwbaar!'

'Je wist dat hij een zwaar beroep heeft.' Mijn grootmoeder praat zo
rustig mogelijk.

'Dat heb ik ook! Ik doe er alles aan om er nog wat van te maken.
Maar ik had Capri nodig. Ik had een vakantie nodig. Ik heb al in geen
vier jaar vakantie gehad. Ik zou bijna de ellende thuis weer onder
ogen kunnen komen als ik even rust kon krijgen voordat ik Alfred
weer zou zien.'

'Ik weet dat je onder veel druk leeft.'

'Veel druk? Veel en veel te veel. En aan jou heb ik ook niets.'

'Hoezo dat?'

'Omdat je volgens mij veel liever hier blijft dan naar Perry Street
terug te gaan.'

'Dat is ook zo.'

'Nou, zal ik jou eens wat vertellen? We gaan vandaag allebei naar
huis. Ik ga niet alles op het spel zetten voor Roman. Ik wil in elk geval
mijn werk behouden.'

Ik zoek naar mijn BlackBerry om onze reisagent Dea Marie Kase-
ta te e-mailen. Ik zet de auto langs de kant van de weg en schrijf:

NOG EEN TICKET NODIG VOOR ALITALIA 16. VANDAAG OM 4 UUR NAAR
NY. DRINGEND.

Ik trek op.

'Ik heb je nog nooit zo kwaad meegemaakt,' zegt mijn grootmoeder stilletjes.

'Nou, wen er maar aan. Ik zal de hele tijd naar New York zitten briezen.'

De vrouw aan de balie van Alitalia werpt me een zeer begrijpende blik toe, maar ze kan er verder niets aan doen. Er is geen ticket beschikbaar voor vlucht 16 van Rome naar New York. Dea Marie kan me alleen een hotelkamer aanbieden en een vlucht voor de volgende ochtend.

Ik leg huilend mijn hoofd op de roestvrijstalen balie. Mijn grootmoeder trekt me uit de rij zodat de ongeduldige passagiers achter me hun boardingpass kunnen krijgen. 'Ik ga wel met je mee naar Capri.'

'Oma, dit moet je niet verkeerd opvatten, maar ik wil niet met jou naar Capri.'

'Dat begrijp ik best.'

'Waarom ga jij niet met Dominic? Het hotel is al geregeld. Dan neem ik jouw ticket en ga ik naar huis.'

'Maar je hebt vakantie nodig. En Roman zei dat hij er woensdag zal zijn.'

'Van mij hoeft het niet meer.'

'Dat zeg je nu wel, maar voor je het weet staat Roman voor je neus en is alles weer in orde.'

Mijn oma klapt haar mobieltje open en belt Dominic. Ik bekijk de lange rij passagiers. Niemand die begripvol of meelevend naar me kijkt. Ik huil nog een beetje. Mijn gezicht jeukt door de tranen. Ik veeg ze weg met mijn mouw. Dan moet ik opeens denken aan wat mijn vader tegen me zei: er gaat nou nooit eens iets vanzelf goed voor jou. Je moet overal hard voor knokken. Nou, ik kan er nog iets aan toevoegen, niet alleen moet ik overal hard voor knokken, maar het heeft ook totaal geen nut. Waarom zou ik nog moeite doen?

'Het is geregeld.'

'Oma, waar heb je het over?'

'Ik ga nu met je mee naar Capri. Dominic gaat er ook naartoe. Ik logeer met hem bij zijn neef, dan heb jij de hotelkamer helemaal voor jezelf.' Mijn grootmoeder geeft me een arm. 'Moet je horen, Roman heeft het niet expres gedaan. Hij komt woensdag, en op deze manier heb je toch nog even tijd voor jezelf voor hij er is.'

'Ja, ja, ja,' mompel ik terwijl zij me wegleidt van de hectiek bij de balie van Alitalia. Ik loop achter mijn oma aan, die kaarsrecht met verende tred voor me uit loopt, en zich verheugt op het weerzien met Dominic. Ik duw met mijn hele gewicht onze kar met bagage door het Leonardo da Vinci-Fiumicino internationale vliegveld. Ik regel weer een huurauto terwijl grootmoeder voor in de passagiersstoel de gordel omdoet. Ik stuur Dea Marie een e-mail voor restitutie voor mijn oma's vlucht en verzoek haar die om te boeken naar de dag dat Roman en ik terugvliegen. Ik stap in de auto en doe mijn gordel om.

'Zie je? Hebben we ook weer opgelost.' Mijn oma confronteert me met mijn favoriete uitdrukking. 'Op naar Capri!'

Bij aankomst in Napels zet ik de huurauto op een afgesproken plek bij de haven neer. Ik kijk om me heen of iemand me met de koffers kan helpen, maar er schijnen hier geen bagagesjouwers te zijn.

Ik zet maar zelf onze koffers op een karretje en loop er als een sherpa mee naar de kade. Onze bagage schijnt steeds meer te worden, of de karretjes worden kleiner, dat kan natuurlijk ook. Het is in elk geval een heel gedoe. Ik zweet als een otter en tegen de tijd dat ik bij de kade aankom, is mijn haar kleddernat.

Mijn oma staat blijft bij het wagentje terwijl ik kaartjes koop voor de boot naar Capri. We staan in de rij als de boot achteruit de haven in komt varen. Een medewerker zet het hek open en een horde toeristen dendert langs ons heen de boot op. Ik stuur oma erachteraan en duw de kar de steile helling op.

Net als ik op het punt sta in te storten om door de wielen van mijn eigen wagentje vermorzeld te worden, ziet de kaartjesknipper hoe moeilijk ik het heb, en hij brult iets naar een jongen op het dek. Ik krijg eindelijk hulp! Hij is lang en heeft net als Roman zwart haar, en ik kan er niets aan doen, maar besef wel dat ik hem niet nodig had gehad als mijn vriend er gewoon zou zijn. Op de veerboot ga ik naast mijn oma zitten. Terwijl we de haven uit varen, adem ik diep uit en kijk ik uit over de zee. Na een paar minuten zie ik opeens het eiland.

Capri ligt als een feesthoedje in het groenblauwe water van de Tyrreense Zee. De uitstekende kliffen, die duizenden jaren geleden door vulkanische uitbarstingen zijn ontstaan, zijn behangen met heldere kleuren. Roze bloemen bloeien op de rotsen, op de kliffen staan hier en daar paarse bougainvillia's en de smaragdgroene golven slaan over glimmend bloedkoraal, dat met zijn vertakkingen lijkt op de uitlopers van een rode druipkaars in een wijnfles.

Tussen alle mensen op de pier van Capri door lopen piccolo's van de hotels tassen te pakken en ze op wagentjes te laden in zo'n uitzinnig tempo dat ik me midden in een Rossellini-film waan waarin tijdens de oorlog een dorpje wordt geëvacueerd. Portieren schreeuwen in het Italiaans, toeristen roepen taxi's aan en gidsen zwaaien met vlaggetjes om hun groep bijeen te houden. Mijn grootmoeder en ik staan er middenin omdat we niet anders kunnen.

Ik heb geen idee hoe onze bagage in het juiste hotel terecht zal komen totdat ik het logo van het Quisisana op de revers van een van de piccolo's herken. Ik wijs hem onze berg bagage. Hij kijkt er met grote ogen naar en moet lachen. 'Is dat allemaal van u?' vraagt hij.

'Hoeveel kost het?' roep ik over de herrie heen.

'Enkel een fooi, signorina. Enkel een fooi.' Hij lacht, maar hij krijgt van mij een flinke fooi alleen al vanwege het feit dat hij me signorina heeft genoemd. Dat -ina is belangrijk voor een vrouw die over een paar dagen vierendertig wordt. Hier is het verschil tussen juffrouw en mevrouw nog groot, en ik ben dolblij dat ik nog in de eerste categorie val.

Ik geef mijn oma een arm terwijl we in een open strandbuggy/taxi met linnen dak stappen. De chauffeur rijdt de berg met haarspeldbochten op en komt langs de sierlijke hekken van privévilla's. De stenen muren van oude palazzo's zijn begroeid met glimmende groene wijnranken en bloeiende gardenia's. De Baai van Napels, waar we net vandaan komen, ziet er vanaf boven met zijn torenflats uit als een rokerig industrieterrein. Net een stapel grijze schoenendozen in een magazijn.

Boven op het klif zet de chauffeur ons af bij een piazza. Overal lopen toeristen rond, die als circusdieren in de piste bij elkaar worden gedreven. Er staan prachtige winkels aan het piazza, hun deur wagenwijd open om de klanten aan te moedigen binnen te komen. De chauffeur wijst ons de straat die naar het hotel leidt.

Mijn oma en ik banen ons een weg door de toeristen. Zonder de bagage krijg ik nu ook eindelijk het gevoel dat ik op vakantie ben. We lopen door een smalle straat met winkels waar koraal en turkoois, Prada, Gucci en Ferragamo worden verkocht. Mijn oog valt op een kraampje waar je zelfgemaakt kokosijs kunt kopen. Het winkelend publiek loopt in de schaduw van weelderige groene cypressen.

Het Quisisana hotel staat in een rijtje statige forten boven op het klif. Het hotel lijkt wel de set van een ouderwetse film waar een weg-gelopen erfgename gekleed in een avondjapon van pauwenveren, op een Italiaans jetset eiland in de problemen komt. Het is waanzinnig mooi. Ik werp een blik op mijn oma, die verrast toekijkt. Haar reactie is onbetaalbaar, maar ik had liever op dit moment naar Roman geke-ken. Ze weet waar ik aan denk en geeft me een kneepje in mijn hand.

In het hotel lijkt het wel of de gasten zich in de grote lobby met muurschilderingen uit de Renaissance in slowmotion bewegen. De vloer is bedekt met diagonaal gelegde zwarte en witte tegels waarop hier en daar een wit kleed ligt. Een beeld van een Romeinse godin staat op een sokkel in elke hoek en rijk versierde kristallen kroon-luchters schitteren boven de banken en stoelen van witte zijde en goudkleurige damast. Door de glazen wand achter in het hotel is een brede trap te zien naar de tuin, waar je op de wandelpaden dankzij de palmbomen in de schaduw kunt lopen.

De gasten in dit Italiaanse sprookjespaleis kleden zich eenvoudig doch stijlvol, ik zie witte zijde en kobaltblauwe kasjmier langskomen, opgesierd met veel goud, kettingen, armbanden, oorhangers en bro-ches. De vrouwen zijn behangen met platina en diamanten, die fon-kelen op hun bruine huid.

Ik sta bij de receptie waar de knapste mensen die ik ooit heb gezien achter staan. De vrouwen hebben uitstekende jukbeenderen en de prachtige kaaklijn van de marmeren beelden van Giacomo Manzù. De piccolo's, pezig en bruin, dragen een witte smoking met gouden epauletten en zijn allemaal net de prins op het witte paard. Ze zeggen niet veel, maar staan klaar om je te helpen.

Ik leg de situatie uit. De receptiemedewerker glimlacht en geeft me een plastic sleutel die meer een creditcard is. 'Meneer Falconi heeft het al geregeld.'

Door deze woorden besef ik dat Roman hier echt wilde zijn, dat hij een fantastische vakantie voor ons had voorbereid, ook al is hij er niet bij. Ik kan hem nog niet vergeven, maar inmiddels zie ik woensdag wel in een ander licht tegemoet.

Mijn grootmoeder stapt achter me een kleine lift in naar de bovenste verdieping, die de *attico* wordt genoemd. We lopen de lift uit en zien een alkoof met een zachtblauwe doorstikte loveseat en een olieverfschilderij van pastelkleurige vierkanten in de stijl van Mondriaan. De houten vloer glimt.

Oma en ik gaan een enorme, lichte suite in, geverfd in rustig blauw en gebroken wit. We blijven staan om het in ons op te nemen en verwachten al bijna Cary Grant en Grace Kelly op de loveseat te snappen die daar samen champagne zitten te drinken.

Ik leg mijn tas op een bureautje van kersenhout, versierd met goudkleurige bladeren en een zwart leren ingelegd schrijfblad. Op een lange witte Lodewijk xiv-bank liggen allemaal kussentjes van blauwe zijde.

Mijn grootmoeder fluit. 'Zo dan.'

Ik loop naar de slaapkamer waar een kingsize bed staat met een helderwit sprei afgezet met pastelblauwe knopen. Daarachter ligt de badkamer voorzien van een groot wit bad en bijpassende marmeren wastafels op een voet van bewerkt koper. Op de vloer liggen chique hemelsblauwe en witte tegels. Ik zie mezelf opeens in de spiegel terwijl ik deze romantische suite, waarin van alles twee zijn, in me opneem. De uitdrukking op mijn gezicht spreekt boekdelen: wat zonde allemaal zonder een man erbij!

De openslaande deuren van de slaapkamer komen uit op een groot balkon. In de hoek staat een wit gietijzeren tafeltje met twee stoelen, en in de zon staat een ligstoel. Er is ook nog een stoel met een bijpassende voetenbank naast de ligstoel.

Ik loop naar de leuning toe en kijk uit op de tuin en een schitterend ovaal zwembad, dat in het gras wel een agaat lijkt. Opengeklapte blauw-wit gestreepte parasols staan om het zwembad heen, vanaf het balkon zijn het net zuurstokken.

Het restaurant waarin Roman een zomer heeft gewerkt, ligt achter het zwembad. Een open veranda leidt naar de trap naar binnen en een stijlvolle eetzaal. De veranda is al klaar voor de avondmaaltijd, de tafeltjes zijn gedekt met kraakheldere witte tafelkleedjes. In de verte, langs het restaurant en de uitstekende kliffen zijn de Faraglioni te zien, drie grote rotsen die uit de zee oprijzen en waar de beroemde Blauwe Grot zich bevindt.

Het is bijna zomer, wat duidelijk te zien is aan de glimmende citroentjes die aan een boompje in een bloempot op het terras hangen. Ik mag dan een amateurtuinier zijn maar ik ben zeer toegewijd, dus kijk ik even naar de zwarte aarde in de pot of hij water nodig heeft. Niet dus. Dit boompje wordt met veel liefde verzorgd. Ik trek een blad van een tak af en wrijf het fijn tussen mijn handen zodat er een zoete citruslucht vrijkomt.

De spanning van de afgelopen uren ebt weg. Aan de horizon zie ik een wit jacht varen dat een wit kielzog in het blauwe water achter zich laat. De bries op Capri ruikt naar met honing gevulde bloedsinaasappel.

'O, Valentina. Moet je die zee zien.' Mijn grootmoeder komt naast me op het balkon staan.

'Ik heb nog nooit zoiets gezien, oma. Ga lekker zitten, dan haal ik iets te drinken.' Ik loop de kamer in naar het koelkastje en pak er twee flesjes vruchtenlimonade uit. Op het bureau staat een blad met glazen.

'Ben je nu niet blij dat ik erop stond dat je toch hiernaartoe ging?' Mijn grootmoeder zet haar zonnebril op.

'Jawel.' Ik draai de dop van het flesje en schenk de limonade in het glas. Dat geef ik aan mijn oma en ik vul dan mijn eigen glas. 'Jij bent erg opgelucht. Je wilde echt nog niet naar huis, hè? Waarom niet?' Ik neem een slok.

'Dat weet je wel,' zegt ze rustig.

'Mama zal erg gekwetst zijn dat je haar niets over Dominic hebt verteld. Je kunt haar maar beter bellen.'

Oma wuift met haar hand. 'Nee, hoor, dat doe ik niet. Hoe moet ik dat nou uitleggen? Het slaat toch nergens op? Ik ben een weduwe van tachtig met slechte knieën. Als ik me goed voel ben ik net zeventig en als ik me akelig voel ben ik net negenennegentig.' Ze neemt een slok-je. 'Ik had niet verwacht dat ik op mijn leeftijd nog verliefd zou worden.'

'Nou, we verwachten het eigenlijk nooit, toch? Er is niets aan de hand totdat je eraan toegeeft. En voor je het weet zit je in een relatie en moet je compromissen sluiten en onderhandelen. Zodra hij van jou houdt en jij van hem, moet je bepalen wat je verder wilt en wat dat inhoudt en waar jullie willen gaan wonen en gaan doen. Als je erover nadenkt is de liefde eigenlijk één doffe ellende.'

Mijn grootmoeder lacht. 'Morgen voel je je wel anders. Als Roman je op dit balkon in zijn armen neemt is alles vergeten en vergeven. Wel als je mijn kleindochter bent, tenminste. Bij ons in de familie hebben we de neiging om ons van de dingen waar we ongelukkig van worden niets aan te trekken.'

'Oma, dat is toch het ergste wat een vrouw kan doen. Ik ga niet net doen alsof ik niet merk dat hij me ongelukkig maakt! Dan zorg ik wel voor mijn eigen geluk. Waarom zou ik met minder genoegen moeten nemen?'

De telefoon in de kamer rinkelt. Mijn grootmoeder doet haar ogen dicht en draait haar gezicht naar de zon terwijl ik op ga nemen. Ze heeft geen zin in ruzie.

'Oma, het is je *inamorato*. Hij staat beneden met je koffers. Hij wil je dolgraag meteen meenemen naar de villa van zijn neef.'

Mijn grootmoeder staat op en trekt haar rok recht. 'Ga met ons mee.' Ze kijkt me liefdevol aan.

'Nee.'

Oma lacht. 'Weet je het zeker?'

'Lieve hemel, oma, ik mag dan een hoop dingen zijn, maar liever niet het vijfde wiel aan de wagen.'

Mijn grootmoeder pakt haar tas en loopt naar de deur. Ik ga met haar mee naar de gang en druk op de knop voor de lift. De koperen deuren glijden open en oma stapt naar binnen. 'Veel plezier,' zeg ik tegen haar terwijl de deuren zich sluiten. Haar gezicht straalt verwachtingsvol.

Ik word wakker na een dutje op het balkon. De zon staat laag aan de hemel. Ik kijk op mijn horloge. Het is vier uur 's middags. Mooi, ik heb drie uur achter elkaar geslapen. Ik sta op en kijk naar het zwembad. De blauw-witte parasols zijn nog opgestoken. Een vrouw zwemt rondjes.

Mijn bagage staat bij de kast in de slaapkamer. Ik til er stapels kleding uit, nieuwe combinaties die ik had bewaard voor mijn weekje met Roman. Ik ontdek de rode tas van Macy die mijn moeder in mijn koffer heeft gestopt. Ik maak de tas open. Er zit een nieuw badpak in. Ik haal het zwarte Lycra kledingstuk uit de tas. 'Mooi niet,' zeg ik hardop terwijl ik het voor de spiegel voor me ophoud.

Mijn moeder heeft een zwart badpak voor me gekocht (dat is op zich mooi), maar met een diepe uitsnijding van voren. Wat heet diep! De brede bandjes zijn gesmokt en vormen ook een diepe uitsnijding op de rug. Dat zou nog wel gaan, ware het niet dat er een brede riem met rijnsteentjes om de taille is bevestigd. Er zit een gigantische gesp aan met twee in elkaar grijpende c's. Een nep-Chanel terwijl iedereen om me heen het echte werk aanheeft. Ik kijk naar de naden aan de zijkant van de riem. Hij is erop genaaid. Zelfs al zou ik de riem eraf kunnen krijgen (en dat gaat niet lukken, want je krijgt echt geen schaartje meer door de luchthavenbeveiliging), dan zou er een gapend gat in de stof zitten en het laatste wat dit zwempak kan gebruiken, is nog meer inkijk.

Ik doe het zwempak aan en trek de bandjes over mijn schouders. Het is niet te geloven dat mijn moeder dit voor me heeft gekocht. Ik bied me gewoon aan in dit ding. Een losbandige vrouw aan de Italiaanse Riviera, gekleed door een moeder die er alles aan zal doen om er een verlovingsring uit te persen.

Eerlijk gezegd zal dit wel het enige badpak zijn geweest met een riem met rijnsteentjes, en mijn moeder kan eenvoudigweg geen weerstand bieden aan Swarovski-kristallen. En het is een badpak, wat zeer mooi kan staan, maar deze laat zo veel zien dat je er een coltrui onder moet dragen.

Ik bekijk mezelf in de lange spiegel. De voorkant is zo diep uitgesneden dat er delen van mijn lichaam zijn te zien die nog nooit aan zonlicht zijn blootgesteld. Ik draai me om en kijk naar mijn rug. Dat ziet er goed uit, maar dat komt meer door de pasvorm dan door mijn lijf.

Er zit een label aan het badpak waarop staat *slimsuit*, wat betekent dat de onderkant verstevigend werkt, net als die goede oude Spanx. Ik poseer als John Wayne en steek mijn duimen door de gesp alsof ik zo een kudde koeien de juiste richting op leid. Hoe kan ik hierin mijn kamer uit gaan? Ik lijk wel een meisje dat uit het revueballet is getrapt omdat ze te veel liet zien, terwijl ze in die dagen heel veel lieten zien. Nadat ik tien seconden heb overlegd met mezelf, hoor ik het blauwe zwembad uitnodigend roepen. Ach, wat kan mij het schelen, denk ik, niemand kent me hier en in het hotel is vast wel eens meer decolleté gezien geweest. Ik trek mijn zwarte capribroek en sweatshirt met capuchon over het zwempak aan. Dan zet ik mijn zonnebril op, pak de sleutel en mijn portemonnee, en ga naar het zwembad.

Een Italiaanse jongen komt met een handdoek naar me toe rennen als hij me bij het zwembad ziet staan. '*Grazie*,' zeg ik terwijl ik hem een fooi geef.

Het water is net zo azuurblauw als de zee, en door de witte randen en het witte standbeeld in het ondiepe gedeelte, steekt dat nog helderder af. Achter de lage muurtjes zetten de obers de tafels klaar voor het avondeten, en laten ze de donkerblauwe markiezen erboven zakken. Ik kijk om me heen. Er is niemand in het water en maar één vrouw zit op een ligstoel *Simple Genius* van David Baldacci te lezen. Ik heb het zwembad helemaal voor mezelf alleen. Heerlijk.

Ik trek mijn sweatshirt en broek uit. Ik loop het warme water in totdat het tot mijn nek komt. Met mijn handen ga ik door het water. Dan til ik mijn voeten van de bodem en drijf rond op mijn rug. Ik doe mijn ogen dicht en laat de zachte golfjes me omringen.

Zo laat op de middag is de lucht pastelblauw en er staat een briesje dat uit de bosjes achter het hotel komt en naar rijpe perziken ruikt. Na een tijdje zwem ik naar het standbeeld van een leeuw dat in het ondiepe gedeelte staat. Het water stroomt als kristal tussen mijn vingers door. Door het warme water en het zachte briesje voel ik me nu de zon ondergaat een stuk beter. Wat ga ik voor het eten doen? Dat weet ik nog niet, dus ik zwem door.

Ik zwem heen en weer, van het ondiepe naar het diepe in een langzame Caprische versie van baantjes trekken, met het hele zwembad voor mij alleen. Met ritmische slagen ga ik door het zwembad en ik ben al snel buiten adem. Ik laat me weer even op mijn rug drijven. Ik kan me zo voorstellen dat ik over een paar jaar mezelf nog steeds voor me kan zien, in dit ordinaire badpak in mijn eentje in een luxe vakantieoord. De raad van oma dat ik me niets aan moet trekken van de dingen die me ongelukkig maken, schiet me weer te binnen. Als je bedenkt dat ze nu op dit moment in een villa met Dominic haar eigen geluk nastreeft, is dat natuurlijk wel erg grappig.

De jongen van het zwembad klapt de parasols dicht en geeft aan dat het zwembad dichtgaat. De parasols steken als blauwe vlaggenstokken tegen de paarse lucht af. Hij trekt de tuinstoelen bij elkaar in een wijde cirkel en zet het wagentje met handdoeken achter het raffia hekje.

'Valentine?' hoor ik iemand roepen. Ik draai me om in het water en kijk in de richting van de stem.

'Gianluca?' Ik scherm mijn ogen af tegen de ondergaande zon. Gianluca zit bij het zwembad geknield met mijn handdoek in zijn handen. De vrouw met de detective en de jongen van het zwembad zijn weg. Alleen Gianluca en ik zijn er nog. 'Wat doe jij nu hier?'

'Ik wou niet dat papa in zijn eentje met de auto wegging.'

Ik klauter het trapje op en het zwembad uit. Gianluca houdt de handdoek omhoog en geeft hem langzaam, zoals alles in Italië gebeurt, aan mij. Ik steek mijn hand uit en druppel water op zijn arm. Ik veeg de druppels van zijn arm. Dan vouw ik de handdoek open en sla hem als een cape om me heen.

'Coco Chanel?' Hij wijst naar de riem.

'Chuck Cohen.'

'Chuck Cohen?' vraagt hij verbaasd.

'Hij is nep.'

'*Si, si,*' zegt hij lachend. 'Van de markt?'

'Inderdaad.' Ik steek mijn hand op. 'Mijn moeder is dol op de markt. Heel verhaal.'

'*Mi Piace.*' Hij mag dan niet origineel zijn, maar hij vindt het badpak toch mooi.

'Gianluca, ik heb geen zin in flirten. Ik moet je wel vertellen dat ik zo aan het stuiteren ben dat er maar iets hoeft te gebeuren of ik zit tegen het plafond. Ik had hier met mijn vriend op dit romantische eiland moeten zitten, maar in plaats daarvan zit ik hier in mijn eentje en ik voel me heel erg ellendig. *Capisce?*' Ik trek de handdoek als een verband strak om me heen. Ik ben een open wond op beentjes, gewikkeld in een handdoek waarop een gigantische Q is geborduurd.

'Capisce. Wat doe je voor het eten?'

'Eerlijk gezegd wilde ik iets op mijn kamer laten bezorgen en een film kijken.'

'Waarom?'

'Dat doe ik altijd als ik alleen ben.'

'Maar je bent niet alleen, ik ben er toch?'

Zoals alle mannen van een bepaalde leeftijd ziet Gianluca er op zijn best uit in de ondergaande zon. Het grijs in zijn haar wordt zilverwit, hij is mooi lang, en zijn sterke beenderen werpen net genoeg schaduw om de indruk te wekken van jeugdige onoverwinnelijkheid of wijze oude strijder. Je mag het zelf zeggen. Ik zit hem net te bekijken als er opeens een briesje opsteekt. Voor een tafelgenoot kan hij er prima mee door, en bovendien heb ik helemaal geen zin om in de atticosuite alleen te zitten eten. Dus zeg ik: 'Ik kleed me even om.'

Ik kijk op mijn BlackBerry terwijl Gianluca in de lobby zit te wachten. Roman heeft in totaal elf sms'jes gestuurd met excuses afgewisseld met beloften van zinderende seks en streekwijn. Ik ga erdoorheen alsof het een menu bij de Chinees is en ik op zoek ben naar de bami. Voorlopig blijf ik nog boos op hem, en daar heb ik alle recht toe, vind ik. In plaats van Roman terug te sms'en, bel ik mijn moeder.

'Mam, hoe gaat het ermee?'

'Dat doet er niet toe. Hoe gaat het met jou?'

'Ik zit op Capri. Je hoeft oma niet op te pikken van het vliegveld.'

'Dat weet ik al, oma belde. Wat fijn dat ze iemand heeft die haar alles kan laten zien. Ze moet wel veel leuke vriendschappen hebben opgedaan tijdens haar reisjes.'

'Kijk je soms naar Jane Austen?' Als mijn moeder dat soort opmerkingen maakt, weet ik al dat ze naar een Engelse kostuumserie zit te kijken.

'Gisteren was *Sense and Sensibi*lity op tv. Hoe weet jij dat nou?' vraagt ze. 'Schatje, ze heeft het me verteld over Roman. Wat erg voor je. Ik weet niet wat ik erover moet zeggen. De man heeft nu eenmaal een carrière die hem helemaal opslokt. Dat is de prijs die je voor succes moet betalen. Je zult gewoon geduld moeten hebben.'

'Ik doe mijn best. Maar, mama… dat badpak?'

'Waanzinnig toch!' zegt ze enthousiast.

'Voor Pussy Galore in een James Bond-film wel ja.'

'Ja, hè? Het is vreselijke retro en chic. Helemaal Lauren Hutton in *Vogue* uit 1972.'

'De riem?'

'Die vond ik prachtig! Erg mooie rijnsteentjes.'

Ik wist dat ze daarvoor in de bres zou springen. 'Mama, het is gewoon veel te veel van het goede.'

'Op Capri? Dat bestaat niet. Liz Taylor en Jackie Kennedy gingen daar op vakantie. Geloof mij maar, die schitterden bij het zwembad, dus waarom zou mijn dochter dat niet kunnen?'

'En op die manier rechtvaardig je dat zwempak?'

We nemen afscheid en ik trek de badjas uit. Dan neem ik een bad met de douchegel van het hotel die ruikt naar sheaboter, vanille, perzik en iets dennenachtigs. Ik ruik zo lekker dat ik zo op mezelf verliefd zou kunnen worden.

Ik trek een zwarte rok en een witte blouse met wijde mouwen aan. In een van mijn moeders oude tijdschriften staat een vaak bekeken foto van Claudia Cardinale op vakantie in Rome met ongeveer dezelfde kleren aan. Ik draag er zilverkleurige open schoentjes bij met een eenvoudig gespje bezet met parels op de enkel. Vervolgens doe ik wat Burberry op en ik ga naar de lift.

Ik loop door de lange gang naar de hoofdingang. In de lobby wandelen stelletjes rond van uiteenlopende leeftijden gekleed voor het eten. Ik loop tussen hen door en ga naar buiten. Gianluca zit bij de buitenbar op me te wachten. Ik zwaai naar hem. Hij komt overeind als ik bij hem ben.

'Ik heb iets te drinken voor je besteld,' zegt hij. Mijn drankje staat naast dat van hem op de tafel. Hij trekt mijn stoel naar achteren. Ik ga zitten en hij neemt ook plaats. Hij pakt zijn drankje op en klinkt met mij. 'Wat jammer dat deze vakantie niet is geworden wat je ervan had gehoopt, Valentine.'

'Roman komt woensdag.'

'*Bene.*'

'Maar ik ga pas op vrijdag aardig tegen hem doen.'

'Waarom sta je toe dat hij je zo behandelt?'

'Hij heeft zijn eigen zaak. Er zijn nu eenmaal dingen waar hij niets aan kan doen.' Niet te geloven dat ik Roman zit te verdedigen, maar door de toon die Gianluca bezigt, word ik in de verdediging gedrongen. 'Je kent hem niet. Jij weet alleen dat hij naar Capri toe zou gaan en dat hij heeft afgezegd, maar hij komt zo snel mogelijk. Zo erg is het nu ook weer niet.'

'Maar het is wel je eerste vakantie op Capri.'

'Dat klopt.'

'Dan zou je hier met je geliefde moeten zijn.'

'Dat komt ook wel, alleen niet vandaag.'

We drinken ons glas leeg en voegen ons bij de drommen gasten in het straatje met kinderkopjes dat door de stad heen slingert. We lopen een tijdje en dan leidt Gianluca me door een houten hek van de drukke straat af. Hij doet het hek achter ons dicht.

'Deze kant op,' zegt hij en hij dirigeert me een tuin en onder een zuilengang door naar een gebouw toe. In de berg is op de helling een klein restaurant uitgehakt. Het is er vol mensen die meer op de plaatselijke bewoners lijken dan op de elegante gasten van het Quisisana. Hier geen Bulgaarse sieraden, Napolitaans goud, Prada-tassen of kasjmier. Alleen maar veel schoon, gesteven katoen met wat borduursel en leren open schoenen. Ik pas er prima bij. Dit zijn mijn soort mensen, de arbeidersklasse, die na een harde dag werken bij zitten te komen.

De hoofdober glimlacht naar Gianluca als hij hem ziet. Hij leidt ons naar een tafeltje met uitzicht op de steile rotswand en de zee. De tafels lijken wel wat op die in Ca' d'Oro, knus en prachtig gedekt. Ik moet hier zeker een keer met Roman naartoe gaan. 'Hoe heet dit restaurant?' vraag ik.

'Il Merlo. Dat betekent merel,' antwoordt Gianluca.

We gaan zitten. De ober geeft ons geen menukaart, alleen een fles wijn. Hij trekt de fles open en schenkt voor ons in.

'*La sua moglia, bianco e rosso?*' wil de ober weten.

'*Rosso*,' zegt Gianluca tegen hem.

'Sorry hoor, maar noemde de ober me nu net jouw vrouw?'

'*Si*.' Hij grijnst.

'Oké, dus of jij ziet er jong uit, of ik lijk oud. Welke van de twee?' Gianluca lacht.

'Dat is niet grappig. In mijn familie is oud iets wat je moet vermijden en tot je dood moet ontkennen, daarna doet het er niet meer toe.'

'Hoezo dat?'

'Nou, het is in elk geval al één doffe ellende.'

'Wat is dat?'

'Een doffe ellende is het tegenovergestelde van hoop. *La speranza. Non la speranza*.'

'O, ik snap het al, ik ben te oud voor je.'

'Ik wil je niet beledigen, hoor,' zeg ik. 'Maar je dochter is bijna net zo oud als ik. Zelfs niet bijna, ik zou haar zus kunnen zijn.'

'Oké.'

'Dat zegt Moeder Natuur hoor, niet ik. Ik vind je niet te oud, in een hoop kringen is tweeënvijftig nog jong. Maar niet voor een drieëndertige jarige vrouw.'

De ober serveert garnaaltjes in olijfolie met een mandje broodjes erbij. Gianluca schept de garnaaltjes op met het brood. Ik volg zijn voorbeeld.

'Hoe oud is Roman?' vraagt Gianluca.

'Eenenveertig.'

'Dus hij zou míjn broer kunnen zijn.'

'Technisch gesproken wel.' Ik neem nog een hapje garnalen met brood.

'Maar hij is niet te oud voor jou.'

'Nee, bepaald niet, nee.'

Gianluca knikt langzaam en kijkt uit naar de zee. Door de kokosrumcocktail in het hotel en de wijn die ik nu drink ben ik erg spraakzaam. 'Moet je horen, Gianluca, zelfs als je vijfendertig was zou ik nog niet met je uitgaan.'

'Hoezo niet?'

'Omdat je vader met mijn grootmoeder gaat. We zouden zo bij Jerry Springer kunnen gaan zitten. Als jouw vader met mijn oma trouwt, word je mijn oom. Begrijp je waar ik naartoe wil?'

Hij lacht. 'Ik snap wat je bedoelt.'

'Hoor eens, je bent een knappe vent. En slim. En je bent een goede zoon. Dat zijn prachtige eigenschappen.' Ik neem Gianluca nauwkeurig op, op zoek naar nog meer positieve dingen. 'Je hebt je eigen haar nog. In Amerika zou je dan meteen een van de meest felbegeerde vrijgezellen zijn. Alleen zie ik jou niet op die manier.'

Gianluca buigt zich naar me toe en veegt mijn kin af met zijn servet.

'Dan houdt het op,' zegt hij.

Ik leun op de reling van mijn balkon en kijk naar de volle maan die boven de Faraglioni staat en zilveren stralen op het donkerblauwe water werpt. Ik zit vol en ben voldaan na die verrukkelijke maaltijd. Gianluca is erg vermakelijk ook al is hij dan een oude vent. Ik vind de manier waarop Italiaanse mannen het een en ander regelen erg prettig. Hij doet me aan mijn vader en mijn grootvader denken, en zelfs aan mijn broer, die tijdens een crisis net als het Rode Kruis te hulp schiet. Daarom kan ik zo weinig geduld opbrengen met Roman. Ik weet wat hij kan, dus als hij iets niet regelt, ga ik ervan uit dat hij dat dan gewoon niet wil.

Ik hoor gedempte stemmen, gevolgd door zacht gelach terwijl een verliefd stel door de tuin onder me naar het hotel loopt. Als je op Capri niet gelukkig bent, dan zal het je nergens lukken.

Ik loop mijn slaapkamer in en trek de vitrage open en laat ook de balkondeuren open. Ik stap in bed en ga op mijn rug liggen. Een baan nevelig maanlicht valt als een sluier over mijn bed.

Ik leg mijn hand op het kussen naast me en stel me voor dat Roman daar ligt. Ik kan niet boos op hem blijven en dat wil ik ook niet meer. Misschien heb ik wel wat te veel op en ben ik daardoor vergevingsgezind. Misschien wil ik liever romantiek dan onmin. Wat het ook is, morgenochtend ga ik hem bellen om hem over de kinderkopjes, de roze sterren en zijn bed te vertellen, die wel in zee lijkt te dobberen, met de deuren open en een zacht briesje dat naar binnen waait. Door het vooruitzicht van dat allemaal en nog meer aan Roman te vertellen, val ik in een diepe slaap.

13

Da Costanzo

De volgende ochtend word ik wakker en ik draai me om om mijn mobieltje te pakken. Ik klap hem open en begin een sms: 'Lieve Roman.'

De hoteltelefoon rinkelt. Ik loop naar het bureau en neem op.

'Valentina, met mij,' zegt Roman lief.

'Ik wilde je net sms'en,' zeg ik.

'Het spijt me heel erg,' zegt hij.

'Het hindert niet, liefje. Ik heb al je berichten gelezen en ik weet dat je het heel erg jammer vindt. Ik snap het helemaal. Als je deze kamer en het uitzicht ziet, zul je je zelfs niet meer herinneren wat het je heeft gekost om hier te komen.'

'Nee, nee, het spijt me echt heel erg,' zegt hij.

Ik plof neer op de bank. 'Hoe bedoel je?'

'Ik kan nu helemaal niet meer komen.'

Ik heb geen idee wat ik daarop moet zeggen, dus houd ik mijn mond.

Hij gaat door: 'Er is een probleem met de bakkers. Een groot probleem.'

Ik houd nog steeds mijn mond. Ik kan niets zeggen.

'Valentina?'

Dan zeg ik: 'Ik ben er nog.' Maar dat is niet waar. Ik ben lamgeslagen.

'Ik ben er net zo overstuur van als jij,' gaat hij verder. 'Ik wil zo graag bij je zijn, Echt waar,' zegt hij. 'Kon ik maar…'

Ooit zal ik hierop terugkijken en beseffen dat dit het moment was waarop ik inzag dat ik niet echt een relatie met Roman had. Hoe kan dit nou? Ik kan alle afgezegde afspraakjes en gemiste kansen die zo regelmatig voorkwamen vergeven en vergeten. Ik dacht dat dat bij werken aan onze relatie hoorde. Dat het voor ons normaal was. Bij Roman staat zijn restaurant op de eerste plaats. Dat wist ik toen we wat met elkaar kregen, en dat weet ik nu ook, hier op Capri, zonder hem. Het verbaast me niet, ik ben eraan gewend. Maar daarom doet het nog wel pijn.

Ik kruip weer in bed en trek de dekens tot aan mijn kin omhoog. Ik heb geen geluk in de liefde. Romans uitvluchten lijken echt genoeg. Ik geloof hem elke keer weer. Soms was het een vreselijke smoes: hij stond op het punt bankroet te gaan, of een onbeduidende: de gootsteen liep over in de keuken van het restaurant. Het maakt niet uit hoe groot de ramp is, ik geloof alles wat hij me vertelt. Ik doe net of ik ermee om kan gaan, terwijl ik vanbinnen zied van woede.

Ik voel me diep ellendig, dus waarom zou ik daar niet aan toegeven? Voor mezelf som ik mijn slechte punten op. Ik ben bijna vierendertig (oud!) en ik heb geen spaargeld, en ik woon bij mijn grootmoeder. Ik draag Spanx. Ik wil graag een hond maar ik neem er geen omdat ik er dan mee moet wandelen en daar heb ik geen tijd voor! Mijn vriend komt af en toe een keertje langs maar is vaker op zijn werk dan bij mij, en dat neem ik maar voor lief, want ik vind dat ik dat verdien. Ik ben een vreselijk slechte vriendin. In wezen ben ik net zo slecht in relaties als hij! Ik wil mijn werk ook niet voor hém opgeven.

Roman Falconi belooft van alles en dan laat ik hem daarop terugkomen omdat ik weet hoe moeilijk het is om een creatief leven te leiden, of je nu schoenen maakt of tagliatelle voor hongerige mensen bereidt. De telefoon rinkelt. Mijn adem stokt me in de keel en ik kom overeind om op te nemen. Roman is vast van gedachten veranderd. Hij komt toch hiernaartoe! Dat weet ik zeker! Ik neem op. Ik waarschuw mezelf dat ik het niet mag verknallen. Wees nou geduldig, zeg ik al uitademend tegen mezelf.

'Valentine?'

Het is niet Roman maar Gianluca. 'Ja?'

'Ik wil graag dat je met me meegaat naar mijn vriend Costanzo.'

Ik zeg niets.

'Is dat goed?' vraagt Gianluca. 'Ik heb hem verteld dat je op je vriend wacht tot hij aankomt en dus heeft hij vanmiddag tijd voor je vrijgemaakt.'

'Dat is prima,' zeg ik en nadat we een tijd hebben afgesproken hang ik op.

Ik pak mijn schetsboek van het nachtkastje en de lijst met dingen die ik met Roman op Capri wilde doen. Daar staat het, zwart op wit, een lijst met fantastische, romantische uitjes en excursies, restaurants, gerechten die ik wilde proeven, de tijden dat het zwembad open is! Zelfs dat heb ik opgeschreven.

Ik ben opeens erg verdrietig dat ik het allemaal in mijn eentje moet gaan doen. Ik barst in snikken uit, de teleurstelling is ook zo groot. Het is hier vreselijk romantisch en ik voel me ellendig. Of je nu veertien of veertig bent, afgewezen worden is het ergste wat er is. Het steekt, het is vernederend en je kunt het nooit meer terugdraaien. Ik pak de doos met tissues en loop het balkon op. De zon staat stralend oranje aan de donkerblauwe hemel. In de haven dobberen boten met spierwitte zeilen. Ik kijk er heel lang naar.

Ik wil eigenlijk mijn grootmoeder bellen, maar dan gaat ze zich de hele week zorgen om me maken, of erger nog, me bij haar plannen met Dominic betrekken.

Ik zie een gezin, twee kinderen en een moeder en vader, op weg naar het zwembad. De kinderen huppelen over het kronkelende paadje door de tuin terwijl hun ouders pal achter hen aan komen. Ze zijn bij het zwembad. De kinderen trekken hun bovenkleding uit en springen in het water, en de moeder gaat ergens zitten en legt de badhanddoeken klaar. De man slaat opeens zijn armen om zijn vrouw heen en ze lacht, zich blij verrast naar hem omdraaiend. Ze kussen elkaar. Hoe gemakkelijk lijkt geluk zo. Mensen, andere mensen in elk geval, vinden het geluk door verliefd te worden en een gezinnetje te stichten. Dat zal mij nooit lukken, dat weet ik gewoon.

Ik ga onder de douche en kleed me aan. In een grote tas stop ik mijn mobieltje, mijn portemonnee en mijn tekenblok. Ik loop de deur uit. Geen minuut langer nog wil ik in deze kamer blijven, hij doet me steeds denken aan degene die er niet is. Als ik er alleen al aan denk barst ik in huilen uit, dus stop ik de doos met tissues ook maar in de tas.

De lobby is vrijwel verlaten want het is nog vroeg. Ik ga naar de balie en haal mijn portemonnee uit mijn tas.

'Wilt u vertrekken?' vraagt de jonge man.

'Nee, nee. Ik blijf de hele week nog, zoals gepland. Maar de heer Falconi komt niet. En ik wil dat u de kamer op mijn rekening zet.' Ik trek mijn creditcard.

'*Si, si,*' zegt hij. Hij haalt mijn sleutel door de scanner en ziet alle gegevens. Dan pakt hij mijn creditcard aan en past de rekening aan.

'Dank u wel. O, en ik wil graag een boottoer om het eiland boeken.'

'Maar natuurlijk.' Hij kijkt op de tijdtabel. 'Over twintig minuten gaat er een boot vanaf de pier.'

'Kunt u een taxi voor me bestellen?'

'Doe ik,' zegt hij.

De toerboot is klein en is voorzien van houten banken die felgeel zijn geverfd en waarop de toeristen, onder wie ik, met z'n vieren naast elkaar zitten. We zijn met zijn achttienen, over het algemeen Japanners, een paar Grieken, een stel Amerikanen, iemand uit Ecuador en ik.

De kapitein is een oude Napolitaanse zeebonk met een grijze baard, een strohoed op, en voorzien van een gebutste megafoon die volgens mij al een paar keer in de Tyrreense Zee heeft gelegen. De boot vaart met ploegende motor van de pier weg.

Kapitein Pio legt uit dat hij ons het natuurschoon van Capri laat zien en de vrouw naast me steekt haar elleboog in mijn gezicht terwijl ze met haar mobieltje een foto van de kapitein maakt. Binnen de kortste keren trekken alle toeristen hun mobieltje tevoorschijn om Pio te fotograferen. Hij wacht even en glimlacht naar hen. Ik moet aan Gianluca denken, die de moderne techniek helemaal niets vindt. Op dit moment ben ik het met hem eens.

Ik mis die grote, onhandige ouderwetse camera's die je om je nek moest meezeulen. Maar het meest mis ik wel dat je zuinig moest doen met je filmpje en niet zomaar lukraak foto's kon maken omdat het anders te duur werd. Nu maken we van alles foto's, ook van mensen die foto's maken. Misschien heeft Gianluca wel gelijk, de techniek geeft ons geen beter leven en mooiere kunst, maar wel meer hectiek.

Ik kijk graag naar de boten op de Hudson, maar het is wel heel iets anders om er op een te zitten die in de golven duikt en deint. Het verbaast me dat het zo'n woeste reis is, want vanaf de haven lijkt de boot over het water heen te glijden. Zo gaat het toch ook in de liefde? Vanaf een afstand lijkt het allemaal zo makkelijk en moeiteloos, maar als je er eenmaal middenin zit, is het een heel ander verhaal. Je voelt elke hobbel en vraagt je af welke golf je mee zal sleuren. Zul je het overleven of verdrink je in het verradelijke water? Red je het of ga je ten onder?

Ons bootje geeft niet mee en we worden als oud wrakhout in de vloed heen en weer geworpen. De golven blijven komen…

De golven blijven komen, ze werpen ons een paar centimeter de lucht in zodat we hard op het water neerkomen. Zodra er een nieuwe golf aankomt, begint het weer van voren af aan. Mijn tanden doen pijn van het gebeuk van het water tegen de boot. We zitten dicht op elkaar, dus als een grote golf tegen de kant aan slaat, vangt de hele groep de klap op.

Pio stuurt de boot een rustige inham in (godzijdank) en wijst ons een natuurlijke rotsformatie aan waarin je het beeld van Maria kunt herkennen zoals ze in de grot van Lourdes is verschenen. Pio vertelt dat het wonder van de Heilige Moeder te danken is aan de wind, de regen, vulkanisch gesteente en geloof. Zelfs ik pak op dat moment mijn mobieltje om een foto te maken.

Pio vaart achteruit de inham uit en toont ons de koraalbanken die onder water groeien. Terwijl de golven tegen de rotsen aan slaan, vangen wij glimpen op van de glazige rode koraaluitsteeksels. Ik moet huilen als ik opeens denk aan het takje koraal dat ik van Roman heb gekregen toen hij me deze reis voorstelde. De Aziatische vrouw naast me zegt: 'Gaat het? Zeeziek?'

Ik schud mijn hoofd dat ik niet zeeziek ben. Ik heb liefdesverdriet, wil ik schreeuwen! Maar ik glimlach en knik en kijk weer naar de zee. Het is haar schuld niet dat Roman Falconi niet op komt dagen! De vrouw is alleen maar beleefd, en bovendien zit ze er niet op te wachten dat ik haar nep-Gucci-tas onderkots.

Pio vaart de boot terug de zee op en we worden weer heen en weer geschud. Er zijn heel veel boten als de onze, met toeristen opeengepakt als haringen in een ton. Terwijl wij de inham uit varen, komt er een andere boot in.

'Wanneer gaan we naar de Blauwe Grot?' wil de Amerikaanse man van de Amerikaanse vrouw weten.

'Zo meteen,' zegt Pio met een vermoeid glimlachje waardoor je weet dat hij die vraag talloze keren per dag krijgt te horen.

Over het water komt accordionmuziek op ons af drijven. Iedereen draait zich in de richting van het vrolijke romantische deuntje. Een gestroomlijnde catamaran met een zwart-wit gestreepte overdekking, komt om de rotsen heen zeilen. Een man speelt op de accordion en een vrouw ligt op een stapel kussens op het met tapijt beklede dek, met een zonnehoed op om haar gezicht tegen de zon af te schermen. Het is erg romantisch en wij allen in dit propvolle schuitje hebben meteen spijt dat we niet wat meer geld hebben uitgegeven aan een eigen bootje.

De muziek wordt harder als de catamaran op ons af zeilt.

'Prachtig, toch?' merkt de Amerikaanse vrouw op. 'Liefde tussen ouderen.'

Ik kijk nog eens goed naar de catamaran. Lieve hemel, dat is mijn grootmoeder met die hoed op, die daar als een courtisane van Botticelli op de kussens ligt, alleen eet zij geen druiven maar krijgt zij een serenade van Dominic. Ik stop mijn gezicht in mijn handen om niet op te vallen, maar er is niet genoeg ruimte om mijn armen te buigen.

Kapitein Pio roept de schipper van de catamaran aan: 'Giuseppe! Hé, Giuseppe!' De schipper salueert ter begroeting. Als je nagaat hoe ons propvolle bootje door de golven heen en weer wordt geslingerd, is het verbazingwekkend dat de schipper Pio's begroeting niet opvat als hulpgeroep. De toeristen op mijn boot zwaaien naar de geliefden, en gaan dan door met foto's maken van hen. Eigenaardig om op vakantie foto's te gaan maken van andere mensen die genieten. Oma en Dominic achtervolgd door paparazzi. Ik kan ze aanroepen, en dat doe ik ook.

'Oma?' brul ik. Mijn grootmoeder komt overeind, schuift haar hoed naar achteren en tuurt naar onze boot.

'Ken je hen?' vraagt de Amerikaanse vrouw achter me. We zitten zo op elkaar gepakt dat ik me niet om kan draaien, dus roep ik: 'Ja!' met mijn rug naar haar toe.

'Valentina!' Mijn oma zwaait naar me. Ze prikt Dominic in zijn zij, die met zijn accordion gaat staan zwaaien.

'Veel plezier!' roep ik terwijl we langsvaren. Oma gaat weer liggen en Dominic speelt verder.

Hoe vind je dat? Mijn tachtigjarige grootmoeder wordt verleid op de Tyrreense Zee en ik zit in dit bootje gepropt als een sardientje in een blikje. Nog een reden om op Capri in huilen uit te barsten.

'Wat vond je van de Blauwe Grot?' vraagt Gianluca terwijl we naar de schoenenzaak van Costanzo Ruocco wandelen.

'We konden er niet in. Het water stond te hoog.'

'Wat erg,' zegt hij, maar met een glimlach.

'Vind je dat grappig?'

'Nee, dat niet, maar wel typisch iets voor Capri.'

'Ik weet er alles van dat de bewoners een bordje neerzetten om de toeristen te weren.'

'Je mag onze geheimen niet doorvertellen, hoor.'

'Te laat, ik weet alles over jullie Italianen en over jullie geheimen. Jullie houden zelf de beste extra vierge olijfolie in plaats van het naar ons te verschepen, jullie houden de beste wijnen en nu kom ik erachter dat jawel, jullie een van de nationale monumenten afsluiten als jullie er zelf willen gaan zwemmen. Erg fraai.'

Ik loop langs het plein achter Gianluca aan door het nauwe steegje de heuvel af. De voordeur van Da Costanzo staat open en aan weerskanten bevinden zich grote etalages. Die staan vol open schoentjes bezet met steentjes voor de dames, en instappers voor de mannen, in alle kleuren van limoengroen tot felroze.

We lopen de winkel in, die bestaat uit een kleine kamer waarin schuine houten rekken met schoenen de ruimte vullen. De kleur van het leer varieert van warme aarde- tot zuurtjestinten. De basissandaal is zonder hakje en met een t-bandje. Door de versieringen en het aparte lijnenspel zijn ze bijzonder: in elkaar grijpende cirkels van goudkleurig leer, vierkante vormen bezet met maansteentjes vastgemaakt aan kleine rondjes met aquamarijn, bergjes robijnen of een grote triangel van smaragden waar dunne leren riempjes aan vastzitten.

Costanzo Ruocco lijkt mij een jaar of zeventig, en zijn grijze haar is naar achteren gekamd. Hij staat achter in de zaak over een leest gebogen. Hij tuurt aandachtig naar zijn handwerk. In zijn hand heeft hij *il trincetto*, een scherp mesje waarmee hij de riempjes van een sandaal bijwerkt. Dan ruilt hij het mesje in voor *il scalpello*, een gereedschap met een scherpe punt. Hij maakt een gaatje in de zool van de sandaal en trekt daar een zacht leren bandje doorheen. Dan pakt hij *il martello* om het bandje vast te hameren. Zijn handen zijn vaardig, snel en accuraat, zoals dat bij een echte meester hoort.

'Costanzo?' zegt Gianluca zachtjes.

Costanzo kijkt op. Hij glimlacht hartelijk en zijn ongerimpelde huid toont aan dat hij nergens spijt van heeft.

'Ik ben Valentina Roncalli.' Ik steek mijn hand naar hem uit. Hij legt de sandaal neer en drukt me de hand.

'Italiaans?' wil hij weten.

Ik knik. 'Aan beide kanten. Maar we wonen nu in Amerika.'

Een jonge man van in de dertig, met golvend donker haar, duwt een spiegeldeur open die naar een magazijn achter Costanzo leidt en komt de zaak binnen lopen. Hij zet een doos spijkertjes, *le semenze*, op Costanzo's werktafel.

Costanzo zegt: 'Dit is mijn zoon Antonio.'

'Ciao, Antonio.'

Gianluca legt zijn hand op mijn schouder. 'Ik laat je even alleen met Costanzo.'

'Je laat haar niet in veilige handen, hoor,' grapt Costanzo.

'Gelukkig maar,' zeg ik tegen hem.

Daar moet hij erg om lachen.

'Ik ga vandaag met mijn vader en jouw grootmoeder naar Anacapri,' zegt Gianluca voordat hij de winkel uit stapt. Antonio helpt een klant en ik trek een kruk naast Costanzo. Zo te zien vindt hij dat niet erg. Ik had niet verwacht de hele middag bij de schoenmaker door te brengen, maar wat had ik anders moeten doen? De gedachte om weer de toerist uit te hangen zoals vanochtend op de boot, maakt me zeeziek. Dus doe ik wat alle Roncalli-vrouwen vóór me hebben gedaan: ik maak er het beste van.

'Hoe lang ben je al schoenmaker?' vraag ik aan Costanzo.

'Vanaf mijn vijfde. Ik heb vier broers en we moesten een vak leren.

Ik ben de derde generatie schoenmakers in onze familie.'

'Ik ook,' zeg ik.

Hij legt de scalpello neer. 'Maak je ook sandalen?'

'Nee, trouwschoenen. In New York.'

'*Brava.*' Hij glimlacht.

Aan de muur achter Costanzo hangen allemaal foto's. Er staan een hoop mensen op die ik niet ken, maar ook Italiaanse sterren zoals Sophia Loren, op vakantie en met goudkleurige leren sandalen aan, en Silvio Berlusconi, die blauwe instappers van Costanzo draagt. Ik wijs naar een foto van Clark Gable.

'Dat is mijn lievelingsacteur,' zeg ik.

'Geef mij maar John Wayne.'

We lachen.

'Ik heb de schoenen voor Clark Gable in *It Started in Napels* gemaakt,' zegt hij terwijl hij de martello oppakt en ermee het riempje vasthamert.

'Wat vond je van hem?'

'Hij was lang. En aardig. Erg aardig.' Hij haalt zijn schouders op.

'Mag ik toekijken terwijl je zit te werken?'

Hij glimlacht. 'Misschien kun jij mij nog wat leren.'

'Dat lijkt me sterk.'

'Ontwerp je zelf die trouwschoenen of maak je ze naar iemand anders aanwijzingen?'

'Allebei. Mijn grootvader heeft zes basismodellen ontworpen en nu ben ik er zelf een paar nieuwe bij aan het verzinnen.'

'*Va bene,*' zegt hij. Met de tricetto snijdt hij de zool van kalfsleer bij alsof hij een appel aan het schillen is. Het stuk leer valt in een krul op de grond. Hij geeft de zool aan mij en gebaart naar het gereedschap op de tafel. 'Laat me eens zien hoe jij naait,' zegt hij.

Ik pak de zool van hem aan, teken de punten aan waar ik hem met *la lesina o puntervolo* vast wil stikken. Ik trek een dikke naald uit zijn speldenkussen (een fluwelen tomaat, net als die van oma!) en steek een stevige, maar dunne beige hennepdraad door het oog. Onder aan de draad leg ik een knoopje en vervolgens steek ik de naald door het gat bij de hak en ga door tot aan de tenen en dan naar de andere kant. Het kost me zo'n drie minuten. 'Snel. Mooi.' Costanzo knikt.

Ik ben de rest van de middag naast Costanzo aan het werk. Ik hamer en naai. Ik snijd en schraap. Ik poets en wrijf. Wat hij wil, doe ik. Dat vind ik leuk: zo heb ik tenminste geen tijd om over mijn vakantie na te denken.

Ik heb geen idee hoe laat het is totdat ik opeens de lichtblauwe schemer over de kliffen zie vallen. 'Je gaat mee eten,' nodigt Costanzo me uit. 'Als bedankje.'

'Nee, dank je, ik ben al blij dat ik met je mocht werken. Je kunt me op een andere manier bedanken.'

Costanzo kijkt me aan en glimlacht.

'Mag ik alsjeblieft morgen weer komen?' vraag ik hem.

'Nee. Ga naar het strand. Rust lekker uit. Je bent op vakantie.'

'Ik wil niet naar het strand. Ik wil liever bij jou werken.' Ik ben verbaasd over mijn woorden, maar ik meen het wel.

'Dan moet ik je betalen.'

'Ik heb liever een paar sandalen!'

'*Perfetto*!'

'Hoe laat ga je open?'

'Ik ben hier al vanaf vijf uur.'

'Dan zal ik er ook zijn.' Ik hang mijn tas aan mijn schouder en loop naar buiten het piazza op.

'Valentina!' roept Antonio achter me aan. 'Bedankt.'

'Meen je dat nou? *Mille grazie*. Het is heerlijk om voor je vader te werken.'

'Er mag nooit iemand bij hem zitten. Hij mag jou wel. Mijn vader mag nooit iemand,' zegt Antonio lachend. 'Hij zal wel verliefd op je zijn.'

'Dat heb ik nu altijd. Tot morgen,' zeg ik tegen hem. Ja, een hoop mannen vinden me leuk, behalve natuurlijk degene die er echt toe doet: Roman Falconi.

Ik loop langs de toeristen die in hun bus stappen, veel te hard praten en veel te vaak lachen. Ik heb me nog nooit zo eenzaam gevoeld. Misschien heb ik een manier gevonden om van deze ramp iets moois te maken. De hele dag heb ik van een ware meester dingen mogen leren, en dat was heerlijk. En, als mijn intuïtie me niet in de steek laat, kan ik volgens mij nog heel veel meer van Costanzo Ruocco leren.

'Valentina? *Andiamo*,' roept Costanzo naar me vanaf de achterkant van de winkel. Het verbaasde Costanzo dat ik inderdaad om vijf uur op kwam dagen. Hij heeft geen idee dat deze vakantie dankzij hem nog wat wordt.

Ik leg mijn werk neer en volg het geluid van zijn stem door het magazijn naar de kleine tuin waar een tafeltje met vier stoelen staat. Over de tafel ligt een wit tafelkleed met een pot heerlijk ruikende rode geraniums erop om ervoor te zorgen dat de wind het niet weg blaast.

Costanzo gebaart dat ik naast hem moet gaan zitten. Hij haalt het deksel van een metalen lunchbox en laadt de inhoud eruit. Hij wikkelt een stuk bakpapier van een brood. Naast het brood zet hij een bakje met verse vijgen. Dan komt er een blikje tevoorschijn waar zo te zien witte visjes met zwarte olijven in zitten. Hij pakt twee servetten. Onder de tafel haalt hij een karaf met zelfgemaakte wijn vandaan. Hij schenkt eerst mijn glas en vervolgens dat van hem vol.

Hij snijdt een stuk van het brood, dat helemaal geen brood is maar *pizza alige*, zacht deeg gevuld met ui en ansjovis. De hartige pizza wordt door hem in dunne lange repen gesneden en daar legt hij er twee van op mijn bord. Ik neem een hap van de knapperige korst en proef de zoutige ansjovis, ietwat verzacht door de zoete uitjes en de boter in het deeg.

'Lekker?' vraagt hij.

Ik knik nadrukkelijk van ja.

'Wat doe je hier op Capri?' wil hij weten.

'Het zou een vakantie moeten zijn. Maar mijn vriend kon niet weg van zijn werk en zei op het laatste moment af.'

'Heeft hij je laten zitten?'

'Ja.'

'Als je weer terug bent maak je het met hem uit, toch?'

'Costanzo!'

'Nou ja, hij houdt meer van zijn werk dan van jou.'

'Zo eenvoudig ligt het niet.'

'Dat lijkt mij van wel.'

'Weet je, ik ben eigenlijk wel blij dat hij niet kon komen, anders had ik niet zo veel tijd met jou door kunnen brengen.'

Hij glimlacht. 'Ik ben te oud voor je,' zegt hij lachend.

'Dat is met de meeste mannen het geval die ik hier in Italië leer kennen.'

'Maar als ik een stuk jonger was geweest…' Hij zwaait zich koelte toe.

'Ja, ja, ja, Costanzo.' We moeten erg lachen. Ik ben sinds dagen eindelijk eens echt vrolijk.

Italiaanse mannen zetten vrouwen op de eerste plaats. Roman is wat dat betreft meer Amerikaans dan Italiaans, want hij vindt het restaurant het belangrijkst. Ik moet wel toegeven dat ik ook niet goed weet wat nu belangrijk is, en ik ben ook niet erg goed in het leven. Ik leef voor mijn werk, ik werk niet voor mijn leven. Roman en ik zijn niet langer Italiaans. We zijn de typische drukbezette en veel te hard werkende Amerikanen behept met een ernstig gevalletje tunnelvisie. We verspillen het heden voor de perfecte toekomst die we vast ooit zullen krijgen. Maar hoe kunnen we dat bereiken als we de weg ernaartoe niet plaveien?

Dat ik in New York van de ene dag op de andere leef, komt me opeens belachelijk voor. Ik heb mijn geluk uitgesteld tot een dag die misschien wel nooit aanbreekt. Ik denk aan mijn broer, aan het pand, aan de etalage van Bergdorf en aan Brets investeerders. Ik vind het heerlijk om schoenen te maken. Waarom moet het nu zo gecompliceerd liggen? Costanzo loopt naar zijn zaak, maakt schoenen en gaat weer naar huis. Zijn leven heeft een ritme dat logisch is. De kleine winkel kunnen Costanzo en zijn zonen prima onderhouden. Ik neem een slok wijn. Die is vol en heeft veel smaak, net als alle kleuren, sferen en de omgeving op dit eiland.

Costanzo biedt me een sigaret aan, maar ik sla af. Hij steekt zijn sigaret aan en neemt een trek.

'Wat doe je in de winter als er geen toeristen zijn?' vraag ik hem.

'Ik snijd leer. Ik maak zolen. Ik rust. Ik breng de tijd zoet,' zegt hij. Costanzo kijkt weg. 'Ik vul mijn dagen en wacht.'

'Op de toeristen?' wil ik weten.

Hij zegt niets. Ik zie aan zijn gezicht dat ik er niet over door moet gaan. Hij dooft zijn sigaret. 'Kom, weer aan de slag.'

Ik loop met Costanzo de winkel in. Hij gaat aan zijn werktafel zitten en ik neem plaats aan mijn eigen tafel. Costanzo pakt een nieuw patroon uit zijn bak en bekijkt hem. Ik pak il trincetto en een zool van de stapel die Antonio voor me neer heeft gelegd. Ik volg het patroon en trek het buitenrandje van de zool eraf als de schil van een appel, net zoals ik het Costanzo op die eerste dag heb zien doen. Hij werpt me een goedkeurende blik toe en glimlacht.

'Ga je schetsblok halen,' commandeert Costanzo me als we die middag de cappuccino op hebben. 'Ik wil je ontwerpen zien.'

Ik sta op en loop de winkel in. Daar pak ik mijn schetsblok uit mijn tas.

'Gaat het goed?' zegt Antonio tegen me.

'Je vader wil mijn tekeningen zien. Ik ben als de dood. Ik heb het mezelf aangeleerd, dus ik weet niet of mijn ontwerpen wel goed genoeg zijn.'

Antonio glimlacht. 'Hij zal het je eerlijk vertellen.'

Fijn, denk ik, terwijl ik door het magazijn naar de tuin loop. Ik ga naast Costanzo zitten die een vijg aan het pellen is. Ik vertel hem over de wedstrijd voor de Bergdorf-etalage, dan sla ik het schetsblok open en laat hem de schoen zien. Hij bekijkt hem. Vervolgens knijpt hij zijn ogen samen en tuurt ernaar.

'Haute couture,' zegt hij. 'Molto bene.'

'Vind je het wat?'

'Erg rijk versierd.'

'Is dat goed of slecht?'

'Dit is erg mooi.' Hij wijst naar de riempjes die in een vlecht samenkomen. 'Origineel.'

'Mijn overgrootvader vernoemde zijn zes basismodellen voor trouwschoenen naar figuren in de opera. Ze zijn theatraal, maar ze kunnen ook eenvoudig zijn. Het zijn klassiekers, en dat weten we omdat we honderd jaar later nog steeds zijn modellen volgen en verkopen.'

'Wat voor schoen maken jullie voor de werkende vrouw?'

'We maken geen gewone schoenen,' vertel ik hem.

'Dan moet je daarmee beginnen,' zegt hij.

Deze raad had ik van een Italiaanse topvakman bepaald niet verwacht, maar ik luister naar hem omdat Costanzo er veel meer verstand van heeft dan ik. 'Je lijkt mijn vriend Bret wel. Die wil dat we schoenen in de fabriek gaan vervaardigen. Hij zegt dat hij de speciale schoenen kan financieren met een schoen die we op grote schaal kunnen verkopen.'

'Hij heeft gelijk. Er zou geen verschil moeten zijn tussen de vervaardiging van een schoen voor een vrouw en een schoen voor vele vrouwen. Al jouw klanten hebben recht op het beste. Dus je moet een ontwerp maken dat voor hen allemaal geschikt is.'

'Ik zou niet weten hoe.'

'Natuurlijk wel. Je hebt die schoen voor de etalage geschetst, dus kun je ook een schoen voor dagelijks gebruik ontwerpen. Ik geef je een opdracht: pak je schetsblok en ga op het plein zitten. Dan moet je zo veel mogelijk schoenen tekenen.'

'Normale schoenen?'

'Wat je maar wilt. Let op de vrouwen en hoe ze op hun schoenen lopen.'

'De toeristen dragen gympen.'

'Daar moet je niet op letten. Kijk naar de winkelmeisjes van Capri. Dan zul je zien wat je moet tekenen.' Hij glimlacht. 'Ga nu maar.'

Ik pak mijn schetsblok en potloden en loop naar het plein.

Ik ga op het stenen muurtje in de schaduw zitten. Het schetsblok ligt op mijn schoot en ik kijk om me heen, zoals Costanzo me heeft opgedragen.

Mijn blik dwaalt over de horden toeristen die Reebok-, Adidas- en Nike-schoenen dragen, op zoek naar de plaatselijke bewoners, de vrouwen die in de winkels, restaurants en hotels werken. Ik kijk naar hun voeten terwijl ze doelbewust door de menigte lopen. Deze werkende vrouwen dragen platte schoenen, praktisch maar toch mooi, instappers van zacht blauw of zwart leer, beige veterschoenen met een klein hakje, en sandalen in leer met een handig t-vormig riempje. Een winkelmeisje draagt zeer gedurfd een paar muiltjes van felroze kalfsleer. De kleur trekt de meeste aandacht, maar het valt me op dat zij een van de weinige vrouwen is die felgekleurde schoenen dragen. Over het algemeen is de kleur neutraal.

Na een tijdje ga ik in kleermakerszit schetsen. Ik teken een eenvoudig leren platte schoen met een lage neus die wel de tenen bedekt maar niet de hele wreef. Ik teken hem steeds weer, totdat de vorm mooi is en hij de voet van elke vrouw, in elke maat, lengte en breedte, mooi uit doet komen.

Op de hoek van het piazza staan een moeder en dochter voor de juwelier te kletsen. De moeder is in de veertig en draagt een strakke blauwe rok en een witte blouse. Ze heeft brede zilveren armbanden om die rinkelen bij het praten. Ze draagt platte leren schoentjes met een eenvoudige strik op de wreef. Haar dochter heeft een zwart T-shirt aan met een bruine linnen bolero. Haar skinny jeans zit op haar heupen. Ze heeft er bruine platte schoenen bij aan, afgezet met een bijpassende zijden koord. De moeder draagt klassieke schoenen en ze staat moeiteloos rechtop, zoals gebruikelijk bij een lekker zittende schoen. De schoen is buigzaam, maar niet slonzig. De dochter wipt op de bal van haar voet op en neer terwijl ze opgewonden met haar moeder staat te praten. De bruine schoentjes passen uitstekend zonder dat hij bij de hiel wijkt, en als ze op haar tenen staat beweegt het leer soepel over de wreef. Het leer kreukt niet en trekt ook niet weg.

Een oudere vrouw, van oma's leeftijd, komt naar het muurtje toe en gaat een meter bij me vandaan zitten. Ze is gezet en vierkant, en heeft een dikke bos grijs haar dat met een rood lint in een paardenstaart is gebonden. Ze heeft een zwarte katoenen zomerjurk in een A-lijn aan met pofmouwtjes. Haar schoenen zijn eenvoudige, zwarte suède instappers. Ze zit tegen de muur aan en trekt een bruine papieren zak open. Daar haalt ze een rijpe kers uit en die steekt ze in haar mond. De pit gooit ze over de muur naar het klif. De zon schittert op iets bij haar hals. Een broche. Ik buig me naar voren om het beter te zien.

De broche is in de vorm van een vleugel, ingelegd met kleine kraaltjes gemaakt van turkoois en bloedkoraal, omringd met echte diamanten. Ik weet dat ze echt zijn omdat ze het licht op een bepaalde manier weerkaatsen. Ik werk met nepjuwelen en ze glanzen mooi, maar een echte diamant zuigt het licht naar binnen en laat de facetten stralen.

Ik raap al mijn moed bijeen en ga naast haar zitten. Met een glimlach zeg ik: 'Wat een mooie broche is dat.'

'*Mia Mama's.*' Ze glimlacht en wijst naar de juwelierszaak. 'Die is van de familie.'

'O, wat leuk.'

'Mijn vader heeft deze broche voor mijn moeder gemaakt.'

'Het lijkt wel een engelenvleugel,' merk ik op. Mijn moeder heeft een kerstengeltje voor in de boom en zijn vleugels zijn bezet met kraaltjes. Hij doet me heel erg aan de broche denken.

'*Si, si.* Mijn moeder heette Angela.'

De vrouw vouwt de zak dicht. Ze staat op en wuift ter afscheid. Ik sla mijn schetsblok open en teken de broche, een engelenvleugel bezet met juwelen en omgeven door diamanten. Ik neem de tijd om de vormen te tekenen. Langzaamaan raak ik helemaal in de ban van de vorm. Ik teken hem steeds weer totdat de hele bladzijde vol vleugels staat. De toeristen stappen op de bus voor een tochtje naar de pier en het piazzo raakt steeds meer verlaten.

Ik teken nog een vleugel en verbind de twee punten van de vleugel aan elkaar. Heel eenvoudig, maar zoiets heb ik bij een schoen nog nooit gezien. Ik schrijf er *Angel Shoes* naast.

Dan sla ik het schetsboek dicht en loop terug naar Costanzo om hem de tekeningen te laten zien.

Tegen de tijd dat ik kom aanlopen, sluit Costanzo net de winkel af. Hij kijkt op zijn horloge en maakt een afkeurend geluid, alsof hij de baas is en een personeelslid berispt dat te laat is. Het is maar een grapje, en hij heeft er de grootste lol om. Van mij mag hij. Dan laat ik hem mijn werk zien. Hij bekijkt de opdracht en wijst naar de versiering. 'Vleugels?'

'Engelenvleugels.'

'Mooi, hoor,' zegt hij. 'Maar waarom engelen?'

'Onze zaak heet de Angelini Shoe Company. Maar het bordje is al erg oud en door de regen zijn er letters weggesleten, dus nu staat er Angel Shoes. Toen ik de broche van die oude mevrouw op het piazza zag, zette me dat aan het denken. De topontwerpers hebben allemaal een eenvoudig logo dat je onmiddellijk herkent. Stel nou, dacht ik, dat ik in mijn ontwerp een engelenvleugel opneem?'

'En bij een paar schoenen heb je twee vleugels.'

'Symmetrie! En de vleugels kunnen gemaakt worden van juwelen of leer of koper. Of zelfs worden geborduurd.'

'Alles is mogelijk,' zegt Costanzo terwijl hij zijn schouders ophaalt.

'Precies!' Ik straal. 'Wat fijn dat je me eropuit hebt gestuurd. Ik zou anders nooit de broche hebben gezien.'

'Alle ideeën die ik ooit voor een schoen had kreeg ik door naar vrouwen te kijken,' zegt Costanzo. 'Je kent mijn winkel. Er zijn duizenden combinaties mogelijk. Net als vrouwen zijn er niet twee gelijk. Denk daaraan als je aan het ontwerpen bent.'

Ik pak mijn tas en ga weg. Het piazza is volkomen verlaten. Ik loop de heuvel af naar het hotel. Gianluca zit buiten voor de ingang in het afnemende licht een krant te lezen.

'Lezen in het donker is slecht voor je ogen,' zeg ik tegen hem.

Hij kijkt naar me en glimlacht, zet zijn leesbril af en steekt hem in zijn zak. Hij trekt de stoel naast hem naar achteren. Ik ga zitten. 'Ga je elke dag werken? Je verwent Costanzo nog.'

'Kon ik maar een jaar blijven.'

'Je bent hier voor je rust.'

'Dat wil ik niet. Ik weet niet of ik ooit weer de kans krijg om hier te komen. En of Costanzo er nog is als ik inderdaad terugkom.'

'Die is er dan nog wel. We zullen er allemaal nog wel zijn. Behalve jouw Roman natuurlijk.'

'Hoe weet je dat?' Ik zak onderuit op de stoel. Italië is al bijna net zo erg als Amerika, waar mijn hele familie altijd alle nieuwtjes direct aan elkaar doorvertelt.

'Van je grootmoeder. Je moeder heeft haar gebeld.'

'Mijn relatie is een internationaal schandaal.' Ik kijk rond of de ober ergens te bekennen is. Ik kan wel een borrel gebruiken.

'De man is volslagen gestoord,' zegt Gianluca die de ober een teken geeft.

'Ik mag dan boos zijn op Roman, maar daarom mag jij hem nog niet uitschelden. Hij is nog steeds mijn vriend.' Gianluca gedraagt zich soms meer als een vader dan hij beseft.

'Waarom niet?'

'Ik maak het niet uit met hem. En ook al was dat wel het geval, dan zou ik dat niet via de telefoon doen of met een van die afschuwelijke sms'jes.'

'Daar heb je gelijk in.' Gianluca bestelt wat te drinken bij de ober.

'En het wordt nog erger als jij me erop wijst hoe dom ik ben geweest. Ik heb nog wel een beetje trots.'

'Met jou is er niets mis, hoor,' verzekert Gianluca me.

'O, nee? Volgens mij is er wel degelijk iets mis met een vrouw die niet aangeeft wat ze wil, en zich verontschuldigt als ze dat wel doet.'

'Er is een groot verschil tussen ervoor zorgen dat een relatie goed loopt en dingen vergeven die onvergeeflijk zijn,' zegt Gianluca. 'Je grootmoeder wil dat je bij ons komt logeren.'

'Dank je, maar ik blijf liever hier in het hotel.'

'Ik zou je graag wat van Capri laten zien,' zegt hij.

'Oké.' Van mij mag het, want eerlijk gezegd maakt het niets meer uit nu mijn droomvakantie de mist in is gegaan. 'Ik wil jou ook wat laten zien.'

Gianluca fronst zijn wenkbrauwen op een manier die tegen sexy aanzit. Daar heb ik dus geen zin in.

'Rustig maar, het is een tekening.' Ik pak het schetsblok uit mijn tas, en sla het open bij mijn nieuwe ontwerp. Gianluca trekt zijn leesbril uit zijn zak en bekijkt de tekening aandachtig.

'Prachtig,' zegt hij. 'Orsola zou er zo op weg lopen.'

'Mooi. Mijn grootmoeder zou zo'n schoen ook dragen, net als mijn moeder en ikzelf. Ik wil graag dat het iedereen aanspreekt. Ik heb er zelfs een naam voor verzonnen: Angel Shoes. Wat vind je ervan?'

'Wat heb je toch veel ideeën,' zegt hij.

'Nou ja, die zal ik nodig hebben ook. Als we uit Italië weg zijn komen we thuis weer in oorlogsgebied terecht.'

'Dat valt vast wel mee.'

'Weet je, Gianluca, dat is het verschil tussen jullie echte Italianen en Amerikanen van Italiaanse afkomst. Jij leidt een evenwichtig leven. Je werkt, je eet, je rust. Dat doen wij niet. Dat kunnen we niet. We leven alsof we iets te bewijzen hebben. We komen altijd tijd tekort, we eten snel en slapen nooit lang genoeg. Wij zijn ervan overtuigd dat degene die het hardst werkt wint.' De drankjes worden geserveerd. We klinken en nemen een slok.

'Waar word jij gelukkig van?' wil hij weten.

De vraag verrast me volkomen. Roman heeft me dat nog nooit gevraagd. Ik kan me niet herinneren dat Bret dat ooit wilde weten. Volgens mij heb ik mezelf dat ook nooit afgevraagd. Ik denk even na en zeg dan: 'Geen idee.'

'Hoe kun je gelukkig zijn als je niet weet wat je wilt?'

'Nou goed dan, orakel van Capri, de man die alle antwoorden op de grote levensvragen weet. Waar word jij dan gelukkig van?'

'Van een lieve vrouw die van me houdt.'

'Mooi antwoord. Een week geleden had ik dat ook kunnen zeggen. Een lieve man hield toen van mij, maar bij mij kwam hij niet op de eerste plaats.'

'Hoezo niet?'

'Tja, hoezo niet. Dat weet ik niet. Maar als dat wel het geval was geweest, was hij misschien wel gekomen.'

'Als hij een beetje hersens had, zou hij jou het belangrijkst vinden. Waarom geef je jezelf de schuld voor zijn slechte gedrag?'

'Ik weet wel zeker dat ik er ook mee te maken heb.'

'Dat is belachelijk. Als je iemand hebt die van je houdt, dan koester je dat.' Gianluca is iets harder gaan praten. Dat doet me denken aan de eerste dag in Arezzo toen oma en ik de leerlooierij in liepen en Dominic en hij een knallende ruzie hadden.

'Rustig aan, Gianluca, we zijn hier nu niet in de werkplaats. Dit is een vredig eiland, hier wordt niet geschreeuwd.'

Gianluca glimlacht. 'Kom bij ons logeren.'

Na een maand Italië weet ik alles over de Vechiarelli's. Gianluca is een echte familieman. Hij heeft graag iedereen bij elkaar, of dat nu tijdens de maaltijd thuis is, of in de auto, of in een fabriek, en hij houdt ons als een goede herder met argusogen in de gaten. Hij kookt, haalt drankjes, leidt ons de weg; kortom, hij zorgt voor iedereen om hem heen. Mijn behoefte om mezelf af te zonderen moet hem wel zeer eigenaardig voorkomen. Waarom wil ik nu niet bij hen in de villa van de neef logeren? Dat de kleindochter van Teodora in haar eentje in een hotel zit terwijl ze in de kamer naast hem kan intrekken, veilig en rustig, en met heerlijk eten, is hem een raadsel. 'Nee, dank je. Ik heb hier een fantastische kamer.'

'Maar daar is ook een mooie kamer voor je.'

'Maar niet de atticosuite.'

'De kamer bij onze neef is erg mooi.'

'Dat zal best. Maar het is nu eenmaal niet deze kamer. Wil je hem soms zien?'

'Graag,' zegt hij.

Gianluca loopt achter me aan door de lobby van het Quisisana en via de gang naar de lift. De lift is vol en we moeten lachen dat we zo boven op elkaar staan. Gianluca steekt zijn hand uit naar de deur en leidt me op mijn etage door de lift naar buiten. Hij loopt met mij mee mijn kamer in. Een koel briesje bolt de vitrages op. Het dienstmeisje heeft het vaasje in de zitkamer van verse witte orchideeën voorzien.

'Moet je het uitzicht zien,' zeg ik tegen hem. Ik wijs naar de slaapkamer, waar de openslaande deuren naar het balkon leiden. 'Ik kom er zo aan.' Gianluca loopt de kamer in en ik zet mijn tas op de grond en kijk of er nog berichten zijn. Er is een van mijn moeder, een van Tess, en drie van Roman. Mijn moeder wil dat ik een krokodillenleren tas voor haar koop. Volgens mij heeft ze na de oorlog geen krant meer opengeslagen: krokodillenleer is niet meer toegestaan. Tess vertelt dat het met mijn vader heel goed gaat en of ik misschien een armband van bloedkoraal voor de meiden mee kan nemen.

Ik luister naar Romans berichten. Hij zegt dat hij van me houdt en dat hij bij me wil zijn. Drie achter elkaar met dezelfde smekende toon. Interessant dat als ik eindelijk kwaad word, Roman me weer wil hebben. Het komt wellicht door de cocktail, maar ik stuur hem een sms'je terug:

HEB WERK HIER OP CAPRI. FANTASTISCH. MISSCHIEN BLIJF IK WEL. DAN MOET JE WEL KOMEN. LIEFS, V.

Ik ga naast Gianluca op het balkon staan. 'Vind je het niet schitterend?' Ik wijs naar de tuin van het Quisisana en naar de zee.

'*Bella.*'

'Snap je nu waarom ik hier wil blijven?'

De nacht valt als een blauwe tule sluier over Capri. Ik leg mijn handen op de reling en kijk omhoog, ik wil zo veel van de oneindige hemel indrinken als maar mogelijk is.

Opeens voel ik een paar handen om mijn middel. Gianluca trekt me tegen zich aan en zoent me. Terwijl zijn lippen zacht en zoet op de mijne rusten, gaat er van alles door me heen. Het is niet zo gek dat hij je kust, hè? Je hebt hem per slot van rekening 's avonds in je kamer uitgenodigd, vervolgens laat je hem ook nog eens dit romantische balkon zien onder een schitterende sterrenhemel, dus is het niet zo vreemd dat hij dan aan seks denkt, en nu zit je in de puree. Gabriels woorden schieten me weer te binnen: als je niet verloofd bent is het geen bedriegen. Het was een heerlijke zoen en ik wil er nog een. Ik heb nog nooit nee gezegd tegen een nieuwe liefde, dus waarom nu wel?

Ik sla mijn armen om hem heen en hij kust me opnieuw. Waar ben ik mee bezig? Ik geef weer eens toe, zoals altijd. Dit eiland nodigt je gewoon uit om de liefde te bedrijven. Elke geur, elke vorm en elke toon vormt een onweerstaanbare achtergrond voor maar één ding. In het café zit je zo dicht op elkaar dat je benen wel tegen degene naast je aan moet komen; na een lange wandeling krijg je een heerlijk zoet kokosijsje te eten; de decadente geur van zacht leer in Costanzo's zaak; het verse eten, de rijpe vijgen die je zo van de boom plukt; de verrukkelijk zoute zeelucht en de maan die als een parelknoop aan de hemel staat; de romantiek moet wel volgen. Zelfs de schoenen, in het bijzónder de schoenen: de sandaaltjes met sexy goudkleurige riempjes op de bruine huid, die zo uitgeschopt kunnen worden, doen je meteen aan seks denken.

De Italianen zijn erg sensueel, dat weet iedereen, zelfs ik weet dat, en daarom laat ik me door hem kussen. De Italianen palmen ons in met hun eten, manieren, accent en krachtige neus. En als ze eenmaal hun armen om je heen hebben geslagen, kun je het wel vergeten! Gianluca houdt me vast alsof ik een overwinningsbeker ben en zijn lippen voelen aan als de warme golfjes van het zwembad. Ik kan geen weerstand bieden als Gianluca me teder in mijn nek kust. Ik sla mijn ogen open en zie alleen maar sterren die als glassplinters aan de blauwe avondhemel schitteren.

Dan moet ik opeens aan Roman denken en dat wíj daar met ons tweeën onder de sterren op het balkon hadden moeten staan, en dat wíj in het licht van deze maan naar het bed moesten lopen, dus ik trek me terug. Maar ik weet niet zeker of ik wel sterk genoeg ben om hem te weerstaan. Ik ben het meisje dat altijd op de tweede plaats komt. Verdien ik dit eigenlijk niet? Verdient iedereen dit eigenlijk niet?

'Sorry, hoor,' zeg ik tegen hem.

'Waarvoor?' zegt Gianluca rustig. Dan kust hij me weer. Dit is niets voor mij. Ik heb zelfs nooit naar een andere man gekeken als ik een relatie had. Ik ben bijzonder trouw, zelfs als we het van tevoren niet hebben afgesproken. Ik ben zelfs al trouw na één afspraakje. Kun je nagaan. Ik neig naar ouderwetse toewijding. Voor mij geen spontane acties en verandering van spijs doet eten. Ik overdenk alles, dus ik hoef ook nooit met spijt op dingen terug te zien. Ik huppel onbezorgd door! Ik ben een vrouw met een schone lei. Voordat het te ver gaat, moet ik Gianluca vertellen dat ik dit soort dingen niet doe. Ik pak zijn handen beet en zet een stap naar achteren. Geen goed plan. Zijn handen voelen zo prettig aan in de mijne. Zijn vingers, zijn sterke werkmanshanden, bezorgen me rillingen over mijn armen en mijn rug, net ijskoude regendruppels op een warme dag. Het lijkt wel of ik malaria heb of zo.

'Waar ben ik mee bezig?' Ik laat zijn handen los en wend me van hem af.

'Ik snap het wel,' zegt hij.

'Nee, dat doe je niet.' Ik verberg mijn gezicht in mijn handen. Als je je ergens voor schaamt is het prettig als je je kunt verstoppen, en ik had nu graag een capuchon en een sjaal bij me gehad.

Maar voordat ik kan uitleggen hoe ik me voel, of de schuld op me kan nemen voor mijn impulsieve gedrag, is hij al weg. Ik hoor de deur naar de gang dichtslaan. Ik leg mijn hand op mijn mond. Mijn lippen zijn niet verontwaardigd samengeknepen. In plaats daarvan, en dat verbaast me zeer, glimlach ik.

Terwijl ik op de laatste dag bij Costanzo mijn gereedschap inpak, onderdruk ik met moeite de tranen. Ik kan niet zeggen hoeveel deze periode voor me heeft betekend. Het komt me nu belachelijk voor dat ik hier als toerist bij het zwembad had willen doezelen, terwijl ik nu zoveel meer heb bereikt. Onder Costanzo's leiding en subtiele aanmoedigingen ben ik kunstenaar geworden.

Zeker, mijn grootmoeder heeft me geleerd schoenen te maken, maar er was geen tijd om een kunstenaar van me te maken. Mijn oma kon me daar niet voor opleiden omdat ze het zelf niet kon. De dromers waren mijn overgrootvader en mijn grootvader. Oma was de maker, een echte schoenmaker. Ze heeft ooit wel eens een schoen ontworpen, maar alleen uit noodzaak. Ze tekende een balletschoentje en maakte die omdat ze de ene na de andere klant aan Capezio kwijtraakte. Ze ontwierp het niet omdat ze graag iets wilde creëren, maar omdat het moest. Ze moest geld verdienen. Voor Teodora Angelini was het maken van schoenen niet een manier om zichzelf uit te drukken, het was een manier om eten op tafel te krijgen, kleren voor mijn moeder te kopen en geld om in het collectezakje in de kerk van Our Lady of Pompeii te doen. Daar is niets mis mee, maar ik wil meer. Ik heb iets te vertellen.

New York is helemaal mijn stad, maar nu weet ik dat in alle drukte en herrie, tussen de haastende mensen, de stem van een kunstenaar verloren kan gaan als je voor brood op de plank moet zorgen. Maar ik ben Italiaanse, en hoewel ik opleef van emotionele gebeurtenissen, heb ik ook een praktische kant. Ik weet dat we geld moeten verdienen om de rekeningen en de salarissen te betalen, maar een kunstenaar heeft tijd nodig om te dromen en zijn verbeelding te voeden. Een dutje 's middags mag prettig zijn, maar voor een kunstenaar als Costanzo wordt het ook gebruikt om de dag te overzien en aan nieuwe kleuren en combinaties te denken. Costanzo heeft me eveneens geleerd dat er kunst in het gewone leven zit. Hij leerde me naar alledaagse dingen te kijken en er schoonheid in te zien. Ik ben niet zomaar schoenmaker, ik maak een bepaalde schoen voor een klant die daarmee iets over zichzelf wil laten zien. De bedoeling is dat ik die boodschap overbreng, dat ik in de normale dingen betekenis zie.

Ik zie geen lastige zeemeeuw meer die op zoek is naar broodkruimels. Ik zie een kleurenpalet van helderwit met zwarte veren voorzien van grote witte vlekken: schoenen. Ik zie geen stenen muur felbeschenen door de zon. Ik zie een bepaalde tint grijs met een vleugje goud: leer. Ik zie geen zwart hek begroeid met klimop. Ik zie bosgroen fluweel en zwarte leren veters: laarzen. Ik zie geen blauwe lucht met wolken, ik zie een lap geborduurde zijde. Ik zie geen bos roze pioenen die een pasgetrouwde man voor zijn vrouw heeft gekocht, ik zie een kwastje vastgezet met steentjes boven op een feestschoen: versieringen.

En als ik nu naar een vrouw kijk, zie ik geen mode, geen leeftijd, geen maat. Ik zie haar. Ik zie mijn klant, die wil dat ik haar iets lever wat tot uitdrukking brengt wie ze is, zoals ik door mijn werk laat zien wie ik ben. Niets meer, niets minder. Maar deze wetenschap heeft me veranderd. Ik ben nu anders dan toen ik een maand geleden in Rome aankwam, en ik ben dus anders als ik weer naar huis ga. Ik zal mijn huis met deze nieuwe ogen bekijken. Dat vind ik wel een beetje eng: misschien ben ik wel dusdanig veranderd dat mijn ambitie ook anders is geworden. Stel dat ik thuis kom en besef dat Roman niet de ware is, en dat de strijd met Alfred om de zaak en het pand te behouden niet de moeite waard is? Stel dat het oog van deze kunstenaar de essentie van wie ik ben heeft veranderd? Stel dat ik niet meer wil waar ik ooit over droomde?

Costanzo vertelde eens tijdens de lunch dat hij weduwnaar was en de tranen sprongen hem in de ogen, dus ik ging er niet op door. Maar ik wil Capri niet verlaten zonder meer te weten over zijn vrouw. Hij heeft me zo veel over kunst geleerd, dat ik vind dat ik ook meer over andere dingen moet weten: over het leven zelf, over de ware liefde.

Ik ga naar Costanzo toe op de veranda waar hij, zoals elke dag, onze lunch heeft klaargezet. Er is buffelmozzarella en dunne plakjes heerlijke, rijpe tomaten. Hij sprenkelt er olijfolie over als ik aan kom lopen.

'Onze laatste lunch samen.'

'Het laatste avondmaal,' zegt hij lachend.

'Ik wil niet weg.'

'Geen enkele vrouw wil ooit bij Costanzo Ruocco weg.' Hij moet weer lachen.

'Ik wil graag iets meer weten over je vrouw.'

Costanzo trekt een gouden ketting met een trouwring eraan onder zijn overhemd vandaan.

'Hoe heette ze?' vraag ik vriendelijk.

'Rosa,' zegt hij. 'Haar meisjesnaam was Rosa de Rosa.' Costanzo steekt zijn hand op. Hij staat op en loopt de zaak in. Na een tijdje komt hij terug met een bruine envelop. Ik maak hem open. Er zitten heel veel foto's in, zwart-witte, maar ook een paar kleine in kleur, in de felblauwe Ektachrometint uit de jaren zestig, en enkele Polaroidfoto's, die je op tafel neerlegde en dan moest wachten tot hij ontwikkeld was, waarna je er een kartonnetje achter moest plakken.

Ik haal de stapel foto's voorzichtig uit de envelop. De grootste, een zwart-wit trouwfoto van Costanzo en Rosa, is door een fotograaf gemaakt. Ze is een knappe brunette, met prachtige grote bruine ogen. Ze heeft wel wat van mijn zus Jaclyn. Rosa heeft een kleine sluier op haar hoofd, en is gekleed in een wit satijnen japon met een kraagje, een ingesnoerde taille en een wijde rok. Aan haar kleine voeten draagt ze elegante pumps van geitenleer. Costanzo staat achter haar en heeft zijn armen om haar middel geslagen.

'We zijn op 23 september 1963 getrouwd. Dat was de mooiste dag van mijn leven.'

'*Bella*,' zeg ik tegen hem.

'Ik noemde haar Bella Rosa. En soms alleen Bella.' Costanzo's stem slaat over.

'En jij bent ook erg knap.' Ik wuif me net zo toe als Costanzo dat vaak doet. Hij lacht. Hij is natuurlijk wel een Italiaan. Het mannelijke ego is aangeboren. 'Je mist haar heel erg.'

'Ik kan het niet over haar hebben, want ik heb in mijn leven al heel wat woorden gehoord, maar nooit een die kan beschrijven wat ze voor me betekende. Ik doe mijn best, maar zelfs het woord "liefde" is niet toereikend. Ze was mijn leven. Na haar overlijden ben ik van haar blijven houden en aan haar blijven denken. Als ze op dit moment door die deur zou lopen, zou ik mijn eigen leven opofferen om maar een tel bij haar te kunnen zijn.'

Ik pak Costanzo's hand beet. 'Werd van elke vrouw maar net zoveel gehouden als jij van Rosa hield.'

'Ik kan bijna niet zonder haar leven. Het is zo erg. Ik zal de dood met open armen tegemoet treden omdat ik dan weer samen met haar zal zijn. Nu maar hopen dat ze zo'n oude man nog wil.'

'O, vast wel. Er is niets mis met oudere mannen.' Ik heb niet alleen over kunst geleerd hier op Capri.

'Ze is in 1987 gestorven. Daarna was alles anders. De vijgen smaken anders, de wijn en de tomaten. Alles wat goed was ging met haar mee. Zij heeft me alles over het leven geleerd. En over de liefde, natuurlijk.' Costanzo staat op en kijkt me aan. 'Wacht even. Ik heb iets voor je,' zegt hij en hij loopt de zaak weer in.

In de week bij Da Costanzo heb ik veel nuttige dingen geleerd. Dat *gropponi* het beste koeienleer is om zolen te maken; *capretto*, het zachtste lamsleer, is uitstekend geschikt voor riempjes; en *vitello*, iets steviger leer, gebruik je voor een dichte schoen. En ik kwam erachter dat de wereld buiten dit eiland oprukt en het vakmanschap dat hier is ontstaan, zoals Costanzo's technieken en ontwerpen, zonder toestemming wordt gebruikt zodat zijn schoenen in de fabriek voor de toeristenindustrie kan worden nagemaakt.

Gladde Amerikaanse ondernemers komen langs, kopen Costanzo's sandalen, nemen ze mee naar huis, maken ze na en jatten zo het ontwerp, en dan zijn ze nog zo brutaal dat ze naar dezelfde leveranciers gaan als Costanzo om de spullen die hij voor zijn eigen sandalen gebruikt ook te krijgen. De leveranciers, die dit soort diefstal vaak hebben meegemaakt, weigeren aan die nieuwkomers te leveren. Loyaliteit is nog steeds de beste Italiaanse eigenschap.

Costanzo heeft me ook een hoop kleine dingen geleerd, tips waardoor een bepaalde manier van werken uiteindelijk kunstzinnig wordt. Als ik nu een hak maak, gebruik ik daar mijn mes voor en trek ik de rand ervanaf alsof ik een appel aan het schillen ben, totdat het de juiste maat is voor de klant. Costanzo heeft me platte naden leren naaien binnen in een schoen, zodat ze nog lekkerder zitten. Hij heeft me geleerd kleuren te waarderen en er niet bang voor te zijn. Als de president van Italië groengele instappers kan dragen, kan iedereen dat.

Ik heb ook ontdekt dat de toeristen op Capri erg luidruchtig zijn omdat ze zo onder de indruk van alles zijn dat ze in hun enthousiasme harder gaan praten. Ik heb geleerd dat reizen nog steeds de beste manier is om je leven wat spannender te maken, je gezichtspunt te veranderen en de inspiratie toe te laten, maar je moet er wel alert op zijn en het graag in je op willen nemen, anders lukt het niet. En ik heb geleerd dat mijn grootmoeder me niet nodig heeft om voor haar te zorgen of om me druk over haar te maken, ze is geheel zelfstandig. Ze kan prima haar eigen boontjes doppen.

Costanzo komt terug met een schoenendoos.

'Costanzo, ik weet niet hoe ik je voor de afgelopen week moet bedanken.'

'Je bent een goede schoenmaker.' Hij knikt langzaam met zijn hoofd. 'Net als ik toen ik nog jong was.'

'Dank je, dat betekent heel veel voor me.'

'Je werkt keihard en als je net zo oud bent als ik nu, zul je terugkijken op je leven en weten dat je altijd mooie dingen hebt gemaakt. Dat is onze gave aan de wereld. En nu heb ik een geschenk voor jou,' zegt hij.

'Maar dat hoeft toch niet?'

Costanzo haalt de schoenendoos onder de tafel vandaan. Voordat ik het deksel eraf kan halen moet ik opeens denken aan wat hij me op mijn eerste werkdag heeft toegezegd. 'Heb je sandalen voor me gemaakt?'

'Niet voor jou. Je voeten zijn te groot voor dit soort schoenen.'

Ik kijk Costanzo met opgetrokken wenkbrauwen aan en hij lacht. *Mille grazie,* zeg ik droog.

Ik maak de doos open en kijk erin. Ik til het papier eraf. Mijn adem stokt me in de keel terwijl ik de schoen, een ware openbaring in model, details en vormen, eruit haal.

Costanzo heeft mijn ontwerp voor de Bergdorf-wedstrijd gemaakt. Ik zet hem als een kroontje op de palm van mijn hand en bekijk hem van alle kanten.

Mijn schets is tot leven gekomen: de bovenkant van kalfsleer, de gevlochten goud met witte versieringen, de prachtig gevormde hak, de instap van bewerkt leer. Het is er allemaal, op schaal uitgevoerd zoals hij in mijn schetsblok staat. De materialen zijn luxueus, de uitvoering meesterlijk, de naden zijn zo klein dat ze bijna onzichtbaar zijn. De hele schoen komt weelderig over, maar toch niet overdadig en de uitvoering is perfect. De schoen ademt nieuwe bruid, nieuw leven, nieuwe stappen om haar daarnaartoe te leiden uit! Maat 37, de maat voor het model! De schoen die al zolang in mijn verbeelding leeft, heb ik nu in mijn handen, een fantastische unieke creatie die teruggrijpt naar mijn oma's jeugd en toch buitengewoon modern is.

De tranen schieten me in de ogen. 'Ik ben sprakeloos.'

'Het is je eigen ontwerp,' zegt hij. 'Ik heb hem alleen maar gemaakt.'

'Maar juist door je vakmanschap komt hij tot leven.'

'Dat zou zonder de tekening niet zijn gelukt,' zegt hij. Vervolgens houdt hij de schoen zo'n dertig centimeter boven de tafel en laat hem vallen. De schoen komt perfect neer, en wiebelt even heen en weer. 'Ken je deze test?'

Ik schud mijn hoofd van nee.

'Als je een hak maakt moet je hem uittesten. Als hij even heen en weer wiebelt zoals bij deze' – hij laat de andere schoen op tafel vallen, en ook die wiebelt een paar keer – 'is hij goed gemaakt. Als hij omvalt, moet je de hak veranderen tot hij wel goed in evenwicht is.'

'Dat zal ik doen,' beloof ik hem. 'Costanzo, we geven onze schoenen een naam. Eerlijk gezegd heb ik niet veel op met opera. Maar ik hou wel van een goed verhaal. Dus als je het niet erg vindt, wil ik deze schoen de Bella Rosa noemen, ter ere van je vrouw. Als dat tenminste van je mag.'

Costanzo schiet vol en door de tranen worden zijn blauwe ogen nevelig, net als de mist over zee als de zon ondergegaan is. Hij knikt dat ik de schoen naar zijn vrouw mag vernoemen. Ik heb zijn toestemming. Het is eigenlijk erg eenvoudig. Als je heel veel van iemand houdt en die valt weg, dan wil je het gevoel vasthouden, omdat het verschrikkelijk zou zijn als die liefde vergeten zou worden. De liefde bestaat zolang iemand het zich nog kan herinneren, en dat hoeft niet per se een partner te zijn, het kan ook zomaar iemand zijn. Ik ken het verhaal nu en ik zal het doorvertellen. Elke keer dat ik ga schetsen, of een patroon knip, of een naad naai zal ik aan Costanzo en Rosa denken. Hij heeft mijn visie veranderd, dus ik zal hem nooit vergeten. Dat kan ook niet.

Ik houd de schoenen in beide handen en het verhaal over de schoenmaker en de elfen schiet me te binnen. De schoenlapper en zijn vrouw waren zo arm, ze hadden zo lang hard gewerkt, dat ze op een dag al hun spullen op de werktafel lieten liggen en naar bed gingen. De volgende ochtend troffen ze een perfect paar schoenen aan die van hun leer was gemaakt. Ze zetten de schoenen in de etalage en ze werden onmiddellijk door een klant gekocht. Met dat geld kochten de schoenmaker en zijn vrouw nog meer leer en elke avond lieten ze hun spullen liggen. En elke ochtend lieten de elfen weer een nieuw paar schoenen voor hen achter, het een nog mooier dan het ander. Dit verhaal gaat erover dat als je helemaal in zak en as zit, er altijd wel iemand je een handje komt helpen, en je misschien wel komt redden. Dat heeft Costanzo ook voor mij gedaan. En morgen ga ik weer naar huis en ga ik als kunstenaar hetzelfde voor de Angelini Shoe Company doen.

De zon, net zo geel als een New Yorkse taxi, staat op mijn laatste dag in Capri hoog aan de hemel boven het zwembad van het Quisisana hotel. Het zwembad is afgeladen met gasten die zonnen en zwemmen. Ik klim het water uit en neem op een ligstoel plaats, zodat de zon me helemaal kan verwarmen. Er zijn wel slechtere manieren om je vierendertigste verjaardag te vieren. Ik had het me wel iets anders voorgesteld, maar ik ben blij met alles wat het leven me schenkt. Ik heb bijvoorbeeld iets bij het badpak van mijn moeder gekocht zodat ik ermee kan leven: een paar enorme zilveren creolen waar ik wat kleine witte saffiertjes aan heb gehangen. Alles bij elkaar ziet het er nu uit als een bewuste keuze.

'Gefeliciteerd met je verjaardag,' zegt Gianluca die op de stoel naast me gaat zitten.

Ik kom overeind. 'Dat weet je vast van mijn grootmoeder.'

'Nee hoor, ik zag het in je paspoort toen je dat aan de beveiligingsmedewerker van de fabriek moest laten zien.'

'Waarom keek je ernaar?'

'Ik wilde weten hoe oud je was. Ik was blij dat je drieëndertig was.'

'Ik ook. Ik beschouw het feit dat ik nu vierendertig ben maar als een manier om drieëndertig meer te waarderen, als je snapt wat ik bedoel.'

'Zeker.' Hij kijkt me aan en ik weet dat hij net als ik aan onze vrijpartij op het balkon moet denken. Door de opwinding en de gêne erover krijg ik rode wangen. Hij denkt vast dat het door de zon komt.

'Wat ga je vandaag doen?' wil hij weten.

'Dit.'

'Ik wil graag je verjaardag met je vieren,' zegt hij.

Ik zak onderuit in de stoel en trek mijn hoed over mijn ogen. 'Ik heb al genoeg met jou gevierd.'

'Vond je het niet fijn?'

Ik kom weer overeind en kijk hem aan. 'O, zeker wel. Maar het had niet gemogen. Ik had tot dan toe nog nooit een vriend bedrogen. Jij hebt daar een einde aan gemaakt.'

'Hoe kun je je nu druk maken over een zoen terwijl hij niet eens de moeite neemt om hiernaartoe te komen?'

Een Amerikaanse vrouw op de ligstoel naast hem, voorzien van een nepkleurtje en in een turquoise badpak, zit mee te luisteren.

'Ik weet dat jullie Italianen de vete hebben uitgevonden, maar daarom wil ík dat nog niet. Ik wil Roman geen pijn doen omdat hij me heeft teleurgesteld. Ik heb je gekust omdat ik dat wilde… en daarom,' zeg ik zo hard dat de vrouw het ook hoort, 'zal ik je moeten vermoorden.'

Gianluca lacht.

Ik buig me naar de nieuwsgierige vrouw toe. 'Ik heb de touwtjes graag in handen,' zeg ik tegen haar.

'Kom, we gaan,' zegt hij.

Ik hou niet zo van verrassingen, en als Gianluca me op het plein in de taxi naar de pier duwt, weet ik al zeker dat we per boot ergens naartoe gaan. Tijdens mijn toer om het eiland heb ik niet goed opgelet hoe het er in de haven aan toeging. Ik zag alleen maar rijen toeristen die op de bootjes stonden te wachten om het natuurschoon van Capri te bewonderen. Dit keer lopen we langs de menigte heen en ga ik met Gianluca mee langs de pier naar waar de boten van de plaatselijke vissers liggen. We stappen aan boord van een witte motorboot met rode leren bekleding.

'Dit zijn dezelfde kleuren als mijn vaders Mustang uit 1965,' zeg ik tegen Gianluca. 'Hij heeft hem nog steeds.'

'Hij is van mijn neef.'

'Je gaat me toch niet vertellen dat ik helemaal niet opgepropt met allemaal toeristen Capri had hoeven bekijken? Ik had hier met dit schatje kunnen gaan?'

Gianluca start de motor en manoeuvreert de boot langs de toeristen de open zee op. Hij mag zijn auto flink op de staart trappen, op het water gaat hij nog twee keer zo snel. We varen over het kalme water. Het bootje danst moeiteloos over de golven. Zo hoort het, denk ik, terwijl we over de azuurblauwe golven glijden en worden besproeid met zout zeewater dat ons in de brandende zon afkoeling brengt. Gianluca is een uitstekend stuurman, maar ik houd mijn ogen op het water gericht en niet op hem. Er is veel te bewonderen aan Gianluca Vechiarelli, maar ik kan momenteel niet nog een Italiaanse man in mijn leven gebruiken.

We racen om het eiland totdat ik de achterkant van het Quisisana ontdek. De ingang van de Blauwe Grot is open. Nadat hij zich ervan verzekerd heeft dat er niemand binnen is, zet Gianluca de boot bij de ingang in zijn vrij. Hij klautert op de rand en pakt een bordje waarop staat NON ENTRATA IL GROTTO. Het bordje hangt hij aan een verweerde spijker boven de ingang en hij trekt dan een roeibootje uit een nis achter een richel. Hij laat de roeiboot in het water zakken en steekt zijn hand naar me uit.

'Dat meen je toch niet.' Ik wijs naar het bordje. 'Dat is echt waar?'

Ik stap in zijn armen en hij tilt me in de roeiboot.

'Bukken,' geeft Gianluca aan. Ik buk me terwijl we de grot in varen. Eerst zie ik alleen een grijze grot, de rotsige ingang, en dan, terwijl Gianluca roeit, wordt het blauw.

Als kind was ik dol op beschilderde paaseieren. Je kent ze wel, die suikereieren versierd met gekleurde glazuur. Er zat een raampje in het ei en als je daar naarbinnen keek, zag je een landschap. Dan zag ik een weiland van groen glazuur met een piepklein prinsesje in een tule jurk dat op een paddenstoel met dotjes suiker zat, met een groene marsepeinen kikker aan haar voeten en overal lagen blauwe snoepjes die steentjes moesten voorstellen in de tuin. Ik kon daar urenlang naar kijken terwijl ik me afvroeg hoe het daarbinnen zou zijn. Dat gevoel heb ik ook in de Blauwe Grot.

Het is een sprookjeslandschap met gladde grijze stenen, muren die afgesleten zijn door het zeewater en naar een spiegelglad saffierblauw meer leiden. Licht stroomt door gaten in de rotsen erboven naar binnen waardoor er op het water zilverachtige lichtkokers ontstaan. Achter in deze ruimte, en dieper de grot in, bevindt zich een tunnel. Ik zie nog meer licht tussen de rotsen door piepen en op het water schitteren zodat het nog dieper en donkerder blauw lijkt.

'Je mag hier zwemmen,' zegt hij.

'Echt waar?'

Gianluca glimlacht. Ik trek mijn strandjurk uit en glijd het water in. Het is koud, maar dat hindert niet. Ik zwem naar het punt waar het licht door de Faraglioni valt. Daar steek ik mijn hand in de zilveren straal waardoor mijn huid gaat glinsteren. Ik zwem rond het meer en raak het bloedkoraal aan dat op de wand groeit. De glimmende rode takjes zitten stevig vast aan de wand, het zijn prachtige aders die diep het water in gaan. Ik stel me voor hoe diep het koraal zal zitten, de takjes verankerd in de zeebodem op de magische plek waar kleuren ontstaan. Ik hoor Gianluca het water in komen. Hij zwemt naar me toe.

'Nu snap ik dat bordje,' zeg ik tegen hem. 'Waarom zou je iedereen toelaten?'

'Maar het is juist voor iedereen.'

'Je weet wat ik bedoel.'

'Ja,' zegt hij. 'Is het net zo mooi als je had verwacht?'

'Nou en of.'

'Er zijn maar weinig dingen in het leven waar dat voor opgaat,' zegt hij.

'Zeg dat wel.'

'Ga mee,' zegt hij. Ik zwem met Gianluca door de tunnel naar een ruimte die volledig verlicht is. Het lijkt wel of de top van de berg eraf is gehaald, en dat op deze plek de maan zich verschuilt als de zon aan de hemel staat.

'We moeten gaan,' zegt Gianluca.

Ik zwem naar de boot en steek mijn arm naar hem uit. Hij trekt me de boot in. Dan geeft hij me een handdoek. 'Mooie oorbellen,' zegt hij.

'Ze passen bij het badpak.'

'Dat zie ik.' Hij glimlacht.

'Weet je, soms heeft het geen nut om je ergens tegen te verzetten,' zeg ik tegen hem. Ik heb het natuurlijk over de oorbellen, en niet over Italiaanse eilandaffaires.

Gianluca legt de roeiboot op zijn geheime plek, zet het bordje weer op de rand, helpt mij de motorboot in en we varen langs het strand van Capri naar de andere kant van het eiland waar de villa's van Anacapri zichtbaar zijn. Gigantische pallazo's die in lagen tegen de berg aan zijn gebouwd, met elkaar verbonden door middel van tochtige doorgangen, tonen hoe de rijke mensen het een stuk beter hebben dan wij. 'Wíj zouden dat uitzicht moeten hebben,' vertel ik Gianluca.

'Hoezo?' vraagt hij.

'Omdat wij het waarderen.'

Gianluca knikt bij het woord 'wij'. Hoewel ik me slecht tegen hem heb gedragen, is hij op dit uitstapje een goede vriend geweest. We hebben een hoop gemeen. Het lijkt zo onbelangrijk om hetzelfde soort werk te hebben en dezelfde familieproblemen, maar dat hebben we wel, en het is fijn om met iemand te praten die weet waar ik het over heb. Dat heb ik tot op zekere hoogte ook wel met Roman, maar hij brengt zijn dagen en nachten heel anders door dan Gianluca en ik. Ik kan Gianluca's visie wel waarderen. Een leerlooier en een schoenmaker zijn, in elk geval in het atelier, twee handen op één buik.

Gianluca zet in een rustige inham de motor uit. Hij haalt een picknickmand tevoorschijn waar allemaal dingen in zitten die ik lekker vind: vers, knapperig brood; lichtgroene olijfolie; kaas; tomaten, die zo rijp zijn dat het velletje door de zon is gekarameliseerd; en zelfgemaakte wijn die smaakt naar pittig eikenhout, kersen en zoete druiven. We zitten in het zonnetje te eten.

Ik wil hem aan het lachen maken en dat lukt me meteen. Gianluca heeft een prima gevoel voor humor, en ook al is hij zelf niet grappig, hij vindt dat wel leuk bij iemand anders. Ik doe een Amerikaanse toerist na die met Costanzo wilde onderhandelen tot hij uiteindelijk tegen de vrouw zei: 'U bent een vreselijk mens. Ga weg.' Ze liep op hoge poten de winkel uit. Gianluca vindt het prachtig.

We zitten in de zon totdat er een briesje opsteekt en het zo laat op de middag kil wordt. 'We moeten weer terug,' zegt hij.

Gianluca start de motor en nodigt me uit te sturen. Dat heb ik nog nooit gedaan, maar ik wil graag nieuwe dingen uitproberen, dus pak ik vol vertrouwen en met een vleugje lef het stuur beet. Je zou denken dat het nadat ik met een auto met schakelkast van Rome naar Napels ben gereden een eitje moet zijn om deze boot te besturen. Maar het vergt enorm veel kracht om het stuur te draaien. Na een tijdje krijg ik er wat meer vertrouwen in en gaat het me ook beter af. Ik houd het stuur dusdanig vast dat ik met mijn hele lichaam de boot kan sturen.

Zodra we in de buurt van de haven komen, neem ik gas terug en geef ik het stuur aan Gianluca over. Ik val bijna als ik het stuur loslaat, maar hij vangt me met zijn ene arm op en pakt het stuur over met de andere.

Bij de pier gooit hij een lijn naar een jongen die in de haven werkt en die het touw vastbindt zodat de boot op zijn plaats blijft liggen. Gianluca stapt als eerste uit en tilt me dan op de pier. We lopen naar de taxistandplaats toe en hij houdt het portier voor me open. We praten niet terwijl de chauffeur de bochten neemt en de weg afslaat naar het plein, weer terug naar het Quisisana.

De avond is nog lang en ik vraag me af wat we gaan doen. June vertelde me in de zaak een keertje over een getrouwde man met wie ze een verhouding had, en dat ze toch al schuldig was nadat ze hem gekust had, dus waarom zou ze het daarbij laten? Ik werp een blik op Gianluca, die over de heuvels van Capri naar de blauwe zee erachter kijkt. Hij ziet er tevreden uit. We zijn op de top aangekomen, Gianluca en ik stappen uit de taxi.

'Nu ga ik er weer vandoor,' zegt hij terwijl hij mijn hand pakt.

'Maar het is nog zo vroeg,' zeg ik teleurgesteld.

'Dat is zo. Maar deze laatste avond moet je voor jezelf houden. Nog gefeliciteerd.' Hij glimlacht en buigt zich voorover. Dan geeft hij me een kus op mijn wang. Ik kijk vast beteuterd, want hij trekt zijn wenkbrauwen op met een blik van 'ja, ik kijk wel uit'. Hij geeft me een cadeautje met een raffia strik eromheen. Ik wil hem bedanken, maar hij is al weg.

In mijn eentje loop ik terug naar het hotel. Ik blijf in de lobby van het Quisisana staan, kijk om me heen en stel me voor hoe erg ik deze fantastische ingang zal missen. Zodra ik thuis ben ga ik onze onooglijke entree in Perry Street aanpakken. Er moet geverfd worden, en er moeten nieuwe lampen en een vloerkleed komen. Dat heb ik ook in Italië geleerd, dat de ingang erg belangrijk is.

Ik stap de lift uit op de attico en kijk voor de laatste keer naar het schilderij boven de loveseat. Elke keer dat ik wegging stond ik naar het schilderij te kijken terwijl ik op de lift wachtte. Dagenlang snapte ik er niets van. Maar nu wel. Ik begrijp nu waarom Mondriaan vierkanten schilderde, het zijn ramen, honderden ramen. Deze reis was voor mij bedoeld om door de ramen naar buiten te kijken, en dat heb ik dan ook gedaan. Ik neem plaats op de loveseat onder het schilderij waar ik zo gek op ben geworden en maak het pakje van Gianluca open.

Ik trek met trillende hand de strik los en vouw het papier open. Dan til ik het deksel van de doos en daar ligt een schoenmakers-hamer, *il trincetto*. Gianluca heeft mijn initialen op het handvat laten graveren.

Ik maak de deur van mijn kamer open en op de salontafel staat een grote antieke vaas met een bos rode rozen en takjes met felgele ci-troentjes. De kamer ruikt heerlijk naar zoete rozen, zure citroenen en rijke aarde. Ik doe mijn ogen dicht en adem diep in.

Dan pak ik het envelopje op dat op de tafel ligt. Die Gianluca, denk ik, daarom ging hij er zo snel vandoor. Hij wilde me verrassen met de bloemen. Ik maak de envelop open en haal er een kaartje uit.

VAN HARTE GEFELICITEERD, SCHATJE, IK HOU VAN JE. KOM GAUW WEER THUIS. ROMAN.

De belangrijkste les die ik in Italië heb geleerd, is dat je zo weinig mo-gelijk bagage mee moet nemen. Na onze koffers door drie Italiaanse streken te hebben gesjouwd, ben ik nu een overtuigd minimaliste. Nog even en ik word non en geef al mijn wereldlijke bezittingen op. Mijn oma heeft dat echter niet. Ze houdt vast aan haar koffers, pakt ze zorgvuldig in en weet precies wat er in elke tas en zak zit. Oude mensen hebben spullen nodig. Daar voelen ze zich zekerder door, zegt oma.

Mijn grootmoeder houdt het karretje vast terwijl ik bij de douane van het John F. Kennedy-vliegveld de koffers op de band zet. We zijn weer terug in Amerika, dus mijn eigen leven gaat weer door en ook de verantwoordelijkheid die op mijn schouders rust. Ik zal allereerst zorgen voor mijn oma's gezondheid en haar algemeen welvaren. Ik zal een afspraak voor haar maken bij dr. Sculco. Oma heeft nieuwe knieën nodig en die zal ze krijgen ook.

Ik tuur naar de mensen die de reizigers op komen halen. Familie, vrienden en chauffeurs staan daar te wachten en bekijken ons van top tot teen terwijl wij van onze kant kijken of er bekenden tussen zitten.

Roman staat bij mijn ouders. Mijn moeder heeft een rode zomerjurk aan met een bijpassende zonnebril en ze heeft een Italiaans vlaggetje in haar hand waar ze driftig mee staat te zwaaien. Leuk gevonden. Mijn vader staat naast haar en hij zwaait alleen maar met zijn hand.

Roman torent boven hen uit, hij draagt een spijkerbroek en een blauw overhemd van Brooks Brothers. Wat is hij knap. Daardoor zijn begroetingen zo prettig. We kijken elkaar voor het eerst in weken aan en ik smelt. Ik heb hem erg gemist en hoewel ik ontzettend boos op hem ben geweest, hou ik toch van hem. Mijn neus prikkelt alsof ik zo in tranen uit kan barsten.

Ik geef mijn vader en moeder een kus en vervolgens Roman. Hij laat me niet los, en mijn ouders en grootmoeder weiden uit over de reis alsof ze niet in de gaten hebben dat hij me maar niet los kan laten. Het wordt vast een interessant autoritje. Roman pakt de bagagewagen van me over en mijn moeder, vader en grootmoeder komen achter ons aan. Ik vertel hem over Costanzo en wat hij allemaal op Capri heeft gemist. Dan gaan we door de deuren naar de parkeergarage.

'Lieverd, wij nemen de koffers wel. Ga jij maar met Roman mee,' zegt mijn moeder.

'Ik ben met mijn eigen auto,' zegt Roman.

'O, twee auto's. Perfect. Goed, nemen jullie mijn koffers maar. Ik wil ze nooit meer zien.'

Mijn vader laadt met Roman de bagage, waarmee ik door heel Toscane en nog verder naar het zuiden heb gezeuld, in de kofferbak van zijn Olds Cutlass Supreme. Ik til mijn handtas van het wagentje en houd hem stevig vast. 'Waardevolle lading,' zeg ik tegen oma. 'De schoenen. Die houd ik liever bij me.'

'Uiteraard,' zegt ze.

Zij stappen in paps wagen en Roman houdt het portier aan de passagierskant van zijn auto voor me open. Ik stap in en moet even rillen, ook al is het bijna juni. Ik kan me nog de eerste winteravond herinneren dat ik in deze auto zat, en hoe gelukkig we toen waren. Hij stapt in en trekt het portier dicht. Hij kijkt me aan. 'Ik heb je gemist.'

'Ik jou ook.'

'Wat ben je mooi,' zegt hij en hij geeft me een kus. 'Blijf je slapen?'

'Ja,' zeg ik tegen hem.

Door dit antwoord is Roman, net als alle mannen, ervan overtuigd dat alles vergeven is. Hij gelooft me en waarom ook niet? Ik wil niet te lang stilstaan bij onze hereniging en een ellenlange discussie beginnen over onze toekomst en onze relatie. Daar hebben we nog jaren de tijd voor, nietwaar? Wat de liefde aangaat ben ik op dat punt een zwakkeling. Ik kom niet voor mezelf op, voor wat ik wil. Ik doe net of we over mijn verdriet, Italië en alle ruzies heen zijn. Ik ben weer thuis en alles is in orde. We gaan gewoon door waar we gebleven zijn.

Roman heeft het over de recensent en dat de druk enorm was. Ik wil weten wanneer het in de krant komt, en hij vertelt dat het ontzettend veel voor hem en Ca' d'Oro zal betekenen. Ik doe net of ik ook vreselijk enthousiast ben, sta volledig aan zijn kant en ben alles wat hij nodig heeft: zijn steun en toeverlaat. Hij wil weten hoe het in Italië was en ik vertel hem een paar dingen, maar leg niet uit dat ik ben veranderd en dat de mensen die ik daar heb leren kennen een stempel op me hebben gedrukt. Ik wil hem vertellen over de broche van de oude dame, maar het komt zo stom over dat ik van onderwerp verander en het weer over hem heb.

Ik kijk naar zijn gezicht, en zijn sterke nek, zijn handen en lange benen, en ik raak opgewonden. Maar het gaat niet erg diep, dit is meer een modieuze nepversie en niet echt. Ergens wil ik gewoon graag een relatie. Ik hou van de vastigheid ervan en dat ik iemand heb. Onze problemen maken niet uit, we zijn samen, en dat is genoeg. Meer dan genoeg. Roman Falconi mag dan de Chuck Cohen van de liefde zijn, goedkope namaak, terwijl ik op zoek ben naar een haute-couturelabel, maar hij is wel van mij.

Ik ga mee naar zijn appartement en we zullen waarschijnlijk de liefde bedrijven, maar het zal niet hetzelfde zijn als een maand geleden, of zelfs als een week geleden. Toen hadden we een stevige fundering. Nu heeft de twijfel toegeslagen en moet ik weer op zoek naar wat er in het begin was. Ik hoop maar dat ik me straks net zo voel als toen hij me voor het eerst zoende. Misschien kunnen we opnieuw begin-

nen en kan ik erachter komen hoe een relatie met Roman én zijn restaurant kan werken.

'We gaan samen ook een keer naar Capri,' verzekert hij me. Het is
gelukkig erg druk op de weg en hij kan zijn ogen niet van de weg af
halen. Ik geloof hem niet. Hij zegt het alleen maar omdat hij denkt
dat ik me zo op de toekomst zal richten en niet meer op het heden
waar we nog steeds problemen hebben.

'Dat zou fijn zijn,' zeg ik tegen hem. Dat lieg ik niet. Het zou echt
fijn zijn.

De volgende morgen word ik wakker in Romans bed. Ik heb, bekaf
na de rit naar Rome en de vlucht naar New York, heerlijk onder het
warme dekbed geslapen. Mijn tas staat op de grond bij de deur en het
tasje met de Bella Rosa zit erin.

Ik sta op en ga naar Romans keuken. Op het aanrecht staat een pot
koffie met een bagel ernaast en een briefje erbij: 'Moest werken. Erg
blij dat je er weer bent.'

Ik schenk een kop koffie in. Ik neem plaats in de keuken en kijk
rond in de lichte, zonnige zolderetage, en in plaats van dat het man-
nelijk en romantisch overkomt zoals voordat ik naar Italië ging, lijkt
het in het volle daglicht onafgewerkt, kaal en levenloos. Tijdelijk.

14

Fifty-eighth Street en Fifth Avenue

Vandaag is de dag dat de schoenen voor de Bergdorf-etalage moeten worden ingeleverd. Ik stap in Columbus Circle uit de metro met de schoenendoos waar de Bella Rosa in zit als een pasgeboren baby in mijn armen. Laten we wel zijn, dit is zeer kostbare lading voor mij. Sommige mensen bevallen van een kindje, ik van een paar schoenen.

In mijn rugzakje zit de schets voor de trouwjapon van Rag & Bone. Voor de lol heb ik een foto van de schoenen gemaakt, ze op maat gefotoshopt en ze op het ontwerp van de trouwjapon dat Rhedd Lewis ons heeft gezonden geplakt. Ook mijn originele aquarel van de schoenen, de foto die me ter inspiratie diende – oma op haar trouwdag – en een foto van Costanzo en mij in het zonnetje op Capri, om aan te tonen dat hij de schoenmaker was die het model heeft gemaakt, zitten erbij.

Ik ga door de draaideur bij de zijingang naar binnen en kom onderweg naar de lift langs de dure handtassenafdeling. Ik kijk naar de klanten en wil ze toeschreeuwen dat ze voor me moeten duimen, maar deze dames voelen alleen maar iets als ze een rustgevende gezichtsmassage ondergaan. Ze zullen vast geen kaarsje branden voor Sint-Crispijn, voor goddelijke leiding.

Op de zevende etage stap ik uit de lift, en het is bepaald niet de serene wachtkamer die ik me van mijn vorige afspraak een paar maanden geleden herinner. Het staat vol mensen en er is net zoveel herrie als op het perron in Forty-second Street, alleen staat hier niemand op de trein te wachten. Hier wordt op Rhedd Lewis gewacht.

Alle grote schoenmerken presenteren zich op een opvallende manier. Donald Pliner heeft zijn trouwschoenen aan een palmboom op de tafel gehangen; een koerier van Christian Louboutin loopt rond met een blad vol koekjes waarop de trouwschoen staat die gevuld is met snoep. Een lang model, in bruidsjapon, heeft zo te zien een paar Prada-schoenen aan. Een pr-medewerker zeult rond met een gigantisch vergrote afbeelding van de trouwschoen van Giuseppe Zanotti waar een Franse zin overheen is gedrukt. Alicia Flynn Cotters welbekende leren pumps hangen kunstzinnig in een op schaal gemaakte hotdogkraam. Het is een gekkenhuis. Ik baan me door de concurrentie een weg naar de receptioniste.

'Ik kom voor Rhedd Lewis,' zeg ik tegen haar.

'Voor de schoenen?' vraagt ze al typend.

'Mag ik haar assistente even spreken?'

Zonder haar ogen van het scherm af te halen zegt ze: 'Ze is onderweg naar Louboutin. Ik ben maar een uitzendkracht. Maar je kunt je schoenen op de stapel leggen.'

De moed zinkt me in de schoenen als ik zie hoe hoog de stapel is. Sommige schoenendozen zijn per post bezorgd, andere persoonlijk afgeleverd. Ze liggen daar in de hoek als een paar afgetrapte exemplaren die op het punt staan te worden weggegooid. Ik kan mijn Bella Rosa daar niet achterlaten, dat doe ik echt niet.

Rhedds assistente duikt op in de deuropening. Ze glimlacht gespannen en kijkt naar al die mensen. Ik worstel me naar haar toe. Ik lijk wel een schoolkind dat dolgraag ergens voor uitgekozen wil worden. Maar ik ben nu al zover gekomen dat ik me over mijn gêne heen moet zetten.

'Weet je nog wie ik ben?' vraag ik haar.

Niet dus.

'Ik ben Valentina Roncalli van de Angelini Shoe Company. Dit is onze bijdrage.' Ik zet de doos voor haar neer. Ik blijf staan totdat ze hem automatisch oppakt. Ze stopt de schoenendoos en de envelop met papieren onder haar arm alsof het de krant van gisteren is.

'Mooi, bedankt,' zegt ze, terwijl ze langs me heen kijkt naar het model in de bruidsjapon.

'Heel erg bedankt voor de kans die...' begin ik, maar de mensen in de kamer hebben opeens door dat de vrouw met wie ik spreek de assistente van Rhedd is, en ze worden luidruchtig. Dit is duidelijk het moment waarop ze zaten te wachten, en ze trekken massaal op en roepen om haar aandacht. Ik loop tussen hen door naar de lift.

Eenmaal buiten op Fifty-seventh Street ga ik even tegen het gebouw aan staan. Ik had me dit heel anders voorgesteld. Ik dacht dat ik de schoenen aan Rhedd zelf zou geven en dat ze de schoenendoos open zou maken en zou kwijlen van wat ze zag. Of dat haar personeelsleden in een vergaderzaal zouden zitten waar een laaggeplaatste maar wel getalenteerde assisente op zou staan en zeggen: 'We moeten de underdog een kans geven', zodat Rhedd Lewis tot tranen toe geroerd zou zijn en ze de Angelini Shoes boven al die chique ontwerpers zou kiezen. Ik heb al zo veel scenario's in mijn hoofd afgespeeld, en nu zie ik onze schoenen al op de stapel tussen al de andere op de grond liggen. Ik zie al voor me dat ze zoekraken. Ik zie al voor me dat we verliezen. Wij. Verliezen.

Ik loop in snel tempo naar de metro. Mijn wangen zijn rood van schaamte. Ik kan je wel vertellen dat je je niet kleiner kunt voelen dan omringd door de wolkenkrabbers van Manhattan nadat je bij Bergdorf Goodman als een versleten paar schoenen bent behandeld. Wat zullen ze van mijn grootmoeders truttige bruidsjapon vinden op de foto of van het kiekje van Costanzo en mij voor zijn schoenenzaak? Ik heb het Italiaanse vakmanschap in mijn presentatie niet overdreven, ik heb het gezellig en welgemeend gehouden, maar in Manhattan vanaf Fourteenth Street komt dat berekenend over. Wat kan het hun schelen dat ik hoor bij een honderd jaar oude traditie? Er zijn zo veel dingen meer dan honderd jaar oud. Ik verdien het te verliezen.

Maar de schoenen? Die verdienen een kans. Heel even overweeg ik terug naar de winkel te rennen, de lift naar boven te nemen, om de menigte, de receptioniste en de assistente heen te rennen en rechtstreeks Rhedd Lewis' kantoor in te lopen om haar in bezielde bewoordingen te vertellen waarom de kleinste moet winnen. Maar in plaats daarvan vis ik mijn MetroCard uit mijn rugtas en loop ik de trap af onderweg naar huis, naar de Angelini Shoe Company.

June vertelt me, om me op te vrolijken na de Bergdorf-inzending, een verhaal over een oom die altijd loten kocht omdat hij ervan overtuigd was dat hij zou winnen. Elke week kocht hij weer loten, en toen hij op sterven lag stuurde hij zijn zoon eropuit om een lot te kopen. Hij overleed en er viel vijfduizend dollar op het lot. Het moraal van het verhaal: ik moet eerst sterven om een etalage in Bergdorf te winnen, al geloof ik niet dat June dat met het verhaal voor ogen had.

'Kijk eens.' Ik houd een zwarte platte schoen omhoog versierd met een engelenvleugel van zilverkleurige lovertjes. Dit is het eerste paar schoenen voor de gewone vrouw die ze dagelijks kan dragen, het eerste model voor de tweede lijn van de Angelini Shoe Company. Ik heb ze Angel Shoes gedoopt, naar ons naambordje en de vleugels die ik op Capri heb ontworpen. In elk nieuw avontuur, en al helemaal als het zo belangrijk is als dit, kan het geen kwaad om de hemel in te schakelen voor wat hulp. Ik heb er geen probleem mee om afhankelijk van engelen te zijn of om de heiligen aan te roepen.

Ik zet de schoen op de werktafel. Mijn grootmoeder en June bekijken hem aandachtig. June fluit. Oma pakt hem op. 'Wat een leuke schoen.'

'En praktisch,' voegt June eraan toe.

'Nu moet ik nog uit zien te vogelen hoe we hem machinaal kunnen vervaardigen.'

'Dat lukt je wel,' zegt mijn oma vrolijk.

Eenmaal terug uit Italië lijkt het wel alsof mijn grootmoeder in een roes leeft. Ze rent in het appartement rond, doet vrolijk haar werk en heeft zich zelfs op een paar klusjes gestort waarvan ze had gezegd dat ze die nooit zou doen, zoals het uitmesten van de kast in de slaapkamer die van mijn moeder geweest is. We zijn zelfs naar dr. Sculco toe geweest, die oma op 1 december van nieuwe knieën zal voorzien, zodat ze nog voor het nieuwe jaar kan revalideren.

Terwijl zij alles aan het regelen was, was ik aan het onderzoeken hoe ik de nieuwe lijn schoenen moest aanpakken. Ik wil per se dat de schoenen in Amerika worden vervaardigd zodat ik er een oogje op kan houden. Natuurlijk moet ik voor alles openstaan want dit is allemaal nieuw voor me en er is niemand die me het klappen van de zweep kan leren. Het enige wat ik in mijn zakenovereenkomst met Alfred aan kon dragen was tijd. Hij is mijn partner geworden en heeft vijftig procent in handen. Ik heb een jaar de tijd om winst te maken want anders verkoopt hij het pand onder me vandaan. Ik denk er maar niet aan dat ik zes miljoen dollar nodig heb om hem uit te kopen, maar richt me op de schoenen. Het belletje van de voordeur gaat.

'Ik ben klaar voor de onthulling,' zegt Bret vanuit de hal. Dan komt hij de werkplaats binnen. 'Hoe gaat het ermee?' vraagt hij.

'Hier is het eerste paar Angel Shoes.' Ik houd het model op. Bret bekijkt het en ik leg mijn zakenplan op tafel. 'Dit zijn de kosten om de schoenen te maken. Ik heb prachtige nieuwe stoffen in Italië ontdekt. Deze stof lijkt sprekend op leer. We prijzen het aan als stof en niet als nepleer, want dat spreekt de klanten meer aan en zo blijven de kosten laag. Als het leer zou zijn, was de schoen drieëndertig procent duurder. De stof komt uit Milaan. Wat vind je ervan?'

'Val, het is je echt gelukt. Ik wil graag je plan aan de investeerders voorleggen. Al wat gehoord over de Bergdorf-etalage?'

'Ik heb net de schoenen daar afgeleverd. Reken er maar niet op dat ik dat ga winnen, Bret. De concurrentie is moordend en ook nog eens Frans, die twee samen zijn onverslaanbaar in de modewereld.'

'Ik vertel de investeerders dat Rhedd Lewis persoonlijk wilde dat je aan de wedstrijd meedeed en hopelijk tekenen ze voordat Rhedd de winnaar bekendmaakt.'

'Dat lijkt me een goed plan.' Ik glimlach dankbaar naar Bret en dan gaat mijn mobieltje over. Ik neem op.

'Val, met je moeder. Kom meteen naar het New York-ziekenhuis. Jaclyn is aan het bevallen! Neem oma mee!' Mijn moeder verbreekt paniekerig de verbinding.

'Jaclyn ligt in het New York-ziekenhuis, de baby komt.'

'Pak mijn tas,' zegt grootmoeder rustig.

De ingang van het ziekenhuis lijkt sprekend op die van een ouderwetse bank: veel glas en een gigantisch atrium, draaideuren en rijen mensen. Mijn moeder geeft me over mijn mobiel aan hoe ik moet lopen om bij de kraamafdeling te komen. 'Ja, ja, ik weet het, ik mag hier geen mobieltje gebruiken. Maar ik verbreek zo de verbinding, ik moet alleen mijn familie hiernaartoe praten,' hoor ik mijn moeder tegen een gedempte stem op de achtergrond zeggen. Mijn grootmoeder en ik komen uiteindelijk op de kraamafdeling op de vijfde verdieping aan, waar mijn moeder bij de lift op ons staat te wachten.

'Hoe gaat het met haar?' vraag ik meteen.

'De baby is er bijna. Meer weten we niet. Ik heb iedereen verteld dat de dokter het mis had! Jaclyn is zo snel dik geworden. Die man kan niet goed rekenen.'

We lopen met mijn moeder mee naar de wachtkamer. Mijn vader leest een versleten exemplaar van *Forbes* en Tess houdt Charisma en Chiara weg van de mensen aan wie we niet verwant zijn. Mijn oma gaat op de bank zitten en ik neem plaats op de stoel naast mijn vader.

'We zijn te vroeg,' fluistert mijn grootmoeder tegen me na een uur wachten. 'Dit gaat nog uren duren.'

'Weet je nog dat Jaclyn werd geboren?' zegt Tess die naast me komt zitten.

'Je hebt haar naar Jaclyn Smith vernoemd, je favoriete Charlie's Angel. Niet te geloven dat mama daarmee instemde.' Ik sla mijn arm om Tess heen.

Mevrouw McAdoo komt met haar zus aan lopen, ze blijven geduldig een uur wachten en gaan dan weer weg. Dit is natuurlijk wel het veertiende kleinkind van mevrouw McAdoo, dus erg spannend is het niet meer voor haar.

Uiteindelijk geeft Tess het ook op en gaat ze met Charisma en Chiara naar huis. Mijn vader valt op de bank in slaap en snurkt zo hard dat de verpleegkundige ons komt zeggen dat hij weg moet. En dan, na zes uur, twee rondjes Starbucks-koffie en anderhalf uur Anderson Cooper met het geluid uit op de tv in de wachtkamer, komt eindelijk, op 15 juni 2008, om tien over twaalf 's nachts Tom de kraamkamer uit lopen.

'Het is een meisje,' zegt hij. 'Teodora Angelini McAdoo.'

Mijn moeder huilt, oma slaat vereerd en verbijsterd haar handen ineen. Mijn vader omhelst Tom, slaat hem een paar keer op zijn rug. Mama belt Tess en dan Alfred om ze van het kersverse familielid op de hoogte te stellen. Oma, mama en ik lopen Jaclyns kamer in. Ze ligt in bed met haar dochter in haar armen. Ze is bekaf en opgezet, haar ogen die normaal gesproken groot en kristalhelder zijn, lijken nu rozijntjes in een muffin. Ze kijkt naar ons. 'Wat is ze mooi, hè?' fluistert Jaclyn.

We gaan om haar heen staan en kirren tegen de baby.

'Dat was eens en nooit meer.' De uitdrukking op haar gezicht verandert van dolgelukkig naar vastberaden. 'Echt nooit meer.'

In de taxi naar huis luister ik naar de berichten op mijn voicemail. Roman heeft er drie ingesproken, en de laatste is buitengewoon kortaf. Ik bel hem op. Hij neemt op. Ik zeg niet eens gedag. 'Liefje, het spijt me, Jaclyn is net bevallen. We hebben de hele avond in het ziekenhuis gezeten.'

'Dat is prachtig nieuws,' zegt hij. 'Maar waarom heb je niet even gebeld?'

'Dat zeg ik net, ik zat in het ziekenhuis.'

'Ik heb steeds je voicemail ingesproken.'

'Roman, ik kan er niets aan doen. Ik kon alleen maar aan haar denken. De telefoon stond uit. Het spijt me. Zal ik naar je toe komen?'

'Weet je wat? Kom maar een andere keer,' zegt hij vermoeid, en eerlijk gezegd eerder geïrriteerd dan afgepeigerd.

Ik klap het mobieltje dicht. Grootmoeder kijkt naar buiten en doet net of ze niets heeft gehoord.

'Hij gedraagt zich alsof ik hem een week op Capri heb laten zitten. Het was maar een etentje,' zeg ik tegen haar. 'Mannen.'

Mijn grootmoeder en ik zijn de volgende ochtend nog moe na de lange dag in het ziekenhuis. Oma heeft al haar vriendinnen gebeld om te vertellen dat haar nieuwe achterkleinkind naar haar vernoemd is. Denk maar niet dat het niet uitmaakt naar wie een kindje wordt vernoemd, in mijn familie is het een grote eer. Ik heb mijn oma nog nooit zo gelukkig gezien.

Ik haal de post uit de hal en sorteer het tot ik opeens een envelop uit Italië zie. Ik geef hem aan mijn grootmoeder. 'Een brief van Dominic.'

Ze legt het patroon waar ze mee bezig is neer en pakt de brief van me aan. Ze maakt hem voorzichtig met haar schaar open. Ik borstel het geitenleer van de Ines. Als ze de brief heeft gelezen, geeft oma me een paar foto's die bij de brief zaten.

'Orsola is getrouwd,' zegt ze.

Orsola staat op een kleurige foto mooi de bruid te zijn in een eenvoudige witte zijden japon met boothals, afgezet met witte zijden rozen aan de zoom. De jurk staat wijduit, in de vorm van een klok. Ze heeft een boeketje witte edelweissen in haar hand.

Naast Orsola staat de bruidegom, ook zo knap, en voor de grote dag heeft hij zijn blonde haar naar achteren gekamd. Naast de bruidegom staan zijn ouders, zo te zien een aardig stel. Een vrouw die ik niet ken houdt de hand van Orsolo vast, zij moet wel zijn moeder zijn. Ze is even lang als haar dochter en ze heeft kort haar en dezelfde mooie jukbeenderen. Ze lijkt me een taaie tante en ze heeft inderdaad diepe rimpels tussen haar ogen. Gianluca heeft haar goed beschreven.

Mijn hart slaat een slag over als ik Gianluca naast zijn ex-vrouw op de foto zie staan. Misschien omdat ik me schaam dat ik met hem heb staan zoenen, of misschien doordat ik zijn ex zie, een vrouw van zijn eigen leeftijd, waardoor het leeftijdsverschil tussen ons des te duidelijker is. Gianluca heeft een chique grijze smoking aan. Hij ziet er knap en deftig uit, en lijkt totaal niet op de leerlooier die hij werkelijk is. Hij glimlacht blij om zijn dochter. Dominic staat trots naast zijn zoon, de graaf van Arezzo, in een grijze smoking met een zwart-wit gestreepte stropdas om.

'Dominic schrijft dat Gianluca wil weten hoe het met je gaat.'

'Wat aardig.' Ik ga gauw op iets anders over. 'Hoe gaat het met Dominic?'

'Hij mist me,' zegt ze. 'Hij is verliefd op me, weet je.'

Mijn grootmoeder zegt dit net zo nonchalant alsof ze een broodje bal bestelt. Ik leg de borstel neer. 'Ben jij ook verliefd op hem?'

Ze legt de brief zorgvuldig neer. 'Dat denk ik wel.'

'Maak je geen zorgen, oma, voor je het weet is het jaar om en hebben we weer leer nodig en dan zie je hem weer.'

Ze kijkt me aan. 'Ik denk niet dat ik zo lang kan wachten.'

'Je kunt altijd bij hem op visite gaan.'

'Op visite gaan is niet meer genoeg.'

Ik ben stomverbaasd. Mijn oma is tachtig, gaat ze nu echt haar hele leven omgooien en in Italië wonen? Het lijkt mij onmogelijk, en het is ook helemaal niets voor haar.

Ze gaat door: 'Ik heb er mijn hele leven al moeite mee gehad. Ik zat altijd tussen twee vuren: doen wat ik wilde doen en doen wat ik moest doen.'

'Oma, je bent tachtig, je mag zo langzamerhand wel doen wat je wilt doen.'

'Dat zou je wel denken, hè?' Ze kijkt weg en zegt dan: 'Maar het valt niet mee om iets te veranderen wat zo in je verankerd zit, ook al wil je het nog zo graag. Ik werk al meer dan vijftig jaar in deze zaak en ik had gedacht dat ik dat altijd zou blijven doen.'

'Maar je bent verliefd...' zeg ik tegen haar. 'Dat verandert alles,' zeg ik hardop, alsof ik er alles vanaf weet.

'Liefde stelt alleen iets voor als je zonder opofferingen bij elkaar kunt zijn. Je mag je niet wegcijferen voor iemand anders. Dat gebeurt wel vaak, maar je wordt er niet blij van, niet op de lange termijn tenminste.'

De telefoon rinkelt en onderbreekt ons gesprek. 'Angelini Shoe Company,' zeg ik terwijl ik opneem.

'Ik heb Rhedd Lewis voor Teodora Angelini,' zegt de assistente.

Ik leg mijn hand over de hoorn. 'Oma, Rhedd Lewis aan de lijn.'

Mijn grootmoeder neemt de telefoon van me aan. Het lijkt wel een eeuwigheid te duren voordat ze zegt: 'Ja?' Ze luistert aandachtig en zegt dan: 'Rhedd, het is beter als je Valentina spreekt. Zij is de ontwerpster. Wacht even.' Oma geeft de telefoon weer aan mij.

'Valentina, ik heb alle schoenen bekeken die meedongen naar de etalage. Ik was blij verrast, teleurgesteld, geschokt en verbijsterd. Er zat een hoop rotzooi bij, maar ook iets zeer bijzonders...'

Waarom moet ik dit allemaal weten? Ik heb liever geen kritiek als ik word afgewezen. Zeg nu maar wat je wilt, dame.

Rhedd gaat door: 'Maar geen enkele schoen was zo sierlijk, zo levendig, zo vernieuwend en toch met een knipoog naar het verleden als die van jou. Je hebt je fantastisch van je taak gekweten en in de Bella Rosa heb je op een kunstzinnige en naadloze wijze traditie gecombineerd met de hartenklop van nu. Ik ben diep onder de indruk. Jouw schoenen staan met Kerstmis bij Bergdorf in de etalage. Van harte gefeliciteerd.'

Ik hang op en schreeuw zo hard dat de duiven in Charles Street geschrokken opvliegen. 'We hebben gewonnen! We hebben gewonnen!' Mijn grootmoeder en ik vallen elkaar in de armen. June komt net na de lunch binnenlopen.

'Wat is er aan de hand?' wil ze weten.

'We hebben gewonnen, June! We staan in de etalage van Bergdorf!'

'Lieve hemel, ik dacht even dat jullie de loterij hadden gewonnen,' zegt June.

'Dat is ook zo!'

Ik trek een van mijn moeders oude Diane Von Furstenberg-japonnen aan. Deze is zwart met witte vlekken. Mijn haar is lang en valt op mijn schouders, net als bij Von Furstenberg zelf toen deze japon net in de mode was. Ik wil er mooi uitzien want ik ga het fantastische nieuws met Roman vieren. Hij weet nog van niets, en ik ga naar het restaurant om hem te verrassen. De elektricien is daar bezig, op zijn vrije avond, dus neem ik hem mee voor een feestmaaltijd in Chinatown. Ik trek mijn jas aan.

'Oma, wat ben jij aan het eten?'

'Ik heb de manicotto opgewarmd die je had gemaakt.'

'Smaakt het?'

'Het is net zo lekker als gisteren.' Mijn grootmoeder zit met haar voeten omhoog voor de televisie.

'Wat ga je vanavond doen?' vraag ik haar, zoals altijd.

'Ik kijk naar het journaal en dan ga ik naar bed.'

'Je moet niet voor me opblijven, hoor.'

'Dat doe ik toch nooit?' Ze geeft me een knipoog.

De taxi zet me af in Mott Street. Voordat ik de cijfercombinatie intoets van Ca' d'Oro kijk ik even in het spiegeltje van mijn poederdoos of mijn lippenstift nog goed zit. De gordijnen zijn gesloten. Ik toets de code in en loop het restaurant binnen. Er staan brandende waxinelichtjes op de richel van de muurschildering en ook op de tafels. Roman heeft het nieuws dus blijkbaar al gehoord. Hij heeft waarschijnlijk mijn oma gebeld en zij heeft het hem verteld en hij is meteen een feestmaal voor mij gaan bereiden. Wat is het leven toch mooi.

Ik hoor Roman in de keuken praten, dus ik loop op mijn tenen ernaartoe om hem te verrassen. Ik kom bij de deur en kijk naar binnen.

Roman staat over een pan op het fornuis gebogen en een vrouw in kokskleding met lang blond haar in de kleur van verschaalde champagne zit met bungelende benen op het eiland een glas wijn te drinken. Ze geeft hem een schopje tegen zijn achterste. Hij kijkt om en grijnst naar haar. Dan ziet hij mij. En dan draait zij zich om en ziet mij ook.

'Schatje, wat doe jij nu hier?' vraagt hij.

Ik richt mijn blik op haar. Ze kijkt beschaamd weg.

'We hebben de Bergdorf-wedstrijd gewonnen.' Dan draai ik me om en loop weg. Ik ben niet goed in dit soort dingen, het is me allemaal veel te theatraal. In rap tempo loop ik naar de deur. Ik ben niet echt geschokt, meer verdoofd. Maar zoals Tess me er maar al te graag op wijst, als er iets aan de hand is, ga dan bij Valentina in de buurt staan, want zij blijft een volle dag ontkennen dat er iets gebeurd is. Ik leg mijn hand op de deurknop om naar buiten te gaan. Ik duw de deur open. Roman staat opeens achter me.

'Wacht even,' zegt hij.

Ik sta al buiten op de stoep. Ik ga niet wachten. 'Goedenavond, Roman.'

'Wacht nou. Dat ben je me wel verplicht.'

Nu ben ik laaiend. Elk woord dat hij uit kan ik hem voor de voeten werpen. 'Hoe bedoel je, verplicht?'

'Laat het me nou uitleggen.'

Dat hij me gaat uitleggen wat ik net heb gezien, vind ik behoorlijk schokkend. Ik wil tegen hem schreeuwen, maar ik ben zo kwaad dat ik geen woord uit kan brengen.

'Ik wou haar als hoofdober aannemen, maar dat gaat nu niet meer door.'

'Weet je, Roman? Ik geloof er geen woord van.' Ik draai me om om weg te gaan.

Hij houdt me weer tegen. 'Er is niets aan de hand. Ze heeft gewoon wat wijn op, daarom zat ze te flirten.'

'Natuurlijk, de drank heeft het weer gedaan.' Ik draai me weer om, maar dit keer omdat de tranen me in de ogen schieten. Tess heeft het mooi mis met die vierentwintig uur. Dit keer heeft het maar dertig seconden geduurd. Hij mag best zien dat ik huil, kan mij het schelen.

'Roman, jij denkt dat een relatie betekent dat je me ziet wanneer je tijd hebt. Ik ben plamuur voor jou, voegsel tussen de belangrijke dingen.'

'Jij hebt het net zo druk als ik.' Hij zegt vriendelijk: 'Volgens mij vind je het wel leuk met mij, maar ben ik niet de ware.'

Als ik een paar jaar jonger was geweest en hij iemand anders, dan zou ik denken dat hij me af wilde leiden van wat er in de keuken gebeurd is, maar eerlijk gezegd heeft hij gelijk. Ik wil graag dat hij er is als ik hem nodig heb, maar verder draag ik ook niet veel bij aan onze relatie.

'Het spijt me.' Ik krijg het bijna niet over mijn lippen, maar ik zeg het toch. En dan zeg ik iets wat nog moeilijker voor me is, want ik geloof er heilig in. 'Ik hou echt van je.'

Roman kijkt me aan. Dan schudt hij zijn hoofd, alsof hij het niet kan bevatten. 'Volgens mij is er iemand anders.'

'Pardon? Ik heb jou anders net met iemand in de keuken betrapt!'

'Je hebt me niet betrapt. Er is niets gebeurd. Maar sinds jij uit Italië terug bent, ben je afstandelijk en ik kom daar niet doorheen. Ik heb je gesmeekt me te vergeven omdat ik niet naar je toe gekomen ben. Ik heb er alles aan gedaan om het goed te maken. Er zijn genoeg mensen met een drukke baan die wél een goede relatie hebben. Volgens mij zijn onze lange uren alleen maar smoesjes. We zijn gewoon niet voor elkaar bestemd.'

'Volgens mij wel.' Ik wil hem absoluut niet kwijt. Er komt een paniekgolf bij me boven waardoor ik hem alles wil beloven om nog maar een kans te krijgen. Ik wil het weer goedmaken, hem laten zien wat ik voel, me overgeven, me binden, en hem tonen hoeveel ik van hem hou. Ik zie hem voor me: op het dak met kerst, dat hij marshmallows staat te roosteren met de kinderen, basketbal spelend met mijn neefjes, zomaar op straat mijn oma een arm gevend. Ik wil nog geen afscheid van deze goede man nemen. Maar ik weet niet hoe ik hem aan zijn verstand kan peuteren wie ik ben en wat ik kan, want ik heb hem nog nooit laten zien wie ik werkelijk ben. Ik houd hem op armlengte van me af en soms zelfs nog meer, en ik heb geen idee waarom.

'Valentina, als dat waar is, dan moeten we nog een poging wagen.'

'Daar wil ik even over nadenken, Roman. Ik wil niet dat dit een of

andere grote verzoening wordt waarbij we in bed belanden en het af-
zoenen en dat het dan weer een paar weken goed gaat, waarna het
vervolgens weer van voren af aan begint. Er zit iets niet goed, en ik wil
weten wat. Dat heb jij wel verdiend.'

'Meen je dat nou?' Hij kijkt me hoopvol aan, en dat heb ik al een
tijd niet bij hem gezien.

'En ik heb op Capri trouwens met een man gezoend. Zo. Het is
eruit. Het zat me al die tijd dwars en het spijt me. Het spijt me heel
erg. Eerlijk gezegd heb ik het recht niet om Ca' d'Oro binnen te stormen en jou te beschuldigen van iets met dat blondje te hebben na wat
ik daar heb gedaan.'

'Waarom heb je het gedaan?' wil hij weten.

'Omdat ik boos was op jou. Meer niet.'

'Gelukkig maar.'

'Wat zeg je?' Ik geloof mijn oren niet. Is hij niet boos? Of jaloers?

'Ik wist dat er iets was, en nu heb je het me eindelijk verteld.'

'Ik wil nog steeds bij je zijn,' zeg ik tegen hem.

'En ik wil een goede relatie,' geeft hij toe.

'Goed, ga dan maar naar binnen en zeg tegen die hoofdober dat de
vacature al vervuld is.'

Hij blijft mijn hand vasthouden. 'Ga je mee naar binnen?'

'Beter van niet.' Ik geef hem een kus. 'Kom straks naar mij toe.'

'En Teodora dan?'

'Die heeft haar deur dichtgedaan en muziek opgezet, die hoort helemaal niets.'

'Tot straks,' zegt hij.

'Alsjeblieft.' Ik haal mijn reservesleutels uit mijn tas en geef ze aan
hem, iets wat ik al maanden geleden had willen doen. Ze hangen aan
een sleutelhanger van het Quisisana-hotel.

Roman kijkt naar de sleutelhanger. 'Meen je dat nou?'

'Jazeker.'

Ik draai me om en loop weg, en als ik bij de hoek aankom, kijk ik
even om. Hij staat daar nog en kijkt me na. Ik zwaai. Hij houdt toch
van mij. En dat wil ik echt niet kwijt.

'Oma, ik ben er weer!' brul ik onder aan de trap. Ik wil zo snel mogelijk de japon uitdoen en mijn pyjama aantrekken en ons gesprek over
Dominic voortzetten. Ik wil haar vertellen over Roman, en dat ik Gianluca heb gekust, en vragen wat zij zou doen als ze mij was. Volgens
mij gaat ze voor Roman, net als ik. 'Oma, ik ben er weer!' roep ik opnieuw als ik de keuken in loop. De tv staat aan, maar ze zit niet op
haar stoel. Vreemd, want ze zet altijd de tv uit als ze naar boven gaat.
Ik leg mijn tas op de tafel en trek mijn jas uit en dan zie ik opeens mijn
oma's voet achter de ontbijtbar. Ik ren ernaartoe. Mijn grootmoeder
ligt op de grond. Ik ga op mijn hurken naast haar zitten. Ze ademt
wel, maar reageert niet op haar naam. Ik pak snel de telefoon en toets
het alarmnummer in.

Oma is met de ambulance naar het Saint Vincent-ziekenhuis ver-
voerd. Ze kwam thuis al bij, maar ze was in de war en wist niet meer
wanneer ze gevallen was. Mijn ouders waren binnen de kortste keren
in het ziekenhuis, want rond die tijd is er nauwelijks verkeer op de
weg. Tess, Jaclyn en Alfred kwamen ook, bezorgd en bang. Het is bijna tien uur, maar oma heeft mijn moeder verzocht haar advocaat te
bellen, haar oude vriend Ray Rinaldi, die in Charles Street woont.
Mijn moeder heeft dat gedaan en Ray is nu bij haar op de intensive
care.

Roman komt door de glazen deuren naar binnen en rent op me af.
'Hoe gaat het met haar?'

'Ze is erg zwak. We weten niet wat er gebeurd is,' zegt mijn moeder.
Mijn grootmoeder is nooit ziek of ernstig gewond geweest. Mijn
moeder is dit niet gewend en is erg bang. Mijn vader legt zijn arm om
haar heen. Ze huilt. 'Ik wil haar niet kwijt.'

'Ze is in goede handen. Het komt allemaal wel in orde,' stelt Roman mama gerust. 'Maak je maar geen zorgen.'

Een verpleegkundige komt van de intensive care af en kijkt rond.
'Is Clementine hier?'

'Valentina,' zeg ik en ik zwaai.

'Kom maar mee,' zegt ze.

Het is druk op de intensive care en mijn grootmoeder ligt helemaal
in de hoek. Twee blauwe gordijnen scheiden haar van een oude man

die piepend ademhaalt in zijn slaap. Ray Rinaldi sluit net een dik dossier als ik bij oma's bed aankom. Ray is inmiddels ook al opa en hij heeft een bos grijs haar en een aktetas die al een tijdje meegaat.

'Ik zie je straks wel,' zegt hij tegen me. Hij geeft me een klopje op mijn rug. 'Teodora, alles wordt geregeld zoals jij dat wilt.'

'Dank je, Ray,' fluistert mijn grootmoeder met een dappere glimlach. Ze doet haar ogen dicht.

Ik ga naast het bed staan en pak haar hand. Ze kan haar ogen nauwelijks openhouden. Het lijken wel twee zwarte komma's, heel wat anders dan de grote amandelvormige Italiaanse ogen die ze had toen ze nog gezond was. Haar bril ligt op haar borst aan een ketting, net als toen ze gevallen was. Op haar wenkbrauw zit een blauwpaarse plek, waar ze met haar hoofd tegen de ontbijtbar was gevallen. Ik leg mijn hand voorzichtig op de blauwe plek. Hij voelt warm aan. Ze kijkt me aan en doet dan haar ogen dicht. 'Ik heb geen flauw idee wat er is gebeurd.'

'Daar komen ze wel achter.'

'Ik was niet lekker. Ik ging een glas water halen, en verder kan ik me niets meer herinneren totdat de ambulance kwam.' Mijn oma kijkt weg, alsof ze naar een verkeersbord in de verte zoekt.

'Je ziet Maria toch nog niet?' zeg ik gekscherend. 'Geen mystieke visioenen, hoor.' Ik kijk waar haar blik op gericht is en zie alleen een bord aan de muur waar de naam van de patiënten op staan en waar de verpleegkundigen de toegediende medicijnen achter schrijven.

'Is het over?' vraagt ze mij.

'Hoe bedoel je?'

'Ga ik nu dood?'

'Echt niet! Oma, luister eens. Verman je. Je hebt net een achterkleindochter gekregen die naar je vernoemd is. Mama wil met je op een cruise. Nou ja, laat dat eigenlijk ook maar zitten, dat vind je vast niet leuk. Ik weet wat beters: je moet me nog steeds leren hoe ik bewerkt leer moet knippen. Ik moet nog zoveel meer leren en je bent de enige die dat kan. En dan Dominic. Dominic houdt van je!'

'Ik wil alleen maar schoenen maken en kaarten.'

'Dat mag ook!'

'… en tomaten telen.'

'Maar natuurlijk. Tomaten telen.'

'… en ik wil naar huis, naar Italië.'

Mijn grootmoeder kijkt weg, op haar manier heeft ze de grenzen aangegeven van haar leven. Eenvoudiger kan niet. Om gelukkig te zijn moet je iets omhanden hebben, met vrienden kunnen kletsen en kaarten, en een lekkere maaltijd bereiden met tomaten uit je eigen tuin, en heel af en toe een reisje naar Italië, waar je vrede en geluk kunt vinden in de armen van een oude vriend.

Ik kijk om me heen op de ic van het Saint Vincent. Het is er schoon en praktisch. Geen frutseltje te bekennen. Wat een plek om weer aan beter worden te denken, laat staan aan je verlossing. De verpleegkundigen dragen geen helderwit uniform met een klein kapje meer, zoals vroeger in de film. Ze hebben een hawaiishirt aan en een groene ziekenhuisbroek. Ik vind het maar niets dat iemand in vakantiekleding me gaat vertellen hoe de diagnose luidt.

'Ik heb je moeder Ray laten bellen,' zegt mijn oma zachtjes. 'Alfred en jij staan aan het hoofd van de Angelini Shoe Company en jullie krijgen ieder de helft van het pand. Ik vertrouw erop dat jullie er wel uit komen.'

Oma's woorden weergalmen in mijn hoofd, ze wil niet dat ik met mijn broer ruzie maak, bovenal wil ze dat haar familie met elkaar op kan schieten. Alfred en ik zijn op zijn best al geen gunstige combinatie. Maar samen een bedrijf runnen zal nooit lukken. Het is te hopen dat oma weer snel beter wordt zodat ze het leven kan leiden waar ze van droomt en dat ik dan het bedrijf op mijn eigen manier draaiende kan houden. 'Goed, oma,' zeg ik. 'We zorgen er wel voor, dat beloof ik. En jij bent binnen de kortste keren weer terug in Perry Street.'

'Valentina?' Mijn moeder maakt me voorzichtig wakker. Ik ben op de stoel in mijn grootmoeders kamer in het Saint Vincent-ziekenhuis in slaap gevallen.

'Gaat het goed met haar?' Ik ga rechtop zitten en kijk naar het lege bed. Oma is er niet meer.

'Ze moet een paar testen ondergaan.'

'Hoe laat is het?' Ik stroop mijn mouw op en kijk op mijn horloge. Het is bijna twaalf uur 's middags.

'Ze is al sinds acht uur weg,' zegt mijn moeder bezorgd.

'Weten ze al wat er is gebeurd?'

Mijn vader, Jaclyn, Tess en Alfred komen de kamer in lopen.

'Heeft ze een beroerte gehad?' vraagt Tess.

'Dat weten we nog niet,' zegt mijn moeder tegen haar.

Alfred ademt diep in en schraapt zijn keel. 'Ik hoop dat ik geen gelijk heb, maar jullie moeten wel naar me luisteren. Oma kan niet meer zo veel als vroeger.' Hij kijkt me recht in mijn gezicht. 'Je mag haar niet meer zo achter haar broek zitten,' zegt hij rustig.

Arman Rigaux, oma's dokter, een slanke, knappe man met peper-en-zoutkleurig haar, komt de kamer in met een klembord in zijn hand. We gaan met z'n allen om hem heen staan.

'Ik heb goed nieuws,' begint dr. Rigaux. 'Teodora heeft geen beroerte gehad, en haar hart is nog helemaal in orde.'

'God zij gedankt!' zegt mijn moeder opgelucht.

'Maar haar knieën zijn door artrose behoorlijk aangetast. Ze komen vast te zitten en dan valt ze. Toen ze gisteravond viel, deed ze het ook maar meteen goed. Ze is behoorlijk hard met haar hoofd ergens tegenaan gekomen, en we willen zeker weten dat er geen neurologische schade is toegebracht. Dus ze blijft voorlopig nog even hier en we willen nog een paar onderzoeken doen.'

'Hoe zit het met die nieuwe knieën?' wil ik weten.

'Dat zijn we nu aan het beoordelen. Zo te zien is ze daar een geschikte kandidate voor. En de herstelperiode zou een fluitje van een cent zijn als jullie haar allemaal helpen.'

'Voor mijn moeder is me niets te veel,' zegt mam.

'Eerlijk gezegd,' zegt dr. Rigaux tegen ons, 'kun je dit soort dingen alleen voorkomen door de operatie.'

De derde dag dat mijn grootmoeder in het ziekenhuis ligt krijgt ze nog meer onderzoeken, en mijn moeder, zussen, broer en ik zijn om beurten bij haar. Ik ben een paar uur weggeweest om even bij June in de zaak langs te gaan, te douchen, en andere kleren aan te doen. Ik heb thuis oma's bed verschoond zodat mijn ouders kunnen blijven slapen, en ook het bed in de oude kamer van mijn moeder zodat ook Jaclyn wanneer ze maar wil kan komen.

Mijn grootmoeder snakt naar fatsoenlijk eten. Het ziekenhuiseten komt haar de neus uit. Ik stop bakjes met penne, warme broodjes, artisjokkensalade en een punt pompoentaart in een boodschappentas.

In het Saint Vincent ga ik door de entree naar binnen en neem ik de lift naar de tweede verdieping. Ik loop de gang op en zie een groep mensen voor oma's deur staan. In paniek ren ik ernaartoe.

Tess, Jaclyn en mijn moeder staan voor mijn grootmoeders kamer. In de afschuwelijke groene ziekenhuislampen lijken ze wel boerinnen in een film van Antonioni, met een uitdrukkingsloos gezicht, donker haar, zwarte ogen en bijpassende wallen.

'Wat is er?'

'We kunnen er binnen niet meer bij,' zegt Jaclyn.

'Hoezo niet?' Ze zegt niets, dus ik loop naar binnen met mijn moeder op mijn hielen.

Gezeten op het bed, naast oma, en met haar hand in de zijne, zit Dominic Vechiarelli. Mijn adem stokt me in de keel en iedereen draait zijn hoofd naar me om. Ik heb het gevoel dat ik een spook zie, maar hij is het echt, want de koffers van Dominic staan naast de bezoekersstoel.

Mijn vader staat bij het voeteneind. Hij gebaart mijn moeder dat ze bij hem komt staan. Papa slaat zijn arm om haar schouders. Roman staat naast hem, met een spijkerbroek en werkmuilen aan. Ze vallen me alleen maar op omdat hij ermee schuifelt en ze op het zeil piepen.

Terwijl ik alle bezoekers bekijk, valt mijn oog opeens op Gianluca. Ik doe mijn best niet te reageren. Hij ziet er hier in Amerika zelfs nog knapper uit dan ik me hem in Italië herinner, en jonger ook, gekleed in een leren jasje, een trui en een vale spijkerbroek. Mijn keel knijpt samen als ik hem zo zie, maar voorlopig wijt ik dat maar aan de droge lucht in het ziekenhuis. Pamela en Alfred staan bij het raam.

'Wat is er aan de hand?' vraag ik zacht. Ik houd de boodschappentas met eten stevig vast, want dat lijkt in deze kamer het enige houvast dat ik heb.

Mijn moeder legt haar arm om me heen. 'Dominic wilde hier meteen naartoe toen hij hoorde dat oma in het ziekenhuis lag. Ray Rinaldi had instructies om hem te bellen als oma ziek was of iets... nodig had.' Mama kijkt me verward aan. Ze wist niets af van Dominic en nu heeft ze te horen gekregen dat met deze Dominic Vechiarelli als eerste contact moet worden opgenomen als er met haar moeder iets aan de hand is.

'En, eh, jij bent meegekomen…' hakkel ik terwijl ik Gianluca aankijk.

'Ik ben met mijn vader meegegaan. Het leek me niet verstandig om hem in zijn eentje te laten gaan,' zegt Gianluca die naar Roman blijft kijken.

Roman knijpt zijn ogen tot spleetjes terwijl hij terugkijkt. Hij heeft zo'n vermoeden dat dit de man is die ik heb gezoend. Maar hij rijst boven zijn vermoeden uit als hij zegt: 'En ik kwam oma panna cotta brengen omdat ze die van mij zo lekker vindt.' Hij steekt zijn handen in zijn zakken en kijkt me aan.

'Nu Valentina er ook is, kan ik Teodora iets vragen wat ik al de hele zomer van plan was. Komen jullie er ook bij?' verklaart Dominic.

'We passen er niet meer bij,' piept Tess vanuit de deuropening.

'Kom op, allemaal een tikje dichter bij elkaar,' zegt mijn moeder. 'We zijn één grote Italiaanse familie, we zijn zeer hecht,' zegt ze, alsof ze zich wil verontschuldigen voor de piepkleine kamers in het ziekenhuis. De groep zet een stapje naar elkaar toe zodat mijn zussen en aanhang ook de kamer in kunnen.

Dominic pakt oma's handen en kijkt haar in de ogen. 'Wil je met me trouwen?'

Je kunt een speld horen vallen, alleen de hartmonitor van oma maakt nog geluid.

Dan flapt mijn moeder eruit: 'Lieve hemel, ma, ik wist niet eens dat je verkering had.'

'Al tien jaar. Nadat je vader is overleden,' zegt mijn grootmoeder zacht.

'Ik had dus al tien jaar blij voor je kunnen zijn en je hebt me niets verteld?' jammert mijn moeder. 'Dat is toch niet te geloven, ma!'

'Mike, lieve help, wees dan nu blij voor haar,' zegt mijn vader. 'Moet je haar zien. Haar hoofd was gespleten als een kokosnoot maar ze zit daar te stralen als een gek. Dat is toch wel heel erg fijn.'

'Laat haar nu antwoord geven,' kom ik tussenbeide. Ik houd mijn adem in. Als mijn oma ja zegt, is mijn leventje over. Dan raak ik haar nog sneller dan ik 'Gianluca' kan zeggen kwijt aan Dominic, de heuvels van Arezzo en aan Capri. Maar ik hou zo ontzettend veel van haar, dat haar geluk meer voor me betekent dan dat van mij. Ik hoop maar dat ze ja zegt.

'Ja, Dominic, ik wil met je trouwen,' zegt mijn grootmoeder tegen hem. Dominic kust haar heel teder.

Mijn hele familie, inclusief mijn moeder, staat erbij alsof ze een pot pretzels op het fornuis zien ontploffen. Ik moet de schok voor hen verzachten. Per slot van rekening wist ik ervan.

'Gefeliciteerd!' Ik loop naar mijn oma toe en sla vanwege het infuus in haar arm voorzichtig mijn armen om haar heen. 'Wat ben ik blij voor je.' De tranen schieten me in de ogen, maar ik ben oprecht blij voor mijn dappere oma, die me, zelfs op dit moment, laat zien dat je risico's moet durven nemen, dat je moet leven.

Mijn zussen en broer komen bij me staan.

Jaclyn moet huilen. 'Ik wist ook niet dat je een vriend had! Waarom neemt iedereen me toch steeds in bescherming? Ik kan het echt wel aan.'

Mijn moeder beweegt haar lippen geluidloos naar Gianluca: 'net bevallen', en ze sluit Jaclyn in haar armen. Tess omhelst Alfred en mijn vader geeft Dominic een hand. Dominic staat op en omarmt mijn vader.

'Pa?' zegt mijn vader tegen Dominic, en dan kijkt hij ons aan en haalt hij zijn schouders op. 'Mensen, dit is… pa.' Mijn zussen en ik lachen. En voor we het weten moet iedereen lachen. De hele familie.

Je kunt veilig stellen dat als er iets misgaat in mijn leven, het dan ook goed misgaat, dus je mag ervan uitgaan dat ik inmiddels wel mijn lesje heb geleerd. Er is maar één plek waar ik naartoe kan gaan om na te denken over wat oma's nieuwe leven voor ons allemaal zal betekenen, en daar zit ik, hoog en droog, boven op ons dak.

Ik heb het ziekenhuis verlaten zodat mijn grootmoeder haar verloving met de rest van de familie kon vieren. Ik liep met Roman naar buiten, die weer terug moest naar zijn restaurant, maar ik was blij dat hij erbij was toen Dominic mijn oma ten huwelijk vroeg. Hij gaf me een zoen op straat, helemaal geïnspireerd door de liefde die hij in kamer 317 had meegemaakt.

Op de West Side Highway staat het verkeer vast, een hele horde auto's op de kruising die met hun lichten knipperen, toeteren, en een paar mensen die nauwelijks hoorbaar kwaad schreeuwen. Voor mij zou er zelfs nog meer herrie mogen zijn, dan hoefde ik tenminste niet na te denken.

De verloving van mijn grootmoeder, daar in dat ziekenhuisbed, luidt een nieuw tijdperk in. Buiten het feit dat ik nu de enige ongetrouwde persoon ben in mijn familie, ben ik klaarblijkelijk ook de enige met verstand, de enige die beseft wat dit zal inhouden. Ik zal het je vertellen. Oma gaat trouwen en mij verlaten. Mijn zussen zullen hun kinderen opvoeden. Mijn moeder zal ervoor zorgen dat mijn vader vleesvervangers eet met volkorenpasta omdat ze op die manier de zekerheid heeft dat hij in leven blijft en dat de prostaatkanker niet terugkomt. Mijn broer zal, zodra er met champagne op mijn oma's bruiloft is geproost, onmiddellijk een Te koop-bordje voor Perry Street 166 neerzetten, zodat de Angelini Shoe Company en ik dakloos zijn. De rest van mijn familie komt er goed vanaf, maar ik niet.

De zon zakt in de nevel over New Jersey zodat er een paarse streep aan de horizon verschijnt. Door de wind slaat de deur naar het dak dicht. Ik draai me niet eens om om te kijken of het de wind wel was, ik houd mijn ogen liever op de kronkelige Hudson gericht, die door de paarse gloed op carnavalsglas lijkt.

'Valentine?' zegt iemand achter me.

'Hopelijk ben je Salvatore Ferragamo en bied je me een baantje aan, of Carl Icahn met een cheque om mijn bedrijf zeker te stellen, want anders kun je wat mij betreft weggaan.'

Algauw staat er een lange, zuiver Italiaanse man naast me. Zelfs als ik mijn ogen dicht zou doen, zou ik door de geur van ceder en citroen meteen weten dat het Gianluca Vechiarelli is. Als ik mijn moeder of een van mijn zussen was geweest, had ik mezelf in zijn armen geworpen. Zodra we wanhopig zijn, hebben we een mannenschouder nodig. Maar ik niet. Ik sla mijn armen over elkaar en doe een stap naar achteren, zodat er ruimte genoeg voor hem is om Manhattan vanaf ons dak te bekijken. 'Je kunt de paarse slaapkamer nemen. Je vader mag in die van oma. De badkamer is achter in de gang, maar dat je weet vast al, want je bent erlangs gelopen toen je naar boven liep.'

'Bedankt, maar we logeren in een hotel. Het Maritime,' zegt hij.

'Dat hoeft helemaal niet. Jullie zijn familie.'

'Ben je niet blij dat ze verloofd zijn?' vraagt hij stil.

'Voor haar wel. Voor mijn oma, zeker. En voor Dominic. Natuurlijk ben ik daar blij om.'

'*Va bene.*'

'En jij? Ben jij ook "va bene" voor hen?'

Gianluca haalt zijn schouders op en perst zijn lippen samen. Dit zijn lippen die niets willen zeggen. Ik kan me die uitdrukking nog herinneren van toen we in de Prato-zijdefabriek waren en ik een buitengewoon prachtig maar duidelijk onbruikbaar stuk satijn voor hem ophield. 'Ja, nou, je kunt er maar beter aan wennen, Gianluca, want ze zullen bij jou intrekken.'

'Weet ik.' Hij glimlacht.

'De liefde krijgt altijd wel een willig slachtoffer te pakken, waar dan ook. Net als alle andere dingen in het leven, eerlijk gezegd, net als ziekten. Niemand is veilig.'

'Waarom ben je zo…'

'Sarcastisch? Ik zal wel moeten.'

'Waarom wil je niets van de liefde weten, terwijl je het zo kunt krijgen?'

'We hadden het over mijn grootmoeder, hoor.'

'Praat met me. Je bent bang voor mij. Ik ben niet wat je je had voorgesteld.'

'Hoe weet jij dat nou?'

'Dat is niet zo moeilijk. Je maakt geen tijd vrij voor de kok ook al hou je van hem. Of misschien geloofde je alleen dat je van hem hield, zodat je je verplicht voelde. De vrouw die je bent, de vrouw vol passie, komt alleen maar tevoorschijn in je werk. Dan ben je gelukkig. Met mannen? Nee. Met leer? Absoluut.'

'Dat is niet zo. Ik zou een man die me accepteert als vrouw en als schoenmaker meteen in de armen sluiten. Maar de mannen, althans die ik ken, zeggen allemaal wel dat een vrouw best een carrière mag hebben, maar ze bedoelen daarmee dat het niet ten koste van tijd voor hen mag gaan. Ik mag mijn eigen leven leiden, zolang het maar in hun leven past, net zoals de perfecte pochet in de mooist gemaakte borstzak past. Het zal opoffering – om maar eens een goed katholiek woord ervoor te gebruiken – vergen. Mannen willen dat je je volledig overgeeft. Dat hebben ze nodig.'

Gianluca lacht. 'Weet jíj wat een man echt nodig heeft?'

'Lach me niet uit.'

'Als je weet wat een man nodig heeft, waarom geef je het dan niet aan hem zodat je zelf ook gelukkig wordt?'

Ik vestig mijn blik op de rivier. En op dat moment komt mijn persoonlijke ommekeer op me af zetten als de deklampjes van de nachtboot van de Staten Island Ferry. In de verte zijn de lichtjes zwak en knipperen ze in de donkere golven, maar als ze dichter bij de wal komen aan de Manhattankant, worden de lampjes zoeklichten die het schip felverlicht de haven in loodsen. Het soort licht dat de waarheid in al zijn glorie onthult. Ik zie mezelf duidelijk en helder. 'Mijn lieve Gianluca…' begin ik.

Hij is verbaasd dat ik hem zo liefdevol toespreek.

'Roman Falconi heeft een vrouw nodig bij de kassa van Ca' d'Oro, net als zijn moeder bij zijn vader in hun restaurant. Jij hebt een vriendin nodig. Iemand die de boel de boel laat en met jou bij een meer gaat zitten, een met kraanvogels…'

'Lago Argento.'

'Precies. Een vrouw die daar met jou in deze fase van jouw leven kan zitten. Je wilt stilte en de natuur. Je wilt het rustig aan doen.'

'Je bent me aan het analyseren.'

'Maar het is wel waar, Gianluca. Moet je horen, ik vind je waanzinnig aantrekkelijk. Daardoor werd ik helemaal overrompeld. Toen ik je leerde kennen had ik al een vriend, en eerlijk gezegd ben je niet mijn type. Maar je bent wel knap, en je hebt mooie handen, en wat ik heel erg sexy vind: je bent een goede vader. Maar ik ben niet voor jou bestemd. Ik ben momenteel voor geen enkele man bestemd. Op dit moment ga ik voor mezelf. Voor mijn werk. Voor de kunst. Voor de voldoening die je krijgt als je iets met je eigen handen hebt gemaakt.'

'Maar het ene sluit het andere niet uit. Je kunt zowel lief hebben als werken.'

'Nee, dat lukt niet! Dat heb ik al geprobeerd. Ik ben het afgelopen jaar bezig geweest om er voor Roman te zijn. En ik ga niet nog een jaar spenderen om er voor jou te zijn. Uiteindelijk zijn we allemaal ontevreden en verdrietig en onvoldaan…'

'Geloof je dat echt?' Hij schudt zijn hoofd.

'Dat weet ik wel zeker.'

Gianluca kijkt naar de Hudson zoals ik al zo vaak heb gedaan. Hij ziet donkergrijs water, maar ik zie een rivier die in een grote oceaan, een universum aan mogelijkheden, uitkomt. Hij vindt mijn rivier maar niets, dat zie ik.

Na een tijdje zegt hij: 'Het is erg… lawaaierig in jouw stad.' Hij loopt naar de deur die achter hem dichtvalt terwijl hij de trap af loopt. Ik kijk weer naar de rivier die me nog nooit in de steek heeft gelaten. Hij is mijn rots in de branding, mijn muze. Ik buig me over de reling en kijk naar de West Side Highway, die in de ondergaande zon lijkt op een paarse Indiase sari bezet met piepkleine spiegeltjes. Van deze rivier hou ik en deze stad is mijn thuis. Zeker, het is erg lawaaierig, maar hij is wel van mij, en zo is het precies goed.

Voor Thanksgiving staan op oma's tafel een stel papieren ganzen die haar achterkleinkinderen hebben gemaakt. Ik steek feloranje kaarsen aan die in de kaarsenstandaard onder de kroonluchter staan. Gabriel brengt samen met mijn zussen de borden uit de keuken naar de tafel. Ik geef Gabriel even snel een knuffel. 'Fijn dat je er bent.'

'Ja, hè? Ik vind het leuk om mijn eigen cranberry's te stampen, en jouw etentje was de perfecte gelegenheid.'

'Komt Roman ook?' vraagt mijn moeder aan me.

'Hij heeft een vruchtentaart gestuurd, hij moest werken,' lieg ik. Ik heb geen zin om de hele avond over het feit dat het uit is met Roman te praten, dus ben ik er net zo vaag over als mijn moeder haar hele leven al over haar leeftijd is. Roman en ik hebben ons best gedaan tijd voor elkaar vrij te maken nadat mijn grootmoeder uit het ziekenhuis ontslagen was, maar tussen de opdrachten in de zaak en de zorg voor haar, lukte het me niet ook nog voor hem te zorgen. We vonden het beter om een tijdje uit elkaar te gaan.

'Roman werkt harder dan wie ook,' zegt mijn moeder zuchtend.

Tess geeft me een kan met ijswater aan voor de glazen op tafel. Ze loopt met me mee met kommetjes jus.

'Ga je mama niets vertellen over Roman?' vraagt ze zachtjes.

'Nee.'

'Ze was erg nieuwsgierig naar Gianluca, weet je.'

'Er is niets aan de hand.' Ik kijk bewust Tess niet aan, want die kent het hele verhaal: het maanverlichte Capri, de kussen, de grot. Wat haar betreft was er wel wat aan de hand.

'Natuurlijk wel! Je werd verliefd op Roman en toen trof de bliksem in Italië opnieuw doel met Gianluca. Twee fantastische mannen in één jaar! Net een sprookje. Jij bent Assepoester met twee prinsen. Twee!' Tess legt de linnen servetten recht naast de borden.

'O ja, maar toen ik het glazen muiltje aan wilde trekken was het een maat 37. En ik heb maatje 41.'

'Dan prop je ze er maar in,' zegt Tess.

'Dat ging niet! Maar deze Assepoester kan natuurlijk wel haar eigen muiltjes maken.'

We gaan allemaal aan tafel. Mijn vader zit aan het ene hoofd van de tafel en oma aan het andere. Hij heft het glas.

'Ik wil eerst dankzeggen voor de goede gezondheid van ons allemaal, met name van mijn schoonmoeder, die weer helemaal hersteld is. En dan, nu we toch bezig zijn, willen we God bedanken voor de kleine Teodora.'

Jaclyn wiegt haar pasgeboren kindje in haar armen.

Hij gaat door: 'En zoals altijd, Heer, bedanken we U voor de verrassingen in het leven. Zoals de verloving van mijn schoonmoeder, om maar wat te noemen. Dat was me nogal wat. Gabriel, wat fijn dat je er bent…'

Zoals bij bijna al mijn vaders gebeden heeft ook deze geen fatsoenlijk einde, dus kijken we elkaar eens aan en slaan snel een kruisje zodat we aan het eten kunnen beginnen.

'Ik wil graag dat iedereen hiernaar kijkt.' Tess houdt een exemplaar op van *In Style*. 'Ik ben zo trots op je.' Tess slaat hem open op een foto van Anna Christina, de hoofdrolspeelster in *Lucia, Lucia*, die een paar Angel Shoes draagt van koraalrood kalfsleer versierd met gouden engelvleugeltjes, en geeft het tijdschrift door. Ik had Debra McGuire in

Californië een paar toegestuurd en zij wilde er nog vijf bij, waarvan één paar aan de voeten van een filmster belandde.

Mijn moeder bekijkt de foto met trots. 'Prachtig. Ze zijn echt typisch Valentina.'

'De bestellingen zullen toestromen, dat weet ik zeker,' zegt Tess bemoedigend.

Als Alfred het tijdschrift in handen krijgt, werpt hij er even een blik op en geeft hij hem meteen door aan Pamela, die voor het eerst sinds ze mijn broer kent, onder de indruk lijkt.

'Weet je al wanneer je gaat trouwen, oma?' vraagt Jaclyn.

'Op Valentijnsdag in 2009 in Arezzo,' zegt mijn grootmoeder met een glimlach naar mij. 'Ik ben dol op die feestdag en zo heet mijn kleindochter ook, dus vandaar.'

Tijdens het eten bespreken mijn familieleden hun reisplannen voor de trouwdag, op welk vliegveld ze landen, welk autoverhuurbedrijf ze nemen, hoeveel hotelkamers ze in het Spolti-hotel moeten boeken, zitten mijn zussen te bedenken wat ze zullen aantrekken, hoe lang hun echtgenoot vrij kan krijgen op het werk, en vraagt mijn moeder zich verbijsterd af waar ze in de heuvels van Toscane een goede cateraar en bloemist kan krijgen.

Alfred geeft het tijdschrift aan mij. 'Dat was op de valreep,' zegt hij rustig.

'Zolang ik de hypotheek kan betalen, kun je de tent niet sluiten,' zeg ik vriendelijk en resoluut. Ik word niet meer boos zoals vroeger. Het ontbreekt me domweg aan de energie om nog langer met mijn broer te bekvechten, ik steek die liever in het runnen van de zaak. Alfred zegt uiteraard niets. Hij weet dat ik niet meer dezelfde ben als een jaar geleden, dat ik nu meer een gorilla van vierhonderd kilo ben met een zakenplan. De strijd is nog niet gestreden, maar hij weet nu wie hij tegenover zich heeft.

Mijn zussen doen samen met mij de afwas en ruimen de keuken op terwijl de mannen naar voetbal kijken. Dit is de laatste gezamenlijke Thanksgiving aan Perry Street. Volgend jaar zal oma bij haar kersverse echtgenoot wonen.

Ik pak de kliekjes in die iedereen mee naar huis neemt. Gabriel krijgt het overgebleven stuk vruchtentaart van Roman, omdat hij weet dat hij die voortaan alleen nog in Ca' d'Oro kan bestellen. Ik stuur mijn grootmoeder naar bed zodat ze met Dominic aan de telefoon kan kletsen. Ik vind het heerlijk om na zo'n lange dag helemaal alleen te zijn. Dan hoor ik de deur beneden opengaan. Mama heeft vast iets vergeten. Iemand roept me zachtjes van onder aan de trap: 'Valentina?'

Roman komt de zitkamer in lopen. Ik sta bij de ontbijtbar en kijk hem aan.

'Was de vruchtentaart lekker?' vraagt hij.

'Verrukkelijk. Ik heb de vorm nog.' Ik houd hem omhoog.

'Die kwam ik halen. De vorm.' Hij lacht.

Ik kijk naar hem, neem elk detail in me op: van zijn lange haar tot zijn Wigwam-sokken. Ik ben momenteel zelfs bereid om zijn gele plastic muilen mooi te vinden, maar hij heeft dit keer echte schoenen aan, een paar mooie suède instappers van Tod. Het zal tijd worden! Achteraf gezien snap ik niet goed waarom we uit elkaar zijn gegaan. Eigenaardig toch, als ik iets niet heb, wil ik het hebben, en zodra ik het heb, hoef ik het niet meer. 'Ga je altijd langs bij je vriendin als je het uit hebt gemaakt?'

'Alleen bij jou.'

Hij komt op me af, neemt me in zijn armen en geeft me een zoen op mijn wang en in mijn nek. 'Ik ben nog niet over je heen,' zegt hij.

'Roman, met de passie heeft het altijd wel goed gezeten.'

'Dat is zo.' Hij heeft dus ook over ons na zitten denken. En hij is duidelijk tot dezelfde conclusie gekomen als ik. 'Er is heel veel passie, Valentina.'

'Misschien blijven we wel bevriend en als we oud zijn kunnen we net als oma en Dominic weer samen komen en een Silverstream huren en door het land gaan reizen.'

'Wat een afschuwelijk vooruitzicht,' zegt Roman. Hij zegt het zo grappig dat ik moet lachen. 'Ik moet opeens weer denken aan de eerste keer dat ik je op het dak zag. Ik had natuurlijk niet mogen kijken, maar ik kon er niets aan doen. En dat wilde ik ook niet. Ik denk wel eens terug aan die avond dat ik je nog niet kende, en dat ik me zat voor te stellen hoe het zou zijn als ik ooit het geluk zou hebben je te ontmoeten. En toen leerde ik je kennen en je was zelfs nog veel leuker dan de vrouw die ik dacht dat je was. Toen werd ik verliefd op je. Je overtrof mijn verwachtingen, en nu nog verbaas je me zoals niemand ooit heeft gedaan. Vreemd. Ik weet dat het uit is, maar wat mij betreft eigenlijk nog niet.'

Ik druk Roman stevig tegen me aan. 'Ik ga nergens naartoe, maar ik kan momenteel geen verkering met je hebben, want je verdient het niet om op de tweede plaats te komen, je hoort op de eerste plaats te staan. Ik wil niet dat je op me wacht, maar als we in wat rustiger vaarwater zitten, en je weer aan me moet denken,' zeg ik, en ik neem zijn gezicht in mijn handen, 'gebruik je sleutel dan en kom binnen.'

'Afgesproken,' zegt hij.

Roman en ik weten allebei dat hij die sleutel waarschijnlijk nooit zal gebruiken, dat hij onder in een la zal belanden en dat hij ooit, als hij ergens naar zoekt, de sleutel weer zal zien en zich zal herinneren hoeveel we voor elkaar betekend hebben. Maar voorlopig stopt hij hem in zijn zak, en als hij even wil geloven dat er nog een kansje in zit, kan hij hem tevoorschijn halen, ernaar kijken, en overwegen om naar West Village te gaan.

De vorm van de vruchtentaart schiet me weer te binnen, en ik stop hem onder zijn arm. Ik kijk hem na. Hij loopt de trap af en ik besef opeens dat ik nooit laarzen voor hem heb gemaakt zoals ik had beloofd. Ik had zo veel dingen willen doen, en van de meeste is niets gekomen.

De zon straalt als een tijgeroog achter de wolkenkrabbers op deze vroege decemberochtend. Het lijkt net of de lucht een grijze wollen jas is die om een lamp is geslagen. Mijn grootmoeder en ik staan op de hoek van Fifth Avenue en Fifty-eighth Street met een beker koffie in de hand, die van haar zwart, en die van mij met melk maar zonder suiker. De diamant in haar verlovingsring weerkaatst op de blauwe zuilen van de kartonnen beker van de Griekse koffietent. Prachtige kleurencombinatie.

Als twee architecten in het oude Rome knijpen we onze ogen samen om ons meesterwerk vanaf een afstand te bekijken. Ik verschuif mijn gewicht van het ene naar het andere been terwijl ik alles goed in me opneem. Oma zet een paar stappen naar achteren en houdt haar hoofd schuin zodat de invalshoek enigszins verandert. We hebben geen dom, geen kathedraal en zelfs geen tuinbeeld gemaakt, maar wel trouwschoenen, en die staan hier in de kerstetalage van Bergdorf. Onze hele lijn staat er. Het is adembenemend om het resultaat van honderd jaar schoenen maken in deze etalage uitgestald te zien.

Er ratelen vrachtwagens voorbij, maar het interesseert ons geen biet. Boren doorbreken de stilte als herinnering dat het in New York niet uitmaakt hoe laat het is, op dit eiland is er altijd wel iemand ergens mee bezig. We staan daar naar ons gevoel een erg lange tijd. 'En, wat vind je ervan?' vraag ik uiteindelijk.

'Weet je, je grootvader en ik hadden altijd ruzie over wat de beste film was, *Dr. Zhivago* of *The Way We Were. The Way We Were* was mijn favoriet, omdat het over mijn leeftijdsgroep ging, maar nu…' – ze neemt een slok koffie en gaat dan door – 'ik deze etalages zie en de levendige Russische stijl, moet ik wel voor *Dr. Zhivago* gaan.'

'Ik ook,' zeg ik en ik sla mijn arm om haar schouders.

Deze kerstetalages zijn bedoeld voor volwassenen. Een paar straten verderop moet je in de rij staan voor Saks op Fifth Avenue of voor Lord & Taylor om de betoverende kerstdorpjes voor de kinderen te bewonderen. Er zijn met sneeuw bedekte bergen, afgezet met glitters, schaatsers die rondjes draaien op spiegels, en speelgoedtreintjes die cadeautjes vervoeren.

Hier in Bergdorf is geen kitsch te bekennen, alleen maar klasse. Hier wordt een klassiek kerstverhaal verteld over de ware liefde op z'n Russisch zoals weergegeven door schitterende Amerikaanse bruiden. Rhedd Lewis' fantastische trouwpartij begint in de etalage aan West Fifty-seventh Street, gaat door naar de voorkant van de winkel aan Fifth Avenue en eindigt in de zijetalage aan West Fifty-eighth Street.

We volgen het verhaal vanaf de eerste etalage en zien daar een paar levensgrote vergulde houten paarden, emaillen koetsen en barokke arresleden bezet met juwelen trekken waar prachtig geklede bruiden in zitten. Als je goed kijkt, zie je dat de vervoermiddelen behangen zijn met sieraden: oorbellen met in cabochon geslepen stenen, gouden kettingen waar grote edelstenen aan hangen, glimmende armbanden en gigantische ringen, waardoor het geheel op een groot, schitterend mozaïek lijkt.

Er staan open Fabergé-eieren op de voorgrond met losse diamanten en parels op een laagje rijst. Antieke boeken liggen overal op de grond verspreid en losse bladzijden zweven door de lucht. In elke etalage zijn de bladzijden en woorden anders, er zit (uiteraard) *Dr. Zhivago* tussen en *Anna Karenina, De drie gezusters, De gebroeders Karamazov* en *Oorlog en Vrede*, zeer toepasselijk voor een bruiloft(!).

Het decor is met de hand geschilderd en stelt het Russische platteland voor: met sneeuw bedekte weilanden en daarachter lage, afgevlakte heuvels. Deze etalages, de prachtige tablaux, vertellen een verhaal. De bruiden worden omringd door etalagepoppen die de arbeidersklasse in Rusland moeten voorstellen en een matgroene fabrieksoverall, een juten schort en zelfgebreide kousen met werklaarzen dragen. Verder zijn er nog coupeuses, orchideekwekers, kleedsters, chauffeurs en ja, zelfs een schoenmaker. Hij schuift op zijn knieën een schoen (onze Lola!) aan de voet van een bruid die in wit fluweel gekleed is en een hermelijnen mutsje op heeft.

Dat de elegante bruiden die rijke verliefde mensen vertegenwoordigen worden omringd door arbeiders om hun dromen waar te maken, is mij maar al te duidelijk. Er zijn heel wat mensen nodig om schoonheid te creëren. De bruiden hebben prachtige japonnen aan van de bekendste ontwerpers, onder wie Rodarte, Mark Jacobs, Zac Posen, Marchesa, John Galliano en Karl Lagerfeld. Hun naam staat in de hoek van elke etalage in gouden letters vermeld.

De eerste bruid, in een zijden japon en een wolk van tule, heeft de Ines aan, hij piept net onder de zoom van haar japon uit, die door de schoenmaker wordt opgetild; in de volgende etalage heeft de bruid een broek aan van witte zijde met een soepel vallende blouse en daarbij de Gilda, een muiltje met een geborduurd bovenstuk dat uitstekend bij de broek past.

Naast haar staat een bruidje met haar rug naar de straat toe. Deze bruid is gekleed in een theatrale rechte japon met franjes en draagt daarbij de Mimi, een enkellaarsje. Rhedd heeft onze witte satijnen veter verwisseld voor een van blauw geverfde hennep waardoor het contrast in materialen prachtig uitkomt.

In de volgende etalage heeft de bruid een mini-jurk aan bezet met kraaltjes en veren en ze staat op haar tenen in de Flora, waarbij gouden kettinkjes in plaats van linten over de kuit gestrikt zijn. In de hoek-etalage draagt het bruidje een middeleeuwse creatie met een bootnek en prachtig versierd lijfje met lange uitlopende mouwen. De etalage-pop heeft haar schoenen, wit linnen Osmina met eenvoudige riempjes, in haar handen en kijkt naar haar blote voeten in de sneeuw.

Maar de laatste etalage is het belangrijkst voor mij. De Bella Rosa wordt gedragen door een bruid in een wit wollen reisoutfit van Giorgio Armani. Haar ticket houdt ze in haar ene hand en in de andere een tiara terwijl ze verteerd door liefdesverdriet door het romantische Sint-Petersburg dwaalt. De schoen past uitstekend bij het getailleerde pakje, alsof het voor elkaar is gemaakt.

Kon Costanzo Ruocco de Bella Rosa maar zien, maar ik doe mijn best om alles zo goed mogelijk te onthouden, en als ik weer op Capri ben, zal ik hem er alles over vertellen. In de hoek van die etalage staat een bordje.

ALLE SCHOENEN ZIJN VERVAARDIGD DOOR
DE ANGELINI SHOE COMPANY
SINDS 1903 GEVESTIGD IN GREENWICH VILLAGE

'Lieve hemel! Lieve hemel!' Mijn grootmoeder en ik draaien ons om en zien mijn moeder uit het raam van een taxi hangen. Ze stapt al uit de auto voordat hij stilstaat en komt bij ons op de stoep staan.

Ik vroeg me al af wat mijn moeder aan zou doen om de etalage te gaan bekijken. Ze heeft me niet teleurgesteld. Mama is gekleed in een grijs wollen broekpak en heeft een grijs nepbontje voorzien van luipaardprint over haar schouders gedrapeerd. Haar pumps zijn mat zilverkleurig en er zit een grote vierkante leren gesp op de neus. Ik weet niet hoe het haar is gelukt, maar mijn moeder heeft zich helemaal op het weer afgestemd. Ze heeft ook een grote, zwarte, ovale zonnebril op als eerbetoon aan *Breakfast at Bergdorf's*, neem ik aan. Ze heeft een papieren zak met bagels van Eisenberg bij zich, en zet de zonnebril af. Dan geeft ze de zak aan mij en rent alle etalages langs.

Mijn moeder steekt haar armen als overwinningsteken hoog in de lucht als ze de etalages bekijkt. Ze zoekt naar onze schoenen en als ze ze in de tableaux ontdekt, slaakt ze een gilletje van blijdschap. Ik heb haar nog nooit zo trots gezien, zelfs niet toen Alfred zijn verbijsterend succesvolle studie afsloot en hij summa cum laude aan Cornell afstudeerde. Dit is weer een prachtig moment voor haar. Ze wendt zich tot oma en sluit haar in haar armen. 'Wat zal pa trots zijn geweest!' Mijn moeder pinkt een traantje weg.

'Zeker.' Mijn grootmoeder doet het bontje op mijn moeders schouders goed, dat bij het rennen los is geraakt.

'En jij!' Nu is het mijn beurt. 'Jij hebt dit voor elkaar gekregen! Jij hebt de mantel van de Angelini's overgenomen en het op je genomen... of is het overgenomen? Maakt niet uit, je hebt de traditie voortgezet' – ze balt haar vuist – 'en je hebt het volgehouden en geoefend tot je een vakvrouw was, en moet je nou eens kijken! Door al je harde werk heb je ons familiebedrijfje maar mooi op de kaart gezet. En nog wel bij Bergdorf Goodman, verdorie!' Mijn moeder moet heel even laten zien dat ze uit Queens komt. Dan gaat ze door: 'Angel Shoes, naast Prada en Verdura en Pucci! Leve Valentina! Ik heb bewondering voor je. En ik ben ontzettend trots!'

Als mijn moeder me ophemelt krijg ik er soms kromme tenen van, maar dit keer niet. Ze is oprecht aangedaan en loopt over van liefde. Iedere moeder zou dit mee moeten maken, dat alle moeite die ze in de opvoeding heeft gestoken niet vergeefs is geweest, dat iedereen kan zien wat haar kinderen hebben bereikt.

Het gaat nu niet over merkbekendheid of winst, of marketing. Het gaat over onze familie en over ons vakmanschap. Het gaat over wat we doen. Deze etalages tonen onze inzet voor schoonheid en kwaliteit, en dat elke steek, elke naad, elk randje en elke sluiting met de hand gemaakt is en zo mooi is door jaren ervaring, bekwaamheid en zeer veel aandacht voor detail. We worden erkend en gewaardeerd in een wereld waar het begrip van 'met de hand gemaakt' rap aan het verdwijnen is. Moet je je voorstellen.

De zon, net zo wit en helder als de volle maan, rukt op en piept tussen de grijze wolken boven de uit glas opgetrokken gebouwen aan de oostkant van Fifth Avenue door. Zijn stralen beschijnen de Bergdorf-etalages, wat een spiegelend effect heeft. De beelden achter het glas zijn meteen verdwenen. De bruiden in de sneeuw, de sieraden en de eieren en ook onze schoenen gemaakt van leer en suède en satijn en zijde zijn niet meer te zien. Het enige wat we zien is onze weerspiegeling: een moeder, dochter en kleindochter, een ongebroken keten van het beste Italiaanse goud. Kon ik dit moment maar eeuwig vasthouden. Wij drieën, hier op Fifth Avenue. Maar dat kan niet. Dus pak ik mijn grootmoeder bij de hand, sla ik mijn arm om mijn moeder heen en wacht ik tot het bleke winterzonnetje achter de wolken verdwijnt en wij weer van ons succes kunnen genieten.

Lieve lezer,

Dit boek is te danken aan een dame op een dak. Elke ochtend ga ik naar het Hudson River Park voor de frisse lucht en om een eindje te joggen (ik kwam er onlangs achter dat de uitlaatgassen van het verkeer op de West Side Highway me nog sneller om zeep kunnen helpen dan het feit dat ik niet sport, kun je nagaan), en ik raakte geobsedeerd door een vrouw die woont in een van de paar overgebleven huisjes met uitzicht op de rivier tussen alle 'vooruitgang' van luxe hoogbouw en hotels. Ik vroeg me af waarom ze daar nog woonde. Elke zomerse ochtend stond ze in haar ochtendjas de tomatenplanten water te geven die op haar dakterras tegen een hek aan groeiden. Ik heb nooit naar haar gezwaaid of bij haar aangebeld, maar ik had wel een band met haar. Ze deed me denken aan mijn grootmoeders, die hun eigen tuin hadden, en die als weduwe op zichzelf leefden. Ik keek uit naar de vrouw en elke keer dat ik haar zag, was ik opgelucht: het was een soort bewijs dat het leven niet razendsnel voorbijschoot, maar dat het verleden op de een of andere manier, gestalte gegeven door deze dame, nog leefde.

Deze dame, wier naam ik niet ken en die ik nooit heb ontmoet, leidde me naar het verhaal van Carlo Bonicelli, mijn grootvader de schoenmaker. Er staat een foto van hem op mijn bureau zodat ik me steeds weer de handwerklui die mijn voorouders waren voor ogen kan halen. (Mijn bureau staat bomvol, als je *Lucia, Lucia* hebt gelezen, weet je alles over de coupeuses in mijn familie!)

Mijn grootvader Carlo overleed toen hij negenendertig was. Mijn grootmoeder vertelde me dat, terwijl hij schoenen lapte en maakte, hij ervan droomde om ze zelf te ontwerpen. Hij heeft niet lang genoeg geleefd om zijn droom uit te laten komen. Nu mijn oma ook is overleden, vraag ik mijn moeder over hem en zijn werk. Dat valt niet mee, want elke keer dat mijn moeder het over haar vader heeft, moet ze huilen. En zoals jullie plichtsgetrouwe kinderen wel weten, is het net alsof iemand je met een mes in je borst steekt als je moeder huilt. Maar dit keer vertelde ik haar dat ze niet moest huilen, en zo kon ze me het verhaal vertellen van de Bonicelli-schoenen. Vervolgens ben ik met mijn goede vriendin Gina Casella (en onze vijfjarige dochters) naar Italië gegaan om schoenen te leren maken. Ik heb een paar fantastische vaklui leren kennen, die de inspiratiebron waren voor de schoenmakers in dit boek.

De reis heeft niet alleen mijn hele creatieve leven overhoopgegooid, maar ook de inhoud en de bron van dit verhaal. Ik stam af van mensen die het dankzij hun handarbeid in een prachtig nieuw land (Amerika) hebben overleefd. Dat wist ik natuurlijk al, maar nu snap ik het ook. De enige reden waarom ik schrijfster kan zijn, is omdat ze mij van verhalen voorzien en jij die leest. Daarom, lieve lezer (net Jane Austen, hè? Prachtig, toch?), is *Valentina's schoenen* helemaal voor jou. Het gaat over ons allemaal: over familie, onze dromen, het geluk in de liefde, of juist het gebrek eraan, en hoe we vooruitkomen in een wereld die steeds sneller ronddraait. Dit is het eerste boek van een trilogie over Valentina Roncalli en haar voorouders de schoenmakers. Ik wilde je laten kennismaken met vakmanschap, de magische omgeving van Greenwich Village, en dat alles via een levendige familiesaga dat in de huidige tijd speelt. Hopelijk geniet je ervan en laat je me dat via adrianatrigiani.com weten.

Adriana

Dankwoord

Mijn moeder, Ida Bonicelli Trigiani, en haar zus, Irma Bonicelli Godfrey, hebben levendige en prachtige herinneringen aan hun vader, Carlo, aan wie deze roman is opgedragen. Ik heb het terrein van hun jeugd vrijelijk gebruikt voor dit boek, wat mij dicht tot de man bracht, mijn grootvader, die ik nooit heb gekend. Ik ben ze intens dankbaar!

Jane Friedman is een idealist en een buitengewone leider, die mij naar Harper had gebracht, en mij vervolgens toevertrouwde aan de geweldige Jonathan Burnham, Brian Murray, en Michael Morrison, en aan een familie waar ik dol op ben: mijn geliefde en briljante redacteur Lee Boudreaux, haar begaafde/fantastische rechterhand Abigail Holstein, en het getalenteerde team bestaande uit: Kathy Schneider, Christine Boyd, Kevin Callahan, Tina Andreadis, Leslie Cohen, Mary Bolton, Archie Ferguson, Christine van Bree, Sarah Maya Gubkin, Lydia Weaver, Emily Taff, Nina Olmsted, Jeff Rogart, Stephanie Linder, Kathryn Pereira, Jeanette Zwart, Andrea Rosen, Virginia Stanley, Josh Marwell, Brian Grogan, Carl Lennertz, James Tyler, Cindy Achar, Roni Axelrod, Kyle Hansen, Carrie Kania, en David Roth-Ey.

Het was een geweldig avontuur om de ambachtskunst van de schoenmakerij in Italië te onderzoeken. Gina Casella coördineerde het plezier, het leren en het vertalen (!), samen met de begaafde mensen Patrizia Curiale, Confartigianato MODA; Andrea Benassi, Secretary General, UEAPME, (European Association of Craft, Small and Medium-sized Enterprises); Emanuela Picozzi, Public Affairs, Amerikaanse ambassade, Rome; en Elio Chiarotti, onze Romeinse gids. Tijdens onze reis en studie was Gina's dochter Isabella Pdasak de perfecte handlanger voor onze Lucia.

Mijn oprechte dank gaat uit naar de meester-vakman, schoenmaker Constanzo Ruocco en zijn zoon Antonio van da Costanzo op het eiland Capri. Costanzo was vrijgevig met zijn tijd, techniek en familieverhalen, die ik in de pagina's hierin koester. In Rome hebben Carmelo en Pina Palmisano hun kennis en inzicht met betrekking tot het familiebedrijf gedeeld, die van onschatbare waarde bleken.

Suzanne Gluck, mijn dierbare vriendin en agent, is een bron van energie, kennis en wijsheid (en niet te vergeten haar goede smaak!). Mijn dank gaat ook uit naar het team van William Morris: Sarah Ceglarski, Liz Tingue; Cara Stein, Alicia Gordon, Philip Grenz, Erin Malone, Tracy Fisher, Eugenie Furniss, Cathryn Summerhayes, Theresa Peters, David Lonner, en Raffaella de Angelis.

Bij Endeavor gaat mijn dank uit naar mijn van oudsher goede vriendin en agent Nancy Josephson, en naar Graham Taylor, en de aanbiddelijke Michelle Bohan.

In Movieland gaat mijn liefde en waardering uit naar: Susan Cartsonis, Roz Weisberg, Julie Durk, Lou Pitt, Raquel Carreras, Mark Lindsay, en Nancy Klopper.

Michael Patrick King, ik koester je raad, advies en steun, meer dan ik ooit in woorden kan uitdrukken.

Mijn dank gaat uit naar 's werelds beste assistent: Kelly Meehan. Ook onze stagiairs Megan Stokes en Kasey Tympanick: dank jullie wel. Voor jullie arendsogen dank ik: Suzanne Baboneau, Emily Lavelle, Lauren Lavelle, Jean Morrissey, Rachel Desario, en Brenda Browne. En Antonia Trigiani, voor haar slimme marketing en visie.

Ann Godoff, dank je wel voor het openen van de deur naar mijn literaire carrière.

Mijn dank en liefde gaan uit naar: Larry Sanitsky, Ian Chapman, Caroline Rhea, Nancy Bolmeier Fisher, Catherine Brennan, Craig Fisse, Todd Doughty, John Searles, Jill Gillet, Kim Hovey, Libby McGuire, Jane Von Mehren, Laura Ford, Nigel Stoneman, Debbie Aroff, Meryl Poster, Gayle Perkins Atkins, Joanna Patton, Bill Persky, Mario Cantone, Jerry Dixon, Debra McGuire, Gail Berman, Tom Dyja, Jake Morrissey, Carmen Elena Carrion, Cynthia Rutledge Olson, Brownie en Connie Polly, Susan Fales-Hill, Connie Marks, Wendy Luck, Mary Testa, Dolores en Emil Pascarelli, Elena Nachmanoff, Sharon Watroba Burns, Jim en Mary Hampton, Dee Emmerson, Diane Festa, Joanne Curley Kerner, Jack Hodgins, Ruth Pomerance, Donna Gigliotti, Sally Davies, Sister Karol Jackowski, Allison Roche, Karen Fink, en Max en Robyn Westler.

Dank jullie wel, Tim en Lucia, voor al het andere onder de zon, inclusief de zon zelf!

En ten slotte ben ik dankbaar voor de foto van mijn grootvader Carlo Bonicelli. De foto is rond 1930 genomen in zijn werkkamer in The Progressive Shoe Shop in West Lake Street 5 in Chisholm, Minnesota. Het gaf me troost, kracht en inspiratie tijdens het schrijven van deze roman, en zal dat altijd blijven doen.